AH 89 97 99 77 AJ

21 22 BELLE ISLE STR. 23 31 32 33 11

24 25 26 36 14

27 29 37 38 39 17

NEUFUNDLAND

52 53 62 63 41
St. John's
Argen-
tia
U 112B
BB
54 56 64 65 66 44
U541

57 C. Breton 29 67 68 69 47
U541

Canso 82 83 91 92 93 71
81

84 85 86 94 95 96 74
Sable I.

87 88 89 97 98 99 77

31 32 33 11 12 13 21 22 23

34 35 36 14 15 16 24 CC 26

THE LIBRARY
OF
WALTER T. NAU

MICHAEL L. HADLEY

Uboote
gegen Kanada

MICHAEL L. HADLEY

Uboote gegen Kanada

UNTERNEHMUNGEN DEUTSCHER UBOOTE IN KANADISCHEN GEWÄSSERN

Ins Deutsche übertragen von
Hans und Hanne Meckel

Verlag E. S. Mittler & Sohn · Herford und Bonn

Herausgegeben mit Unterstützung
des Arbeitskreises für Wehrforschung, Stuttgart,
und
The Canada Council, Ottawa

Titel der Originalausgabe:
»U-Boats against Canada —
German Submarines in Canadian Waters«
Copyright by McGill-Queen's University Press,
Kingston and Montreal
Aus dem Englischen übertragen
von Hans und Hanne Meckel

CIP-Titelaufnahme der Deutschen Bibliothek

Hadley, Michael L.:
Uboote gegen Kanada — Unternehmungen deutscher Uboote
in Kanadischen Gewässern / Michael L. Hadley. —
Herford: Mittler, 1990
ISBN 3-8132-0333-6

ISBN 3 8132 0333 6; Warengruppe Nr. 22

© Deutsche Lizenzausgabe 1990 by Verlag E. S. Mittler & Sohn GmbH, Herford
Alle Rechte vorbehalten
Schutzumschlaggestaltung: Ernst A. Eberhard, Bad Salzuflen,
unter Verwendung eines Fotos der Stiftung Traditionsarchiv
Unterseeboote, Cuxhaven
Skizzen auf dem Vorsatz: Professor Dr. Jürgen Rohwer,
Bibliothek für Zeitgeschichte, Stuttgart
Produktion: Heinz Kameier
Gesamtherstellung: Kunst- und Werbedruck, Bad Oeynhausen
Printed in Germany

Inhalt

Den Kämpfern beider Seiten
in der Schlacht im Atlantik

Vorwort

Deutsche Uboote vor Kanada — diese Vorstellung hat seit Ende des Ersten Weltkrieges weite Kreise der kanadischen Bevölkerung fasziniert. Sensationelle und volkstümliche Artikel über die tatsächlichen oder eingebildeten Aufklärungsvorstöße, Angriffe, Versenkungen oder die Absetzung von Spionen haben Anstoß zu erheblicher Neugier und vielen Fragen gegeben, jedoch nur wenig Antworten.

Schon während des Zweiten Weltkrieges, ehe das Ausmaß der deutschen Absichten voll begriffen wurde, blieb die Einstellung der kanadischen Öffentlichkeit gegenüber den Ubooten bemerkenswert ambivalent. Gleich den gegensätzlichen Empfindungen von Abscheu und Entzücken bei Schauerromanen und Horrorfilmen erzeugten die Uboote bei den Stammtischstrategen einen besonderen Nervenkitzel. Sogar Helden, wenn auch anonyme, feindliche, doch mit einer gewissen weltmännischen Haltung und einer manchmal geradezu entwaffnenden Menschlichkeit, sahen die Kanadier in den Ubootfahrern. So gingen von den Ubooten in den kanadischen Gewässern und längs der Küste Erzählungen voller Wunder und Schrecken aus, die mehr von unheimlichem Elan und Draufgängertum sprachen als wohl bei irgendeiner anderen Waffe des Krieges.

Man kann leicht verstehen, wie sich diese Legenden bis auf den heutigen Tag erhalten haben; Geschichten von deutschen Ubootfahrern, die an Land gingen, um Lebensmittel zu kaufen, mit der Straßenbahn zu fahren, Gespräche beim Bier zu belauschen oder sogar eine Tanzveranstaltung am Ort zu besuchen. Deutsche Seeleute, so wird berichtet, waren überall; sie marschierten sechzehn Mann nebeneinander die Landstraße nach St. John's hinein, liefen bei Helligkeit in die Häfen, um dort verdächtige Männer mit düster schwarzen Koffern aufzunehmen und — wenn wir dem Bericht des Admirals Newfoundland glauben können — hatte ein dortiger Einwohner sogar ein Uboot durch die Luft fliegen sehen. Nun ja, das sind natürlich nur Erzählungen. Die Historie hat etwas anderes, aber ebenso Faszinierendes zu berichten.

Dieses Buch bringt den ersten detaillierten Bericht über das, was tatsächlich geschah; es wirft Licht auf die Gefahr, der die Kanadier ausgesetzt waren. Während die Uboote die Seeverbindungen unterbrachen, sandten sie ebenfalls wertvolle Berichte über Wetter und Schiffsverkehr an ihre Führung und klärten bis tief in die kanadischen Küstengewässer hinein auf. Sie setzten Spione an Land, legten Minen, bauten eine automatische Wetterstation auf und versuchten, entkommene deutsche Kriegsgefangene abzuholen. Sie griffen sowohl Handels- wie Kriegsschiffe an und benutzten manchmal, wenn alle Torpedos verbraucht waren, Decksgeschütze.

Diesen schwer zu fassenden Feind über ein Seegebiet von Tausenden von Quadratmeilen aufzuspüren, strapazierte die kanadische Marine bis an die Grenze ihres Durchhaltevermögens, ihres Einfallsreichtums und ihrer Vorstellungskraft. Eine große Anzahl Freiwilliger der Royal Canadian Navy Volunteer Reserve (RCNVR) verteidigte die Schiffahrtswege im Küstenbereich. Dies waren die wegen ihrer wellenförmigen Ärmelstreifen »Wavy Navy« genannten Freiwilligen, die mit einer kleinen Komponente erfahrener Seeleute in der Royal Canadian Navy Reserve (RCNR) die kleine, reguläre Marine von etwa eintausendneunhundert Mann mit dreizehn Schiffen im Jahr 1939 auf neunzigtausend mit vierhundert Schiffen in den Jahren 1943—45 anschwellen ließen. Die kanadische Marine der Kriegsjahre war also fast ausschließlich eine Marine der Reserve, anfangs ohne jede nautische Erfahrung.

Diese Gewässer vor Kanada waren in Wirklichkeit ebenso hart und gefährlich wie der Atlantik. Der gemeinsame Feind für die Deutschen wie für die Kanadier war die See. Der Atlantik, mit seinem Nebel und seiner oft stürmischen See, seinen wirbelnden Dunstschwaden und seinem Eisregen verbarg Angreifer und Ziele in gleichem Maße. Im Küstenbereich sorgten mehrdeutige Temperaturgradienten und Salzschichtungen in Verbindung mit starker Strömung und unregelmäßigem Meeresboden für die schwierigsten Bedingungen beim Aufspüren von getauchten Booten, die man sich für die Verteidiger nur vorstellen kann. Einem Schiffbrüchigen war es in diesen Gewässern unmöglich, lange zu überleben. Tage, in denen Nerven und Energien oft über die Maßen beansprucht wurden, wechselten mit scheinbar endlosen Tagen der Routine und der Langeweile, in denen anscheinend überhaupt nichts geschah. Dann traten plötzlich Geleitzüge (oder Uboote) auf, Angriffe und Gegenangriffe, und einige Seeleute überlebten, um über den Kampf zu berichten.

Im Laufe der langen und strapaziösen Schlacht im Atlantik hat die kanadische Marine aber sehr viel geleistet. Sie stellte 48 Prozent der Geleitstreitkräfte für Geleitzüge zwischen Nordamerika und Europa; sie suchte Minen im Bereich der britischen Inseln und in europäischen Gewässern; sie unterstützte nicht nur die erbittert ringenden Murmansk-Geleitzüge, sondern auch die unter dem Decknamen »Torch« (Fackel) bekannten Landungen in Nordafrika sowie die Landung in der Normandie. Sie patrouillierte im Mittelmeer und in der Karibik und unterstützte die Vereinigten Staaten bei der Sicherung ihrer Geleitzugrouten zwischen New York und Kuba. Sie versenkte Uboote. Historische Berichte neigen dazu, das Hauptaugenmerk auf die Leistungen dieser Schiffe in diesen fernen Gewässern zu richten, und vernachlässigen dabei die Kriegführung in Kanadas weit in den Atlantik reichendem Küstenvorfeld. Mein Buch dagegen beginnt mit den ersten deutschen Vorstößen vor den kanadischen Küsten.

Schon im Ersten Weltkrieg bildeten die deutschen Uboote eine für die Kanadier ernst zu nehmende Bedrohung. Zwar hatten die damaligen deutschen Tauchboote nur eine äußerst begrenzte Unterwasserausdauer und operierten deshalb als Überwasser-Handelsstörer. Sie fuhren über Wasser in die Operationsgebiete, tauchten, sobald sie ein Ziel in der Ferne sichteten, um dann plötzlich ganz in der Nähe zum Angriff aufzutauchen und sich wieder zurückzuziehen. Den Handelsschiffskapitänen und Fischern, deren Schiffe sie versenkt hatten, stellten die deutschen Ubootkommandanten Empfangsbescheinigungen aus. Bis zum Ende 1918 hatte Kanada auf diese Weise elf Schoner und einen Fischdampfer verloren. Der Gesamtverlust von 20020 BRT Schiffsraum reichte vom 107-t-Schoner *C.M. Walters* bis zum 4868-t-Tanker *Luz Blanca*. Aber gerade die Angst, von noch stärkeren Unterseestreitkräften angegriffen zu werden, zwang die Kanadier dazu, ihr Küstengebiet mit allen möglichen Mitteln zu verteidigen. Dies alles aber war nichts gegenüber den zukünftigen Verlusten, als ein neuer deutscher Admiral, Karl Dönitz, seine Uboote wieder hinausschicken sollte; diesmal jedoch mit verbesserter Technik und einer neuen taktischen Doktrin.

Aus alliierter Sicht hatten die Konfrontationen des Ersten Weltkrieges noch wenig mit der abscheulich ideologischen Fracht zu tun, die die deutsche Ubootkriegführung zwischen 1939 und 1945 belastete. Im Zweiten Weltkrieg stellte sich die entscheidende Waffe des Seekrieges als ein Werkzeug des Nationalsozialismus dar. Für die Alliierten symbolisierten sie das verruchte Streben der Nazis nach Weltherrschaft, das letztendlich in Mord gipfelte. Wie die Demagogie und pervertierte Politik, für die sie standen, wurden diese »dämonischen Apparate«, wie sie in einigen Presseberichten genannt wurden, als von Grund auf böse, hinterlistig, tückisch und abgefeimt betrachtet. Alliierte Ubootangriffe gegen die Schiffahrt der Achsenmächte waren dagegen nur eine »Entenjagd«; das sind die im Krieg üblichen Phrasen. Wie weit die deutschen Ubootfahrer politisch motiviert waren oder sich selbst als Werkzeuge der nationalsozialistischen Politik und Ideologie verstanden, ist Gegenstand einer erst jetzt erschienenen amerikanischen Studie, welche die Karrieren der Crew 34 untersucht hat. Ob die Ergebnisse allgemeingültig sind, bleibt noch offen. Es genügt hier zu sagen, daß die deutschen Ubootfahrer nach ihrer konservativen und traditionellen Neigung mehr einer nationalen als einer nationalsozialistischen Einstellung zuneigten. Die Berichte lassen jedoch kaum Zweifel daran, daß ihr Befehlshaber, Admiral Dönitz, an den Nationalsozialismus glaubte. Es ist allerdings ein weiter Weg, wenn man daraus erklären will, wie er Hitlers Nachfolger als Staatsoberhaupt wurde.

Die deutsche Ubootbedrohung in kanadischen Gewässern war für den Küstenschutz und die Geleitsicherung im Zweiten Weltkrieg eine große Herausforderung. Nach dem Vordringen von Ubooten in den westlichen Atlantik im Ersten Weltkrieg waren kanadische Minensucher, Geleitstreitkräfte, Hafensperren und Geleitzugrouten auf die Sorge begründet, daß die wichtigsten Ausgangspunkte für Küsten- und Transatlantik-Geleitzüge, Halifax, St. John's und sogar Häfen im St. Lawrence Strom selbst, blockiert oder sogar angegriffen würden von der »unheimlichsten« Waffe der technischen und psychologischen Kriegführung, denen Seestreitkräfte je gegenüber standen. Bezeichnenderweise hatten die kanadischen Marinestellen die schlecht vorbereitete Regierung bereits im August 1939 warnend darauf hingewiesen, daß die Hauptbedrohung des kanadischen Überseehandels auf den Ansteuerungswegen nach Halifax, St. John's und im St. Lawrence-Golf von Handelsstörern und Ubooten kommen würde. Doch nicht eines der wenigen Schiffe, die zu dieser Zeit der Marine zur Verfügung standen, war für die Ubootbekämpfung ausgerüstet. Zum Glück für Kanada sah jedoch die

9

deutsche Marineführung bis zum Unternehmen »Paukenschlag« im Januar 1942 von Operationen in kanadischen Küstengewässern ab. Dann aber setzte sie den Kanadiern mit wenigen Ausnahmen bis zum Schluß hart zu.

Es begann mit vorsichtiger Erkundung des Zuganges zur Belle Isle Straße (zwischen Neufundland und Labrador) durch *U 111* im Juni 1941, die im Oktober des gleichen Jahres zur Aufstellung einer Vorpostenlinie von zwölf Ubooten in diesem Gebiet führte. Die deutschen Ubooteinsätze erreichten ihren Höhepunkt im Januar und Februar 1942, als bis zu vierundzwanzig Uboote die Seegebiete westlich der Neufundlandbank unsicher machten. Bald klärten sie tief in die Fundy Bucht (Neu-Braunschweig) und im Vorfeld vom Hafen Halifax auf und drangen tief in den St. Lawrence-Strom bis auf 172 Meilen vor Quebec City vor. Mit Ausnahme der Einsätze im Herbst 1941, als Ubootrudel vor den kanadischen Küsten auftauchten, bestand die Kriegführung in den Küstengewässern nur aus Einzelunternehmungen. Ab 1942 war ihnen in den kanadischen Küstengebieten nur weniges fremd oder überraschend. Diese anfangs vorzüglich ausgebildeten Angehörigen einer Elitetruppe der deutschen Marine, mit der höchsten Verlustrate aller Waffengattungen, führten ihre Aufgaben mit Schwung, Wagemut und oft erstaunlichem Glück durch. Auch gegen Ende des Krieges, als die Ressourcen erschöpft und erfahrene Leute kaum noch greifbar waren, verfolgten die schlechter ausgebildeten und häufig unerfahreneren Nachfolger ihre taktischen Ziele beharrlich, obwohl das Kriegsglück sich unwiderruflich gegen jede deutsche Hoffnung auf einen Sieg gewendet hatte. Damals, so könnte man sagen, wurde ihre Kraft dringender in heimischen Gewässern gebraucht.

Ein Befehlshaber wird normalerweise natürlich dann die Initiative ergreifen, wenn er den Eindruck hat, überlegen zu sein. Er schlägt dort zu, wo der Gegner schwach ist. Daß die kanadische Marinepolitik und -praxis in den Jahren 1939−1945 unter diesen Gesichtspunkten gelegentlich im schlechten Licht erscheint, ist daher unvermeidlich. Wie gut sich die kanadische Marine angesichts der deutschen Ubootbedrohung im Zweiten Weltkrieg hielt, sagt nicht nur etwas über die Männer auf See, sondern mehr noch über die strategischen Planer aus, denen es gelang − oder auch mißlang −, die Seeleute mit den Mitteln zu versehen, mit denen sie ihre Aufgabe erfüllen konnten. Die defensive Haltung einer Regierung zeigt sich nicht nur in ihrer Reaktion auf eine erkannte Bedrohung; sie sagt auch etwas aus über die Priorität, die sie der nationalen Sicherheit beimißt. Dieser Bericht ist deshalb nicht ohne eine gewisse unbequeme Relevanz zu Kanadas derzeitigen und zukünftigen maritimen Planungen.

Diejenigen, die über die Wirksamkeit der kanadischen Ubootabwehrkräfte in den weiten Gebieten des westlichen Atlantik, des St. Lawrence-Golfes und -Flusses in den Jahren 1939 bis 1945 urteilen, würden gut daran tun, nicht nur die primitiven verfügbaren experimentellen Asdic-Fahrzeuge in Betracht zu ziehen, sondern auch über die besonderen ozeanografischen Schwierigkeiten bei der Ortung getauchter Uboote in den kanadischen Gewässern nachzudenken. Dies waren entscheidende Probleme, wie wir sehen werden. Die schwedischen Erfahrungen vierzig Jahre später, von 1981 bis 1988, sind dazu recht lehrreich. Trotz hochentwickelter Geräte und gemeinsamer Operationen in den geografisch begrenzten Gewässern ihres westlichen Archipels ist es den Schweden wiederholt nicht gelungen, erkannte Unterwassereindringlinge aufzuspüren. Ebenso wichtig für die Zeit von 1939 bis 1945 ist die komplizierte Organisation von Küsten- und Hochseegeleitzügen sowie die große Zahl von Schiffen, die im Geleitzug durch den Sperrgürtel der Uboote tatsächlich hindurchkamen. Geleitzugwege liefen kreuz und quer durch die Küstengewässer zwischen Quebec, Sydney auf Cape Breton Island und Halifax, Nova Scotia; zwischen den Flußhäfen in Kanada und den Häfen auf Labrador und Newfoundland; sie liefen von Halifax nach Boston und New York. Hochseegeleitzüge, zu denen Schiffe aus Sydney, St. John's, Halifax, Boston und New York zusammenkamen oder von ihnen abzweigten, überquerten den gefährlichen Nordatlantik zwischen Nordamerika und Großbritannien. 1939 geleiteten alliierte Schiffe 527 Handelsschiffe über den Atlantik; 1940 waren es 4053 Schiffe; 1941 waren es 6974; im Jahr 1942 stieg die Zahl auf 7423 an; 1943 weiter auf 9095 und erreichte 1944 die Höchstzahl von 9794. Bei Ende des Krieges, im Mai 1945, waren es noch 4816. Alles in allem war das die beachtliche Zahl von 42 682 Handelsschiffen, von denen 438 versenkt wurden. Die Geschichte der Schiffahrtsleitoffiziere von Kanada, die diese Geleitzüge steuerten, muß noch erzählt werden.

Die Rekonstruktion der kanadischen Küstenunternehmungen übersteigt in ihrer Komplexität den Rahmen dieser Arbeit. Dies ist eine ungeheure Aufgabe, die offizielle Historiker in langfristigen Forschungsarbeiten zu vollenden suchen und die möglicherweise erst nach einem weiteren Jahrzehnt Früchte tragen wird. Wenn man sich jedoch den ins einzelne gehenden Ubootberichten zuwendet, so kann sich der Bearbeiter auf ein kompakteres historisches Quellenwerk konzentrieren, das nicht nur eine komplette Geschichte erzählt, sondern auch anderen Historikern entscheidend wichtige Informationen über das gibt, was − um einen britischen Heeresausdruck zu verwenden − »auf der anderen Seite des Schutzgrabens« geschah. Dennoch zeigte es sich, daß diese Aufgabe einen ebenso gründlichen Zugriff auf kanadische, amerikanische und britische Quellen erforderte.

Wie sich die »raubgierigen grauen Wölfe« des Admirals Karl Dönitz mit den kanadischen Seestreitkräften herumschlugen, ist eine bisher noch nicht geschriebene Historie, die es wahrhaftig wert ist, berichtet zu werden. Mit Ausnahme allgemeiner historischer Berichte und gelegentlicher journalistisch aufgebauschter Darstellungen sind die in offiziellen Akten enthaltenen Einzelheiten der Ubooteinsätze in kanadischen Gewässern bisher noch nicht analysiert worden, oder sie ruhen im Gedächtnis nunmehr alt werdender Seeleute. Mehr als ein Menschenalter ist seit dem Ende der Schlacht im Atlantik verstrichen. Frühere Gegner haben jetzt eine gewisse kritische Distanz zu den ihr Leben bestimmenden Ereignissen der Kriegszeit gewonnen. Sie können nun ihre Erlebnisse, selbst die grauenhaften von sinkenden Schiffen und sterbenden Männern, mit einiger Objektivität wiedergeben. So führt der Zeiten Verlauf dahin, daß frühere Kriegsgegner, wie die Kommandanten von *U 806* und HMCS *Clayoquot,* ihre Erinnerungen untereinander wie unter Freunden ausgetauscht haben.

Danksagung

Ich bin vielen deutschen und kanadischen Kriegsteilnehmern zu Dank verpflichtet, ohne deren Ermutigung und Unterstützung dieser Bericht nicht hätte geschrieben werden können. Ihre freimütigen Diskussionen und warme Gastfreundschaft während meiner häufigen Erkundungsreisen in Kanada und Deutschland haben mehr zu meinem Verstehen der Schlacht im Atlantik beigetragen, als ich in diesem Buch wiedergeben kann. Ganz besonders danke ich Commander Craig Campbell, RCNVR (HMCS *Clayoquot)* und Kapitän zur See Klaus Hornbostel *(U 806),* deren Geschichte ihres Gefechtes in den grauen Seen von Halifax am Weihnachtsabend 1944 mich als erstes darauf brachte, der Tätigkeit von Ubooten in kanadischen Gewässern nachzugehen. Von daher begann ich meine Reise durch die Kameradschaft der Ubootfahrer. Viele haben mir in mancher Weise geholfen, besonders dankbar bin ich Kapitän zur See Klaus Hänert *(U 550),* der mir zum erstenmal das Atlantikboot Typ VIIC in Kiel zeigte; Korvettenkapitän Klaus G. Ehrhardt, früherer Flottilleningenieur in St. Nazaire sowie Herrn Werner Hirschmann, ehemaliger L.I *(U 190)* und Karl Böhm, technischer Berater der Bavaria Studio Filmproduktion für »Das Boot«, für detaillierte technische Diskussionen über deutsche Uboote. Kapitän zur See Kurt Dobratz *(U 1232),* daß er mir die einzige vorhandene Kopie seines Kriegstagebuches über seine Unternehmungen in kanadischen Gewässern zur Verfügung stellte und für manchen Rat während meiner häufigen Besuche. Doch auch viele andere versorgten mich mit Erinnerungen, Erinnerungsstücken, durchdachten Rückblicken und Rat. Die Kommandanten Kurt Petersen *(U 541),* Hans-Edwin Reith *(U 190),* Hermann Lessing *(U 1231),* Heinz Franke *(U 262),* Hans Hilbig *(U 1230),* Volker Simmermacher und Harald Gebhaus *(U 107),* Reinhard Hardegen *(U 123),* Helmut Schmoeckel *(U 802),* der heutige Vizeadmiral a. D. und frühere Oberleutnant Paul Hartwig *(U 517),* der frühere erste Wachoffizier Wilhelm von Eickstedt *(U 553)* sowie die früheren Wachoffiziere Professor Günter Freudenberg *(U 536)* und Dr. Hans-Jochen von Knebel Doeberitz *(U 99).* Kapitänleutnant Joachim Timm von der Fernmeldeschule der Bundesmarine in Flensburg-Mürwik unterrichtete mich über die Fernmelde- und Schlüsselsysteme des Zweiten Weltkrieges. Der frühere Chef der Operationsabteilung der Uboote, Konteradmiral Eberhard Godt, ging mit mir die Rekonstruktion von Ubootoperationen durch und diskutierte mit mir über Strategie und Taktik. Für Diskussionen und Gastfreundschaft danke ich der Ubootkameradschaft Kiel, besonders dem früheren Kommandanten Addi Schnee *(U 201)* und der Salzburger Marinekameradschaft (Emmi Metz).

Danken möchte ich ebenfalls dem früheren Lieutenant-Commander L. C. Audette (HMCS *Coaticook),* daß er mir freundlicherweise Einblick gab in seine noch unveröffentlichten Erinnerungen und mir über die Suche der Escort Group

27 nach Dobratz *(U 1232)* berichtete. Mr. R. S. Williams für Erinnerungen an Lieutenant-Commander E. M. More und HMCS *Ettrick*. Mr. Bill Bender und Commander John B. LeMaistre für Berichte über die »Fairmile«-Einsätze; Commander A. B. German, der auf HMCS *Weyburn* diente, für Erinnerungen an die Aktion gegen *U 517;* Mr. Jake Warren, früherer Navigator auf HMCS *Valleyfield* und Mr. Ian Tate, ehemaliger Wachoffizier und Überlebender des Schiffes; Mr. Roland Taylor, dem früheren wachhabenden Offizier und Mr. George Hunter, einem früheren Maschinenmaat, die den Angriff auf ihr Schiff HMCS *Magog* überlebten. Viele deutsche und kanadische Überlebende lasen meine ersten Entwürfe ihrer Erlebnisse durch und kommentierten sie. In diesem Sinne bin ich auch meinem Freund Horst Bredow verpflichtet, dessen »Stiftung Traditionsarchiv Unterseeboote« (Westerland/Sylt) mir seit Jahren zur Verfügung steht, und seinem Mitarbeiter Axel Niestlé. Die Quadratkarte wurde von Ken Josephson, Technical Services Section, Department of Geography, Universität von Victoria, gezeichnet. Für ihre Ermutigung und Bereitschaft, mich bei schwierigen Problemen zu beraten, danke ich meinen Berufskollegen Dr. Alec Douglas, Dr. Roger Sarty, Dr. Marc Milner und Mr. Dave Kealy (Directorate of History, Department of National Defence); Dr. Jürgen Rohwer, Direktor der Bibliothek für Zeitgeschichte in Stuttgart, der mir unter anderem Einblick in die noch nicht veröffentlichte Liste der Ubootaufstellungen gewährte und mir die Möglichkeiten seines Instituts zur Verfügung stellte; dem Bundes- und Militärarchiv in Freiburg für seine Hilfe bei der Durcharbeitung nicht katalogisierten Materials, die Bereitstellung aller greifbaren Berichte über Ubootoperationen und einen Arbeitsplatz während häufiger Besuche. Unterstützt hat mich Mr. Malcolm Wake, RCMP Museum, Depot Division, Regina, indem er mir Zutritt zu der Spionagesammlung des Museums gab und Fotografien der Militärpolizei besorgte; Staff Sergeant R. J. Henderson, RCMP, stellte mir seine persönliche Sammlung von Erinnerungsstücken an die Kriegszeit zur Verfügung; Chief Superintendent P. E. J. Banning, RCMP, und sein Stab versorgten mich freundlicherweise mit Informationen über die Spionagetätigkeit der früheren deutschen Spione Langbein und von Janowski. Mr. Richard Niven, Leiter des Base Hydrographic Office HMC *Dockyard,* Esquimalt, unterstützte mich bei der Rekonstruktion von Ubootkursen, indem er mir Seekarten und navigatorische Veröffentlichungen besorgte. Rear Admiral Robert Yanow und Vice Admiral James Wood ermöglichten es mir, für einen großen Teil dieses Buches Nachforschungen anzustellen, während ich in der Marine Dienst tat.

Meinen Übersetzern Hanne und Hans Meckel danke ich ganz besonders.

Für kritische Durchsicht des Originalmanuskriptes und hilfreichen Rat möchte ich wiederum Dr. Rohwer und Dr. Hümmelchen vom Arbeitskreis für Wehrforschung sowie Dr. Douglas und Dr. James Boutilier vom Department of History, Royal Roads Military College, Victoria, danken. Die Nachforschungen wurden unterstützt durch Subventionen der Universität von Victoria und dem Social Sciences and Humanities Research Council of Canada.

Anmerkungen und Abkürzungen

Der Ausdruck »kanadische Gewässer« in diesem Buch bezieht sich auf die kanadische Kriegszone, in großen Zügen dargestellt im »RCN Operational Plotting Sheet – East Coast of Canada« (Department of Mines and Technical Surveys, Ottawa, 1942), die das Gebiet zwischen den Längengraden 50° bis 69° West umfaßt. Die zeitgenössische kanadische Seekarte L/C 4001 »Gulf of Maine to Strait of Belle Isle« zeigt das tatsächlich unter kanadische Zuständigkeit fallende Gebiet von den Breitengraden von New York bis Labrador und ostwärts bis 41° West. Auf diesen beiden Karten und einer Reihe von kleineren Bereichskarten großen Maßstabes habe ich die Kurse der Uboote gegen Kanada eingezeichnet. Dieser Bericht berücksichtigt auch den Wechsel der Leitbereiche und verfolgt ebenfalls die wesentlichen Taten bei der Verfolgung der Uboote außerhalb der Zone der kanadischen Küsten. Natürlich sind es zwingende historische Gründe, Newfoundland während der Kriegszeit als kanadisches Territorium zu betrachten. Dafür spricht die allgemein bekannte Bedeutung der RCN in der Schlacht im Atlantik sowie die Feststellung, daß »die Verteidigung von Newfoundland stets zu den vorrangigsten Aufgaben Kanadas gehöre« und die Tatsache, daß es 1949 der Konföderation beitrat. Das scheint mir ein praktischer Weg, die Beschreibung des Gebietes so zu definieren und diejenigen Ubootoperationen herauszuheben, deren Schwerpunkt an der westatlantischen Küstenzone lag und der unmittelbaren Verantwortung kanadischer Dienststellen in Halifax und Newfoundland unterstand. Derselben Überlegung bin ich auch gefolgt, wenn ich die Stellung von Rear Admiral L. W. Murray in Halifax als kanadischer Oberbefehlshaber Westatlantik (C-in-C CNA) bezeichnet habe, obwohl er bis 1943 Befehlshaber der Atlantikküste (COAC) hieß.

Der Schlüssel für meine Untersuchung der Ubooteinsätze und meiner Rekonstruktion ihrer Kurse war das früher geheime deutsche Quadratkartensystem. Die deutsche Seekriegführung teilte die Weltmeere in Großquadrate von annähernd 360 Quadratseemeilen ein. Die tatsächliche Länge ihrer Begrenzungen auf den Mercator-Karten war je nach Länge und Breite verschieden, so daß es für die Plazierung und Größe aller Quadrate in den Weltmeeren keine generell verwendbare Formel gibt. Obwohl Fotokopien dieser Quadratkarten seit einer Reihe von Jahren zur Verfügung stehen, wurde die mathematische Methode zur Umrechnung der Größenverhältnisse erst 1983 publiziert. Da sich die fotografische Wiedergabe für Navigationszwecke als ungeeignet erwies, ehe diese Formel zur Verfügung stand, leitete ich das Quadratsystem für die kanadischen Gewässer durch Rückgriff auf deutsche navigatorische Angaben ab. Nachdem ich die Großquadrate in meinem Interessenbereich richtig positioniert hatte, war die Entwicklung des Quadratschemas einfach. Die deutsche Marine beschrieb jedes Großquadrat mit zwei Buchstaben und zwei Zahlen. So war zum Beispiel das Gebiet um die Mündung des St. Lawrence-Stromes BA 36; das unmittelbar vor Halifax BB 75; das vor St. John's, Newfoundland, BC 41. Jedes der Großquadrate ist unterteilt in neun kleinere Quadrate, die mit drei Zahlenreihen von je drei Zahlen numeriert sind; jedes dieser kleineren Quadrate ist nach dem gleichen System nochmals in neun kleinere Quadrate unterteilt. Das erlaubt eine recht genaue Bestimmung der geographischen Position ohne Verwendung von Längen- und Breitengraden; so ist zum Beispiel die Versenkungsstelle der HMCS *Clayoquot* BB 75278. Deutsche Kriegstagebücher benutzen fast ausschließlich die Quadratbezeichnungen. Die gelegentliche Ausnahme von dieser Regel machte es mir möglich, die Koordinaten für das Quadratsystem in kanadischen Gewässern abzuleiten. Dann habe ich dieses System auf kanadische Seekarten aufgelegt und die Wege jedes einzelnen Ubootes auf der Basis detaillierter navigatorischer Angaben in den offiziellen Uboot-Kriegstagebüchern (Kurzbezeichnung KTB) gezeichnet. Erst dann konnte ich anfangen, den vorliegenden Bericht zu schreiben. Bei der Wiedergabe von Gefechten und Zusammenstößen habe ich alle verfügbaren deutschen Unterlagen herangezogen, ebenso die Darstellungen in den Kriegstagebüchern und Tätigkeitsberichten der verschiedenen kanadischen Kommandos und unterstellter Kommandos der RCN oder der RCAF. Um den in ihren Kriegstagebüchern festgehaltenen unmittelbaren Eindruck der Beobachtungen der Ubootleute wiederzugeben und gleichzeitig die Zahl der Fußnoten im Text möglichst gering zu halten, habe ich hinter den wörtlichen Zitaten die Abkürzung KTB gesetzt. Entfernungen über See sind in Seemeilen angegeben. Wenn nicht ausdrücklich anders erwähnt, sind sie angenähert und beruhen auf Großgebietskarten kleinen Maßstabes. Entfernungen, Tiefenangaben und Höhen sind entweder in englischen oder metrischen Einheiten je nach der Informationsquelle ausgedrückt. Die Schreibweise von Ortsnamen entspricht den Segelhandbüchern des Department of Fisheries and Oceans in Ottawa.

Die Ubootführung wurde verschiedentlich umorganisiert, eine detaillierte Darstellung übersteigt den Rahmen dieses Buches. Auch nach seiner Ernennung zum Oberbefehlshaber der Kriegsmarine blieb ihr Gründer und Lehrmeister, Admiral Karl Dönitz, gleichzeitig Befehlshaber der Uboote (BdU). Die tagtägliche Führung des Ubootkrieges oblag seinem Chef der Operationsabteilung, Konteradmiral Eberhard Godt, doch übte der Großadmiral weiterhin persönlich Einfluß auf die Ubootwaffe aus. Deshalb verwende ich weiterhin für ihn als höchsten Ubootführer die Bezeichnung BdU, um so dem Leser stets die charismatische Führerfigur hinter der großen Strategie vor Augen zu halten.

Abkürzungen

ACIs	Atlantic Convoy Instructions	Weisungen für Atlantik-Geleitzüge
ADC	Aircraft Detection Corps	Flugmeldeorganisation
A/S	Antisubmarine	Ubootabwehr
Asdic		Britisches Kurzwort für Unterwasser-Ortungsgerät
BA-MA		Bundes- und Militärarchiv Freiburg
B-Dienst xB-Dienst	Beobachtungsdienst	Deutscher Funküberwachungs- und Entzifferungsdienst
BdU		Befehlshaber der Uboote
BfZ		Bibliothek für Zeitgeschichte Stuttgart
Capt.	Captain	Kapitän zur See
CAT	Canadian anti-acoustic torpedo gear	Kanadisches Abwehrgerät gegen Akustische Torpedos
Cdr.	Commander	Britischer Marineoffizier-Dienstgrad
C-in-C	Commander-in-Chief	Kanadischer Oberbefehlshaber
CNA	Canadian Northwest Atlantic	Nordwest Atlantik
COAC	Commanding Officer, Atlantic Coast	Befehlshaber Atlantikküste
CPO	Chief Petty Officer	Oberbootsmann
DEMS	Defensively equipped merchant ship	Bewaffnetes Handelsschiff
D/F	Direction finding	Funkpeilung
DHIST	Directorate of History, Department of National Defence, Ottawa	
EAC, A/S	Eastern Air Command, Antisubmarine Report	
EG	Escort Group	Sicherungsverband
FONF	Flag Officer, Newfoundland Force	Admiral der Neufundland Streitkräfte
FuMB	Funkmeß-Beobachtungs-gerät	Radarwarngerät
GHG	Gruppenhorchgerät	Auf deutschen Schiffen eingebaute Anordnung zahlreicher Horchempfänger
GMT	Greenwich Mean Time	Mittlere Greenwich-Zeit
HF	High frequency	Kurzwelle
HF/DF	(»Huff-Duff«) high frequency direction finding	Kurzwellenpeiler

16

HMCS	His Majesty's Canadian Ship	Kanadisches Kriegsschiff
HMS	His Majesty's Ship	Britisches Kriegsschiff
HMS/M	His Majesty's Submarine	Britisches Unterseeboot
KTB		Kriegstagebuch
LCdr	Lieutenant Commander	Britischer Offiziersdienstgrad
Lt.	Lieutenant	Britischer Offiziersdienstgrad
MAD	Magnetic anomaly detector	Magnetisches Uboot-Ortungsgerät in Flugzeugen
MLs	Motor Launches	Motorbarkassen (z. B. Fairmiles)
NCSO	Naval Control of Shipping Organisation	Schiffahrtsleitorganisation
NOIC	Naval Officer in Charge	Für die Schiffahrtslenkung eines bestimmten Bereichs zuständiger Marineoffizier
NSHQ	Naval Service Headquarters	Befehlsstelle der Marineführung
PAC	Public Archives of Canada, Ottawa	
PO	Petty Officer	Maat, Obermaat
QPP	Quebec Provincial Police	Polizei der Provinz Quebec
RADM	Rear Admiral	Konteradmiral
RCAF	Royal Canadian Air Force	Kanadische Luftwaffe
RCMP	Royal Canadian Mounted Police	Berittene kanadische Bundespolizei
RCN	Royal Canadian Navy	Kanadische Kriegsmarine
RCNMR	Royal Canadian Navy Monthly Review	
RCNR	Royal Canadian Navy Reserve	Kanadische Marine-Reserve, Männer der Handelsmarine, Berufsseeleute
SkL		Seekriegsleitung (deutsche Marine)

Vermerk

In der deutschen Ausgabe entfallen mehrere zum Teil längere Passagen, einschließlich die dazugehörigen Anmerkungen, die nur für kanadische Leser interessant oder wichtig sind.

Einleitung

Deutsche Uboote verbreiteten einen Nimbus geheimnisvoller Macht, der in keinem Verhältnis zu ihrer begrenzten Stärke stand. Sie waren im Ersten Weltkrieg ein weitreichendes Instrument des Seekrieges, und viele auf alliierter Seite meinten, die deutsche technische Entwicklung habe die überkommene Ethik des Krieges pervertiert. Als der Uboot-Handelskrieg zur Versenkung großer Zahlen von Handelsschiffen führte, darunter so spektakuläre Vorgänge wie die Versenkung des unbewaffneten Passagierdampfers *Lusitania* im Jahr 1915, wurde das Uboot als ein Werkzeug der typischen deutschen »frightfulness/Schrecklichkeit« bezeichnet, ein häufig gebrauchter Ausdruck alliierter Zeitungen. Als die Schiffsverluste die Briten dazu zu zwingen drohten, den Kampf aufzugeben, erschienen die Uboote für viele als die Superwaffe: heimliche, allgegenwärtige Maschinen, die mit Präzision und ungestraft angreifen konnten. Wenn sie im Zweiten Weltkrieg ihr strategisches Ziel auch nicht erreichten, in den Händen von Admiral Karl Dönitz wurden sie Werkzeuge der psychologischen Kriegführung.

Potentielle Opfer betrachteten sie bestenfalls als feige Instrumente, schlimmstenfalls als von Grund auf böse. Sie stellten sich nicht, wie es das Ethos des Krieges verlangte, Schiff gegen Schiff und Mann gegen Mann offen zum Kampf, Uboote »lauerten« jetzt, »schlichen herum«, näherten sich ihrer Beute, »schlugen zu« und »verschwanden«. Das war der Sprachgebrauch des alliierten Journalismus in den vierziger Jahren, die den Volksmärchen und dem Mythos Nahrung gaben, wo immer diese »Unterseeräuber« und »Klapperschlangen der Tiefe« zuzuschlagen wagten. Ihre scheinbare Unsichtbarkeit und Unverwundbarkeit sprach die heimlichen Ängste der Seeleute auf Überwasserschiffen an, die bisher noch keine wirkliche Abwehr kannten. Bittere Vorwürfe verdarben die sachliche Auseinandersetzung über die Rechtmäßigkeit der Unterwasser-Kriegführung. Eine frühzeitige Kritik im Jahr 1902 verurteilte den Gebrauch der Uboote als »hinterhältig, unfair und verdammt unenglisch«; im Ersten Weltkrieg geriet ihr Einsatz für manchen zur reinen Infamie. 1941 hatten sie sich für andere als »unmenschlich und barbarisch« enthüllt.[1] Zu dieser Zeit hatte das Bild einer Kriegführung im Verborgenen die sonst nüchternen Urteile des damals bedeutendsten kanadischen Marinehistorikers Gilbert Tucker aufgewühlt, so daß die Mine und das Uboot nun zu den »heimlichsten und am schwersten zu fassenden Erzeugnissen der industriellen Revolution«[2] geworden waren. Böse schon von der Idee her, wie er mit ungewöhnlich falschem Pathos kommentierte, »wandeln sie in der Dunkelheit und vernichten am hellen Tage«. Sie waren tatsächlich »so bedrohlich«, daß sie das Ende der Seeherrschaft der Überwasserstreitkräfte anzuzeigen schienen.
Wenn wir einer 1939 veröffentlichten deutschen amtlichen Zusammenfassung

glauben sollen − und Dönitz legt uns in seinen Erinnerungen nahe, das zu tun −, dann zog Deutschland aus den Uboot-Erfahrungen des Ersten Weltkrieges besondere Schlußfolgerungen.[3] Das taten auch andere Länder, vor allem Großbritannien; fast alle unterschätzten jedoch die Fähigkeiten von Ubooten. Der kanadische Marinestab hatte zwar 1940 einige seiner Planungen darauf begründet, Uboote könnten möglicherweise die Schiffahrt im Golf von St. Lawrence angreifen, doch schien er − wie die britische Admiralität − den Besuch von *U 53* und des Handels-Ubootes *Deutschland* in US-Häfen 1916 vergessen zu haben. Die Einsätze der deutschen U-Kreuzer *U 140, U 151, U 155, U 156* und *U 117* vor Nova Scotia und Newfoundland im Frühjahr und Spätsommer 1918 sollten die kanadischen und britischen militärischen Dienststellen mit ausreichenden Beweisen über den Umfang deutscher Uboottechnik versehen haben. Aber während zwei einzelne Artikel in kanadischen Zeitungen 1941 nur so weit gingen, die ersten Ubootunternehmungen des Ersten Weltkrieges nach Kanada als lediglich örtlich begrenzte Aufklärungsvorstöße zu beschreiben, zeigten kanadische Lagebeurteilungen zu Beginn des Zweiten Weltkrieges überhaupt keine Erinnerung an Abenteuer dieser Art.[4] Und doch waren 1918 Ubootangriffe ganz offenkundig ein Vorstoß der Deutschen in kanadische Gewässer gewesen.[5]

Die *Deutschland,* das erste Fracht-Uboot, dessen Wasserverdrängung von 1700 Tonnen selbst nach den Maßstäben des Zweiten Weltkrieges sehr groß war, zeigte ganz deutlich Deutschlands fortschrittliche Uboottechnik. Während seines Aufenthalts in Baltimore im Juli 1916 hatte es wichtige industrielle Güter für die belagerten Streitkräfte in der Heimat geladen; 402 Tonnen Rohgummi, 375 Tonnen Nickel, 96 Tonnen Zinn. Dieser Einsatz ließ den Transport lebenswichtiger Rohmaterialien aus Fernost durch Uboote in den vierziger Jahren vorausahnen. Die Uboote der *Deutschland*-Klasse waren für die damalige Zeit sehr leistungsfähige Boote und hatten selbst nach späteren Maßstäben die erstaunliche Reichweite von 17000 Seemeilen bei einer Geschwindigkeit von sechs Knoten. Trotz einer begrenzten Unterwasserfahrstrecke von 50 Seemeilen bei sieben Knoten wurde ihre Unterwassergeschwindigkeit in den nächsten zwanzig Jahren kaum übertroffen. Die normale Marschgeschwindigkeit der *Deutschland* von zwölf bis sechzehn Knoten gab ihm einen ausreichenden Fahrtüberschuß beim Einsatz als Handelsstörer. Begrenzte Unterwasser-Ausdauer verhinderte, daß diese Fahrzeuge als echte Unterseeboote operierten. Sie waren Tauchboote, die nur kurz, wenn es die taktische Lage erforderte, tauchten. Im wesentlichen waren sie als Überwasser-Kaperer tätig und fühlten sich durch maritime Übereinkommen an das Völkerrecht gebunden, vor einem Angriff den Gegner zu warnen. Während einer seiner ersten Fahrten legte *U 156* zum Beispiel über 10000 Seemeilen aufgetaucht und nur 55 getaucht zurück.[6]

Das Verhältnis zwischen Unterwasser- und Überwasserreichweite war auch bei weiter entwickelter Technik bis in die vierziger Jahre kaum anders, bis die Verbes-

serung durch den Schnorchel in den Jahren 1943/44 den Charakter des Ubootkrieges radikal änderte. Der Schnorchel war, simpel ausgedrückt, eine Röhre, die
vom getauchten Uboot aus nach oben bis wenig über die Wasseroberfläche hinaus-
ragte. Mit Einwegventilen versehen, konnte man damit Luft einsaugen und
gleichzeitig Auspuffgase ausstoßen und so Dieselmotoren bei Unterwasserfahrt
benutzen. Für den Fall, daß das Uboot während des Schnorchelns tiefer kam oder
Wellen das Kopfventil des Schnorchels überspülten, bot die Luft im Boot bis zu
sechzig Sekunden Dauer einen Luftpuffer. Die Dieselauspuffgase gingen ins
Boot, das Ansaugen der Luft im Boot führte zu scheußlichen Ohrenschmerzen,
und die Luft wurde schlecht. Trotz gelegentlicher erheblicher Unzuträglichkeiten
erlaubte dieses System höhere Unterwassergeschwindigkeit und schonte die Batterien für leise, geräuschlose Tauchfahrt mit Elektromotoren, ja, es erlaubte sogar
das Aufladen der Batterien, ohne daß man mit dem Boot auftauchen mußte. Vor
der Einführung des Schnorchels tauchten die Uboote nur aus taktischen
Gründen. So verlief die 11 000 Seemeilen lange Feindfahrt von *U 111* von Mai bis
Juli 1941 und die 8000-Seemeilen-Feindfahrt von *U 123* im Januar 1942 nur zu 3,7
Prozent beziehungsweise 3 Prozent in Unterwasserfahrt. Die 10000-Seemeilen-
Feindfahrt von *U 69* zwischen September und Oktober 1942 verlief zu 10 Prozent
getaucht. Ab Frühjahr 1944 wirkten sich der deutsche Schnorchel einerseits und
der stärkere Druck der alliierten Luftüberlegenheit andererseits so aus, daß die
Feindfahrten immer kürzer, die Fahrtzeit unter Wasser immer länger wurden. Die
4800-Seemeilen-Fahrt von *U 548* von Mai bis Juni 1944 nach Kanada verlief zu
65 Prozent getaucht. Für Uboote kam die Zeit näher, in der sie, wenn auch zu spät
für einen möglichen Sieg Deutschlands, echte Unterseeboote sein würden.

Um auf den Ausgangspunkt zurückzukommen, die sogenannten U-Kreuzer des
Ersten Weltkrieges operierten als tauchende Kreuzer. Das Schwesterschiff der
Deutschland, U 151, war für den Kriegseinsatz umgerüstet und mit zwei 15-cm-
Geschützen, einem Maschinengewehr, zwölf Torpedos und sechs Rohren sowie
vierhundert Schuß Munition für jedes Geschütz bewaffnet. Die Geschütze dieser
Ubootklasse waren größer als die in den festen Stellungen der befestigten Häfen
rund um Kanada. Nach zwei Hin- und Rückfahrten nach den Vereinigten Staaten
wurde auch die *Deutschland* für den Kriegseinsatz umgerüstet und als *U 155* eingesetzt. Ausgerüstet mit Torpedorohren und zwei 15-cm-Geschützen lief sie Anfang
August 1918 unter dem Kommandanten Korvettenkapitän Ferdinand Studt aus
Kiel aus, um vor Halifax und der Küste von Nova Scotia Minen zu legen. Sie
führte ihre Aufgabe durch, wenn auch die Minen sich schließlich losrissen und
keine Schiffe vernichteten. Wie alle Uboote, die damals vor der nordamerikanischen Küste operierten, traf sie praktisch auf keine Gegenwehr.

Die kanadische Marine als Teil der hochgelobten Pax Britannica war für diese
Ubootbedrohung schlecht gerüstet und schlecht organisiert. Der Grund dafür lag
in Kanadas Abhängigkeit von der britischen Royal Navy. Die Gewässer der Ost-

küste gehörten zur Nordamerika- und Westindienstation der Royal Navy, die hauptsächlich aus in Bermuda, Jamaika und Halifax stationierten Kreuzern bestand. Halifax hatte nur einen, HMCS *Niobe*. 1897 vom Stapel gelaufen, war der 11000-t-Kreuzer der Royal Navy mit großem Zeremoniell am 21. Oktober 1910 in Halifax eingelaufen. Man hatte dieses Datum gewählt, weil es der 105. Jahrestag von Nelsons Sieg über die französische Flotte in der Schlacht von Trafalgar war.[7] Das Schiff sollte »unter der Leitung des Ministeriums für Marineangelegenheiten Kanadas«, wie die Admiralität es ausdrückte, stehen; bei der Ankunft war es bereits überholt. Der HALIFAX HERALD geriet in Wut, daß der kanadische Steuerzahler diesen »veralteten, nicht kampffähigen Schrotthaufen« unterhalten sollte. Andere Zeitungen ließen je nach politischer Einstellung große Tiraden dafür oder dagegen los. Man könnte (mit Tucker) argumentieren, daß dieses Schiff und die »Ostküsten-Patrouillen (kleine Boote und alte Yachten) ein erfolgreiches Wagnis imperialer Zusammenarbeit sei«, wobei die britische Admiralität die generelle Linie vorschrieb, während die »kanadischen Streitkräfte freudig ihre untergeordnete Rolle akzeptierten«. Diese koloniale Perspektive führte jedoch langfristig zu Problemen, die tatsächlich erst im Zweiten Weltkrieg zum Vorschein kamen.[8]

»Räuberische« Uboote vor der amerikanischen Küste hatten seit 1916 zu schweren und immer stärker werdenden Sorgen in Kanada geführt, deutsche U-Kreuzer könnten ihre Häfen und Schiffahrtsstraßen angreifen. Doch die Borden-Regierung in Ottawa hatte dem Druck der britischen Regierung und der Admiralität nachgegeben, kein eigenes Schiffbauprogramm aufzulegen, obwohl die Admiralität der Ansicht war, Kanada hätte sich mit 36 dampfgetriebenen Schiffen zur Überwachung seiner Gewässer ausrüsten sollen, statt der Handvoll bedeutungsloser Fahrzeuge, die es tatsächlich besaß. Kanadas Premierminister Sir Robert Borden protestierte denn auch Anfang 1917 bei der britischen Regierung, daß »Kanada auf britischen Rat hin nichts für (seine eigene) Verteidigung zur See getan habe«. Das Dominion, so erklärte er zornig, könnte sich nun selbst nicht verteidigen, weil »die Rekrutierung für überseeische Streitkräfte in Kanada dieses Land vom Großteil der wehrfähigen Männer entblößt hat und jedes greifbare Geschütz an die britische Regierung geschickt wurde«.[9] Die Admiralität in London konnte im Augenblick kaum mehr tun, als ihr Mitgefühl auszudrücken.[10]

Alarmierende Berichte im HALIFAX HERALD und anderen Zeitungen im Laufe des Sommers 1918 wiesen die Bevölkerung in schärfsten Tönen auf die »Hunnen-Uboote« vor Nova Scotia und auf das »Teufelswerk der kaiserlichen Piraten« durch die Versenkung von Schiffen bei harmloser Durchfahrt hin. Im Juni berichtete der HERALD, daß bereits zwanzig Schiffe der Uboottätigkeit vor der atlantischen Küste zum Opfer gefallen seien, und brachte diese Zählung immer wieder auf den neuesten Stand, bis diese Tätigkeit im September aufhörte. Er berichtete von Opfern, die an den Küsten Nova Scotias angelandet waren, brachte Augenzeugenberichte über das »Untersee-Ungeheuer vor Halifax« und behauptete schließlich, »Giftgas ist die letzte teuflische Methode der Uboot-Mörder auf dieser Seite des Atlantiks«. Er erklärte das deutsche Uboot als »unmittelbare und rücksichtslose Kriegsdrohung − den heimlichen und nicht auffindbaren grimmigen Schnitter der See«.

Während der HALIFAX CHRONICLE (und sogar der Marinenachrichtendienst selbst) die Bedrohung maßvoll hinstellte, führte die immer stärker werdende Hysterie des HERALD die Erfolge der Uboote auf die »Hunnenspione in Halifax« zurück. Diese »feindlichen Ausländer«, so betonten die falschen Kommentare, lieferten den in der Nähe lauernden Ubooten entscheidend wichtige Informationen und waren schließlich »verantwortlich für den Mord«, der von den deutschen Kaperschiffen vor der Küste begangen wurde. Leidenschaftlich behauptete er, die »Weltstadt Halifax müsse von Verräterei gereinigt werden«, und heckte einen eigenen Plan aus: fünftausend Dollar Belohnung für eine Information, die zur Aufdeckung »eines Hunnen-Uboot-Stützpunktes an der Küste von Nova Scotia oder der Bay of Fundy« führe, und weitere fünfhundert Dollar für die »erste Verhaftung eines Hunnenspions«. In fast paranoischer Verzweiflung veröffentlichte er am 10. August 1918 »Das drastische Programm des HERALD, um Spione und feindliche Ausländer richtig zu behandeln«. Das beinhaltete die sofortige Festnahme aller verdächtigen Personen ohne Begründung und den Abtransport aller nicht britischen Menschen in Arbeitslager im Innern des Landes. Zur Unterstützung dieses dramatischen Hetzprogramms gab der HERALD auf der ersten Seite die Namen von fünfhundert »frei herumlaufenden feindlichen Ausländern« in Nova Scotia bekannt. Einige Tage später folgten weitere hundertfünfzig Namen. Diese Listen, die angeblich den »Feind in unserer Mitte« bloßstellten, prangerten Nova-Scotia-Bürger deutscher und osteuropäischer Abstammung an. In rücksichtsloser Verleumdung und ohne Gefühl für die jahrhundertealten Traditionen deutscher Siedler in Gebieten wie Lunenburg, riefen die Tiraden des HERALD die Öffentlichkeit auf, »ein wachsames Auge zu haben auf Ausländer, naturalisiert oder nicht, oder gar hier gebürtig, die hier in Nova Scotia des Kaisers Dreckarbeit tun«. Wenn wir dem theatralischen Urteil des HERALD trauen können − und die Ergebnisse der Meinungsumfragen auf der ersten Seite legen das nahe −, dann blieb die Bevölkerung von Halifax »äußerst unberührt und herzlos gleichgültig gegenüber der Gefahr«. Doch es ist kaum zu bezweifeln, daß die erfolgreichen Unternehmungen feindlicher Uboote zu dieser Zeit eine ungewöhnliche Wirkung auf die seefahrende Bevölkerung ausübten, die von den späteren kanadischen Planern mißachtet wurde.

Inzwischen versenkte *U 156*, das unter Kapitänleutnant Richard Feldt am 16. Juni 1918 aus Kiel nach Amerika ausgelaufen war, Schiffe zwischen Newport und Boston, ehe es mit seinen Angriffen unter der kanadischen Küste begann. Am 2. August schlug es den britischen Motorschoner *Dornfontein* sieben Meilen südlich von Grand Manan Island in der Bay of Fundy zum unbrauchbaren Trümmer-haufen zusammen. Das Schiff hatte Bauholz von Saint John, New Brunswick, geladen. Befragungen der verschreckten und verängstigten Fischer durch Ameri-kaner und Kanadier zeigten, daß die Ubootfahrer über ausgezeichnete Kennt-nisse der gefährlichen Flachwassergebiete von Woods Hole, Massachusetts, bis Nova Scotia verfügten. Im Juni hatten Überlebende der Angriffe von *U 151* vor der US-Küste den Kommandanten, einen Kapitän Neufeld, als einen fünf Jahre lang in der US Navy gedienten Geschützführer identifiziert. (In Wirklichkeit war der Kommandant der Korvettenkapitän von Nostitz und Jänckendorf.) Am 5. August 1918 berichtete der HALIFAX HERALD auf der ersten Seite: »Sechs Schiffe durch neuesten Typ der Hunnen-Seewölfe torpediert: Besatzungen in Häfen auf Nova Scotia angelandet.« Feldt's U-Kreuzer wurde dann »die ganze Nacht vor Seal Island liegend, das Deck überspült« beobachtet. »Er war strahlend hell erleuchtet und von der Küste aus deutlich zu sehen, und am Morgen war er immer noch da.« An diesem Tag griff er den aus Halifax kommenden kanadischen 4808-t-Tanker *Luz Blanca* an, etwa 35 Meilen vor dem vor Halifax liegenden Sambro Feuerschiff. Dies sollte auch der Schauplatz vieler Versenkungen in den vierziger Jahren sein. Doch 1918 konnten die Marinebehörden von Halifax nicht auf die Notrufe der *Luz Blanca* reagieren, die bis 17 Meilen vor dem Feuerschiff flüchtete, ehe sie sank. Achtzehn Besatzungsmitglieder nahm ein kanadisches Wachboot auf.

Die erste Seite des HALIFAX HERALD vom 6. August 1918 verkündete die Nachricht in Ausdrücken, die den Bewohnern von Halifax vierundzwanzig Jahre später sehr vertraut sein sollten: »Hunnen-Uboot torpediert Öltanker vor Hafen Halifax.« Für den Reporter lieferte der Vorfall eine »aufregende Geschichte des Kampfes zwischen dem Hunnen-Seewolf« und seinem verzweifelten Opfer. Am nächsten Tag sandte Admiral C. E. Kingsmill, Leiter der Marinedienststelle in Ottawa, ein geheimes Schreiben über die Ubootbedrohung an den Kommandeur der Küstensicherung Walter Hose in Sydney, Cape Breton. Mit Hinweis auf die »schwerbewaffneten« feindlichen Uboote, die »in kanadischen Gewässern ope-rieren... bewaffnet mit 15- oder 10,5-cm-Geschützen und gewöhnlich von hoher Geschwindigkeit und großer Reichweite«, brachte er defensive und offensive Tak-tiken in Vorschlag.[11] Dazu gehörten Unterwasser-Horchgeräte, Wasserbomben, Beschießung des Druckkörpers und, wenn all dies nichts nutzte, Zick-Zack-Fahren, »um dem Feind das Zielen unmöglich zu machen«. Er mußte zwar ein-räumen, daß die kanadischen Vorpostenboote keine Gegner für ein deutsches Uboot wären, doch er forderte seine Seeleute auf, alles zu tun, um sie zumindest zu beschädigen.

Unter der Anklage, beim Angriff versagt zu haben, könnte Kingsmills Direktive beim einzigen kanadischen Marinekriegsgerichtsverfahren des Ersten Welt-krieges zitiert worden sein. *U 156* hatte den Schoner *Gladys M. Hollett* aus Le

Have, Nova Scotia, am 6. August 1918 gestoppt, nachdem es die zwei Schoner *Nelson A.* und *Agnes B. Holland* aus Yarmouth vor Lockport, Nova Scotia, vernichtet hatte. In der für die damalige Ubootkriegführung typischen Weise hatte es die Besatzung mit ihrer persönlichen Habe zum Aussteigen gezwungen und dann eine Prisenbesatzung hinüber geschickt, um alle wertvollen Dinge wie Lebensmittel und Vorräte zu holen, ehe es Sprengladungen ansetzte. Die Besatzung des Schoners hatte den Schauplatz in verständlicher Hast in Ruderbooten verlassen.

Am 20. August 1918 bediente sich *U 156* erfolgreich einer Kriegslist, indem es den kanadischen 239-t-Fischdampfer *Triumph* 60 Seemeilen südwestlich von Cape Canso kaperte und ihn als Handelsstörer unter deutscher Kriegsflagge ausrüstete. Für den HALIFAX HERALD war dies »Ironie des Schicksals«; das Schiff würde »einen guten Lockvogel abgeben, um frühere Schwesterschiffe schnell zu zerstören«. Diese Prophezeihung ging in Erfüllung. In der ganzen Fischereiflotte vom Sehen her bekannt, stoppte und vernichtete er leicht sechs Schoner und ließ ihre Besatzungen in Ruderbooten nach Hause rudern. Unter dänischer Flagge versenkte der *Pirat Triumph,* wie der HERALD ihn nun nannte, am 23. August den britischen 4700-t-Dampfer *Diomed* sowie den Fischerschoner *Sylvania* aus Gloucester. Das kanadische Vorpostenboot HMCS *Hochlega* (Lieutenant Robert D. Legate, RNCVR) hatte sich mittlerweile dem Schauplatz genähert, in einigem Abstand von seinem Vorgesetzten auf HMCS *Cartier* sowie den Fischdampfern *TR 32* und *TR 22.* Während *U 156* tauchte, drehte die *Hochlega* ab, um sich mit dem Führungsschiff hinter ihm zu beraten. Lieutenant Legate entging knapp der Anklage der Feigheit und wurde aus der Marine entlassen, weil er nicht versucht hatte, »den Gegner zu beschädigen oder zu vernichten«.[12] Ein Vorpostenboot fand den Schoner mit starker Schlagseite und gesetzten Segeln und schleppte ihn mit Besatzung in den Hafen ein. Der HALIFAX HERALD, der kanadischen Marine feindlich gesinnt, schmetterte am 12. August nicht ganz ungerechtfertigt: »Was nützt eine Flotte von Vorpostenbooten, die keine Uboote fangen kann?«

Am 25. August versenkte *U 156* den britischen 610-t-Dampfer *Eric* aus St. John's, Newfoundland, und übergab die Besatzung dem nächsten Schoner. Inzwischen waren die Fischer und ihre Familien höchst beunruhigt und verlangten von ihren Regierungen stärkeren Schutz. Überlebende der Angriffe von *U 156,* so behaupteten die Schlagzeilen des HERALD, wußten nun, daß der »Kommandant des Hunnen-Seewolfs, ausgerüstet mit starken Geschützen und imstande, es selbst mit einem Leichten Kreuzer aufzunehmen, sich gelobt hat, unsere gesamte Fischerflotte zu vernichten«. Der deutsche Plan, Nordamerikas Zuversicht durch die Versenkung von Schiffsraum vor ihren Heimathäfen zu erschüttern, führte in Kanada und in den Vereinigten Staaten zu verschiedenen Reaktionen: Die Amerikaner riefen ihre Zerstörer aus dem Pazifik zurück, während die Kanadier die Vereinigten Staaten und Großbritannien um Hilfe angingen. In beiden Fällen hatten die deutschen Angriffe einen Vorgeschmack auf eine der späteren Doktrinen von

Dönitz gegeben, der den Gegner durch die Ubootdrohung in den Heimathäfen festnageln wollte.

Kapitänleutnant Otto Dröscher auf *U 117* führte die letzte Ubootunternehmung des Ersten Weltkrieges in kanadischen Gewässern durch. Vorher hatte er im amerikanischen Seegebiet drei Minenfelder gelegt, neun amerikanische Fischereifahrzeuge mit insgesamt 265 t in rascher Folge versenkt und dann eine größere Beute erwischt: den norwegischen 3875 t großen Dampfer *Somerstad,* den amerikanischen 7127-t-Dampfer *Frederick R. Kellog* und das niederländische 6978-t-Schiff *Mirlo.*[13] Verständlicherweise sah die deutsche Seekriegsleitung im Februar 1941 Dröschers Kriegstagebuch noch einmal durch, als sie den ersten großen Vorstoß von Ubooten in nordamerikanische Gewässer beim Unternehmen »Paukenschlag« vorbereitete. Damals jedoch fuhr *U 117* unbehelligt in nordöstlicher Richtung weiter zu den Banks of Newfoundland. Auswanderung und Krieg führten dabei zu einer seltsamen Ironie des Schicksals. Am 30. August versenkte *U 117* zwei kanadische Schoner mit deutschsprachigen Besatzungen. Die 136 t *Elsie Porter* von Edward Eisenhaur hatte auf den Newfoundland Banks gefischt und war auf der Rückfahrt nach Le Have, Nova Scotia, als Otto Dröscher sie mit drei Gewehrschüssen vor den Bug, etwa 145 Meilen südöstlich von Cape Spear, Newfoundland, anhielt.[14] Bei Seegang vier, starker Dünung und bedecktem Himmel ließ Dröscher die Besatzung des Schoners in die Boote gehen. Dann versenkte er das Fahrzeug mit Sprengladungen und lud Eisenhaur zu einem Drink auf das Uboot ein. Drei Stunden später stoppte *U 117* den 136-t-Schoner *Potentate* von Frederick Gerhardt, etwa 150 Meilen südöstlich von Cape Broyle, und holte Gerhardt, seinen Sohn und ein weiteres Besatzungsmitglied zur Befragung an Bord.

Dröschers Kriegstagebuch erwähnt dieses Zusammentreffen nicht, obwohl die Überlebenden darauf bestanden, er habe sich ganz besonders für die Dampferrouten »von Newfoundland nach Kanada« interessiert.[15] Gerhardt hatte offensichtlich nichts preisgegeben, obwohl ihm angeblich damit gedroht wurde, man würde ihn entweder nach Deutschland bringen oder zum Dienst als ortskundigen Spion pressen. Nichts von dem geschah. Im nächsten Krieg jedoch befahl Dönitz ausdrücklich die Gefangennahme von Handelsschiffskapitänen für nachrichtendienstliche Zwecke. Auf die Frage, warum er den Schoner versenke, antwortete der Kommandant von *U 117* angeblich: »Ihr helft, die Amerikaner zu ernähren.« Eine der Ausreden des nächsten Krieges sollte sein, daß sie dazu beitrugen, Großbritannien zu ernähren. Nachdem er Gerhardt einige Erfrischungen in der Offiziersmesse angeboten hatte, konnten die drei Männer in ihrem sechs Meter langen, flachgehenden Boot die 140 Meilen zur Küste rudern. Drei Tage und Nächte später stießen sie auf die Fischerflotte. Dröscher hatte inzwischen alle Zeitungen für nachrichtendienstliche Zwecke an sich genommen, die Vorräte beschlagnahmt, die ihm nützlich erschienen, und das Schiff durch Sprengladungen versenkt. Wie wir gesehen haben, hätten allein die Sommerausgaben des

HALIFAX HERALD – vorausgesetzt der Schoner hätte sie an Bord gehabt – Dröscher den eingehenden Beweis für die taktische und psychologische Wirkung der deutschen »Schrecklichkeit« vor den kanadischen Küsten geliefert.

St. John's EVENING TELEGRAM vom 2. September 1918 schätzte in einem nüchternen Bericht, daß »an die siebzig Fischer, deren Schiffe von dem Hunnen-kaperer in den letzten Tagen versenkt wurden, mit ihren Ruderbooten an Land zurückkehrten«. Die Ausgabe des HALIFAX HERALD vom gleichen Tag zitierte die Marineabteilung in Ottawa, daß »achtzehn Ubootopfer« mit Ruder-booten das Land in St. John's, Newfoundland, erreicht hatten. »Kürzlich hatten vierundsechzig Seeleute sogar North Sydney auf der Insel Cape Breton« erreicht, nachdem sie 300 Seemeilen gerudert waren. Die Besatzung der *Elsie Porter,* das erklärte der TELEGRAM als bezeichnenden Fall, war von den Deutschen »bestens und freundlichst behandelt worden«. Am nächsten Tag brachte die Zei-tung einen schnell hingeworfenen Bericht darüber, was dieses gräßliche Erlebnis für den Skipper der *Elsie Porter* bedeutete: »einen Verlust von vier- oder fünftau-send Dollar, den er verkraften kann. Der Kapitän ist ein hervorragendes Beispiel körperlichen Durchstehvermögens... Solche Männer haben das britische Empire geschaffen und zu dem gemacht, was es heute ist.« Diese angeborene Härte war offensichtlich der Ausgleich dafür, daß die Regierung nicht für eine Kriegs-schädenversicherung gesorgt hatte, worüber später noch zu sprechen sein wird.

Im Laufe der Zeit führten die Neuerungen im Ubootkrieg zur Änderung des mari-timen Denkens; man billigte und akzeptierte den uneingeschränkten Ubootkrieg, den der kanadische Marinehistoriker Tucker noch 1941 strikt abgelehnt hatte. Dies ist eine weitere Bestätigung für den Grundsatz, daß Technik die Moral bestimmt. Uboottechnik und -taktik zwangen zu einer Neubewertung des See-krieges, wenn auch äußerst langsam und in engen Grenzen. Das waren Anzeichen für die immer geringer werdende Bedeutung von Begegnungen der Schlacht-schiff-Flotten, auf die die Seekriegslehre der späten dreißiger und frühen vier-ziger Jahre weitestgehend begründet war. Erstaunlicherweise betrachteten jedoch amtliche alliierte Kreise bis weit in den Zweiten Weltkrieg hinein das Uboot immer noch mehr als Ärgernis denn als ernste Bedrohung. Mit ihrem Fehl-urteil über die Bedeutung dieser Waffe standen die Alliierten nicht allein. Selbst in Deutschland schränkte eine konservative und traditionalistische Beharrung auf dem Wert einer Hochseeflotte von Großkampfschiffen die visionären Strategien des charismatischen Führers Dönitz ein. Im wesentlichen spiegelte Kanadas Vor-kriegsanalyse die britische (und irrige) Ansicht wider.

In einer Schrift argumentierte der Chef des kanadischen Marinestabes, Commo-dore Percy W. Nelles, 1937, daß »bei Beachtung des Völkerrechts Ubootangriffe auf die Handelsschiffahrt nicht sehr gefährlich werden können«. Und im Fall von »uneingeschränktem Ubootkrieg... hält man die Mittel zur Bekämpfung von

Ubooten für so weit entwickelt«, daß das wirkungsvolle System der Geleitzüge sowie kombinierter Luft- und Seeoperationen einen hohen Zoll von den Ubooten fordern und sehr wahrscheinlich »den Feind zwingen werden, diese Angriffsform aufzugeben«.[16] Von 1937 bis 1940 trat in der kanadischen Seekriegslehre – wie in ihrem britischen Vorbild – keine Änderung ein.[17] Während Nelles Voraussage im Verlauf von sechs langen und schrecklichen Jahren schließlich wahr wurde, war seine kurzfristige Einschätzung in zumindest zwei sehr schwerwiegenden Punkten fehlerhaft: Mangel an Kenntnissen über den Feind und unzureichendes Verständnis für die tatsächlichen Möglichkeiten und den Entwicklungsstand der Marinetechnik. Er nahm an, daß Dönitz seinen Krieg im Stil des Ersten Weltkrieges führen würde. Das war eine gefährliche Vereinfachung. Außerdem setzte er, wie so viele der Gleichrangigen in der Royal Navy, zu großes Vertrauen in das neue Unterwasser-Ortungsgerät, Asdic genannt.

Asdic ist eine Kurzbezeichnung für ALLIED SUBMARINE DETECTION INVESTIGATION COMMITTEE, das 1918 eingesetzt wurde, um das Problem der Ortung getauchter Uboote zu lösen. Das System beruhte auf Unterwasserschallortung. Die US Navy nannte es Sonar (SOUND NAVIGATION AND RANGING), ein Ausdruck, der heute in allen Nato-Marinen ausschließlich benutzt wird. Mit ihren Handrädern und ungefügen Kurbeln war Asdic-Ortung keine exakte Wissenschaft. Einfach ausgedrückt sandte ein Oscillator/Transducer, unter dem Kiel angebracht und mit einem Sender/Empfänger verbunden, eine Zehntelsekunde einen starken, hochfrequenten »Ping« in die Richtung, in die bei späteren Modellen das Handrad den Transducer gedreht hatte. Mit den ersten, starr eingebauten Modellen mußte man mit dem ganzen Schiff hin und her drehen, um den Bereich vor dem Schiff abzusuchen. Traf ein ausgesandter Ton auf eine reflektierende Oberfläche – ein getauchtes Uboot oder auch einen Felsen, einen Fischschwarm oder einen einzelnen Wal –, konnte man ein »Echo« hören. Die Quelle dieses Echos herauszufinden war natürlich entscheidend wichtig; das erforderte nicht nur zuverlässiges Asdic, sondern ein ungewöhnliches Maß an Begabung und Erfahrung des Bedienungsmannes. Da man die ungefähre Schallgeschwindigkeit durch das Wasser kennt (1600 Meter pro Sekunde), die sich natürlich mit Temperatur und Salzgehalt ändert, konnte man daraus die Entfernung zum Ziel ableiten. Selbst unter idealen Bedingungen lag die größte Ortungsreichweite zwischen etwa 1000 und 1200 Metern. Das Echo eines stilliegenden Zieles ergab eine gleichmäßige Tonhöhe, ein sich dem Asdic-Schiff näherndes oder von ihm entfernendes Ziel ließ die Tonhöhe des Echos entweder ansteigen oder absinken. Diesen Dopplereffekt kennen alle, die einmal das Geräusch einer vorbeifahrenden Eisenbahn beobachtet haben; er war wichtig, um die Manöver des Ubootes im Verlauf eines Angriffs abschätzen zu können. Erst 1944 war es dem Angreifer durch die Einführung des Asdic-Typs 144 Q möglich, die Tiefe des Zieles zu berechnen. Bis zu diesem Zeitpunkt konnte der Angreifer die Tiefeneinstellung beim Scharfmachen der Wasserbomben nur schätzen. Das war ein erheblicher Nachteil, denn diese Bomben richteten nur dann ernsthafte Beschädigungen an, wenn sie innerhalb von sechs bis sieben Meter von ihrem Opfer entfernt detonierten. Die Treffchancen waren – selbst unter idealen Bedingungen – ziemlich gering.

Bei passiver Verwendung konnte man das Asdic als Unterwasser-Horchgerät einsetzen und damit von außen kommende Schall- sowie Maschinengeräusche und Propellerschlag hören. Ob aber bei aktiver oder passiver Verwendung, der Asdic-Gebrauch war erheblichen Verzerrungen und Beeinträchtigungen durch Naturerscheinungen ausgesetzt. Wärme und Salzschichtung zum Beispiel, oder sogar gegeneinander laufende Gezeiten und Strömungen (wie im St. Lawrence-Fluß oder im Golf) konnten die Schallwellen verbiegen oder ablenken. Dadurch konnte der Bedienungsmann den Eindruck erhalten, das Ziel sei an ganz anderer Stelle als in Wirklichkeit. Außerdem konnte durch des Angreifers Eigengeschwindigkeit und Rumpfform die Kavitation rund um den Asdic-Dom einen Wall gegen Schallwellen erzeugen, der praktisch alle Mittel zur Ortung auslöschte. Zudem konnte auch das Stampfen und Rollen eines Schiffes bei schwerem Wetter vorübergehende Asdic-Blindheit hervorrufen. In der Theorie ließen sich natürlich einige dieser Schwierigkeiten durch Versuche feststellen und damit allgemeine Einsatzrichtlinien schaffen. Doch die Parameter von Seegang, Wetterbedingungen, Wassertiefe und -dichtigkeit blieben bei ständig wechselnden und regional bestimmten Bedingungen an anderer Stelle nicht die gleichen.

Wenn Nelles' Vertrauen in die reine Technik fehl am Platz war, so galt das ebenfalls für die Taktik. Denn abgesehen von dem Einsatz des schon veralteten, wenn nicht überholten Asdic-Typs 123 A aus dem Jahr 1920 (womit erneut die bekannte kanadische Praxis weitergeführt wurde, mit Geräten in See zu gehen, die in den Marinen der mächtigeren Verbündeten nicht mehr geschätzt wurden) verwandten die kanadischen Schiffe das Gerät nach britischen taktischen Richtlinien.[18] Trotz britischer Theorie wurde jedoch der Überwasser-Nachtangriff zum Glanzstück der deutschen Taktik, und dagegen war das Asdic natürlich wirkungslos.

Admiral Nelles' Bericht zeigte in bemerkenswertem Ausmaß den Mangel an Vorbereitung für eine Ubootabwehr im Krieg. Die Bedrohung bestand einfach gar nicht. Die Hauptaufgabe der Marine blieb Artillerie auf Überwasserschiffen und der Schutz der Küstenzonen. Zerstörer mit 12-cm-Geschützen und acht Torpedorohren waren das, was man für Flottenunternehmungen für nötig hielt. Nach Ansicht des Marinestabes waren sie die besten Kriegsschiffe für die kanadischen Bedürfnisse, die zu kaufen sie in der Lage waren. Später, als Flugzeugträger-Kampfgruppen im Seekrieg modern wurden, forderte die Royal Canadian Navy erneut stark bewaffnete Überwasserschiffe. In der Schlacht im Atlantik aber waren es die billigeren, kleineren, langsameren und doch manövrierfähigeren Korvetten, die *Bangor*-Minensuchboote und die Fregatten, die die wirklichen

Arbeitstiere der kanadischen Marine wurden. Diese wenig beeindruckenden kleinen Schiffe stellten die günstigste Investition dar, die der Marinestab je gemacht hatte, so zögerlich die kanadischen regulären Marineoffiziere dies auch zugeben wollten.

Bis die Presse einige Schlüsselerlebnisse heraufbeschwor, genossen die Kanadier bei Beginn des Zweiten Weltkrieges das luxuriöse Gefühl, vom Schauplatz des Ubootkrieges weit entfernt zu sein. Die Versenkung des 13 581-BRT-Passagierschiffes *Athenia* am 3. September 1939 brachte sie einen erheblichen Schritt dem fast totalen Engagement näher, mit dem sie zur Schlacht im Atlantik beitragen sollten. Warnungslos torpediert, mit dem Verlust von 112 Menschen, darunter einem Dutzend Kanadier, gab der Verlust der *Athenia* dem latenten Willen Kanadas, ein politisches Prinzip zu verteidigen, den nötigen Anstoß. Daß in britischen Augen mit der Versenkung des alleinfahrenden, nicht bewaffneten Passagierschiffes heimlich ein uneingeschränkter Ubootkrieg erklärt wurde, hatte für die geographisch isolierte kanadische Bevölkerung eine besondere Bedeutung. Der Fall schien zu zeigen, daß die kanadische Zivilbevölkerung Ziel von Ubooten geworden war.[19]

Politiker und Presse nutzten das mit menschlichem Interesse einhergehende Pathos weidlich aus.[20] Die Gillespie-Kinder aus dem kleinen Prärie-Dorf Russell, Manitoba, hatten den grausamen Schrecken knapp überlebt. Klein-Margaret Hayworth aus Hamilton, Ontario, war nicht so glücklich. Die Zeitungen stellten das erste Kriegsopfer, das auf kanadischem Boden begraben werden sollte, als das »zehn Jahre alte Torpedo-Opfer« heraus, »um das sich Kanada scharen sollte«. Die Uboot-Killer enthüllten sich nun nicht länger als einfache Deutsche, sondern als »Nazis«. Dieses Beiwort wurde von nun an allen deutschen Seeleuten zugeordnet, ob sie von der nationalsozialistischen Partei überzeugt waren oder nicht. Die Beisetzungsfeierlichkeiten scheinen tatsächlich nach den Beschreibungen der Presse ein nationales Ereignis gewesen zu sein, zumindest machten die Medien es dazu. Vertreter des Premierministers, die Provinzregierung von Ontario und Würdenträger aller Ebenen nahmen teil. Die Presbyterierkirche St. Andrew in Hamilton war bis auf den letzten Platz besetzt. Hunderte folgten dem Gottesdienst von außen durch Lautsprecher. George Drew, Führer der konservativen Partei von Ontario, sprach auf einer Sondersitzung des Stadtrates von Hamilton, die zu dem einzigen Zweck zusammengetreten war, eine Resolution über ihr Entsetzen über »die Tyrannei, die Falschheit und die Unmenschlichkeit der deutschen Regierung« zu verabschieden. Nach Drews Worten war das tote Kind Symbol, das »über die Grenzen dieses Dominions hinaus als Herausforderung aller demokratischen Völker« wirken sollte. Die Veranstaltung war ein propagandistischer Coup. Sie hatte eine Verbindung zwischen dem Ersten und Zweiten Weltkrieg geschaffen, die deutsche »Tradition« von Verbrechen gegen die Menschlichkeit heraufbeschworen und erklärt, kein Kanadier könne sich sicher fühlen.

Sich der Bedrohung nunmehr bewußt, zögerte die Presse nicht lange, jeder nur möglichen Geschichte über das Eindringen von Ubooten und vermuteten Angriffen nachzugehen. Dies führte meist zu schlecht informierten und witzlosen Spekulationen über Deutschlands Möglichkeiten und Absichten und zu Übertreibungen der kanadischen Fähigkeiten, zu reagieren. Wenn auch die Fülle der Berichte über die Art der Kriegführung auf See die kanadischen Leser in Staunen versetzte, der Verlust des 29 150-t-Schlachtschiffes *Royal Oak* ließ keinen Zweifel mehr am Können der deutschen Marine. Günther Prien war mit einem »bemerkenswerten Einsatz von fachlichem Können und Mut« – wie Winston Churchill diese Unternehmung beschrieb – mit *U 47* in der Nacht vom 14. Oktober 1939 über Wasser in die schwerbewachte Reede Scapa Flow eingedrungen. Er versenkte das Großkampfschiff, 830 Mann sanken mit ihm. Prien entkam ungeschoren. Die britischen Behörden gaben den Vorgang sofort bekannt. Die kanadische Presse benutzte die Gelegenheit, die öffentliche Meinung aufzurühren, indem sie diese Geschichte mit der Nachricht der vorgesehenen Abreise der ersten kanadischen Division nach Übersee verband. Indem sie die Nachrichten von ganz verschiedenen und nur unwesentlich miteinander verbundenen Ereignissen zusammenfügte, vermittelte die Presse den Eindruck, Kanada reagiere sowohl zeitgerecht als auch heftig.[21] Die Schlagzeile im OTTAWA JOURNAL »Britisches Kriegsschiff *Royal Oak* von Uboot versenkt – Kanadische Truppen gehen in sechzig Tagen nach Übersee« ist eines der ersten Beispiele der Nachrichtenmanipulation, die für die Kriegsjahre bezeichnend sind. Priens Vorstoß nutzte der deutschen Propaganda sehr; gleich anderen brachte auch die kanadische Presse schleunigst Berichte aus Berlin.

Am gleichen Tag, an dem sich Prien mit *U 47* seinen Weg nach Scapa Flow hinein suchte, machten sich kanadische Streitkräfte für eine noch nicht dagewesene gemeinsame Operation gegen die Ubootbedrohung tief innerhalb des St. Lawrence-Stromes bereit. Der offizielle Bericht von unbekannter Hand illustriert den erfreulichen Eifer der Streitkräfte angesichts des bejammernswerten Mangels an Kriegsvorbereitungen in Kanada.[22] Beim Ausbruch der Feindseligkeiten hatte das Marine-Hauptquartier Quebec City als eine der vielen Schiffahrtsleitstellen unter einem Schiffahrtsleitoffizier bestimmt. Ein winziger Stab ehemaliger britischer Marine- oder kanadischer Marinereserveoffiziere hatte sich ihre Dienststelle im Zollhaus eingerichtet und daran gemacht, die Hafenverteidigung, die Inspektionsdienste und Fernmeldeverbindungen sowie die Unmenge von Einzelheiten eines Schiffahrtsleithafens einzurichten. Die direkten Verteidigungsanlagen bestanden aus zwei 19-cm-Kanonen aus dem Jahr 1908 im Fort la Martinière an der Südküste und einer abgelegenen Verteidigungsstellung 15 Meilen unterhalb der Stadt St. Jean d'Orléans. Sie deckten den Fluß mit zwei 13,5-cm-Geschützen ab, die nur bei Tag schießen konnten. Die seegehenden Streitkräfte des Schiffahrtsleitoffiziers Quebec waren die 24-m-Kutter HMCS *Chaleur* und *Madawaska*, jeder besetzt mit zehn Mann, bewaffnet mit einem Colt Marline Maschinengewehr sowie einer Reihe von Gewehren und Pistolen. Das unbewaffnete Hafenüberwachungsboot *Fernand Rinfret* mit einer Besatzung von drei Mann ergänzte die Marinekampfgruppe, die der Bedrohung entgegentreten sollte. Das Department of Transport stellte dem Marinekommando Quebec ein improvisiertes Frühwarnsystem in Gestalt einer Reihe von Stationen entlang des Flusses, des Golfs und der Gaspé-Küste zur Verfügung. Sie waren alle durch eine Telefonverbindung mit Gemeinschaftsanschluß oder einer Telegrafenlinie mit Quebec verbunden.

Am 14. Oktober 1939 erreichte den NOIC Quebec ein aufregender Funkbericht aus Cape Salmon, einige Meilen unterhalb der Murray Bay; zwei aufgetauchte Uboote führen in Kiellinie den Fluß hinauf. Die Marinedienststellen reagierten trotz ihrer Skepsis mit Fantasie und Energie. Technisch war es feindlichen Ubooten natürlich möglich, den Fluß hinauf bis Quebec City zu fahren, da Kanadas praktisch nicht existierende Verteidigungsanlagen sie der Notwenigkeit enthoben, zu tauchen. In einer schnellen Folge von Entscheidungen schlossen die militärischen Dienststellen den Hafen von Quebec, unterrichteten die zivilen Behörden über die Bedrohung, riefen Heereseinheiten vom Urlaub zurück und erklärten Zollhaus und Kai zum Sperrgebiet.

Der nächste Schritt erwies sich als sehr viel schwieriger, denn die Marine forderte etwas tödlichere Waffen als ein im Ersten Weltkrieg hergestelltes 30-mm-Maschinengewehr. Sie wandte sich an das Department of Transport und forderte zwei Schiffe mit Kanonen. Während dieser frühzeitigen Mobilisierung bot ein örtlicher »Unterwasser-Wahrsager« dem NOIC über das Heereshauptquartier seine Dienste an. Mit dem Anspruch gewisser undefinierbarer übernatürlicher Kräfte und nur mit einem Bleilot bewaffnet, das er über der Karte des St. Lawrence aufhängte, fiel er in Trance. Das Bleigewicht pendelte und zitterte über einem verdächtigen Punkt. Es bestätigte, daß zwei Uboote sich einige Meilen unterhalb von St. Jean befänden.

Vier Stunden nach der vermeintlichen Sichtung gingen der Feuerschifftender *Druid* und das Feuerlöschboot *Lanoraie* beim Zoll längsseits, um die versprochenen Kanonen zu übernehmen. Zwei Stunden später trafen sie nach einigen Zwischenfällen ein: zwei Vickers Maschinenkanonen, gezogen von einem Zug des kanadischen Heeres in voller Kampfausrüstung und mit Schanzgerät. Stündliche Berichte des »Unterwasser-Wahrsagers« beschleunigten die Verladung. Nur die *Druid* konnte mit den Kanonen ausgerüstet werden, auf dem Deck der *Lanoraie* war dafür kein Platz. Der Schlepper übernahm daher die Rolle des Rammfahrzeuges und konnte als letzten Ausweg versuchen, »die Hunnen« mit seiner Wasserkanone zu ersäufen. Die Heeressoldaten hievten ihre Kanonen an Bord der *Druid* und bauten aus Sandsäcken eine Art befestigter Stellung an Deck.
Kurz nach Mitternacht liefen die Schiffe mit ihrer gemischten Besatzung aus Zivi-

listen und Seeleuten, fünfzehn Heereskanonieren und rund zwanzig Infanteristen mit Volldampf aus, wahrscheinlich die seltsamste Flottille der kanadischen Marinegeschichte. Eine unerklärliche, rote, sehr helle Leuchtrakete, die die Kanoniere dahin deuteten, das hieße »Feind in Sicht«, führte dazu, daß sie alle ein Sperrfeuer eröffneten, wobei ein Blindgänger der St.-Jean-Batterie eine Flußboje traf. Zwei Tage später gab eine knappe Presseverlautbarung des Verteidigungs-Hauptquartiers bekannt, ein einzelnes Unterseeboot sei tatsächlich »auf dem St. Lawrence unterhalb von Quebec City gesichtet worden«, doch hätten weder die Marine noch das Heer irgend etwas gefunden. Tatsächlich erschienen erst im Mai 1942 Uboote im Golf. Wie wir sehen werden, brauchte Kanada dringend noch eine Atempause.

In den ersten Tagen des Ubootkrieges brachten die alliierten Nachrichten trotz der Horrorgeschichte der *Athenia* gelegentlich Beispiele deutscher Ritterlichkeit und Menschlichkeit auf See. Doch 1940 war diese ambivalente Stimmung, Uboote mit einer Mischung aus Faszination und Respekt zu betrachten und nur gelegentlich den »bösen Hunnen« zu verdammen, vorbei. Presseberichte und politische Karikaturen schärften ihre Züge zu widerlichen Grimassen und verächtlichem Lächeln. Der totale Krieg hatte die Uboote buchstäblich unter Wasser gedrückt und sie − abgesehen von seltenen Gelegenheiten − daran gehindert, ihren Opfern Trost in ihrer Not zu bieten. Die Berichte wandelten Ritterlichkeit in vermutetes Banditentum und ließen in den Feststellungen und Vorstellungen des Opfers wenig Raum für einen menschlichen Gegner, der nur eine militärische Aufgabe zu erfüllen hatte. Ehrliches Empfinden, geheime Ängste und persönlicher Abscheu konnten durch ein Propagandabüro, das die Anschauungen der Nation formte, leicht mobilisiert werden. Auch ohne solche offiziellen Direktiven hatten die Kanadier keinen Zweifel daran, daß deutsche Seestreitkräfte für die Politik der Nazis kämpften.

Nach den Worten eines Leitartikels würden die Kanadier nicht länger »die liebenswürdige Theorie unterstützen, die zwischen den Naziherrschern Deutschlands und den Massen des deutschen Volkes unterschied«.[23] Nun waren alle Deutschen »barbarisch« und »brutal«. Tatsache ist, so wurde behauptet, daß »Deutschland den Mord zum nationalen Gewerbe gemacht hat ... die Nation ist dem Greuel und dem Bösen ergeben«. Krieg gegen die »Hunnen« war deshalb mehr als nur ein Kampf zur Selbsterhaltung. Höhere Prinzipien schienen auf dem Spiel zu stehen. Uboote, so hieß es, hatten ihre »wahre« Natur mit der »abscheulichen« Versenkung der *Athenia* enthüllt, sie hatten ihre Absichten durch die Versenkung des Flüchtlingsschiffes *City of Benares* bestätigt, bei der einundachtzig britische Kinder verlorengingen, die nach Kanada evakuiert werden sollten. Sie hatten die Alliierten gezwungen, »Pläne zur Evakuierung von Kindern aus England aufzugeben«.[24] Zeitungen veröffentlichten das große Bild eines Ubootes im Hafen, das »bewies«, daß wieder »ein anderes Uboot sich zum Kindermord rüstete«.

32

Es war nur ein kleiner Schritt von diesen übertriebenen Behauptungen bis zu der bösartigen Fehlinformation, »die Deutschen in ihrem teuflischen Drang nach Weltbeherrschung« hätten sogar die Bibel abgeschafft.[25] Die vollständige Vernichtung Deutschlands wurde als das einzige Mittel betrachtet, »die Hunnen« davon zu überzeugen, »daß Krieg sich nicht lohne«.[26] »Jede auf Deutschland geworfene Bombe« wurde als »ein Schritt zur Erneuerung des deutschen Charakters« angesehen. Premierminister Mackenzie Kings Radioansprachen an die Nation am 27. und 31. Oktober 1939 bestimmten den Ton der Pressephrasen in den nächsten Monaten. Krieg gegen die Nazis war nun ein »Kreuzzug zur Rettung der christlichen Zivilisation«.[27] Mit der Behauptung, »seine eigenen Überzeugungen deckten sich mit den Ansichten ganz Kanadas«, verkündete er, »junge Männer, die heute zu den Fahnen eilen, stehen in vorderster Linie im Kampf für den Glauben«.

Zeitungsreportagen über Kanadas Vorbereitungen für den Seekrieg kommen dem heutigen Leser äußerst altmodisch und naiv vor. Altmodisch ist natürlich abhängig vom kulturellen Blickwinkel und Geschmack; Naivität ist in diesem Fall Mangel an politischer Klugheit. Man gewinnt den Eindruck, die reine Güte der Kanadier und die Fülle ihrer Ressourcen könnten sie gegen alle Angriffe ihres Feindes schützen. Anfangs betrachteten die Reporter die Marine als weitestgehend passive Streitkraft. In dieser Einschätzung hatten sie zweifellos recht. Ein Artikel im Oktober 1939 mit der Überschrift »Wachhunde der Marine bewachen die Zufahrten zu kanadischen Häfen« betonte, wie hervorragend die Verteidigung gewährleistet sei.

Im Herbst 1939 protzten die Presseberichte mit der großen Rolle, die Kanada angeblich bereits jetzt im atlantischen Geleitzugsystem spielte: »Bei Tag und Nacht, in Nebel, Regen und Schnee stehen die Wachhunde zum Schutz der Häfen da, während unsere kanadischen Hochsee-Kämpfer den Weg für ostwärts über den Atlantik laufende Schiffe mit Kriegsmaterial für Großbritannien bahnen.«[28] »Ausguckposten suchen jeden Fußbreit der wogenden grünen See mit starken Gläsern ab, während auf der Brücke Offiziere, die sich keinen Schlaf gönnen, die Wache halten.« Die WINNIPEG FREE PRESS versicherte ihren Lesern, daß »bei jedem Wetter das Tor zur Welt des Seehandels durch die Marine gegen alle Gegner hart und effektiv geschützt wird«. Diese Wache – ohne Kompaß, Radar oder Asdic – erwies sich tatsächlich als hart. Die Platitüden der VICTORIA DAILY TIMES vom 18. November 1939 übertrafen fast den deutschen Mythos vom schneidigen, disziplinierten Teutonen. Kanadas tatsächliche vorderste Verteidigung, so verkündete die Zeitung, waren die »frischen, gut erzogenen jungen Seeleute… Kanadas hervorragende junge Blaujacken, deren hart arbeitende Mütter und Väter sie dazu erzogen haben, ein anständiges, ehrenhaftes Leben zu führen und der Welt und ihren Schwierigkeiten lachend entgegenzutreten«. Nach dieser Einführung tönte der Reporter: »Es ist schon ein großartiger Anblick,

einen jungen Seemann mit frischen Wangen und klarem Blick im Ölzeug, die
Mütze keck aufgesetzt, am auf- und abstampfenden Bug eines Zerstörers stehen
und sich mit harten, bloßen Händen an einer Stahltrosse festhalten zu sehen.«

Wie weit diese immer wiederkehrenden Beschreibungen von der Realität abwi-
chen, konnten nur die beurteilen, die überlebt hatten.[29] Ein sturmgeschüttelter
Zerstörer oder eine Korvette hatte mit einem Schulausflug wenig gemein, wie ihn
die Presse machmal darstellte. Und der schlecht gekleidete Schiffsjunge, ohne
Handschuhe, war für nichts anderes bezeichnend als für die schlecht ausgebildete
junge Mannschaft, mit unzureichender Wetterbekleidung und Ausrüstung, mit
der sich die kanadische Marine bis weit in das Jahr 1943 herumschlug.[30] Doch am
31. Januar 1940 berichtete die WINNIPEG FREE PRESS voller Stolz: »Kanadas
Marine steht für die Nazi-Uboote bereit.« Die Information stammte von einem
Pressebesuch auf Kriegsschiffen und Marineanlagen in Halifax. Das OTTAWA
JOURNAL legte das Material bis zum 15. April 1940 zurück und verkündete dann
auf der letzten Seite, daß »Einheiten der Küstenverteidigung zum Kampf gegen
den Feind bereitstehen«. Die beiden Artikel, im Abstand von drei Monaten veröffentlicht, spiegeln verschiedene Ansichten über ein einziges Thema wider. Nach
der früheren WINNIPEG-Version hatte die Marine »seit Kriegsbeginn Tausende
von Stunden mit Patrouillenfahrten an der Küste verbracht«, ohne »bis zum Frühjahr Feindtätigkeit auf dieser Seite des Atlantik« zu erwarten. In der späteren
OTTAWA-Version war der Frühling nun da, und der harte Kampf konnte
beginnen. Die erste Version stand im Einklang mit den häufig publizierten Meinungen des umherreisenden Commanders E. Ellsberg, USN, der die Möglichkeit
nennenswerter Ubootangriffe längs der Atlantikküste belächelte. Obwohl er
damit rechnete, daß Deutschland 1940 »ein oder zwei herüberschicken« werde,
»um die kanadische Bevölkerung zu beunruhigen«, erklärte er, Uboote würden
niemals einen Einfluß auf den Ausgang des Krieges haben.[31] Offensichtlich hatte
der amerikanische »Ubootfachmann«, wie er genannt wurde, Admiral Dönitz'
Strategie nicht begriffen.

Dönitz hatte seine Ansichten über die Uboot-Kriegführung Anfang 1939 in dem
deutschen Marinejahrbuch NAUTICUS veröffentlicht. Es war vielleicht bezeichnend, daß es erst im April 1943 in englischer Übersetzung in kanadischen Marine-
kreisen veröffentlicht wurde.[32] Dönitz beschrieb die Fähigkeiten des Ubootes für
den überraschenden Angriff, zum Minenlegen, als Fernaufklärer und natürlich
zur Bekämpfung der Handelsschiffahrt. Sogar die Achillesferse der alliierten
Abwehr beschrieb er und sah die psychologische Wirkung seiner Uboote voraus.
»Seemächte, die kriegsentscheidend von der Aufrechterhaltung ihrer Seeverbindungen abhängig sind, halten das Uboot für einen gefährlichen Gegner.« Er
ergänzte diese offensichtlich überflüssige Bemerkung mit der wichtigsten Grund-
satzerklärung der Vorkriegszeit, die keinen Zweifel über seine Absichten hätte
lassen dürfen: »Während Mächte, die anders nicht in der Lage sein können, die

34

Seeverbindungen des Gegners anzugreifen, das Uboot hoch werten und in ihm einen wesentlichen Teil ihrer Seerüstungen sehen.« Deutschlands Überwasser-Streitkräfte konnten es mit der britischen Flotte nicht aufnehmen. Aus diesem Grund würde das Uboot die Hauptwaffe sein. Im September 1942 waren die kanadischen Marinedienststellen gezwungen, insgeheim zuzugeben, daß »die stärkste Seekriegswaffe des Gegners das Uboot war«.[33]

Die Dönitz-Doktrin beschrieb Geleitzugangriffe großen Stils, gekoppelt mit einzelnen Fernfahrten zu feindlichen Territorien in entfernten Meeren. Das ausgesprochene Ziel dieser Einzelunternehmungen war − wie bei den kanadischen Häfen −, alliierte Streitkräfte, die mit größerem offensivem Vorteil anderweitig eingesetzt werden könnten, in oder bei ihren Heimathäfen festzunageln. Durch Operationen dicht vor den feindlichen Küsten zwangen die Uboote den Gegner, einen Großteil seiner Kräfte zu seiner unmittelbaren Verteidigung einzusetzen. Die Version der HALIFAX Pressekampagne ließ ahnen, daß möglicherweise doch ein kanadischer Marineoffizier die Bedeutung dieser Strategie begriffen hatte. Die Zeitung griff das Thema der Frühjahrskampagne wieder auf und meinte, daß »Fritz es 1941 fast sicher wieder wagen würde«, und gab einen prophetischen Bericht der dann folgenden Ereignisse. Obwohl sie sich über den Zeitpunkt des Angriffs irrte und annahm, daß schwere Ubootverluste deutsche Kampagnen abschrecken würden, sagte sie genau die Wirkung der Uboottätigkeit in kanadischen Gewässern voraus. »Wenn wir das erste Boot nicht erwischen, ehe es einigen Schaden anrichtet... werden die Leute anfangen, überall von Labrador bis Kap Hoorn Uboote zu sichten. Unser Leben wäre dann nicht mehr lebenswert, denn jeder Meldung müßte nachgegangen werden.«

Tatsächlich mußte jede Ubootmeldung im ganzen Einsatzgebiet von vierzig Grad West (über fünfhundert Seemeilen ostwärts von Newfoundland) bis zum Längengrad von Quebec City und von New York nach Norden bis an die Südgrenze von Labrador untersucht oder zumindest im Auge behalten werden. Das hieß nicht nur Schiffe, Seeleute und Flugzeuge bereitzustellen, um Tausende von Quadratmeilen des Atlantischen Ozeans, des St. Lawrence Golfs und Flusses zu überwachen, Uboote zu jagen und zu vernichten; es bedeutete ebenfalls die Einrichtung von Küstenpeilstationen und Funkverbindungen. Dazu würden die militärischen Ressourcen niemals ausreichen. Wie wir sehen werden, wurde die Ausbildung ziviler Küstenwächter und örtlicher Fischer im Erkennungsdienst für feindliche Schiffe und Flugzeuge sowie der Aufbau eines Netzes ziviler Meldestationen eine unerläßliche Ergänzung kanadischer Marineoperationen.

In den ersten Jahren des Krieges verringerten eine Vielzahl ineinander verflochtener nationaler Probleme die Wirksamkeit von Suche und Angriff. Die Schwierigkeiten wurden nicht nur durch die unzureichende industrielle Mobilisierung und die Aufsässigkeit vieler Gewerkschaften verstärkt, sondern auch durch die

Tatsache, daß der Krieg einer Generation, die die große Depression überlebt hatte, nun wirklich den Wohlstand brachte. Einschätzungen des kanadischen Beitrages zur Schlacht im Atlantik haben sich in der Vergangenheit fast völlig auf den riesigen Kriegsschiffbau konzentriert, der schließlich zur industriellen Mobilisierung führte. Es zeigt sich jedoch nun, daß die schnelle Ausweitung, unzureichende Ausbildung und veraltete Ausrüstung zu einer ungesunden Mischung und oft zu zwangsläufig schlechten Leistungen führten.[34] So wurde die Entwicklung einer praktikablen Seekriegsdoktrin durch eben die Flottenvergrößerung verdorben, die zu ihrer Unterstützung gedacht war.

Den Anforderungen des Krieges an Pflichterfüllung, Standhaftigkeit und Aufopferungsfähigkeit, die die militärische Tradition dem Mann an der Front auferlegt, stand eine Konsumgesellschaft gegenüber, die in einem bisher nicht gekannten Wohlstand lebte und immer noch mehr haben wollte. In fast allen Gewerben und Industrien waren Streiks etwas Selbstverständliches: bei der National Steel Car Company in Malton, der Canadian Electric in Toronto, der Canadian Cotton in Hamilton, bei den lebenswichtigen Werften in Lauzon, Quebec und in Midland und Kingston, Ontario, in den Gruben im Yukon oder Cape Breton und bei den Schauerleuten in St. John' und Halifax. Natürlich hatte der Präsident des TRADES AND LABOUR CONGRESS OF CANADA öffentlich verkündet, die Gewerkschaften unterstützten die Kriegsanstrengungen des Dominion. Doch seine Argumentation, daß »dieser Krieg unser Krieg ist«, nur weil die Nazis überall, wohin sie kamen, die Gewerkschaften abgeschafft hatten, erscheint einem nun höchst unaufrichtig.[35] Was auch immer der eigentliche Grund war, die von den Streiks ausgehenden Störungen und Konflikte führten zu einem lange unbeachteten Ruf nach verantwortungsvollen Gewerkschaften und nach streikbegrenzenden Gesetzen. In anderen Fällen lockten private Firmen, die einen wirtschaftlichen Boom erlebten, Arbeiter von den kriegswichtigen Industrien, die weniger bezahlen konnten, weg. Im Konflikt zwischen Geld und Pflicht erwies sich das Erstere häufig als stärker.
Auch die Pflichtauffassungen gingen stark auseinander. Als 1942 Uboote tief in den St. Lawrence eindrangen, hielten es zum Beispiel viele Quebecer für ihre Pflicht, daheimzubleiben, um ihr Vaterland gegen die Eindringlinge zu verteidigen, anstatt es offensichtlich unbewacht zu verlassen, um einen unbekannten Feind an entfernten Küsten zu verfolgen. Das war ein Pflichtgefühl, das der nationalen Politik zuwider lief. Diese Politik beruhte darauf, eine möglichst einflußreiche Rolle in der Kriegführung der Allianz zu spielen und verlangte Beiträge auf den großen Kriegsschauplätzen in Übersee ebenso wie mitten im Atlantik. Die überseeischen Beteiligungen führten zur Wehrpflicht, die in Quebec heftig bekämpft wurde. Ob Einberufungen für den Dienst in Übersee notwendig waren oder nicht; es war zweifellos schwierig, diesen Begriff den Menschen zu erklären, die zusahen, wie vor ihren Augen Schiffe versanken, ohne daß von den heimischen Verteidigungsstreitkräften irgend etwas geschah.

Bis Juni 1941 war es eine allgemein bekannte Tatsache, daß nach den Worten des OTTAWA JOURNAL »der Krieg vielen Kanadiern noch fern ist«. Wie der Leitartikel ganz richtig ausführte, waren eine »Fülle nicht nur notwendiger Waren, sondern auch Luxusgegenstände« vorhanden. Abgesehen von diesen offensichtlichen Vorteilen waren »eine große Anzahl Kanadier wenig, wenn überhaupt, von fast zwei Jahren Krieg betroffen«. Der Versuch der Küstenbewohner kann deshalb kaum verwundern, von der allgemeinen Einkommenssteigerung auch etwas abzubekommen. Im Frühjahr 1941 eröffneten sie, um Touristen zur »meerumschlungenen Halbinsel Nova Scotia zu locken«, eine Werbekampagne[36], die viel verlockender klang als die gleichzeitig ausgehängten Rekrutierungsplakate für die Marine. »Wenn Du die See liebst, wirst Du Nova Scotia lieben… komm her an die See… und beruhige Deine angespannten Nerven, schaff Deinem überarbeiteten Körper Erholung.« Die »frei erhältlichen Prospekte und Karten«, die das Provinzial-Informations-Büro im Postversand anbot, hätten zweifellos den Spionen und Saboteuren der »Fünften Kolonne« gefallen, vor denen die Zeitungen immer wieder warnten.

Durch solche Widersprüche geschwächt, schickte Kanada seine Seeleute hinaus auf See.

1. Kapitel

Strategen hinter den Kulissen

Am 31. August 1939, einen Tag, ehe Deutschlands Einfall in Polen den Zweiten Weltkrieg auslöste, übersandte der Chef des kanadischen Marinestabes in Ottawa dem Verteidigungsminister einen knappen, »streng geheimen« Lagebericht: »In der derzeitigen internationalen Spannung scheint die Hauptgefahr für den kanadischen Seehandel in Handelsstörern und Ubooten auf den Ansteuerungswegen zum St. Lawrence Strom, nach Halifax und Saint John's (New Brunswick) zu bestehen. Unglücklicherweise haben wir an der Atlantikküste noch keine Schiffe, die mit Uboot-Ortungsgerät ausgerüstet sind.«[1] Zwei Zerstörer, HMCS *Saguenay* und *Skeena*, lagen in Halifax, um es mit Deutschland aufzunehmen; vier Zerstörer in Esquimalt, an der kanadischen Pazifikküste, sollten mit der vermutlich größeren Gefährdung aus Japan fertig werden.[2] Keiner hatte Asdic. Sobald Ubootabwehr zur Hauptaufgabe würde, müßte die Marine für den Einbau dieses Gerätes schleunigst Regelungen treffen. Es sollte ein langes und zermürbendes Verfahren werden, belastet mit technischen Schwierigkeiten und langen Verzögerungen bis in das Jahr 1944 hinein. Die öffentliche Meinung sah in der kanadischen Küste 1939 allerdings keinen gefährdeten Bereich; kein Feind würde sie anzugreifen wagen. Sie war, wie Zeitungsberichte es naiv darstellten, eine »Todesfalle, eine buchstäbliche Pesthöhle für lauernde Nazi-Uboote oder Überwasser-Handelsstörer«.[3] Solche Versicherungen waren jedoch weit von der Wahrheit entfernt. Nicht nur für die unmittelbare Bedrohung war die kanadische Marine schlecht gerüstet, sondern auch schlecht vorbereitet für die notwendige Vergrößerung, auf die viele Berufsoffiziere mit Weltkriegserfahrung wie Walter Hose und L. W. Murray mit Nachdruck hingewiesen hatten. Vor sechs Monaten hatte Captain Murray seinen Vorgesetzten berichtet: »Wir haben nicht einmal die notwendigen technischen Offiziere, um die bei Kriegsausbruch notwendigen Lehrstäbe aufzustellen.« Und doch würde die Marine »in einer besseren Lage sein als die RCN vom Juni bis September 1915, die in Sydney die St. Lawrence-Sicherung«[4] aus Schleppern, Yachten und Küstenfahrzeugen zusammenstellte.

Bereits am 19. August 1939 hatte Dönitz die erste Welle von vierzehn Ubooten in Vorwegnahme von Hitlers Absicht, am 25. August in Polen einzumarschieren, aufgestellt. Diese Uboote sollten einen Schutzwall gegen britisches Einschreiten bieten. Am 1. September, zum Zeitpunkt des verschobenen Angriffs, waren vier weitere Uboote hinzugekommen. Obwohl Hitler nach der Versenkung der *Athenia* am 3. September seinem Ubootkrieg zeitweilige Beschränkungen auferlegte, führten die deutschen Ubootangriffe zu einer kalkulierten Reaktion. Die ersten Angriffe lösten das geplante Verfahren aus, das für die Schlacht im Atlantik charakteristisch sein sollte: den Geleitzug. Großbritannien stellte seinen ersten Atlantikgeleitzug von Liverpool nach Gibraltar am 7. September zusammen. Am 15./16. September verließen die ersten Transatlantik-Geleitzüge Kingston, Jamaika (Geleitzug KJF-1) und Halifax (Geleitzug HX-1). Zur gleichen Zeit weitete die deutsche Seekriegsleitung nicht nur ihre Operationsgebiete, sondern auch den Umfang der freigegebenen Ziele aus. Am 2. Oktober gab sie ihren Schiffen und Ubooten den Angriff auf alle abgeblendeten Schiffe in den begrenzten Zonen um England und in der Biskaya frei. Am nächsten Tag dehnte sie das auf alle bewaffneten Handelsschiffe aus. Drei Tage nach Priens erfolgreichem Angriff in Scapa Flow, am 17. Oktober 1939, genehmigte die Seekriegsleitung den Angriff auf alle feindlichen Handelsschiffe mit Ausnahme von Passagierschiffen. Zwölf Tage später wurden selbst Passagierdampfer in Geleitzügen zu jagdbarem Wild. Nach der Definition konnte ein Geleitzug auch aus einem einzelnen Schiff mit einem einzigen Geleitfahrzeug bestehen. Erst ab 17. August 1940 sollten im Rahmen der »totalen Blockade« Englands alle Schiffe im erklärten Operationsgebiet um die britischen Inseln versenkt werden, ob im Geleitzug oder allein fahrend. Bezeichnenderweise stimmte dieses deutsche Operationsgebiet fast genau mit der Kriegszone überein, die für amerikanische Schiffe und Bürger nach den Bestimmungen des US-Neutralitätsgesetzes von 1939 verboten war.

Ständiger deutscher Druck verstärkte die Notwendigkeit, die Geleitzugwege zu schützen. Diese Konzentrationen von Handelsschiffen gleicher Geschwindigkeit unter dem Schutz von Kriegsschiffen veranlaßten die Uboote jedoch ebenfalls zur Konzentration, von den Briten »Wolfsrudel« genannt. Doch nun bestätigte die Erfahrung die wichtigere taktische Theorie: Der Geleitzug zwang die Uboote, auf die Kriegsschiffe zuzulaufen, die für sie tödlich sein konnten. Geleitfahrzeuge und Hilfsschiffe brauchten nicht mehr die See nach Ubooten abzusuchen, sie warteten auf ihren Stationen, bis sich das Wolfsrudel auf den Köder stürzte, um dann die Boote rings um den Geleitzug herum, ja selbst mitten darin, zu jagen und zu vernichten. Im Lauf der Zeit führte dies zu einer Konfrontation – von 1943 an beherrscht durch die entscheidend wichtige Luftsicherung, die das Geschick in der Schlacht im Atlantik wendete – und hatte schwere Ubootverluste zur Folge, die die Deutschen zwangen, leichtere Ziele zu suchen. Es erwies sich, daß die leichtesten Ziele dort zu finden waren, wo die Abwehr der Alliierten am schwächsten war. Für die kanadischen Küstengewässer hätte dieser Gesichtspunkt schon sehr viel früher als 1942 eine Rolle gespielt, wenn Hitler nicht bis Ende 1941 Ubootangriffe im Westatlantik verboten hätte.

Presseberichte über die Schlacht im Atlantik waren verwirrend und auch nicht dazu angetan, die kanadische Öffentlichkeit während der ersten Monate des Krieges über die strategische Lage auf See zu unterrichten. Aufgrund ausgezeichneter Feindnachrichten war es den kanadischen Chefs der Stäbe und dem Kabinett klar, daß die Fähigkeit der Deutschen, in kanadischen Küstengewässern zuzuschlagen, sehr begrenzt war. Deshalb betrachtete man auf höchster Ebene die kanadische Küstenverteidigung − zur See, zu Land und in der Luft − der Bedrohung angemessen. Zwar war Kanada knapp an weitreichenden Aufklärungsflugzeugen und auch an Zerstörern, um die Geleitzugsicherung zu verstärken, doch bis zu der Zeit, in der sich die Ubootkonzentrationen vom östlichen Atlantik nach Westen verlagerten, mußte man eben damit fertig werden. Das eigentliche Problem lag darin, die begrenzten Mittel bestmöglich einzusetzen. Um vor allem die Seeverbindungen nach Großbritannien zu sichern und die Geleitzüge auf hoher See zu schützen, mußte Kanada die für die Küstenverteidigung vorgesehenen Streitkräfte abzweigen. Das mußte in der Öffentlichkeit zu Problemen führen, wenn offensichtlich wurde − wie das vor der Küste der Halbinsel Gaspé 1942 geschah −, daß deshalb die Schiffsverluste in heimischen Gewässern höher waren, als es sonst der Fall gewesen wäre. Die meisten Leitartikel unterstützten die Linie der Regierung.[5] Das OTTAWA JOURNAL vom 24. Mai 1941 führte an, daß im Fall einer Niederlage der Royal Navy und der Air Force in der Schlacht deutsche Schlachtschiffe »den St. Lawrence-Strom herauffahren könnten«. Die Kanadier standen deshalb vor der »nackten, schrecklichen Wahrheit«, so dröhnte der Verfasser, »daß unsere vorderste Verteidigungslinie − die lebenswichtige Linie − in Großbritannien liegt«. Fast zwei Jahre später griff ein Leitartikel im HALIFAX MAIL vom 11. März 1943 diesen Gedanken wieder auf. Er griff den Provinzialabgeordneten von Quebec zum Thema Wehrpflicht und Abzug von Seestreitkräften vom gefährdeten Golf in den Atlantik an. In diesem Artikel prangerte der Autor die offensichtlich alberne Haltung der »Politiker in Quebec an, die sich zum einen über die Uboottätigkeit beklagen und im nächsten Augenblick gegen die Entsendung kanadischer Streitkräfte nach Übersee Sturm laufen«. Sein Argument beruhte auf der herkömmlichen Einsicht, »daß die kanadische Verteidigungslinie nicht im St. Lawrence-Strom oder innerhalb der geographischen Grenzen des Dominion liegt, sondern fern der Heimat in den Weiten des Ozeans und noch weiter. Die Mündung des St. Lawrence endet in diesem Konflikt nicht mit der Halbinsel Gaspé«.

Trotz solcher Ermahnungen spiegelte die Presse eine steigende Besorgnis in einigen Bereichen der kanadischen Gesellschaft wider, eine deutsche Invasion auf dem nordamerikanischen Kontinent läge durchaus im Bereich des Möglichen. Gleich dem OTTAWA JOURNAL vom 6. Juni 1941 spekulierten Zeitungen über darauf hinweisende Kriegsvorgänge: Ein alliierter Bomber war kürzlich in vierzehn Stunden von England nach Kanada geflogen; deutsche Uboote hatten britische Schiffe innerhalb von 700 Seemeilen vor der nordamerikanischen Küste versenkt; das am 27. Mai 1941 tödlich getroffene Schlachtschiff *Bismarck* sei vor Grönland gestellt, »nicht mehr als achtundvierzig Stunden von Halifax entfernt«. Das hieß, so stellte einer von vielen Leitartikeln heraus, daß die Kanadier, bisher

unberührt von den harten Tatsachen des Krieges, »in einem Traumland lebten«.
Aber noch wichtiger war, daß »alle diese Tatsachen« nun besagten, daß »dieser
Krieg immer näher kommt und daß der Atlantik statt eines Schutzwalles gegen
Hitler schließlich zu einer Brücke für den Krieg gegen Amerika und Kanada«
werden könne. Bald verrieten Frontseitenberichte, daß Uboote »in Sicht von
Land« operierten. Der Marineminister Angus MacDonald hatte Journalisten
anvertraut, daß der »Feind von der Küste aus gesehen wurde. Zwei Uboote
wurden vor Newfoundland bekämpft.«[6] Die Zensur verhütete, daß die Öffentlichkeit erfuhr, Dönitz' Angriffsgruppe »Mordbrenner« habe den Geleitzug
SC-52 viele Meilen vor der Einfahrt in die Belle Isle Straße zwischen Labrador
und Newfoundland gejagt.

Die wirklichen Geschehnisse unterschieden sich allerdings radikal von den kanadischen Presseberichten, obwohl die vier Uboote der Gruppe »Mordbrenner«,
soweit den kanadischen Dienststellen bekannt, tatsächlich am weitesten in den
westlichen Atlantik vorgedrungen waren. Dies war jedoch nicht der erste derartige Vorstoß. Etwa fünf Monate früher, im Juni 1941, hatte *U 111* (Kleinschmidt)
die erste Unternehmung in die kanadischen Gewässer seit dem Ersten Weltkrieg
unternommen. *U 111* stand bereits seit einem Monat im Atlantik, als ihn der BdU
mit der Anweisung überraschte, die Verkehrslage am Ostausgang der Belle Isle
Straße und dann bei Cape Race zu erkunden.[7] Er solle in den zugewiesenen
Gebieten bleiben, bis er die taktische Lage geklärt habe und − wenn er keinen
Verkehr sichtete − Funkstille halten, bis er auf der Rückreise das Gebiet westlich
fünfzig Grad West mit Sicherheit verlassen habe.

Die wenig glaubhafte Neutralität, die die Vereinigten Staaten genossen und nun
ausnutzten, machte dieses Gebiet für die deutschen Uboote sakrosankt. Der BdU
wies *U 111* ausdrücklich an, in diesem Gebiet nicht anzugreifen, außer »besonders
wertvolle Schiffe, zum Beispiel Kreuzer, Truppentransporter und sehr große
Schiffe«. Nach Erhalt dieser neuen Befehle stellte Kleinschmidt fest:

*»Da das Kartenausrüstungssoll für große Uboote keinerlei Seekarten, Leuchtfeuerverzeich-
nisse oder Seehandbücher für die kanadischen und amerikanischen Küsten vorsieht, selbst
Karten in vergrößertem Maßstab für das befohlene Operationsgebiet angefertigt. Als einziger
Anhalt dienen die Quadratkarte G 1870, Maßstab 1:8 Millionen, die Wegekarte des Nordatlantischen Ozeans, Maßstab 1:6,25 Millionen, und der Nautische Funkdienst mit der
genauen geographischen Lage der Funkstationen Belle Isle, St. John's, Cape Race und Long
Point.«* (KTB)

Erst im Juli 1942 gaben die deutschen Marinedienststellen ihr detailliertes Handbuch und einen Atlas der Ostküste Kanadas heraus. Selbst bei der Anlandung
eines Geheimagenten in der Bucht von Chaleurs im November 1942 mußte sich
U 518 auf die gleiche Karte G 1870 verlassen. Im Laufe seines neunwöchigen Einsatzes erkundete *U 111* nun die Einfahrt zur Belle Isle Straße und fuhr erstaunlich

dicht an St. John's und Cape Race, Newfoundland, vorbei. Schweres Packeis verhinderte am 10. Juni 1941 den Vorstoß in die Belle Isle Straße, wie auch weitere Unternehmungen in die Küstengebiete durch Packeis, Nebel sowie große und kleine Eisberge verhindert wurden.

Während des Sommers 1941 sah sich Admiral Dönitz einem seiner erstaunlichsten und frustrierendsten taktischen Probleme gegenüber: Er konnte keine Geleitzüge mehr finden. Selbst Einzelschiffsverkehr schien aufgehört zu haben; die See war leer. Die Alliierten, so überlegte er, mußten wohl ein besonders weitreichendes Uboot-Ortungsgerät entwickelt haben, das es ihren Schiffen ermöglichte, den Ubootgruppen auszuweichen. Er irrte sich. In Wahrheit begann das streng geheime Entzifferungszentrum der Briten in Bletchley Park die deutschen verschlüsselten Marinefunksprüche zu knacken.[8] Im Oktober 1941 würden die Alliierten in der Lage sein, den größten Teil des verschlüsselten Ubootfunkverkehrs mitzulesen. Bletchley Park unterrichtete laufend das Marinehauptquartier (NSHQ) in Ottawa. Dies hat Dönitz während der ganzen Dauer des Krieges nicht erfahren. Jetzt aber versuchte Dönitz, die Geleitzugwege von Nordamerika nach England durch eine Phalanx von Uboot-»Harken« abzudecken, er stellte Vorpostenstreifen auf, die schließlich zum Geleitzug SC-52 führten.[9]

Am 19. Oktober 1941 formierte Admiral Dönitz alle zu diesem Zeitpunkt im Atlantik stehenden Boote in drei Gruppen, die ausgedehnte Vorpostenstreifen von Newfoundland bis Grönland bildeten. Gruppe »Mordbrenner«, aus vier Booten bestehend, steuerte direkt die Belle Isle Straße an, um die alliierte Schiffahrt, die von dort in den Atlantik hinauslief, bei der ersten Gelegenheit zu erwischen. Ostwärts davon erstreckten sich die neun Uboote der Gruppe »Schlagetod« und sieben der Gruppe »Reißwolf«. Der angriffsfreudige Hardegen auf *U 123,* der bei der Unternehmung »Paukenschlag« in kanadischen und amerikanischen Gewässern im Januar eine herausragende Rolle spielen sollte, war begeistert von der Aussicht, den Gegner so dicht vor seiner eigenen Küste angreifen zu können.

In Gedanken an sein neues Operationsgebiet schrieb er in sein Kriegstagebuch: »Wir hatten so die Möglichkeit, tief in die Belle Isle Straße vorzustoßen. Das war mal eine Aufgabe nach meinem Geschmack. Ich beabsichtigte daher, von Osten zwischen Belle Isle und Newfoundland hineinzustoßen. Erst einmal im Fuchsbau drin, sollte uns keiner dort ungesehen entkommen.« *U 374* (von Fischel) sichtete das Feuer von Belle Isle am 20. Oktober und bekam nach einiger Zeit den Eindruck, daß »Uboote so dicht unter der Küste nicht vermutet werden«. *U 208* (Schlieper) erlebte allerdings einen Überraschungsangriff durch einen »plötzlich aus der niedrigen Wolkendecke kommenden Martin-Bomber B 26«.[10] *U 573* (Heinsohn) sichtete »Festland und die Insel Belle Isle« und wurde durch ein Flugzeug unter Wasser gedrückt, ein Schicksal, das *U 109* (Bleichrodt) auf den Newfoundland Banks erreichte.[11]

Die Wetterverhältnisse vor der Belle Isle Straße waren verheerend. Wie es im geheimen Logbuch der Funker an Bord *U 109* lautet:

»21. Oktober 1941. In der Nacht brach der Sturm los. Ich erwachte, als die Brecher mit Wucht gegen den Turm knallten. Rasend schnell hat ein neues Tief den Sturm gebracht. Die Brük- kenwache steht wieder festgezurrt bis zum Hals im eisigen Wasser, das sich über den Turm ergießt.

Am Nachmittag steigert sich der Sturm zum Orkan. Dazu kommen noch Regen- und Schnee- schauer. Die Brücke ist andauernd unter Wasser, und die Wache kann kaum noch etwas sehen, so daß sich der Kommandant zum Unterwassermarsch entschließt.

24. Oktober 1941. Wir stampfen vor der Belle Isle Straße auf und ab. Es wird immer kälter. Auf den Netzabweisern und an der 10,5-cm-Kanone bildet sich ein dicker Eisbelag. Ein neues Tief kommt von Labrador. Einige Böen fegen vorweg, dann heult es mit ungeahnter Wucht heran. Eisstücke hageln auf die Brücke nieder, daß es den Männern fast die Gesichter zerfetzt. Unmöglich, noch die Gläser vor den Augen zu halten.

25. Oktober 1941. Wir sind jetzt dicht unter der Küste. Die See rollt hier nicht mehr so lang, aber die Sicht ist sehr schlecht. Nebelschwaden ziehen über das Wasser. Es riecht nach Land. Jetzt trennen uns nur wenige Meilen von unseren kriegsgefangenen Kameraden in Kanada. Manche sind nun schon zwei Jahre hier, und es ist noch nicht abzusehen, wann sie die Heimat wiedersehen. Möge uns dieses Schicksal erspart bleiben.

26. Oktober 1941. In der Nacht gerät das Boot in sonderbare Schwingungen und holt stark über, obwohl keine starke Dünung herrscht. Als der Morgen graut, sieht die Wache, daß das Vorschiff stark vereist ist. Aus der Kanone ist ein riesiger Eisblock geworden. Auch am Turm und an der 3,7-cm-Flak-Kanone hat sich so viel Eis gebildet, daß das Boot topplastig geworden ist. Ich habe schon alles angezogen, was ich habe. Das dicke Winterunterzeug, dar- über die Taucherkombination aus dunkelblauer Wolle, darüber das graue Moleskinpäck- chen und dann noch das Lederzeug.«

Als *U 374* schließlich am 1. November östlich von Newfoundland den Geleitzug SC-52 sichtete, formierte der BdU zwölf Boote in der Nähe des Kontaktes neu, setzte sie auf den Funkspruch von *U 374* an und benannte sie mit dem neuen Namen Gruppe »Raubritter«.[12] Hardegen auf *U 123* folgte diesem Befehl mit Genuß: »Beide Maschinen äußerste Kraft voraus. Auf ihn mit Gebrüll! Ade alter Leuchtturmwärter von Belle Isle.« Er und andere hatten wahrhaftig Grund zur Freude, denn an diesem Tag hatten die Atlantik-Uboote Fühlung mit fünf ver- schiedenen Geleitzügen. Wie Hardegen schrieb: »Man merkt doch, daß die grauen Wölfe sich vermehrt haben.« Doch während dieser Geschehnisse fuhren Hunderte von alliierten Handelsschiffen mit Tausenden von Tonnen Ladung sicher über See. Die Gesamtzahl der Schiffe, die nach Osten über den Atlantik geleitet wurden, stieg von 527 im Jahr 1939 auf 4053 im Jahr 1940 und 5050 im Jahr 1941. Nur 151 davon gingen durch Feindeinwirkung verloren.

Die Schlacht um den Geleitzug SC-52 begann am 2. November 1941, als von Fischels *(U 374)* Versuch, die Geleitzugsicherung von achtern zu durchstoßen, durch HMCS *Buctouche* abgewehrt wurde. Da er den Angriff der Korvette über Wasser nicht ausmanövrieren konnte, tauchte *U 374* auf vierzig Meter. Die Explosionen von sieben Wasserbomben führten zu kleineren technischen Ausfällen. Bei 93,5 Meter berührte *U 374* den Grund, mit eingeschaltetem Asdic kreuzten zwei Fahrzeuge über ihm. Er tat das, was zur klassischen Ausweichtechnik werden sollte: Er legte sich auf den Grund und schaltete alle nicht unbedingt benötigten Geräte ab – das erste dokumentierte Beispiel für diese Taktik in kanadischen Gewässern. Während des ganzen Krieges wandten Ubootkommandanten diese Taktik in flachen Küstengewässern an und entgingen damit stets der Entdeckung. In Hardegens Kriegstagebuch sind bei den Eintragungen von 1. bis 3. November die Geräusche der Schlacht vermerkt. Er war begeistert, wie gut das Rudelsystem funktionierte: »Cooperation – Du hast gesiegt!« (KTB) *U 569,* Hirsch, versenkte ein Schiff mit 3349 Tonnen; *U 202,* Binder, drei Schiffe mit 8440 Tonnen; und *U 203,* Mützelburg, weitere zwei Schiffe mit 10 456 Tonnen. Nebel und Funkstörungen beendeten den Kampf.

Aus Gründen, die nur politisch motiviert sein konnten, gab Kanadas Marineminister MacDonald diese »Schlacht« fast unverzüglich beim Stapellauf der Korvette HMCS *Oakville* in Oakville, Ontario, bekannt. Zwischen Belle Isle und Island standen jetzt mehrere Uboote, erklärte er, davon waren zwei angegriffen worden und eines möglicherweise versenkt. Seine Behauptung von angeblichen kanadischen Erfolgen etwa dreihundert Meilen vor der Küste entsprach den Tatsachen natürlich nicht. Zweifellos hielt er es für nötig, das Engagement der Bevölkerung für den Krieg zu stärken, indem er die Nähe der Gefahr aufzeigte. Rear Admiral Percy Nelles nutzte den Stapellauf ebenfalls dazu, die Presse warnend darauf hinzuweisen, daß »Nazi-Uboote« in naher Zukunft vor Nova Scotia operieren würden.[13] Ein Fischdampfer aus Boston schien diese Vorhersage zu bestätigen, als er behauptete, vierzig Meilen südwestlich von Halifax ein Uboot gesichtet zu haben.[14] Später schmückten Zeitungsartikel die Geschichte von dem Uboot aus, das sich an den Geleitzug SC-52 etwa »dreißig Meilen vor Kanada« heranpirschte. »Uboote lauern unglaublich nahe der kanadischen Küste«, zitierten sie angeblich offizielle Quellen.[15]

Bezeichnenderweise standen diese Schreckensnachrichten über Uboote nicht an erster Stelle. Nicht einmal die Nachricht eines kanadischen Erfolges erhielt höhere Priorität. Doch die Versenkung von *U 501* (Förster) im Nordatlantik und die Gefangennahme von 47 Überlebenden durch HMCS *Moose Jaw* und *Chambly* war für einige Beobachter ein Anzeichen dafür, daß die kanadische Marine endlich mündig geworden war.[16] Ein Leitartikel im OTTAWA JOURNAL vom 20. November 1941 bemerkte, daß die vernachlässigte kanadische Marine bis jetzt »keinen Anlaß zu Stolz« gegeben habe. Mit dem Erfolg dieser Korvetten jedoch »tun wir Buße für das Vergangene und werden den Traditionen der britischen Flotte gerecht«. Die Versenkung war für die Presse ein Symbol für die

Wende in der kanadischen Marinegeschichte, die »es nicht zuläßt, daß wir auf unsere Torheiten in Marinefragen zurückfallen, da für unsere Zukunft so viel von der See abhängt«.

Diese Prophezeiung sollte sich auf lange Sicht nicht erfüllen. Die Situation sollte sich eigentlich bis Juni 1943 nicht wesentlich verbessern. Nach den Worten des damaligen LCDR (später Admiral) Desmond Piers: »Es ist eine nackte Tatsache, daß RCN-Schiffe hinsichtlich ihrer Ubootabwehrausrüstung, verglichen mit der Royal Navy, um zwölf bis achtzehn Monate zurückliegen. Kanadisches Personal erhält nicht die Chance, die es verdient, weil moderne Ausrüstung fehlt.« Die Jagd nach *U 806* vor Halifax im Dezember 1944 veranschaulicht das Problem: Nur eins von vierundzwanzig an der Jagd beteiligten kanadischen Schiffen hatte ein Asdic-Gerät, mit dem die Tiefe des Zieles berechnet werden konnte. Wenn es der Marine schließlich auch besser ging und sie nie wieder auf die bedrückenden und unangemessenen Kürzungen der zwanziger Jahre zurückfiel, würde sie doch, wenn der Krieg vorbei und die offensichtlichen Gefahren vorüber waren, unter unangenehmen Kürzungen zu leiden haben. Nunmehr mußten allerdings für die Verteidigung der Küstenregion eigene Pläne aufgestellt werden. Geographie und begrenzte Ressourcen diktierten die Bedingungen. Während die Verteidigung des St. Lawrence-Golfes und -Stromes ein Sonderfall war (siehe Anhang), hing die Verteidigung der atlantischen Gewässer in großem Maße von den Bedürfnissen der transatlantischen Geleitzüge und insbesondere von der gesamten Kriegführung sowie von internationalen Vereinbarungen ab, an denen Kanada nicht beteiligt war.[17]

Für die Organisation der Geleitzugsicherung im Nordwestatlantik war Neufundland der logische und wohl auch wichtigste Bereitstellungsraum. Siehe Mark Milner, North Atlantic Run: »The Royal Canadian Navy and the Battle for the Convoys«; Toronto and London University of Toronto Piers, 1985. Obwohl damals eine britische Kolonie, bildete diese große Insel eine Schlüsselposition in der kanadischen Verteidigung. Schon 1939 fühlte sich die Dominion-Regierung in Ottawa, zwar nach Rücksprache mit Großbritannien, für die Sicherheit Neufundlands verantwortlich; Premierminister Mackenzie King hatte vor Kriegsbeginn den Standpunkt geäußert, daß die Verteidigung von Neufundland stets zu den vorrangigsten Aufgaben Kanadas gehöre. Mit Blickrichtung auf eventuelle Ankerplätze und Stützpunkte für die Kriegsflotte hatte Kanada die Küste Neufundlands 1940 sogar vermessen, und weitere zehn Korvetten für dessen Küstenverteidigung bestellt. Zur Unterstützung der Royal Navy Marine-Dienststelle in Neufundland, der einzigen auf der Insel, hatte die kanadische Marine auch Personal nach St. John's abkommandiert. Bis 1941 aber konnten die kanadischen Streitkräfte nur einen bescheidenen Beitrag zu Neufundlands Sicherheit leisten, obwohl der »Schwarze Plan«, der vom schlimmsten Fall einer britischen Niederlage durch deutsche Streitkräfte ausging (siehe Anhang), mit einer größeren Leistung rechnete. Zwar führte dieser »Plan Black« die Grundsätze an, mit denen einer solchen Bedrohung begegnet werden sollte, und beschrieb auch die kanadischen und US-Streitkräfte, die zurückschlagen würden. Über die Unzulänglichkeiten und die begrenzten zur Verfügung stehenden Ressourcen wurde aber niemals gesprochen oder auch nur nachgedacht. Dafür bestand auch kein Anlaß, denn die neutralen Vereinigten Staaten verfügten über derart überwältigende Schlachtflotten, daß Kanada unter diesem Schutzschirm sich in Ruhe sicher fühlen konnte – und dieses auch tat. Mit fünfzig amerikanischen Zerstörern allein in Argentia, Neufundland, und Flugzeugträgern in See, schien die US Task Force 24 über die Schlagkraft zu verfügen, die für die kanadische atlantische Küste eine ganze Zeit lang erforderlich war. Diese Zuversicht blieb bis Pearl Harbor erhalten.

Mittlerweile rang Kanada auf politischer Ebene mit den neutralen Vereinigten Staaten um die alte Kolonie Neufundland. Der zwischen England und den USA vereinbarte Austausch von Zerstörern gegen Stützpunkte (destroyers for bases deal) ermöglichte die Einrichtung von amerikanischen Stützpunkten auf der Insel. Trotz starker Proteste von Kanada und trotz dessen älterem Anspruch auf die Verteidigung Neufundlands wurde der Vertrag abgeschlossen. Dieser Vertrag hatte schwere Konsequenzen, denn er erlaubte den Amerikanern unter anderem, ihre Basen durch Operationen in den angrenzenden Gebieten zu verteidigen. Kurz, der Neutrale wurde ohne Kriegserklärung zum Kriegführenden.

Kanadas Sorge um dessen Stellung in Neufundland wurde durch die gemeinsame anglo-amerikanische Kriegsplanung verschärft, die im Falle eines amerikanischen Eintritts in den Krieg in Kraft treten sollte. Seit Wochen nun im frühen 1941 trafen sich rangältere britische und amerikanische Stäbe in Washington, um einen koordinierten Commonwealth-US-Verteidigungsplan zu besprechen. Europäische Historiker nennen diese Gespräche »ABC – American-British-Canadian«-Konversationen. Aber da Kanada aus solchen Gremien und Verhandlungen ausgeschlossen wurde – auch wenn die Großmächte kanadische Rechte, Ansprüche und Probleme diskutierten –, sind diese ABC-Konferenzen unter Kanadiern eher als »American-British-Conversations« bekannt. Für die USA und Großbritannien galten die Kanadier oft als Schachfiguren, die die Großmächte am Anfang nicht einmal in kanadischen Angelegenheiten befragten oder zu Rate zogen. Diese Haltung dem jungen Dominion gegenüber führte zu organisatorischen und seekriegsstrategischen Schwierigkeiten. Wie dem auch sei, das erste anglo-amerikanische Abkommen »ABC 1« teilte die Welt in zwei strategische Zonen. In Übereinstimmung damit sollten die USA die Verantwortung für den Pazifik und den Westatlantik übernehmen, mit Ausnahme der nach diesem und weiterer anglo-amerikanischen Abkommen Kanada zugeteilten Gewässer und Gebiete.

Mit dieser stiefmütterlichen Behandlung im Rahmen der ABC-Gespräche waren die Kanadier sehr unzufrieden, ja sogar darüber entrüstet. Die kanadischen Chiefs of Staff sahen in »ABC 1« einen Versuch, die kanadische Präsenz aus Neufundland zu verdrängen. Die Situation war theoretisch und problematisch, denn die eigentliche Ausführung des Plans hing von einem Eintritt der immer noch neutralen USA in den Krieg gegen Deutschland ab. Die Lösung solcher Fragen, die für Kanadas Verantwortung als souveräner Staat von besonderer Bedeutung war, entsprach keineswegs der kanadisch-nationalen Perspektive eines gleichberechtigten Partners im Krieg gegen Deutschland. Durch die Einrichtung einer kanadischen Stabsmission in Washington versuchte Kanada nun seit einiger Zeit die Anerkennung seiner Ansprüche zu erzwingen. Während des langen politischen Kampfes, dessen hauptsächlicher Zweck es war, einfach gehört und anerkannt zu werden, wurden Kanadas Aufgaben im »ABC-Abkommen« ausgearbeitet. Zuständig dafür war der kanadisch-amerikanische »Permanent Joint Board of Defence«. Das als Anhang zu »ABC 1« verfaßte Abkommen »ABC 22« beauftragte Kanada mit der Sicherung seines eigenen Küstengebietes (innerhalb der Drei-Meilen-Zone) und verpflichtete es zur Übergabe von fünf Zerstörern und fünfzehn Korvetten an US-Streitkräfte im Westatlantik. Nach »ABC 22« sollte der Rest der kanadischen Seestreitkräfte nach England entsandt werden. Im strengsten Sinne des Wortes also hatte Kanada das »Ringen um Neufundland« verloren, sobald die USA in den Krieg eintraten. Obwohl die Kanadier im früheren Kontext des Verteidigungsplanes »Black« (Schwarzer Plan) sich bereiterklärt hatten, ihre Seestreitkräfte uneingeschränkt in den Dienst einer amerikanischen strategischen Führung zu stellen, hielten sie »ABC 1« und »ABC 22« jetzt für offensive Pläne, die eine völlig neue Orientierung mit sich brachten. Aus diesem Grunde bestanden sie unerschüttert auf ihren Rechten, die volle Kommandogewalt über kanadische Streitkräfte in kanadischen Gebieten und auch in Neufundland auszuüben. »Gegenseitige Zusammenarbeit« in den Kampfzonen sollte die Seestreitkräfte der beteiligten Nationen koordinieren. Wer in solchen Fällen die operative Führung haben sollte, wurde nie definiert. Die Kanadier aber sorgten dafür, daß die Zahl des kanadischen Personals in Neufundland die vereinbarte übertraf, ja sogar größer als die der Amerikaner war, und daß der kanadische Befehlshaber Neufundland einen höheren Rang hatte als sein amerikanisches Gegenüber. Diese Erwägungen waren von vorrangiger Bedeutung für die kanadische Regierung und deren Militärstäbe, als Großbritannien sie im Frühjahr 1941 bat, größere Geleitzugs- und Sicherungskräfte in St. John's zu stationieren. Über das historische Treffen zwischen Roosevelt und Churchill im August 1941 in Argentia, Neufundland, hat man viel geschrieben. Es genügt hier bloß darauf hinzuweisen, wie die Vereinbarungen die Einplanung und Ausführung kanadischer Operationen im Westatlantik beeinflußten. Der Zweck des Argentia-Abkommens war, die Royal Navy von ihrer Verantwortung für Handels- und Geleitzugsicherung im Westatlantik zu entlasten. Ohne jede Rücksprache mit Kanada beschlossen nun die Briten und Amerikaner, daß die strategische Führung im Westatlantik – laut »ABC 1« – auf die USA übertragen werden sollte. Die in Argentia stationierte US Task Force 4 übernahm Geleitzugoperationen zwischen dem Mid-Ocean Meeting Point (MOMP) mitten im Atlantik und dem Western Ocean Meeting Point (WESTOMP) kurz vor Neufundland. Das war die von den

Amerikanern vorgeschriebene äußerste Grenze der kanadischen Seestreitkräfte. Nach den von den Amerikanern erteilten Operationsbefehlen mußten die Kanadier an die USA die früher im »ABC 22« vereinbarten fünf Zerstörer und fünfzehn Korvetten liefern. Mit diesen geringen, als »Newfoundland Escort Force« organisierten Seestreitkräften sollten die Kanadier für die Langsamgeleitzüge zwischen WESTOMP und MOMP sorgen. Gleichzeitig wurden britische Sicherungskräfte zurückgezogen. Sobald die Amerikaner genug Erfahrung in Geleitzugoperationen gesammelt hatten, so beschlossen die Großmächte unter sich, würden die USA auch die Neufundland-Operationen übernehmen. Vorläufig aber übertrug Großbritannien die operative Führung der aus kanadischen Kriegsschiffen bestehenden NEF-Sicherungsstreitkräfte auf den in Argentia stationierten amerikanischen Befehlshaber. Damit wurden die Kanadier völlig ausgeschaltet, und die Kommandogewalt über die kriegführenden Seestreitkräfte Kanadas lag in den Händen der immer noch neutralen Vereinigten Staaten.

Der japanische Überraschungsangriff auf Pearl Harbor im Dezember 1941 zwang die Vereinigten Staaten zu einer Kräfteverteilung auf breiterer Front als vorgesehen. Er eröffnete nicht nur den pazifischen Krieg, sondern änderte in der Folge auch die Rolle der kanadischen Marine im Atlantik. Im Mai 1941 drängte die Newfoundland Escort Force (NEF) – geschaffen als Notlösung, bis sich die USN voll in die Geleitzugoperationen einschaltete – die RCN zum ersten Mal aus ihrer kleinen Rolle in der Küstenverteidigung in eine große im Rahmen der Atlantik-Operationen. Pearl Harbor und der Pazifikkrieg, der so viele US-Schiffe abzog, sorgten dafür, daß die Rolle der RCN im Übersee-Geleitdienst zu einer Dauereinrichtung wurde. Das war eine radikale Änderung; denn selbst im Herbst 1940 hatte die kanadische Marine noch keine Pläne »für den Einsatz ihrer erst im Wachsen begriffenen Korvettenflotte als Hochsee-Geleitstreitkräfte«.[18] Die ersten auf Forderung der britischen Admiralität in See gehenden kanadischen Korvetten waren in der Tat nach Ansicht des kanadischen Marinestabes dafür einfach nicht ausgebildet.[19] Die, man könnte sagen geradezu altertümliche Art, eine Seeverteidigung aufzuziehen, verzögerte schließlich Kanadas Kräfteeinsatz als gewichtige Geleitstreitkraft in der Schlacht im Atlantik. Die Priorität der örtlichen Verteidigungsplanung erklärt auch, warum Minensucher wie die *Bangor's* selten Minen suchten, sondern bei den sich schnell ändernden taktischen Maßnahmen in die Bresche geworfen wurden, um als Geleitstreitkräfte auf hoher See tätig zu werden. Pearl Harbor änderte Dönitz' Vorstoß an die amerikanischen Küsten ebenfalls radikal.

Das Ringen um eine zuverlässige Ubootabwehrdoktrin beschäftigte die seefahrenden Kanadier, sobald sie die Gefahr erkannten. Das kanadische Merkmal der »Verteidigung durch offensive Maßnahmen«, die Commander J. D. »Chummy« Prentice für die atlantischen Geleitstreitkräfte herausarbeiten würde, führte zu einem Konflikt mit den britischen Geleitprinzipien.

Bis 1940 waren die Kanadier auf die britische Doktrin in Form der WESTERN APPROACHES CONVOY INSTRUCTIONS (WACIs) angewiesen; auf diese gingen die ATLANTIC INSTRUCTIONS (ACIs) zurück. Artikel 101 der ACIs erklärte als vorrangiges Ziel der Geleitstreitkräfte die »sichere und zeitgerechte Ankunft des Geleitzuges am Bestimmungsort«.[20] Das vorrangige Mittel, dieses Ziel zu erreichen, hieß »ausweichen«. Dieser Weg hatte für diejenigen, die Uboote versenken wollten, wahrhaftig keinen Reiz, denn die ACIs bestanden darauf, die Geleitstreitkräfte sollten sich zurückhalten, bis Angriffe »ohne ungewöhnliche Benachteiligung für die Sicherheit des Geleitzuges« unternommen werden konnten. Ein Großteil der ungerechten Vorwürfe, die kanadischen Streitkräfte seien bei der Versenkung von Ubooten offensichtlich wirkungslos gewesen, ist wohl auf die Tatsache zurückzuführen, daß ihre Rolle eine Initiative beim Angriff ausschloß. Zudem konnten die Briten ab Mai 1941 Ubootfunksprüche entziffern und hatten dadurch die Möglichkeit, viele Geleitzüge um die »Wolfsrudel« herumzuleiten. Die US »ESCORT OF CONVOY INSTRUCTIONS« dagegen, auf die die Kanadier seit Herbst 1941 im Einsatz angewiesen waren, kehrten die britischen Prioritäten um. Für die Amerikaner bestand die erste Pflicht darin, den Feind zu schlagen, und erst dann »den Geleitzug an ihm vorbeizuführen«.[21] Das könnte in gewisser Weise auch erklären, weshalb die Briten so oft irritiert waren, wenn die Kanadier zur Jagd auf ein Uboot losstürzen wollten. Die Royal Navy empfand diesen kanadischen Weg mehr als »Cowboy«- und »Raureiter«-Taktik denn als Disziplin einer Berufsmarine.

In der zynischen Betrachtung der kanadischen Taktik durch die Royal Navy liegt wohl mehr als eine Spur Wahrheit, wenn man zum Beispiel die Schiffsabzeichen und Geschützwappen als charakteristisch ansieht: HMCS *Calgary* zeigte ein Uboot, das einen gewehrschwingenden, rittlings auf einem bockenden Zerstörer sitzenden Cowboy um Gnade anbettelt; HMCS *Rimouski* einen berittenen Cowboy, der ein Uboot mit einem Lasso einfängt; HMCS *Dauphin* einen »Mountie« (ein Angehöriger der bekannten Royal Canadian Mounted Police – berittene Polizei) rittlings auf einem Uboot; HMCS *Sorel* ein rotbraunes Pferd mit einem Marineabzeichen, das ein Uboot zerbeißt; HMCS *Buctouche* eine Karikatur Hitlers, der von einem bockenden Esel abgeworfen wird; HMCS *Agassiz* einen Grizzlybär, der ein Uboot gepackt hat, um es zu verschlingen; und HMCS *Moosejaw* einen entsetzten Hitler auf der Flucht vor einem wild blickenden, feuerschnaubenden Elch, der ihm gerade ein Stück aus dem Hosenboden gebissen hat. Nach Meinung des kanadischen Marinestabes unterschieden sich solche Zeichnungen ihrer Art nach »wesentlich« von denen, die in der Royal Navy offiziell genehmigt waren. Während eine Admiralitätskommission die Abzeichen der Royal Navy nach festgelegten Maßstäben der Heraldik, der Schicklichkeit und des Anstands beurteilte, waren die kanadischen Abzeichen ohne jede Formalität einfach da.[22]
Der Prinzipienstreit zwischen der US Navy und der Royal Navy fand eine Art

Lösung in den kanadischen »Winken für Geleittätigkeit«, herausgegeben zwischen März und Juli 1943 von Captain P. D. »Chummy« Prentice, dem kanadischen Kommandeur der Zerstörer in Halifax. Anschaulich, ansprechend und manchmal sogar schmissig, bestanden diese »Winke« aus ins einzelne gehenden Empfehlungen zu wesentlichen Aspekten von Geleitzugtheorie und -praxis.[23] Prentice betonte, daß die ATLANTIC CONVOY INSTRUCTIONS die Grundlage der kanadischen Doktrin seien, erklärte aber, daß »unsere Taktik flexibel sein muß«. Während er so einerseits den britischen Lehrsatz »der sicheren und zeitgerechten Ankunft unserer Geleitzüge« als wichtigstes Ziel aller Geleitstreitkräfte bestätigte, ließ seine historische Betrachtung eine freie Auslegung der Regeln zu: »Die Geschichte hat gezeigt, daß der einzig sichere Weg, dieses Ziel (zeitgerechte Ankunft) zu erreichen, die Vernichtung aller feindlichen Streitkräfte ist, die in unsere Nähe kommen... Im Klartext gesprochen... ›setz‹ zwei Geleitstreitkräfte auf ein Uboot an, und, wenn Du es in den Zähnen hast, dann laß nicht locker, bis es versenkt ist.« Wie wir sehen werden, führte diese Methode zur Vernichtung von *U 536* und *U 845*.

Hätten die ketzerischen Ansichten dieses in mancher Hinsicht unangebrachten Kompromisses die Admiralität zwei Jahre früher erreicht, hätten sie zumindest entrüstete Überraschung ausgelöst. 1943 jedoch, als sich die Schlacht im Atlantik eindeutig zu Ungunsten der Uboote gewendet hatte, begrüßten Kreise in der Royal Navy die Abhandlung von Prentice als »ebenso interessant wie erfrischend«.[24] Die Admiralität erklärte anerkennend, daß die »Kanadier viele Anweisungen der ACI ihren gemischten Geleitgruppen angepaßt haben«. Dies war eine verständnisvolle Anerkennung der ernsten Mängel an einsatzbereiter Ausrüstung, die die Kanadier mit einfallsreicher Sicherungstaktik ausgleichen mußten. Die Admiralität erkannte zum Beispiel an, daß viele dieser gemischten Geleitgruppen aus *Bangor*-Minensuchbooten, Korvetten und Zerstörern »nur über ein einziges Schiff verfügten, das mit dem neuesten Radar Typ 271 ausgerüstet war«. Das war das einzige Radar, das automatisch über 360 Grad schwenkte – wenn es auch für eine einzige Umdrehung zwei Minuten brauchte. Das war aber schon ein klarer Vorteil gegenüber dem britischen Typ 286, das überhaupt nicht drehte. Der Typ SW1C (SURFACE WARNING 1ST CANADIAN) konnte wenigstens mit Hand gedreht werden. Zwar besaßen alle kanadischen Zerstörer 1941 einen Typ 286, doch waren nur fünfzehn kanadische Korvetten mit dem SW1C ausgerüstet. Es fällt auf, daß »von August 1940 bis Februar 1942 nur von vier Ubooten bekannt geworden ist, daß sie mit Hilfe von Radar aufgetaucht entdeckt und davon nur ein einziges angegriffen wurde.«[25]

Das Vordringen der Uboottätigkeit nach Westen im Jahr 1941 führte zu einer entsprechenden Entwicklung der gesicherten Geleitzugwege, die von Großbritannien ebenfalls weiter nach Westen vorrückten. Anfangs geleiteten auf Island als Basis abgestützte Seestreitkräfte die Geleitzüge von Großbritannien bis 30 Grad

West. Die Einbeziehung von St. John's auf Newfoundland machte dann den Schutz bis 45 Grad West möglich. Das letzte Stück führte nach Halifax. Trotz erheblichen Kräftemangels spielte die kanadische Marine eine immer stärkere Rolle.[26] Das Eindringen deutscher Uboote in den St. Lawrence-Golf vom ersten Einsatz im Mai 1942 über den Sommer und Herbst hinweg, als sie zu ihrer erfolgreichsten Zeit zwanzig Schiffe versenkten, löste erhebliche Verkehrsbeschränkungen im Golf aus. Der Druck der Uboote auf den Golf hatte etwas nachgelassen, als die Admiralität in London im November 1942 möglichst zahlreiche Geleitstreitkräfte zur Unterstützung der »Unternehmung Torch«, der Landung in Nordafrika, anforderte. Aller Reserven entblößt, verlegte Kanada dennoch siebzehn Korvetten zu Lasten seiner eigenen Golf- und Küstengeleitzüge.[27] In der offenen Sprache des Leiters der Operationsabteilung hatte diese Verlegung »die Küstengeleitzüge ihrer Sicherung beraubt«.[28] Es gibt keinen Beweis dafür, daß der kanadische Beitrag an Schiffen für »Torch« besonders wichtig war; es war ein Akt kolonialen Respekts gegenüber Großbritannien. Unzureichender Schutz für die Küstengeleitzüge führte direkt zum Verzweiflungsentschluß: der Schließung des Golfs. Eine Entscheidung des Kriegskabinetts vom 9. September 1942 schloß den Golf für die Hochseeschiffahrt ab Oktober 1942.

Logistische Überlegungen hinderten die kanadische Regierung daran, den Golf so absolut zu schließen, wie sie es vielleicht gewollt hätte, da vierzig Prozent der geleiteten Schiffe im Küstenhandel tätig waren.[29] Fast 24 Prozent dieses Handels gingen nach Sydney und Newfoundland, der Rest in Häfen auf Gaspé und dem nördlichen New Brunswick. Einige entscheidend wichtige Rohmaterialien wie Kohle aus Sydney, Eisenerz aus Wabana, gar nicht zu reden von Bauxit und Papierholz konnten nicht gestoppt werden. Sowohl Inselfähren mußten fahren als auch die Schiffahrt und die Kriegsschiffneubauten von den Großen Seen flußabwärts. Der Chef des Marinestabes, Viceadmiral Percy Nelles, informierte den Verteidigungsminister am 7. Oktober 1942 dahingehend: »Wir können nicht davon ausgehen, daß die Häfen Montreal und Quebec, Sydney und Gaspé ... aus welchen Gründen auch immer völlig geschlossen werden.« Die Ausschaltung von 60 Prozent der Schiffahrt im Golf mußte zu einer Vergrößerung und Verbesserung der Endbahnhöfe von Halifax und St. John's, New Brunswick, führen, um eine ganzjährige Kapazität zur Verladung kanadischer Produkte in Hochseeschiffe sicherzustellen.[30]

Anscheinend hatten kanadische Dienststellen die Auswirkung der Schließung auf das Bahnsystem nicht geprüft. Es zeichnete sich deutlich ab, daß die Umleitung über amerikanische Häfen zu erheblichen Transportproblemen in Kanada führten und die Gewinne aus Waren und Dienstleistungen den Vereinigten Staaten zugute kamen. 1943 liefen über 26 Prozent des kanadischen Handels durch die USA, außerdem fast 22 Prozent des kanadischen Handels mit Großbritannien. Kanadische Weizenexporte in solch entfernte Häfen wie Tampa, Florida und Wilmington,

North Carolina, sowie andere Verschiffungen in ebenso weit entfernte Häfen machte eine Rationierung geschlossener Güterwagen im gesamten kanadischen Bahnnetz notwendig.[31] Innerhalb der Marine rief die Schließung des Golfes starke konstruktive Kritik hervor. Ein Vorschlag von Commander R. B. Mitchell, RCNR, Schiffahrtleitoffizier von Sydney, Nova Scotia, bot dem DEPARTMENT OF NATIONAL DEFENCE am 15. Oktober 1942 eine Reihe von Möglichkeiten an, an die bisher anscheinend noch nicht gedacht worden war: die defensive Verminung des Golfes und seiner Zufahrtswege.[32]

Damals wie heute können Minen sowohl defensiv als auch offensiv eingesetzt werden. Durch Verlegung von Minen in genau festgelegten Positionen in einem »Feld« vor eigenen Küsten und Häfen verwehrt man dem Feind freien Zugang, während die eigene Schiffahrt sich durch sorgfältige, kartografisch festgelegte Kanäle sicher bewegen kann. Umgekehrt, durch Verlegung eines ähnlichen »Feldes« in feindlichen Gewässern, wird die Bewegungsfreiheit des Feindes in seinen eigenen Gewässern stark gefährdet. Es gibt zwei Arten defensiver Minensperren: die »unkontrollierten«, in denen Minen aufgrund ihres eigenen inneren Mechanismus detonieren, und die »kontrollierten«, die durch eine elektrische Kabelschleife verbunden von einer Station an der Küste oder an Bord eines Wachfahrzeuges ausgelöst werden. Offensive Sperren sind, wie wir in einem späteren Kapitel über Uboot-Minenlegen sehen werden, unkontrolliert. Einige Minen werden in tiefem Wasser verankert und steigen am Ende eines langen Ankertaues an die Oberfläche. Andere liegen auf dem Meeresgrund in flachen Gewässern. Eine dritte Art treibt einfach an der Oberfläche vor Wind und Strom dahin. Es ist die am wenigsten wirksame Art, denn nicht einmal der Minenleger selbst kennt ihre genaue Position.

Schon im September 1939 hatte die britische Admiralität die kanadische Marine unterrichtet, daß Abwehr-Kabelschleifen »zwar noch im Entwicklungsstadium, aber über das reine Versuchsstadium bereits hinaus seien«.[33] Es gab sie in zwei Ausführungen: Minenschleifen wie oben beschrieben und Meldeschleifen, die einem entfernt gelegenen Beobachtungsposten anzeigen, wenn ein Überwasserschiff oder ein Uboot darüber hinweg fuhr. Die Admiralität betrachtete festinstallierte Horchgeräte als von »zweifelhaftem Nutzen gegenüber geschickt geführten Ubooten«. Die Balkensperren, Melde- und Minenschleifen im Küstenvorfeld von Halifax sollten vorrangig in den ersten Kriegsmonaten gebaut werden. Kanada war nie in der Lage, eine Minensperre aufzustellen.

Ein weiteres Projekt war das AIRCRAFT DETECTION CORPS, ADC (Flugmelde-Korps), auf das sich das kanadische Militär schließlich stützte. Das kanadische Küsten-Kriegsgebiet war für die begrenzten militärischen Mittel einfach zu groß. Organisiert und geführt durch das EASTERN AIR COMMAND zum ausdrücklichen »Zweck, die Anwesenheit und Bewegung aller Flugzeuge, Uboote,

Kommandotrupps, verdächtiger Personen und Schiffen in Not« zu melden, bestand es aus zivilen Freiwilligen.[34] Jeder freiwillige Bereichsleiter überwachte ein Gebiet von ungefähr 1200 Quadratmeilen. Unterstützt durch andere Freiwillige in ihren Aufgaben als Chefbeobachter und hauptamtliche Beobachter, die in Untergruppen von 48 Quadratmeilen, sogenannten Beobachtungsgebieten, tätig waren, stellte das ADC dem EASTERN AIR COMMAND eine 24stündige Überwachung am Boden zur Verfügung. Selbst 1942 war das System noch keineswegs befriedigend, trotz der Ausbildungsbroschüren und Flugzeug-Erkennungstafeln, die das EASTERN AIR COMMAND lieferte. Erhebliche Schwierigkeiten bereiteten die Fernmeldeverbindungen, denn das ADC hatte das Ziel noch nicht erreicht, »wenigstens ein Telefon in jedem Beobachtungsgebiet zu haben«. Bei Feststellung eines verdächtigen Vorgangs mußte der Beobachter möglicherweise sechs bis acht Meilen zu Fuß gehen oder rudern, um seine Meldung loszuwerden. Die Fernmeldeverbindungen erwiesen sich als Achillesferse der Ubootabwehr-Tätigkeit auf dem St. Lawrence. Anfang 1943 sprachen die kanadischen Behörden von dem dringenden Bedarf, die Fernmeldedienste durch zusätzliche Telefon-, Fernschreiber-, Kabel- oder Funkverbindungen zu verbessern und beantragten die Finanzierung eines 1020000-Dollar-Programms, um die Kampfkraft von Heer, Marine, Luftwaffe und den ADC-Einheiten auf dem St. Lawrence und dem Golf zu verbessern.[35] »Ein äußerst wirksames Fernmeldesystem ist zur Bekämpfung von Ubooten entscheidend wichtig«, bemerkte ein Bericht. Selbst nach so langer Kriegsdauer sah es damit immer noch schlimm aus:

»Die Fernmeldeverbindungen im St. Lawrence-Golf sind ganz allgemein sehr dürftig und in vielen Bereichen überhaupt nicht vorhanden. Am Südufer des St. Lawrence und auf der Halbinsel Gaspé stehen zur Zeit nur kurze Privatlinien zur Verfügung, und von Gaspé nach Seven Islands am Nordufer des St. Lawrence gibt es nur Funkverbindung. Das Nordufer des St. Lawrence hat nur eine einzige Drahttelegrafenverbindung, und diese ist äußerst unzuverlässig, weil sie nur repariert wird, wenn ein Vorbeikommender die Notwendigkeit feststellt. So funktioniert auch das Telefon auf Anticosti Island nur gelegentlich, und obwohl viele Ubootsichtungen von den Bewohnern dieser Insel gemeldet wurden, war dies oft viel zu spät, um Uboote orten und angreifen zu können.«[36]

Der Ausbau der Fernmeldesysteme ging ebenso langsam voran wie die Anwerbung von ADC-Freiwilligen. Eine statistische Übersicht der tatsächlichen Besetzung von 1942 und der beabsichtigten für 1943 zeigt sowohl ernste geographische Lücken als auch die als notwendig erachtete Verstärkung (siehe Tafel 1).

Die Organisatoren standen vor regionalen Problemen. Auf der mitten im St. Lawrence-Golf liegenden Insel Anticosti, die etwa 8000 Quadratkilometer umfaßte, konnte sich EASTERN AIR COMMAND zum Beispiel nicht weiter ausdehnen, da es mit seinen 35 Freiwilligen bereits »alle verfügbaren Zivilisten für ADC angeworben hatte«. Die Anwerbung von Freiwilligen in Newfoundland erwies sich als schwierig, »wegen des Mangels an Personen, die für die Tätigkeit eines ADC-Beobachters über ausreichende Kenntnisse verfügten«. Auf den strategisch wichtigen Magdalenen- und St. Paul Islands verhinderte der Mangel an Freiwilligen eine 24stündige Überwachung. Überall stand hoffnungslose Einfalt einer weiteren Rekrutierung entgegen, obwohl die RCAF-Dienststellen sich damit brüsteten, immerhin zwei zweisprachige ADC-Beamte bereitzuhalten, »um eine intensive Absicherung des Bereichs Gaspé sicherzustellen«. Zwar konnte ADC die kanadischen Militärdienststellen theoretisch mit sonst nicht erreichbaren Informationen versehen; häufig jedoch wurde es Quelle irritierender falscher Feindnachrichten, die die militärische Überwachung ablenkten. Solche gut gemeinten Fehlinformationen lagen bei Amateuren in der Natur der Sache.

Wie in den folgenden Kapiteln dargestellt, hatten Ubootangriffe auf alliierte Schiffe im Golf und auf dem Fluß die kanadischen militärischen Dienststellen 1942 darauf hingewiesen, wie unzulänglich die Verteidigung war. Die Vorteile, die die dortigen Gewässer einem Uboot boten, das in den flachen Gewässern sicher auf dem Grund liegen konnte, lagen auf der Hand. Untiefen, felsiger Grund, Temperatur und Salzschichtungen schirmten sie gegen die Asdic-Geräte auf Schiffen und gegen von Flugzeugen geworfene Sonobojen ab. Diese Bojen waren passive Uboot-Ortungsgeräte, die zuerst im März 1942 von der US Marine getestet wurden.[37] Aus der Luft abgeworfen, gab die zylindrische 6,5-kg-Boje beim Aufschlag auf das Wasser automatisch ein sieben Meter langes Kabel mit einem Hydrophon mit Rundumempfang frei. Gleichzeitig fuhr sie eine Senderantenne aus, um Daten an das Flugzeug zurückzugeben. In größeren Mengen in der Nähe eines getauchten Ubootes abgeworfen, sollte sie theoretisch das suchende Flugzeug mit einer Reihe von Koordinaten zur Ortung des Zieles versorgen. Aus rein technischen Gründen – Anfälligkeit gegen Hintergrundgeräusche und Unbrauchbarkeit bei höheren Windstärken als 17–21 Knoten und mäßigem Seegang – waren die ersten Modelle bei normalen Nordatlantikbedingungen allen-

Tafel 1

Anwerbung von ADC-Freiwilligen

	Personalstand Dezember 1942	vorgesehener Personalstand
Newfoundland	369	921
Cape Breton	187	519
Magdalenen und St. Paul Islands	10	120
Nova Scotia und Northumberland Strait	428	1153
Prince Edward Island	953	2069
New Brunswick	892	1680
Gaspé Peninsula	1017	2436
Anticosti Island	35	35
St. Lawrence-Strom Nordküste	77	1110

falls von einigem Nutzen. Auch daß die Batterien nicht völlig gleiche Stromstärke abgaben, bereitete bei dem so entscheidend wichtigen Vergleich der Signal-stärken der nach einem Schema abgeworfenen Bojen erhebliche Schwierigkeiten. Die batteriebetriebenen Bojen hatten eine Lebensdauer von vier Stunden, dann versenkten sie sich selbst. Kurz gesagt, die Sonoboje erwies sich als wirkungsloses Ortungsgerät. Die Deutschen konnten das natürlich nicht wissen, obwohl sie über diese technische Neuerung unterrichtet waren. Übermittlungswege für indu-strielles Spionagematerial waren Geschäftsreisende zwischen den Vereinigten Staaten und der Schweiz. Ein »verläßlicher« deutscher Agent mit dem Deck-namen »Boston«, nach deutschen Berichten ein »amerikanischer Ingenieur der New York Shipbuilding Corporation«, benutzte sie häufig.[38] Das Kriegstagebuch der deutschen Seekriegsleitung zeigt auf, daß »Bostons« Komplize und Kurier, ein »englischer Ingenieur bei der Austin Motor Company Ltd.«, elementare Angaben und Zeichnungen der Sonoboje beim Eintreffen in der Schweiz am 20. August 1943 übergab.

Trotz ständiger Schließung des Golfs vom Oktober 1942 durch das ganze Jahr 1943 hindurch (wovon der Feind vermutlich nichts wußte), ging der für Ubootabwehr zuständige Unterausschuß der Stabschefs von »Feindtätigkeit an unserer Atlantik-küste, im Golf und auf dem Fluß ... in verstärktem Maße« aus. Er warnte davor, daß »der Feind seine Taktik ändern werde«. Dazu könne auch gehören »Minen-Unternehmungen und Beschießung von Küstenanlagen«. Captain E. S. Brand, Leiter der Handelsabteilung, unterrichtete die ST. LAWRENCE OPERATIONS CONFERENCE vom 22. bis 24. Feburar 1943 über die voraussichtliche Verkehrs-stärke: er erwartete 3 695 000 Tonnen Fracht in 1 223 Reisen, davon 79 Reisen wöchentlich.[39] Außerdem erwartete er 50 bis 75 kleine Schoner mit einer Tragfä-higkeit von 100 bis 400 Tonnen, die Papierholz und Holzbrei nach Rimouski, Port Alfred, Quebec und Trois Rivière bringen würden. Der Holzhandel erforderte weitere 22 Schiffe im Monat.

Die Bereitschaft der Marine, für diese Schiffe Geleitschutz bereitzuhalten, hing von Faktoren ab, die man anscheinend nicht beeinflussen konnte: planmäßige Ablieferung von Schiffsneubauten; Rückkehr von fünfzehn Korvetten, die zur Unterstützung der nordafrikanischen Landung gedient hatten; Rückkehr von sechs Korvetten aus dem Geleitdienst der US-Geleitzüge; sowie die Rückkehr von zwei Flottillen »Fairmiles«, die in der Karibik eingesetzt waren.[40] Die Rück-kehr dieser Schiffe nach Kanada erlaubte eine Neuverteilung der Sicherungs-streitkräfte auf die WESTERN LOCAL ESCORT FORCE, die HALIFAX FORCE, die HALIFAX LOCAL DEFENCE FORCE sowie nach Sydney, Shel-burne, Newfoundland, Borwood und Quebec. Zum Glück für die Kanadier sollten 1943 nur fünf deutsche Uboote die innere Küstenverteidigung auf die Probe stellen. Vier von diesen führten geheime Aufträge aus. Die von den Kana-diern im Mai 1943 vorgeschlagene Verteilung von Seestreitkräften zeigte dennoch die Wirksamkeit von Dönitz' Doktrin, feindliche Streitkräfte zu binden, die man sonst woanders hätte einsetzen können.[41]

Deutsche Uboote meldeten während des ganzen Krieges, daß kanadische Navigationsfeuer und Baken vollständig unter friedensmäßigen Bedingungen arbeiteten. Diese offensichtliche Laschheit erstaunte die Ubootfahrer, die die strenge Steuerung der Navigationshilfen in den gefährlichen Gewässern des europäischen Kriegsgebietes gewohnt waren. Selbst noch 1945 zum Beispiel, als *U 1232* unter Kurt Dobratz die Schiffahrt vor Halifax angriff, riefen die Zustände an der kanadischen Küste Unglauben und manchmal sogar zornige Kritik der Ubootfahrer hervor. Kommandanten wie Dobratz, Hornbostel *(U 806)* und Reith *(U 190)* fanden nicht nur alle Navigationshilfen nutzbar, auch die kanadischen Funkbaken boten präzise Navigationsunterlagen für genaue Standortbestimmung. Das Kriegstagebuch von Dobratz meldet, daß Sable Island auf eine Entfernung von 150 Meilen empfangen wurde; Ost-Halifax und Sambro Feuerschiff, Western Head und Seal Island auf eine Entfernung von 300 Meilen. Alle Baken, so heißt es, arbeiteten unter friedensmäßigen Bedingungen gemäß »Nachrichten für Seefahrer Nr. 3668«. Kanadische und amerikanische staatliche Funkstationen versorgten ihn mit genauen Wettervorhersagen, auf die er sich dann auch verlassen konnte. Sie sagten ihm, ob er einen Angriff planen oder ob er sich ebensogut auf den Grund legen konnte. Dieser freie Zugang zu den in offener Sprache gesendeten Meldungen, so erinnert er sich, kam ihm ziemlich lächerlich vor. Die ganze kanadische Haltung empfand er, als ob »Karlchen Krieg spielt«.

Tatsächlich aber hatte die Marine in Zusammenarbeit mit dem DEPARTMENT OF TRANSPORT bereits 1939 ein sinnvolles System zur Steuerung von Leuchtfeuern, Nebelsignalen und Funkbaken an der atlantischen Küste eingeführt.[42] Wenn auch unzulänglich, so boten diese Vorbereitungen doch ein gewisses Maß von Kontrolle, das es an der Küste bisher nicht gegeben hatte. Die Weisung zur »Löschung und Steuerung von Navigationshilfen an der Ostküste« war weithin bekannt. Herausgegeben am 8. November 1939 als »Anweisung für Leuchtturmwärter, Verantwortliche für Nebelsignale und Funker« beschrieb es zwei einfache »Kriegslagen« oder Betriebsbedingungen in den acht Küstenbereichen. Die Feuer unterstützten den Gegner sowohl taktisch als auch navigatorisch. Sie bildeten einen hellen Hintergrund, vor dem sich ein Handelsschiff deutlich abhob. Erst im Februar 1943 zogen die kanadischen Dienststellen die Möglichkeit in Betracht, ihre Praxis zu ändern. Der Unterausschuß der Stabschefs beschrieb nun vier Begründungen für das Löschen oder Verdunkeln der Navigationshilfen: (1) zu verhindern, daß sich Schiffe im Lichtschein als Silhouette zeigten; (2) um sich den örtlichen Verdunklungsbestimmungen anzupassen; (3) um feindlichen Ubooten oder Überwasserschiffen keine Navigationshilfen zu liefern; (4) feindlichen Flugzeugen keine Navigationshilfe zu geben. Ab 15. Mai 1944 sahen die Anweisungen fünf verschiedene Betriebsarten statt der ursprünglichen zwei vor.

Jetzt war es möglich, statt der Lichter, Nebelsignale und Funkbaken als Gruppe entweder ein- oder auszuschalten, ihre Benutzung praktisch in jeder beliebigen Kombination zu befehlen. Man konnte zum Beispiel das Löschen aller Feuer befehlen, aber die Nebelsignale und Funkbaken weiter betreiben – oder welche Variante auch immer, so wie es die Umstände sinnvoll erscheinen ließen.

Überzeugt, daß das Löschen oder Verdunkeln von Feuern sowohl die Küsten- als auch die Hochseeschiffahrt in den tückischen Küstengewässern gefährden würde, widersetzten sich die kanadischen Dienststellen erbittert, diese Weisungen in Kraft zu setzen, es sei denn nur in kurzen Momenten, ausgelöst durch Angriffe dicht unter der Küste. Die hohe Quote von Grundberührungen und Kollisionen alliierter Schiffe trotz voll in Betrieb befindlicher Navigationshilfen läßt die Entscheidung, normalen Betrieb aufrecht zu erhalten, als richtig erscheinen. Angesichts der Gesamtlage kann man wohl annehmen, daß die Navigationshilfen den Deutschen zu dieser Zeit wenig wirklichen Nutzen brachten. Die Uboote griffen schließlich wenige Geleitzüge an und versenkten wenig Schiffe. Es wäre wohl kein einziges Leben gerettet worden, wären die Kanadier 1944/45 vom Friedensbetrieb abgewichen oder hätten ihn unterbrochen.

Die kanadische Luftwaffe (RCAF) hatte in der Zwischenzeit damit begonnen, zur Frühwarnung gegen Uboote im Golf und im Fluß sechs Mikrowellenstationen aufzubauen. Sie sollten aufgetauchte oder schnorchelnde Uboote mit Radar entdecken. Die Stationen waren so aufgestellt, daß sie die Hauptgeleitzugrouten und vermutete Ubootkurse deckend überwachten.[43] Informationen und Kursangaben dieser sechs Stationen sollten in die Lagezimmer in Gaspé, Halifax und St. John's, Newfoundland, gegeben werden.[44] Das Netz sollte bis zum 15. September 1944 fertiggestellt sein. Am 24. Juli 1944 war durch OPERATIONAL RESEARCH eine Analyse der Vorschläge erarbeitet worden, »eine Ubootsperre in der Cabot Straße« aus Radar und Asdic-Überwachungsfahrzeugen zu schaffen.[45] Sie verwarf den Gedanken, dafür »Fairmile«-Schnellboote einzusetzen, da die Aufgabe eine große Zahl von Fahrzeugen erfordere: Alle vier Stunden mußte jedes Fahrzeug während der Dauer der Sperre etwa 170 Meilen zurücklegen. Flugzeuge schienen die einzige Lösung. Ausgehend von der Annahme, die Sichtung eines Ubootes sei eine Funktion seiner Überwasser-Marschgeschwindigkeit, ermittelten die Forscher, daß Canso-Flugboote vierzig Prozent wirksamer seien als Seeüberwachung und Liberator-Bomber sogar fünfundsiebzig Prozent. Der »größte Effekt wird daher durch den Einsatz von Liberators erzielt«, vorausgesetzt, die Hälfte der Flugzeuge sei nachtflugfähig. Nur so könne die Sperre wirksam funktionieren. Die RCAF begann mit modifizierten Sperrflügen, als *U 541* im September 1944 den Dampfer *Livingstone* vor Scatarie Island versenkte. Das war der Monat, in dem das Mikrowellennetz fertig war.
Wie in den folgenden Kapiteln dargestellt wird, ereigneten sich im Sommer und Herbst 1944 weitere Ubootvorstöße in den Golf, wenn sie auch keine ernste

Bedrohung darstellten. Als die Schiffahrtsaison 1945 wieder eröffnet wurde, erwog der Kriegsausschuß des Kabinetts die Lage und formulierte die Richtlinie für den weiteren Gebrauch der St. Lawrence-Häfen.[46] Die düstere Stimmung, die das Sitzungsprotokoll widerspiegelt, war zweifellos durch die neuerlichen Ubooterfolge direkt vor Halifax verstärkt worden. *U 806,* Hornbostel, hatte am Weihnachtsabend 1944 HMCS *Clayoquot* bei Sambro Feuerschiff versenkt, und *U 1232,* Dobratz, hatte vier Schiffe aus dem Geleitzug BX-141, die hintereinander fahrend im Januar 1945 Chebucto Head passierten, herausgeschossen. Deshalb räumte der Marineminister die Notwendigkeit ein, daß »die St. Lawrence-Fluß-Route in größerem Umfang für die Verschiffungen über See« genutzt werde, eine Entscheidung, die »mit einer stärkeren Belastung der kanadischen Marine verbunden war«. Er erwartete, daß Dönitz konsequent »seine Uboottätigkeit in beträchtlichem Umfang in den Golf und die unteren Teile des Flusses verlegen würde«. Diese vermutete Bedrohung zwang den Oberbefehlshaber der kanadischen Marine, die Fahrzeuge der bereits dünn besetzten Golf-Verteidigung neu zu verteilen. Der Quebec-Verband sollte zwei Korvetten umfassen; der Gaspé-Verband zwei Korvetten, einen *Bangor*-Minensucher (für Geleitdienst) und zwei »Fairmile«-Flottillen; der Sydney-Verband setzte sich aus drei Korvetten, zehn *Bangors*, drei Western Isles *Bangors,* einem Western Isles Trawler, zwei »Fairmile«-Flottillen und einem Mutterschiff zusammen. Den St. Pierre-Verband bildeten drei freifranzösische »Fairmiles«.[47]

Der deutsche Vorstoß durch die praktisch unverteidigte Belle Isle Straße im Sommer 1942 (siehe Kapitel drei) hatte den kanadischen Dienststellen ihre Verletzlichkeit auch hier bewußt gemacht. Wie der Planungsoffizier im Marinehauptquartier (NSHQ) erinnert: »Die Deutschen sind methodische Leute und irgendwie durch Präzedenzfälle gebunden. Deshalb kann man wohl davon ausgehen, daß sie diese Vorstellung 1943 wiederholen werden.«[48] Tatsächlich befaßten sich die Deutschen nie wieder mit der wenig ertragreichen Durchfahrt. Dennoch gaben die kanadischen Marinedienststellen erst am 22. Juli 1943 die ersten Einsatzbefehle für den Belle Isle-Verband heraus.

Dringende Marineverpflichtungen an anderer Stelle machten die Seeverteidigung in den Küstengewässern zu einer je nach Lage willkürlichen Angelegenheit. Bis zur Beendigung der Feindseligkeiten sollten in der Tat die Einsatzmöglichkeiten im Küstenbereich so bleiben, wie im Januar 1943 durch den Unterausschuß der Stabschefs beschrieben: »Die Pläne der drei Teilstreitkräfte für die Verteidigung von Golf und St. Lawrence-Strom ... sind das Beste, was mit den zu erwartenden Kräften und Möglichkeiten vorstellbar ist, und sie sind abhängig von anderen Verpflichtungen, die nicht beeinträchtigt werden dürfen.« Der maßgebliche Satz in diesem Eingeständnis (»das Beste, was vorstellbar ist«) war natürlich entscheidend. Die notwendigerweise Zweitrangigkeit der Seeverteidigung in heimischen Gewässern warf die Marineoffiziere zurück auf die Notbehelfe, die sie selbst ausdenken und herstellen konnten. Selbst noch 1945 sollte die Zuteilung weiterer Fahrzeuge abhängen von »dem Verlauf des Seekriegs gegen Deutschland« in fernen Gewässern, so wie fremde, wenn auch freundliche Mächte ihn beurteilten. Damals wie heute waren selbständige Entscheidungen nicht möglich.

2. Kapitel

Unternehmen »Paukenschlag«

»Der Krieg erreicht Nova Scotia. Vermutlich 94 Menschenleben bei Torpedierung vor der Küste verloren.« Mit diesen Worten kündigte am 13. Januar 1942 der MONTREAL DAILY STAR die erste Welle der deutschen Uboote an, die in die heimischen Gewässer drängten. Seit langem war die Ostküste Kanadas mit der Schlacht im Atlantik vertraut, und die kanadischen Zeitungen hatten immer wieder von Beispielen »feindlicher Tücke« auf hoher See sowie in europäischen Kampfzonen berichtet. Doch der Krieg schien immer in fernen Gewässern und an entfernten Küsten zu sein. *U 123,* ein Typ-IXB-Uboot unter der Führung von Kapitänleutnant Reinhard Hardegen, war nun das erste von zwölf deutschen Ubooten, die Mitte Januar 1942 zwischen Newfoundland Bank und Nova Scotia operierten und der kanadischen Öffentlichkeit eine wachsende maritime Bedrohung bewußt machten. Es bedurfte eines Paukenschlags (der deutsche Deckname für Admiral Dönitz' strategischen Vorstoß vor die nordamerikanische Küste), um die kanadische Vorstellung zu ändern, dies sei ein ausländischer Krieg. Symptomatisch für diese Haltung war, daß die Ansichten von Öffentlichkeit und Regierung über eine Reihe nationaler Fragen geteilt waren. Im kanadischen Parlament selbst, in gewisser Hinsicht so isolationistisch wie der Kongreß der Vereinigten Staaten, gab es erbitterte Debatten darüber, ob für den Dienst in Übersee die Wehrpflicht eingeführt werden solle. *U 123* warf vor der kanadischen Atlantikküste eine Frage auf, auf die ein paar Monate später *U 553* auf dem St. Lawrence-Strom unerwartet und überzeugend kraftvoll hinweisen würde.

Admiral Dönitz hatte offene Feindseligkeiten mit den Vereinigten Staaten seit langem erwartet, doch er wollte sie nach seinen Bedingungen und mit einer deutlichen Uboot-Überlegenheit. Vor »Paukenschlag« hatten die deutschen Streitkräfte gewissenhaft jeden maritimen Konflikt mit den Vereinigten Staaten vermieden. Direkte Anweisungen Hitlers mit diesem Ziel waren strikt befolgt worden, selbst als sich die amerikanische Haltung der »bewaffneten Neutralität« oft am Rande des offenen Konfliktes bewegte. Dönitz mußte intern um die strategischen Prioritäten für die Dislozierung seiner Uboote ringen. Hitler befürchtete eine alliierte Invasion von Norwegen und bestand darauf, Uboote zur Abwehr vor der norwegischen Küste aufzustellen. Die deutsche Seekriegsleitung befürchtete zu dieser Zeit aber keine Invasion und setzte sich angesichts der Krise in Nordafrika für eine defensive Aufstellung im Mittelmeer und vor Gibraltar ein. Vergeblich bestand Dönitz darauf, Uboote seien in erster Linie Offensivwaffen, die nun vor die nordamerikanische Küste gehörten. Die deutsche Beharrlichkeit, Uboote in größeren Mengen vor Gibraltar zu halten, gefährdete, wie sich dann zeigte, die ersten Phasen des Krieges gegen Nordamerika.[1] Für diesen Fall hatte Dönitz seine Vorgesetzten um eine »frühzeitige Unterrichtung« gebeten, damit, wie er schrieb, »bereits mit Kriegsbeginn Uboote an der Küste der Vereinigten Staaten stehen können. Nur dann ließen sich die Vorteile eines »Paukenschlags« voll ausnutzen, der in der Überraschung in einem Gebiet schwacher Abwehr bestand«.[2] Diesmal jedoch wurden Hitler und sein OKW durch einen plötzlichen Angriff völlig überrascht; nicht von den Amerikanern, sondern von den Japanern. Ohne vorherige Beratung mit ihren Achsenpartnern griffen die Japaner am 7. Dezember 1941 Pearl Harbor an – als noch nicht ein einziges Uboot in nordamerikanischen Gewässern stand. Der an der Ostfront durch den sowjetischen Gegenangriff vor Moskau mit der ersten großen Krise konfrontierte Hitler mußte reagieren, ehe er bereit war. Am 9. Dezember 1941 hob er alle vorherigen Beschränkungen für die Ubootkriegführung gegen die amerikanische Schiffahrt in der panamerikanischen Sicherheitszone auf. Nach Abschluß eines »Nicht-Sonderfriedens«-Vertrages mit Japan erklärte er am 11. Dezember den USA den Krieg, ehe Präsident Roosevelt diesen Schritt unternahm, zu den ihn die mit Churchill vereinbarte »Europe first«-Strategie nun zwang.

Deutschland war zwar durch den formellen Eintritt der Vereinigten Staaten in den Krieg überrascht, obgleich man die US-Flotte im Atlantik als praktisch kriegführend ansehen mußte. War die Überraschung und die fehlende Vorbereitung auch ein Nachteil, so sah der Befehlshaber der Uboote (BdU) darin auch gewisse kurzfristige Vorteile. Aus diesen wollte er Kapital schlagen, obwohl er taktisch nicht darauf vorbereitet war, einen Ubootkrieg in großem Maßstab nach seinen Vorstellungen zu führen. Die Tätigkeit der Uboote im Nordatlantik und auf den europäischen Kriegsschauplätzen war durch zwei Jahre Kriegserfahrung der Engländer beeinträchtigt worden. Wie Dönitz in seinem Kriegstagebuch vom 2. Januar 1942 vermerkte, hatten sie entsprechende Techniken und Technologien entwickelt. Die Öffnung der nordamerikanischen Küste für den Kriegseinsatz »gab den Kommandanten nun Gebiete frei, in denen sie nicht durch Abwehr behindert wurden und die ihnen bessere Erfolgschancen boten« (KTB). Ganz offensichtlich rechnete Dönitz nicht nur mit der relativen Unerfahrenheit der kanadischen und amerikanischen Abwehrkräfte, sondern auch mit dem Geist des Isolationismus, der in beiden Ländern trotz ihrer Unterstützung Großbritanniens im Krieg gegen Deutschland herrschte. Nach Dönitz' Ansicht war es unbedingt erforderlich, »die Situation zu nutzen, ehe Änderungen eintraten«.[3]

Überzeugt von der Stärke des Geleitzugsystems, von dessen Möglichkeit, Geleitstreitkräfte um eine große Menge von Handelsschiffen zu konzentrieren, die unter idealen Bedingungen die gegnerischen Uboote buchstäblich überrollen konnten, zielte Dönitz darauf ab, die Zeit bis zur Einführung eines Konvoi-Systems zu nutzen. Deshalb bestimmte er als Hauptziele »Einzelschiffe, so daß eine Massenbewegung« überhaupt unmöglich wurde. Am 9. Januar 1942 hatte er die ersten Angriffsgebiete zugeteilt: *U 66, U 123* und *U 125* wurden der Ostküste der Vereinigten Staaten zugewiesen, *U 109* und *U 130* der Ostküste Kanadas.[4] Bei ihrem Marsch auf dem Großkreis mußten jedoch alle Boote kanadisches Kriegsgebiet passieren. Mit diesen ersten Booten, so berichtet Dönitz' Kriegstagebuch vom 9. Januar 1942, war die Gruppe »Paukenschlag« geboren. Am 11. Januar notiert Dönitz die Zuweisung des Gebietes zwischen Sydney, Nova Scotia und Cape Hatteras an fünf Boote. Das VIIC-Boot schien ihm am besten geeignet für »das Gebiet südlich von Newfoundland, wo wir den stärksten Verkehr und die geringste Abwehr von feindlichen Schiffen erwarten können« (KTB). Die nächsten vier Uboote vom Typ IXC mit dem großen Aktionsradius wies er nach Trinidad-Aruba. Auf diese Weise hoffte er, die hauptsächlichen atlantischen Handelsstraßen an ihren Ausgangspunkten zu fassen, um Geleit- und Abwehrkräfte, die von den Alliierten sonst zur unmittelbaren Unterstützung des Krieges in Europa eingesetzt würden, an diesen Stellen zu binden. Das Hauptaugenmerk von Dönitz war darauf gerichtet, alliierte Kräfte von einer möglichen, von Deutschland befürchteten Invasion Norwegens abzulenken. »Je größer unsere Ubooterfolge im Atlantik sind«, so bemerkte er, »desto weniger wird der Feind daran denken können, solche Operationen vorzubereiten.«[5] Die Ereignisse sollten Dönitz zeigen, daß die Uboote vor den Küsten Kanadas und der Vereinigten Staaten »sehr viel länger als erwartet erfolgreich sein konnten«.[6] Trotz seiner Freude über die umfangreiche Tonnage, die angesichts der schwachen Abwehr versenkt wurde, läßt Dönitz' Kriegstagebuch noch Ende Januar 1942 deutlich erkennen, wie dringend ihm dieser Einsatz erschien. »Diese Situation«, so schrieb er, »muß mit so vielen Booten wie möglich genutzt werden, ehe die Abwehrmaßnahmen verstärkt und das Geleitzugsystem eingerichtet ist.«[7]

Wie viele Uboote konnte er einsetzen? Auf dem Papier belief sich der Bestand zur Zeit von »Paukenschlag« auf 259 Boote.[8] In Wirklichkeit jedoch waren seine Kräfte erheblich geringer, denn 99 waren noch im Erprobungsverhältnis. Von den restlichen 150 Booten waren 59 für die Ausbildungsflottillen abgestellt. Das zeigt bereits die hohe Dringlichkeit, die man der Ausbildung zumaß und die während des ganzen Krieges einen erheblichen Teil aller Uboote beanspruchte. Es blieben also 101 Uboote für den »Fronteinsatz«. Davon lagen 35 zur Reparatur im Hafen, blieben also nur 66 in See. Nun liegt die Schlagkraft eines Frontbefehlshabers bei den in den vorgesehenen Operations- oder Zielgebieten stehenden Fronteinheiten. Von diesen 66 Ubooten »an der Front« waren 18 entweder wegen Brennstoffmangel, weil ihre Torpedos verschossen oder sie beschädigt waren, auf dem Rückmarsch; 23 auf dem Marsch in die Operationsgebiete, für die Brennstoff und Waffen zurückgehalten werden mußten; eines war für das Mittelmeer bestimmt, die anderen für den Atlantik.
Dönitz' Kampfstärke in See bestand am 1. Januar 1942 also aus 25 Ubooten: 3 in ihrem Operationsgebiet in der Arktis, 6 im Mittelmeer und 16 im Nordatlantik.

Von diesen 16 waren nicht weniger als 7 im »Norwegeneinsatz«, entweder vor Sey-disfjord oder Reykjavik oder nordwestlich der Hebriden; drei operierten westlich Gibraltar im Atlantik und bewachten den Aus- und Zugang zum Mittelmeer. Es blieben also, wie sein Kriegstagebuch vermerkt, »sechs Boote für den Einsatz vor der amerikanischen Küste«. In Abwägung seiner Prioritäten für den Einsatz im Anschluß an laufende Operationen, bestimmte Dönitz nun zwölf der auslau-fenden Boote, bestehend aus einem Typ IXB, einem Typ IXC und zehn Typ VIIC »als zweite Welle im Einsatzgebiet St. John's, Halifax oder für die Typ-IX-Boote bis Cape Hatteras«. Zwischen dem 3. und 9. Januar war die Zahl der Boote in ihren Operationsgebieten am geringsten: drei Boote, alle im Mittelmeer. Die höchste Zahl am 23. bis 24. Januar: 22 Boote, zehn im Einsatz vor Nordamerika zwischen St. John's, Newfoundland und Cape Hatteras.[9]

Die Einsatzzahlen für die Periode Januar/Februar 1942 zeigen, wie wenig Spiel-raum die deutsche Seekriegsleitung hatte. Es konnten immer Notlagen auftreten, die größte Flexibilität erforderten. Manchmal mußten Uboote von zugewiesenen Aufgaben abgezogen werden, um auf Notfälle zu reagieren, zum Beispiel bei der Suche nach Überlebenden deutscher Schiffe oder abgestürzter Flugzeuge. Dönitz' Festlegung von Prioritäten führte zu scharfen Meinungsverschieden-heiten, die charakteristisch waren für die ständigen Zwänge und Spannungen. »Unter den derzeitigen Bedingungen ist jeder Tropfen Brennstoff lebenswichtig für die Boote, wenn sie in fernen Gebieten genügend Operationsfreiheit haben sollen. Es kann durchaus sein, daß eine Bitte um Hilfe zugunsten operationeller Aufgaben abgelehnt werden muß.«[10] Die ersten Uboote konnten zwischen dem 16. und 25. Dezember 1941 ihre französischen Stützpunkte verlassen, um Position »im Raum unserer ersten Offensive, dem Gebiet zwischen St. Lawrence und Cape Hatteras einzunehmen«.[11] Dönitz setzte das Datum für »den ersten gemein-samen Überraschungsangriff« auf den 13. Januar 1942 fest.[12]

Dönitz wußte jedoch nicht, daß die britische Government Code and Cypher School (besser bekannt als Bletchley Park, die britische Entzifferungszentrale) alle »Enigma«-Funksprüche an die deutschen Seestreitkräfte im Schlüsselbereich »Heimische Gewässer«, in dem auch der Uboot-Funkverkehr abgewickelt wurde, entziffern konnte.[13] Das ermöglichte dem »Operational Intelligence Centre« unter Commander Rodger Winn, RNVR, laufende Lagekarten der Ubootaufstel-lung zu führen, aufgrund derer die Geleitzüge um die Rudel herumgeleitet wurden. Einzelfahrende Schiffe – und das war der größte Teil des unter der ame-rikanischen Küste laufenden Schiffsverkehrs – mußten sehen, wie sie damit fertig wurden. Winns nachrichtendienstliche Zusammenfassung für die Woche bis 12. Januar unterstrich, daß »das auffallendste Merkmal der Ubootoperationen im Atlantik eine starke Konzentration vor der nordamerikanischen Küste von New York bis Cape Race, Newfoundland«, sei. Er kannte nicht nur die genaue Zahl der Boote jeder Gruppe, er nahm auch an, daß »fünf Uboote ihr Operationsgebiet am 13. Januar erreichen werden«.[14] Es würde also kein Überraschungsangriff sein. Zwölf Boote bildeten schließlich einen Suchstreifen von den Grand Banks in südwestlicher Richtung. Nur zwei von ihnen, *U 552* und *U 155*, sollten den Krieg überleben.

Hätte Admiral Dönitz die Möglichkeit gehabt, seine Ubootwaffe von Anfang an als Hauptwaffe der deutschen Seestreitkräfte zu entwickeln, hätten seine Torpedofachleute die ungeheure Zahl von Torpedoversagern in den Griff bekommen, die Schlagkraft des deutschen Ubootkrieges wäre überwältigend gewesen und hätte möglicherweise sogar zum Sieg geführt.[15] So wie die Dinge lagen, hatte Dönitz jedoch Grund, die Ergebnisse der ersten Welle von »Paukenschlag« »höchst erfreulich« zu finden.[16] (Siehe Tafel 2 und 3)

Genau genommen gehörte *U 552* unter Topp nicht zur »Paukenschlag«-Welle, sondern zur aus zwölf VIIC-Booten bestehenden Gruppe »Ziethen«, die vom 8. Januar bis 12. Februar seewärts von »Paukenschlag« operierte.[17] Dönitz' taktische Führung war jedoch so dynamisch und wendig, daß, so schnell es die Umstände erforderten und ohne administrative Schwierigkeiten, neue Gruppen gebildet, aufgelöst und wiederum neu gebildet wurden. Eine weitere Gruppe von Typ-IXC-Booten operierte weiter südlich vor der US-Küste. Zwei von ihnen, *U 106* und *U 107,* verlegten schließlich weiter nördlich in kanadische Gewässer.

Tafel 2

Paukenschlag: erste Welle, 12. bis 21. Januar 1942

Uboot	Typ	Versen-kungen	Torpediert nicht versenkt	Versenkte Tonnage
U 123 (Hardegen)	IXB	9	1 (8206 t)	53 173
U 130 (Kals)	IXC	6	1 (6986 t)	36 992
U 66 (Zapp)	IXC	5	–	33 456
U 109 (Bleichrodt)	IXC	5	–	33 733
U 125 (Folkers)	IXC	1	–	5 666
U 552 (Topp)	VIIC	2	–	6 722
U 203 (Mützelburg)	VIIC	2	1 (888 t)	1 977
U 86 (Schug)	VIIB	1	1 (8627 t)	4 271

Tafel 3

Paukenschlag: erste Welle, Verstärkung, 8. Januar bis 12. Februar 1942

Uboot	Typ	Versen-kungen	Torpediert nicht versenkt	Versenkte Tonnage
U 103 (Winter)	IXC	4	–	26 539
U 106 (Rasch)	IXC	5	–	42 139
U 107 (Gelhaus)	IXC	2	–	10 850
U 108 (Scholtz)	IXC	5	–	20 082
U 128 (Heyse)	IXC	3	–	27 312

Das erste kanadische Gewässer erreichende »Paukenschlag«-Uboot war *U 123* unter Kapitänleutnant Hardegen. Er hatte die Sicherheit der Ubootbunker in Lorient, Frankreich, am 23. Dezember 1941 verlassen und begann damit seine siebte Feindfahrt. Erst nach dem Auslaufen öffnete er seine versiegelten Befehle und erfuhr sein Zielgebiet; das war das normale Verfahren. Am 24. Dezember setzte er seinen Kurs über den Großkreis auf Nantucket Feuerschiff ab, ein Weg, der ihn durch alle sechs Hauptoperationsgebiete im Atlantik führen würde. Der gefährlichste Abschnitt war die Fahrt durch die Biskaya. Die alliierte Luftüberlegenheit bedrängte die deutschen Uboote mit derartiger Beharrlichkeit und Härte, daß man immer mit Angriffen rechnen mußte. Es war eine gefährliche Strecke im »Niemandsland«, die man zu Beginn und am Ende jeder Reise mit äußerster Vorsicht hinter sich bringen mußte: am Tag getaucht, nachts aufgetaucht. Viele Uboote überlebten das nicht. An diesem Weihnachtsabend durchlief *U 123* diese Gasse getaucht. Hardegen, der häufig auch persönliche Ansichten seinem Kriegstagebuch beifügte, schrieb an diesem Tag:

»Uboot-Weihnachten in der Biskaya. In allen Räumen waren Bäume aufgestellt, von der Besatzung geschmückt und mit elektrischen Kerzen versehen. Später wurden die echten Tannen teilweise durch künstliche Bäume ersetzt. Nach einer gemeinsamen Feier und anschließendem Essen wurden Briefe, Päckchen und Tüten verteilt. In den einzelnen Räumen wurde gefeiert, und man hörte die alten Weihnachtslieder von den Leuten gesungen. Der Krieg war für einige Stunden durch die schlichte, aber eindrucksvolle Weihnacht vergessen.« (KTB) .

U 123 hatte am Monatsende 1245 Seemeilen zurückgelegt, davon nur 41 unter Wasser. In diesem Stadium des Krieges waren deutsche Uboote technisch gesehen nur »Tauchboote« und noch keine wirklichen Unterseeboote mit einer Unterwasserausdauer, wie ihn der technische Fortschritt, wie zum Beispiel der Schnorchel, 1944 brachte. Es war der 31. Dezember 1941:

»Jahreswechsel im Nordatlantik. Das Boot kann auf ein erfolgreiches Jahr zurückblicken, und wir gehen alle zuversichtlich in das neue Jahr in der Hoffnung auf neue Erfolge, die zur Entscheidung beitragen werden.« (KTB)

Die »Entscheidung« bedeutete nichts weniger als den entscheidenden Sieg der deutschen Streitkräfte, den sie in diesem Jahr erwarteten.

Vier Tage, nachdem Hardegen von seinem französischen Stützpunkt ausgelaufen war, verließ *U 109* unter Bleichrodt zusammen mit *U 130*, Kals, die Isère-Liegeplätze in Lorient. Der BdU hatte *U 109* für den Kampf im Atlantik bestimmt, während *U 130* anfangs andere Aufgaben hatte. Sein Dienst als Wetterschiff im Nordatlantik verhieß wenig Aussicht auf taktische Erfolge. Doch als Folge operationeller Umstellung bei den Atlantikbooten wurden *U 130* und andere wie Schachfiguren in Positionen verschoben, die noch nicht erprobt waren. Am 2. Januar 1942 nahm Kals einen Funkspruch vom Befehlshaber der Uboote auf, der Hardegen

(U 123) und Zapp *(U 66)* in das Marinequadrat CB 60, fünfhundert Meilen südlich von Nova Scotia, und Bleichrodt *(U 109)*, Lüth *(U 43)* und ihn selbst auf Marinequadrat BC 5889 (45 Grad, 15 Minuten West) verlegte. Der Befehlshaber Uboote, der die gekoppelten Positionen seiner Boote auf einer Lagekarte führte, sandte ihnen in den folgenden Tagen Funksprüche und wies am 8. Januar 1942 die einzelnen Operationsgebiete vor der nordamerikanischen Küste zu. Damit formte er seine Uboote zu einer neuen taktischen Einheit: der Gruppe »Paukenschlag«.

Während der letzten Tage des Dezember 1941 lag eine Tiefdruckrinne über dem Atlantik und verursachte wechselnde Winde von Orkanstärke und heftig durcheinander laufende Seen. Von den Wassermassen behämmert, geplagt und hin und her geworfen durch die immer stärker werdende Wut des Sturmes, fühlten sich die Uboote paradoxerweise sicher wie ein Korken im Sturm. Heftige achterliche Seen rollten über die Kommandotürme, brandeten am Druckkörper entlang, hoben das ganze Boot hoch und stießen den »eisernen Sarg« vom Wellenkamm hinab. Unter diesen Umständen hielten der Wachoffizier und seine Ausguckposten der vernichtenden Wut der Elemente alleine stand. Mit Sicherheitsgurten in der offenen Brücke angeschnallt, das wasserdichte Luk unter ihren Füßen oft sicherheitshalber zugeklappt, fuhren sie in der sturmumtosten Badewanne, wie sie die Ubootbrücke liebevoll nannten, kalt bis auf die Knochen, vier Stunden lang, bis sie abgelöst wurden. Bigalk auf *U 751,* der dicht hinter der zweiten Welle herfuhr, berichtete von mächtigen Brechern, die über den Turm krachten und die Brückenwache in ihre Gurte riß. Um Brennstoff zu sparen, liefen die Maschinen langsam, während die Brückenwache oben das wild hin und her geworfene Uboot führte. In den miefigen, schlingernden und gierenden Räumen unter Deck arbeitete die Hälfte der Besatzung, die andere Hälfte versuchte zu schlafen. So verliefen die Tage ohne Kampf: Wache, Freiwache. Nur die Brückenwache verließ die bedrängende »enge Röhre«, wie die Ubootleute manchmal ihr Boot nannten; schwere Seen von vorn setzten den Marsch der Boote über Grund drastisch herab. Am 5. Januar 1942 vermerkt das Kriegstagebuch von *U 109:*

»Barometer fällt stark und schnell.«

Schaumgestreifte, turmhohe Wogen rissen in Windrichtung Gischt von den Wogenkämmen und stürzten heftig in die Wellentäler.

Dieser Sturm spielte dem letzten SC-Geleitzug der Saison übel mit. Der SC-64 war mit 29 Schiffen am 9. Januar 1942 aus Sydney nach Großbritannien ausgelaufen. Schwere Wetterschäden zwangen sieben Schiffe, nach St. John's, Newfoundland, einzulaufen.[18] Die kanadischen Zerstörer HMCS *Skeena, Saguenay* und *Ottawa* des Newfoundland Geleitverbandes (NEF) waren so schwer beschädigt, daß sie für umfangreiche Reparaturen zurückgezogen werden mußten. Danach blieben dem NEF nur noch vier einsatzbereite Zerstörer. Nach den Worten des Operationsoffiziers in Newfoundland hatte der NEF »noch niemals einen derartigen Tiefstand erreicht«.[19] Als die RCN am 16. Januar den ersten Küstengeleitzug zusammenstellte, verfügte sie über nur wenig Reserven, oft nur ein *Bangor*-Minensuchboot für jeden Geleitzug. Das »Eastern Air Command« flog im Januar 294 Einsätze und sicherte 686 Schiffe im Geleitzug »unter höchst schwierigen und widrigen Wetterbedingungen«.[20] Dennoch konnte das Kommando stolz behaupten, daß »RCAF und US-Flugzeuge beim Auffinden und auch bei der Rettung mehrerer Überlebender von Schiffen beteiligt waren«. Als Reaktion auf das, was das »Eastern Air Command« richtig als »bisher nicht dagewesenen Anstieg der feindlichen Uboottätigkeit an der atlantischen Küste« beschrieb, steigerte die RCAF ihr Überwachungsengagement. Dieses umfaßte nicht nur Überwachung der Zufahrtswege zu den verteidigten Häfen, sondern auch Ubootüberwachung und Suche. Die 294 Einsätze im Januar stiegen auf 332 im Februar, 540 im März und 665 im April 1942.

Die ersten fünf Uboote, die die Ostküste von Kanada und den Vereinigten Staaten beim Unternehmen »Paukenschlag« erreichten, griffen die Küstenschifffahrt von Mitte Januar bis Ende der ersten Februarwoche mit großem Erfolg an. Nach den harten Kampfbedingungen auf dem europäisch-atlantischen Kriegsschauplatz trafen die Ubootleute nun auf einen unaufmerksamen Gegner, der mit den Kriegsverhältnissen offensichtlich nicht vertraut war. Die Städte waren hell erleuchtet, Navigationshilfen wie Bojen, Baken, Leuchttürme und Funkfeuer arbeiteten unter friedensmäßigen Bedingungen, Schiffe fuhren häufig nicht abgeblendet und allein, Geleitstreitkräfte waren schwach und unerfahren. Der Küstenverkehr fuhr dicht unter der Küste entlang, in der Fehlannahme, Uboote scheuten die Flachwassergebiete. Und gerade weil sie wußten, daß man sie dort nicht erwartete, lauerten die Uboote im flachen Wasser. In seinem Kriegstagebuch schrieb Kapitänleutnant Hardegen auf *U 123*, wie groß seine Möglichkeiten tatsächlich waren:

»*Die Nacht der langen Messer war beendet. Ein Paukenschlag mit 8 Schiffen, darunter 3 Tanker mit 53 860 BRT. Ein Jammer, daß in der Nacht, wo ich hier vor New York stand, nicht außer mir noch zwei große Minen-Uboote da waren und alles dichtwarfen; und heute nacht statt mir 10−20 Boote hier waren. Ich glaube, alle hätten genug kriegen können. Ich habe schätzungsweise 20 Dampfer zum Teil abgeblendet gesehen, dazu noch ein paar Kolcher. Alle klemmten sich dicht unter die Küste.*«

Wiederum empfand er das 600-m-Notrufband als eine unschätzbare taktische und navigatorische Hilfe, mit dem er nicht nur den Schiffsverkehr überwachen, sondern auch zum Beispiel die Einziehung von Feuerschiffen sowie die Kennzeichen der Bojen, die an ihrer Stelle ausgelegt wurden, erfahren konnte. Nach den ersten Versenkungen ging die Verkehrsdichte stark zurück. Dann fügte er eine Zeile ein, die die deutsche Seekriegsleitung später ausließ.

»*Der gesamte private Telegrammverkehr zur See fahrender Juden hörte auf.*«[21]

Der VÖLKISCHE BEOBACHTER freute sich: »Wie ein lauter Paukenschlag donnerte . . . vor Neuyork der erste Torpedoschuß dem Kriegstreiber Roosevelt in die Ohren.« (»Die Jahresbeute unserer Boote«, VB, 28. Dezember 1942, S. 3.) Obwohl Hardegen der erste der »Paukenschlag«-Kommandanten sein sollte, der Dönitz persönlich über die Operationen in der noch ungewohnten nordamerikanischen Zone berichtete, nahm die Feindlage, die der Stab des Admirals aus den verschlüsselten Funksprüchen herauslas, die Wirkung seiner Bemerkungen vorweg. Der BdU äußerte sich dazu:

»Die Erwartung starken Einzelverkehrs, das ungeschickte Verhalten der Schiffe, geringe, ungeübte See- und Luftüberwachung sowie -abwehr anzutreffen, hat sich in einem Maße erfüllt, daß die Verhältnisse als fast vollkommen friedensmäßig bezeichnet werden müssen. Der Einzeleinsatz der Boote war also richtig.«[22]

Unter diesen Umständen würden »Rudel« in kanadischen Gewässern niemals notwendig sein.

Zehn Tage vor dem festgelegten Überraschungsangriff hatte Hardegen, ohne seine Position zu verraten, eine Angriffschance. Obwohl er diese Gelegenheit nicht ergriff, zeigte sich, wie Uboote den kommerziellen und den Not- und Bergungsfunkverkehr ausnutzten. Am 3. Januar stand er etwa 450 Meilen ostwärts von Cape St. Francis, Newfoundland, und nahm Funksprüche von Halifax auf, die die vom Sturm mitgenommene und anscheinend steuerlose *Dimitrios Inglessis* unterrichtete, daß ein Bergungsfahrzeug losgeschickt werde. Sie war eines der beiden sturmgeschädigten Schiffe aus dem Geleitzug SC-63. Der BdU in Deutschland hörte diese Nachricht ebenfalls mit und gab sie an Hardegen mit der Erlaubnis zum Angriff weiter. Die ständigen Notrufe der *Dimitrios* gaben ungefähre Breite und Länge in offener Sprache an und versahen sowohl die Retter wie den Feind mit klaren Peilsignalen. Zeitweise hörte Hardegen Funkverkehr zwischen St. John's Radio, dem Bergungsschlepper *Foundation Franklin* und der verängstigten *Dimitrios* mit.[23] Darauf folgten aufschlußreiche Funksprüche zwischen *Franklin* und *Dimitrios,* die ein Treffen vereinbarten und Einzelheiten für die Bergung und das Schleppverfahren erörterten. Mit Hilfe der Funkbaken Cape Race und St. John's bestimmte Hardegen unterdessen seine eigene Position genau; während des ganzen Tages wurde *U 123* durch diese Funksprüche geleitet. Er schrieb: »Reger Verkehr auf der 600-m-Welle« (KTB) und hörte die Standortmeldung des Opfers »Nähe von Virgin Rocks« (KTB). Das ist das gefährlichste topografische Merkmal auf den Grand Banks – ein Riff, 95 Meilen ostwärts von Cape Race, mit einer geringsten Wassertiefe von viereinhalb Metern über einer spitzen Felsnadel.

U 123 marschierte in dieser Nacht durch den Nebel, Geschützbedienungen auf Gefechtsstationen, und hörte Nebelsignale von zwei Schiffen, die sich an die *Dimitrios* herantasteten. Er stieß auf Opfer und Retter, die dabei waren, die

Leine zu übergeben, und dabei heftig über Funk schwatzten. Plötzlich sah er einen nicht angekündigten Zerstörer auf nur hundert Meter Entfernung vierkant vor sich. Wieder einmal bildete der Nebel Kanadas die vorderste Abwehrfront. So zog er sich unbemerkt zurück, um seine Hauptaufgabe nicht zu gefährden. Hardegens späterer Erfolg sollte in der Tat seine Vorsicht und Zurückhaltung belohnen. Mit Kühnheit und Geschick operierte er dicht unter der Küste, zeitweise nicht mehr als elf Meter Wasser unter dem Kiel, kaum genug, seinen Turm zu bedecken, falls er tauchen mußte.

»Das wäre eine muntere Überraschung gewesen, wenn ich den Zerstörer mit Geschützfeuer angegriffen hätte«, berichtete Hardegen (KTB).

Sein Kriegstagebuch enthält den einzigen Bericht darüber, was der erste Ubootangriff im kanadischen Operationsgebiet hätte sein können.

Am 12. Januar 1942, 0148 MGZ, versenkte Hardegen mit *U 123* das erste Opfer von »Paukenschlag« in kanadischen Gewässern und sein fünfundzwanzigstes im ganzen bisherigen Kriegsverlauf. Sorgfältig identifizierte er es mit Hilfe einer Fotografie als einen Zehntausendtonner der Blue Funnel Line (Holt Shipping). Die 9076 Tonnen große SS *Cyclops* hatte am 2. Januar unter dem Kommando von Captain Lesley Webber Kersley Panama mit Stückgutladung in Richtung Halifax verlassen. Am Abend zuvor hatte Kersley die Ubootwarnung eines besorgten Handelsschiffes aufgenommen und daraus geschlossen, daß unmittelbare Gefahr drohe. Nach seinen von der alliierten Schiffahrtsbehörde herausgegebenen Marschbefehlen steuerte er sein abgeblendetes Schiff mit Höchstfahrt auf Ausweichkurs und fuhr, ohne eine Ahnung zu haben, daß ein Uboot dort war, mit neun Knoten in Zick-Zack-Kursen auf dem Weg von Boston nach Halifax. Hardegen sah zuerst die Rauchwolke am Horizont und setzte sich dann im Zwielicht eines Winterabends in die klassische vorliche Angriffsposition.

Von vorn durch Dunkelheit und Dunst anlaufend, machte Hardegen drei Angriffsversuche, bis ein einzelner Torpedo die *Cyclops* aus 1500 Meter Entfernung in den Tieftank in der Nähe des Steuerbordpropellers traf. Eine dunkel glühende Sprengwolke bezeichnete den Treffer; mit geflutetem Maschinenraum sackte das Schiff achtern tiefer. Die Explosion hatte auch einen Mann der Geschützbedienung über Bord geworfen; damit wurde eine dramatische Folge von Geschehnissen eingeleitet, deren schreckerfüllte Zeugen seine Kameraden waren, die zusahen, wie er im Wasser am unteren Ende des Backbord-Seefallreeps kämpfte.

Der älteste Funkoffizier des Schiffes, R. P. Morrison, hatte Wache, als der Torpedo detonierte; gemäß den ständigen Befehlen des Kapitäns sandte er sofort den SSS-Notruf aus. Da sein Signal von keiner Küstenstation wiederholt wurde, vermutete er einen technischen Versager und wiederholte den Alarmruf mit dem Notsender auf dem Bootsdeck. Die Signale der *Cyclops* blieben nicht unbeachtet, wenn auch auf Umwegen. Radio Charleston, North Carolina, leitete diesen Ruf zuerst über Boston an die Werft Halifax; zur gleichen Zeit versuchte die kanadische Marinefunkstelle Camperdown die Situation zu klären und das Schiff einzupeilen. Die Marinebefehlsstelle Halifax entsandte die *Bangors* HMCS *Burlington* und *Red Deer* zum Schauplatz, während »Eastern Air Command« eine sofortige Luftüberwachung einsetzte. Um den Funkverkehr zu stoppen, beschoß Hardegen trotz der großen Entfernung das Deckshaus mit Maschinenkanonen. Hardegen beobachtete zwar, wie die Artilleristen ans Geschütz liefen; die *Cyclops* lag jedoch so schief, daß sie ihr eigenes Geschütz nicht einsetzen konnte. Da er ein »Artilleriegefecht« befürchtete, schoß Hardegen aus 600 Meter Entfernung einen Fangschuß in die Backbordseite eben Vorkante Brücke. Zu dieser Zeit waren einige Besatzungsmitglieder der *Cyclops* das Backbord-Seefallreep herabgeklettert, um dem hilflosen Artilleristen, der über Bord gestürzt war, zu helfen. Kaum hatte ein Ausguckposten vom Mast her gerufen, ein weiterer Torpedo liefe auf das Schiff zu, kletterten die hilfsbereiten Retter das Fallreep hinauf und überließen den Artilleristen der vollen Wirkung des Torpedos, der durch ihn hindurch in die Backbordseite des Schiffes einschlug. Eine hohe, schwarze und weiße Sprengwolke markierte die Einschlagstelle, das tiefbeladene Schiff brach in zwei Teile. Kessel und eine Menge Munition explodierten mit solcher Gewalt, daß die Überlebenden fürchteten, ein Kaperschiff griffe sie an.

Eilig setzte sich Hardegen zur US-Küste ab und hinterließ einen trostlosen Schauplatz, auf dem fünf Rettungsboote und achtzehn Flöße, besetzt mit vielen Verwundeten und Sterbenden, in der Dunkelheit schlingerten. Eine Szene, die sich während des Krieges fast täglich wiederholte. Von den 181 an Bord befindlichen Personen war nur der Arzt und der unglückliche Artillerist mit dem Schiff verloren gegangen. Die anderen 68 Opfer starben dann vor Erschöpfung in den eisigen Seen, die über die Dollborde schlugen, und während des mehr als vierundzwanzigstündigen Treibens in ihrer Kleidung erfroren. Marineartillerist J. D. G. Green berichtete später, wie er mit 18 Besatzungsangehörigen auf einem Floß trieb: Zwei starben während der Nacht vor Erschöpfung, zwei weitere am Morgen. Ein kanadischer Überlebender, der neunzehnjährige Midshipman L. J. Hughes aus Vancouver, beschrieb eine ähnliche Tragödie: »Einige der Toten wurden über Bord gestoßen. Die anderen behielten wir zum Schutz gegen die Kälte und gegen das Wasser, das über den Bug sprühte, bei uns.«[24] So groß war die Erleichterung des Artilleristen Green über seine Rettung, daß seine schriftliche Aussage berichtete, er sei »von einem Kreuzer aufgenommen worden, der zur Hilfe ausgesandt war«. Der »Kreuzer« – diese Schiffe waren 8800 Tonnen große, schwer bewaffnete Fahrzeuge, 200 Meter lang – war in Wirklichkeit der 672 Tonnen, 60 Meter lange *Bangor* Minensucher HMCS *Red Deer,* den ein RCAF »Catalina«-Flugboot zur Hilfeleistung herangeführt hatte. So groß würde der Minensucher wohl niemals wieder aussehen.

Nach seinem Einsatz vor der Küste der Vereinigten Staaten und einer Reise von 8277 Seemeilen (nur 256 davon getaucht) kam Hardegen mit *U 123* am 9. Februar 1942 sicher zum Heimatstützpunkt Lorient, Frankreich, wieder heim. Nach dem Urteil des BdU war es eine

»sehr durchdachte und gut durchgeführte Unternehmung mit einem ausgezeichneten Erfolg. Der Kommandant hat das erste Auftreten an der nordamerikanischen Küste durch seinen Schneid und seine Zähigkeit voll ausgenutzt.« (KTB)

Die Zeitungsberichterstattung über diese erste Versenkung erreichte die kanadische Öffentlichkeit mehr oder weniger sofort. Sie brachte Bilder der Überlebenden, stilisierte Karten und überzeugende, wenn auch sehr dürftige operationelle Einzelheiten. Bezeichnenderweise erschienen die dramatischsten Berichte in der Englandfreundlichen Quebecer Presse. Zu dieser Zeit waren die kanadischen Behörden weniger daran interessiert, Nachrichten über »Paukenschlag« vor dem Gegner zu verbergen, als vielmehr die kanadische öffentliche Meinung (und vielleicht damit auch Arbeitskräfte) für sich zu gewinnen. Doch wenn die Sensation dieses ersten Ubootangriffes »vor der Haustür« die Herausstellung auf der ersten Seite verdiente, die nachfolgenden Pressekommentare durch den Marineminister, den Hon. Angus L. MacDonald, waren nur eine Spalte auf der Rückseite wert. Die Anwesenheit von Ubooten von Cape Race bis zu den Vereinigten Staaten beweise nicht so sehr eine strategische oder taktische Wendung der deutschen Interessen an Kanada, argumentierte er; die amerikanische Kriegserklärung hatte nur die politischen Hindernisse beseitigt, vor denen Deutschland bisher zurückgeschreckt sei. Er folgte dann einem Prinzip der Zensur und der Pressebeschränkung, das sich während der Kriegsjahre immer wiederholte: Nichts sollte veröffentlicht werden, was dem Gegner möglicherweise Informationen über seine Angriffe gegen die alliierte Schiffahrt liefern könne, und nichts würde öffentlich über alliierte Angriffe auf feindliche Uboote berichtet werden. Dieses Prinzip wurde allerdings oft durchbrochen.

Am 13. Januar 1942 hatte Kapitänleutnant Topp, *U 552,* eine Position 55 Meilen südlich von Cape Race auf der Halbinsel Avalon erreicht. Kapitänleutnant Bleichrodt, *U 109,* war am südlichsten Zipfel der kanadischen Zone, etwa 210 Meilen südlich der Grand Banks von Newfoundland, angekommen. Kapitänleutnant Kals, *U 130,* näherte sich der ihm zugewiesenen Position in der Cabot Strait. Etwa zu dieser Zeit erreichten den BdU die Seenotsignale mehrerer Schiffe südlich von Halifax, die besagten, daß SS *Evita, Dvinoles* und *Tintagel* beim Manövrieren in dem von Halifax auslaufenden Geleitzug HX-169 kollidiert waren.[25] Anscheinend hatte er nicht erkannt, wie sehr das schwere Wetter seine Uboote von dem in seinem Lagezimmer gekoppelten Kurs abgedrängt hatte, denn er dirigierte sie nun in mehreren Funksprüchen auf die leichte Beute. Auf diese Möglichkeit ging jedoch keiner ein; sie wollten ihre eigentlichen Aufgaben erfüllen, zudem war die Entfernung zu groß. Kals auf *U 130* stand zum Beispiel am Mittag des 12. Januar 48 Meilen ostwärts der Insel Scatarie in der Cabot Strait und wollte auch dort bleiben. Diese Vorsichtsmaßnahme, in einem ruhigen Kriegsgebiet zu bleiben, muß die Besatzung wohl in einem falschen Gefühl der Sicherheit gewiegt haben. Beim ersten Flugzeugangriff bemerkte Kals bitter: »Der Ausguck hat nicht aufgepaßt.« Eine tief fliegende »Bolingbroke« der 119. (BR) Staffel in Sydney – die Kals Beobachter nur als »sehr schnellen zweimotorigen Eindecker« (KTB) beschreiben konnte – entdeckte ihn aus einer Entfernung von vier Meilen mit überflutetem Rumpf und deutlich sichtbarem Turm. Aus 300 Meter Flughöhe auf 60 Meter stürzend deckte sie Kals mit zwei 125-kg-Bomben ein.[26] Die Bomben detonierten in ungefährlicher Entfernung, *U 130* tauchte und entkam. Fünf weitere Flugzeuge (von denen Kals einige selbst entdeckte) vereinten sich über dem Gebiet, ohne jedoch irgendein Zeichen des Gegners oder Wrackteile zu entdecken.

Kurz nach Mitternacht, am 13. Januar, kam das erste Ziel für Kals in Sicht, gerade rechtzeitig für ihn, »um beim ersten ›Paukenschlag‹ anzugreifen«. (KTB) Die taktische Bezeichnung »Paukenschlag« war für ihn zum lebendigen Symbol geworden. In dunkler Nacht bei guter Sicht lief *U 130* etwa 40 Meilen nordostwärts von Scatarie Island in der Cabot Strait auf sein 12 Knoten laufendes Ziel an und schoß aus 1200 Meter Entfernung. Der Torpedo lief 72 Sekunden und traf den norwegischen Dampfer *Frisco* Vorkante Brücke. Erst dann erkannte Kals »einen Tanker von etwa 6000 Tonnen, dessen tiefliegendes Vorschiff gegen den dunklen Horizont nicht zu erkennen war«. (KTB) Anfangs schien der Tanker überhaupt keine Wirkung zu zeigen, abgesehen von seiner plötzlichen Funktätigkeit, die sein Ende beschleunigte. Denn wegen der Nähe von Land und Abwehrstreitkräften konnte Kals weder das Sinken abwarten noch den Funkverkehr zulassen. Sein Fangschuß lief 28 Sekunden (430 Meter) und traf das Schiff unter der Brücke. Im achteren Teil des Schiffes brach Feuer aus, das schnell auf die mittschiffs liegenden Tanks übergriff. Schließlich brannte das Schiff in »hellen Flammen«, die noch über zwei Stunden danach zu sehen waren. *U 130* hatte sich längst nach Südosten abgesetzt, um dem BdU seinen Erfolg zu melden, mit dem warnenden Zusatz:

»*Starke Luftüberwachung. Bin bemerkt.*« (KTB)

Die frühen Morgenstunden des ersten Paukenschlag-Tages boten in der Cabot Strait ideale Sichtbedingungen. Kurz vor der Dämmerung sichtete Kals den Dampfer *Friar Rock* mit Kurs auf Sydney. Das Schiff lief acht Stunden hinter dem Quebec-Sydney Geleitzug in der Hoffnung, ihn einzuholen. In wenigen Minuten stand Kals in der klassischen vorlichen Angriffsposition vor seinem einsamen, 10 Knoten fahrenden Opfer. Der erste Torpedo lief von vorn in 54 Sekunden (840 Meter) an und traf unter der vorderen Ladeluke. Ein zweiter Torpedo ging fehl. Dann, als sein Opfer bewegungslos im Wasser lag, versetzte Kals ihm aus

370 Meter Entfernung den Fangschuß, der zwischen Brücke und Schornstein traf. Das Schiff

»stellt sich steil auf den Kopf und rauscht abwärts«. (KTB)

Auf der Wasseroberfläche breitete sich eine große Ölschicht aus. Kals fuhr nun davon, vorbei an beleuchteten Fischerbooten, die in friedvollem Gegensatz zu der zerstörerischen Gewalttat standen. Klugheit gebot, sich vorübergehend von der Sydney-Cape Race Route abzusetzen. Erst am Nachmittag des 17. Januar stieß HMS *Montgomery* auf dem Weg von St. John's nach Halifax auf ein Rettungsboot mit sieben Überlebenden und zwölf Leichen, die in der bitteren Kälte umgekommen waren.[27] Die Überlebenden sagten aus, daß zwei Rettungsboote mit je 19 Mann ausgesetzt worden waren, eines sei jedoch gekentert. Sie berichteten von weiteren Geschehnissen, die nicht mit Kals' Kriegstagebuch übereinstimmen. Zum Beispiel, daß sich

»das Uboot ihrem Rettungsboot genähert und entweder einen Torpedo oder ein Geschütz auf sie abgefeuert habe«.

Der deutsche Funküberwachungs- und Entzifferungsdienst (B-Dienst), das Gegenstück zu dem erfolgreicheren Bletchley Park, hatte inzwischen den BdU aufgrund alliierten Funkverkehrs davon unterrichtet, daß sich mehrere Truppentransporter im Hafen von St. John's versammelten. Der BdU gab diese Information sowohl an Topp, *U 552,* als auch an Schug, *U 86,* weiter. Als Topp am 14. Januar längs der Halbinsel Avalon, Newfoundland, vorstieß, sanken die Temperaturen drastisch auf etwa 10 Grad unter Null und führten zu starker Vereisung der Sehrohre und Antennen. Flugzeugsichtungen verkündeten Landnähe. Zahlreiche Geräusche im Horchgerät kamen enttäuschenderweise von einer Reihe Fischereifahrzeugen, bis ein wertvolleres Ziel ins Blickfeld kam. Gerade an der Sichtgrenze – der Punkt, von dem aus ein tief liegendes, aufgetauchtes Uboot die Masten von Schiffen erkennen kann, ohne selbst gesehen zu werden – machte er einen deutlich größer werdenden Schatten aus. Es war nicht der Truppentransporter, den der BdU gemeint hatte, sondern der Dampfer *Dayrose.* Übermittlungsschwierigkeiten führten dazu, daß die deutsche Seekriegsleitung ihn als erstes Opfer des »Paukenschlages« verzeichnete. Topp, *U 552,* hatte nunmehr ernste Probleme, die die deutschen Dienststellen zu einer großen Untersuchung und einem Kriegsgerichtsverfahren veranlassen würden. In allen Abschnitten der winterlichen Einsätze ließen Torpedoversager auf Sabotage, Unfähigkeit oder beides schließen. Anfangs gab der BdU jedoch seinen Kommandanten die Schuld. So wies er als Antwort auf Bigalks *(U 751)* Funkmeldung über wiederholte Torpedoversager darauf hin, solche Mängel zeigten nur, wie wichtig unablässige Übung auf Feindfahrt nötig sei und daß man in See nicht genug üben könne. Dönitz war in diesem Punkt immer sehr kategorisch und ein strenger und strapaziöser Chef in seinen Richtlinien für die rigorosen Lehrgänge, die alle Ubootkommandanten zu durchlaufen hatten. Die Wahrheit kam jedoch erst später heraus, daß nämlich die Torpedos nichts taugten. Bis dahin wurden die Kommandanten wegen schlechter Leistung beschuldigt, während tatsächlich ihre Waffen gelegentlich versagten.

Topp lief nun zuerst auf 800 Meter an die *Dayrose* heran und schoß einen Zweierfächer unter Bedingungen, die einen tödlichen Treffer garantierten. Der erste Torpedo ging weit am Bug vorbei, der zweite war ein Kreisläufer. Dieses Bild sollte sich während der Unternehmung wiederholen. Erst der vierte Torpedo traf das Ziel und stoppte es. In eine schwarze Rauchwolke gehüllt, setzte das getroffene Schiff seine Rettungsboote aus und funkte um Hilfe. Die Funkstelle Camperdown gab die erste Warnung der Torpedierung an die Werft Halifax. Yarmouth Radio und Cape Race versuchten, die Position zu schätzen und sich ein Bild von ihrem Zustand zu machen, bis Topps Fangschuß, eine halbe Stunde später, das Schiff in zwei Teile brach. Unmittelbar darauf gab *U 552* das notwendige lakonische Kurzsignal an den BdU:

»»Dayrose‹ bei Cape Race versenkt – viel schweres Wetter. Tiefe Temperaturen – heute minus 10 Grad – Topp«. (KTB)[28]

Wie immer verschwieg nüchterne Kürze die Pein der überlebenden Menschen in der winterlichen See.

U 130 stand nun südöstlich der Halifax-Cape Race Route, etwa 65 Meilen südöstlich von Scatarie Island. Auffrischende Winde und 7 Grad unter Null führten zu starker Vereisung des Bootes und zwang es, zu tauchen. Im Horchgerät war nichts zu hören, der Blick durchs Sehrohr zeigte nur Dunst und rollende See. Mit Ausnahme einer kurzen Zerstörersichtung gewann Kals den Eindruck, daß der Verkehr gestoppt sei. In Wirklichkeit war der letzte SC-Geleitzug der Saison ausgelaufen und der Hafen von Sydney geschlossen. Das wußte Kals nicht; so lief er noch einmal in das Gebiet zwischen Sydney und Newfoundland. Vor Cape Breton Island auf und ab stehend, überwachte Kals die Rundfunksendungen und den Funkverkehr seiner Befehlsstelle in Kerneval, Frankreich. Er selbst hielt Funkstille, da er nicht riskieren konnte, durch Funkpeilung entdeckt zu werden. Wie er in seinem Kriegstagebuch vermerkte, konnte er es bei der schlechten Sicht auch nicht darauf ankommen lassen, länger aufgetaucht zu bleiben und sich damit

»ähnlichen Überraschungen wie gestern oder unausweichbaren Überfällen aus der Luft auszusetzen«. (KTB)

Während sie langweilige und ereignislose Stunden vor einer offensichtlich leblosen und unwirtlichen Küste entlang fuhren, muß Kals und seine Besatzung eine gewisse Ruhelosigkeit und der Wille zum Kampf gepackt haben. Er entschied sich zu einem Vorstoß »in die Bucht von Sydney« (KTB) an der Nordostküste von

Cape Breton Island. Das Segelhandbuch würde ihn von der Bedeutung des Hafens unterrichtet haben: die Stahlfabriken, umgeben von reichen Kohlengruben, die Ausfuhr von Stahlprodukten, Papierholz und Kohle. North Sydney war auch der Endpunkt der nach Newfoundland gehenden Fähren. Er würde dann auch gewußt haben, daß der Hafen im Winter starker Vereisung ausgesetzt war. Als Kals am 16. Januar 1942 um 0600 MGZ 20 Meilen vor der Einfahrt stand, notierte er, wie wenig vorbereitet für den Krieg diese hell erleuchtete Industriestadt zu sein schien (KTB). Überall herrschten friedensmäßige Bedingungen. Doch als keine Ziele auftauchten, zog er sich wieder zurück. Sein Boot war bei minus 15 Grad Celsius stark vereist, die Wache an Deck fror bitterlich. »Die starke Kälte, gegen die die Besatzung nicht ausgerüstet ist, macht doch viel zu schaffen«, bemerkte Kals (KTB).

Mangel an geeigneter Bekleidung war nicht die einzige Schwierigkeit für die deutschen Besatzungen. Viele waren mit unzureichenden navigatorischen Unterlagen ausgerüstet. Topp, inzwischen aufgetaucht, patrouillierte zum Beispiel mit *U 552* bei schwerer See vor der Einfahrt des Hafens von St. John's. Beide Sehrohre durch Eis beschädigt, hatte er bei zahllosen Gelegenheiten versucht, nahe heranzukommen, um die Abwehr dieses Hafens zu inspizieren. Aber

»da ich weder mit Segelhandbuch noch Seekarten über dieses Gebiet in geeignetem Maßstab ausgerüstet bin, wieder abgesetzt.« (KTB)

Er verließ sich nun auf sein Horchgerät, dessen Reichweite selbst bei vorübergehender Auflockerung des Nebels die des Sehrohrs übertraf. Am 16. Januar mißlang ein Angriff auf einen »Vier-Schornstein-Zerstörer«, der in den frühen Morgenstunden aus St. John's auslief (KTB). Im späteren Verlauf dieses Tages torpedierte *U 86*, Schug, den einzelfahrenden 5000-Tonner *Toorak*, etwa 10 Meilen vor St. John's. Die Befehlsstelle des Befehlshabers der Newfoundland Force (FONF) teilte HMS *Lightning, Highlander* und *Harvester* ab, die von Großbritannien kamen, das Gebiet abzusuchen und Hilfe zu leisten. Als sie das beschädigte Schiff zurückgeleiteten, stießen zwei RCAF-Flugzeuge hinzu.[29] Topp setzte zum Angriff auf die vier näher kommenden Schiffe an, doch eines der Geleitboote drückte ihn unter Wasser. Mit nur 50 Meter Wasser unter dem Kiel wollte Topp nicht angreifen, er lief ab. In der Nacht nahm er bei leichter Dünung vor der nebelverhüllten Ostküste von St. John's Wartestellung ein.

Kurz nach Mitternacht am 17. Januar stand er mit nur 30 Meter unter dem Kiel zwischen einer Leeküste und einem von zwei Zerstörern geleiteten Dampfer. Topp griff erneut aus 880 Meter Entfernung an. Unerklärlicherweise veranlaßte sein Fehlschuß einen der Zerstörer zur Verfolgung, mit nach Topps Beschreibung Flakfeuer. Ebenso unerklärlich brach der Zerstörer die Jagd ab und ließ Topp zu seiner Beute zurückkehren. Seine nächsten Torpedos detonierten am Ende der Laufstrecke, ohne das Ziel berührt zu haben. Frustriert ließ Topp als letzten

Ausweg nun das Geschütz klar machen. Das Oberdeck war jedoch so vollständig mit Eis bedeckt, daß die Männer nicht einmal das Geschütz freihacken konnten. Während des ganzen Tages zwangen ihn eine Reihe von Flugzeugsichtungen unter Wasser. Die Seen brachen nun mit Temperaturen unter Null über *U 552*, froren sofort, und mächtiger Seegang drängte ihn wiederholt von seinen Zielen ab. Im Gegensatz zu den modernen mit Stickstoff gefüllten Sehrohren enthielten Topps Sehrohre Luft und vereisten unter solch extremen Wetterbedingungen.

Am 18. Januar, 0642 MGZ, versenkte Topp den 4271 Tonnen großen griechischen Dampfer *Dimitrios O. Thermiotis* fünf Meilen südlich von Cape Race, obwohl widersprechende Berichte behaupten, es war der 2609 Tonnen große amerikanische Dampfer *Frances Salman,* der am 17. Januar aus St. John's alleinfahrend nach Cornerbrook, Newfoundland, ausgelaufen war. Nach diesen Berichten fiel die *Thermiotis* nordöstlich von Cape St. Francis *U 86*, Schug, zum Opfer. Wie auch immer, Topps Angriffe zeigten beispielhaft die Probleme auf, vor denen der BdU gegenüber den Torpedoversuchs- und Erprobungsstellen stand. Topp opferte über einen Zeitraum von zwei Stunden vier Torpedos bei Bilderbuchentfernungen und -lagen, ehe ein einzelner tatsächlich traf. Wiederholte Fehler waren natürlich psychologisch enervierend. Vor seinem fünften Schuß analysierte Topp seine Fehlschüsse durch Überprüfung der elektrischen und mechanischen Abfeuerung und Überprüfung der Schußunterlagen. In seinem Kriegstagebuch vermerkt er:

»Der fünfte Angriff kostet mich eine Menge Überwindung nach den bisherigen Ergebnissen.«

34 Sekunden später (511 Meter) detonierte der Torpedo am Heck des Schiffes. Hohe Rauch- und Wassersäulen markierten den Treffer, das Schiff sank schnell über das Heck ab. Topp beobachtete, wie Rettungsboote ausgesetzt wurden und hörte das Funksignal »SSS de swgg« (Ubootangriff, von *Dimitrios O. Thermiotis*). Zehn Minuten später richtete sich der Bug des Schiffes fast senkrecht 20 bis 30 Meter nach oben und blieb so stehen. Der Rumpf hatte sich auf 30 Meter Wassertiefe aufgesetzt. In Zukunft zogen die Uboote die Flachwassergebiete dem tiefen Wasser vor, denn sie hatten die meisten Erfolge dort, wo man sie am wenigsten erwartete. Als Antwort auf Topps Lagebericht über die »unerklärlichen Fehlschüsse«, die schließliche Versenkung und die Tatsache, daß das Umladen von Reservetorpedos aus den Oberdeckstuben wegen Vereisung und Wetter nicht möglich war, rief der BdU ihn zurück.

Am 16. Januar hatte Bleichrodt seinen vorgeschriebenen Angriffsraum 120 Meilen südostwärts von Halifax erreicht. Die Temperaturen fielen plötzlich auf minus 10 Grad, das Boot wurde bei seiner Fahrt durch den Schneesturm dick eisverkrustet. Bleichrodt hatte Kals Lagebericht an den BdU aufgenommen und stellte verärgert fest:

»Mein Nachbarboot, »U 130«, meldet, daß es bemerkt worden ist. Schade, damit sind die Kanadier leider über das Auftreten deutscher Uboote an ihrer Küste informiert.« (KTB)

Das traf tatsächlich zu. Bald darauf hörte Bleichrodt in großer Entfernung Detonationen und vermutete, daß die Kanadier seinen Kameraden angriffen. Der deutsche B-Dienst schien seinen Verdacht zu bestätigen. Er hatte den BdU über eine kanadische Uboot-Sichtmeldung informiert, die besagte, daß ein Uboot 13,5 Meilen ostwärts von Chebucto Head gesichtet worden sei. Der BdU wiederum gab die Einzelheiten an die Gruppe »Paukenschlag« weiter. Bleichrodt bemerkt in seinem Kriegstagebuch:

»Da ich etwa 100 Seemeilen weiter südlich stehe, komme ich nicht in Frage. Entweder ist Kals in das Gebiet eingelaufen und gesehen worden, oder es war eine Wunschbeobachtung der Kanadier. Trotzdem ist der jungfräuliche Charakter dieses Gebietes dahin.« (KTB)

Zu dieser Zeit operierte Kals mit *U 130* jedoch noch vor Scatarie Island, Cape Breton. Auch er litt unter Torpedoversagern. Bei einer Gelegenheit wurde er beinahe selbst das Opfer, als ein Geleitboot, ein »amerikanischer Zerstörer der Craven-Klasse« (KTB), zum Angriff aufdrehte und ihn zu einem radikalen Ausweichmanöver zwang. Als das Geleitboot auf ihn zuhielt, drehte Kals das Uboot um seine Achse, indem er schnell »äußerste Kraft voraus« für eine Maschine und »äußerste Kraft zurück« für die andere befahl, so daß der Zerstörer mit knapp 10 Meter Abstand hinter ihm vorbeibrauste. Während des anschließenden Alarmtauchens kletterte Kals in die Luke und erblickte noch einen zweiten Zerstörer hinter dem Heck seines vorgesehenen Opfers. Die Sorgen waren jedoch noch nicht vorüber; durch das vereiste Kopfventil des Dieselzuluftmastes flossen 8 Tonnen Wasser in das Boot. Aus dem Trimm gekommen, fiel das Boot zu schnell und schlug bei einer Tiefe von »A 32« (48 Meter) auf einer Vierzig-Meter-Stelle 15 Meilen ostwärts Scatarie Island auf den Grund. Kals bemerkte in seinem Kriegstagebuch: »Ich bleibe, obwohl das Boot auf dem Felsen unangenehm arbeitet, zunächst dort liegen, alles abgestellt. Die Zerstörer veranlassen nichts. Es ist anzunehmen, daß bei ihnen infolge Vereisung die Wasserbomben-Wurfeinrichtung versagt hat.« Der BdU markierte diese Feststellung später mit einem großen roten Ausrufungszeichen, da dies auf Probleme der Überwasserabwehr vor der kanadischen Atlantikküste hinweisen könnte. Eine Stunde später löste Kals sein Boot vom Grund und lief unter Wasser ab, um nun ein paar weitere Tage auf der Halifax-Cape Race Linie zu operieren.

Der BdU forderte per Funk Hardegen, *U 123,* Bleichrodt, *U 109,* Schug, *U 86,* zu Lageberichten auf und gab Kals, *U 130,* die Erlaubnis, in ein neues Operationsgebiet zu gehen, wenn die Bedingungen auf der derzeitigen Situation unvorteilhaft seien. Kals verließ die Cabot Strait aus vier sehr vernünftigen Gründen: (1) geringer Verkehr, (2) ungünstige Witterung, Unsichtigkeit und häufiger Nebel,

(3) gute Überwachung des engen Seegebietes durch schnelle Landmaschinen, (4) offensichtlich starker Geleitschutz durch Zerstörer.

Verärgert über die Sichtung von *U 130* sowie durch eine weitere, von der eine Funkmeldung des B-Dienstes berichtete, blieb Bleichrodt im Süden. Er wollte sich nicht weiter wagen, bis

»man sich weiter oben wieder etwas beruhigt hat«. (KTB)

Es herrschte schweres Wetter. Die Brückenwache schnallte sich mit Sicherheitsgurten an,

»da die See von achtern über den Turm rollte«. (KTB)

Am frühen 19. Januar stieß *U 109* in das Küstengebiet dicht bei Cape Sable vor. An dieser äußersten südwestlichen Ecke Neuschottlands vermutete Bleichrodt einen Schnittpunkt der Nord-Süd- und der Ost-West-Verkehrswege. Beim Runden von Seal Island in der Nacht in einer aufgewühlten See mit langer, nordwestlicher Dünung stieß er auf einen tiefbeladenen Frachter von 4000 bis 5000 Tonnen auf dem Weg nach Yarmouth, der sich offenbar verirrt hatte. Der Frachter lag ohne Fahrt im Wasser und unterhielt sich in offener Sprache mit der Funkstelle Yarmouth über seine Position und den Weg in den Hafen. Bleichrodt lief unter den gleichen Bilderbuchbedingungen wie Topp an und schoß sechs nicht funktionierende Torpedos in einem Zeitraum von zwei Stunden, ohne ihn zu versenken. Da er Fehler zwischen seinem Zielgerät und dem Vorhaltrechner befürchtete, verließ sich Bleichrodt in schierer Verzweiflung darauf, den letzten Schuß über den Netzabweiser zu feuern. Zu diesem Zeitpunkt war ein Geleitfahrzeug gekommen, um den Frachter in den Hafen zu geleiten. Im dunklen Morgen veränderten nur die Lichter von Fischerbooten das traurige Bild. Bleichrodt sah davon ab, auf die Anforderung der Befehlsstelle nach einem Lagebericht zu reagieren, er wünschte nicht, seine Anwesenheit durch einen langen Funkspruch zu verraten oder seine Pläne für einen zweiten Angriff dicht unter der Küste zu stören. Zwei Tage später erhielt Bleichrodt einen direkten Befehl vom BdU, Lage und Erfolg zu melden, hielt jedoch weiter hartnäckig Funkstille. Der BdU brauchte die Information für seine Planung, Funkstille könnte auch den Verlust von *U 109* bedeuten. Doch der BdU stand zu dem Grundsatz, daß der Kommandant vor Ort am besten die Umstände beurteilen könne.

Im Laufe des Nachmittags des 19. Januar griff ein »Digby« der 10. (BR) Staffel in Gander ein nicht identifiziertes aufgetauchtes Uboot an, das mit gut sichtbarem Turm und überspülten Tauchtanks etwa 58 Meilen vor Baccalieu Island vor der Ostküste von Newfoundland stand. Obwohl die RCAF der Meinung war, der Angriff sei »nutzlos« gewesen, zeigte eine Überprüfung der grafischen Darstellung des Angriffs, daß die Wirkung der drei 150-kg-Wasserbomben, die über den Bug des tauchenden Ubootes und in Linie mit dem Turm detonierten, zumindest eine abschreckende Wirkung auf seine weitere Taktik haben würde. Drei Tage später sichtete im Laufe eines Überwachungsfluges am Geleitzug SC-65 ein Flugzeug der gleichen Staffel ein nicht identifiziertes Uboot 50 Meilen nordöstlich von Cape St. Francis. Das Flugzeug stürzte auf das voll aufgetauchte, 16 Knoten laufende Ziel, fing dicht über dem Boot ab, von dessen Achterschiff noch acht Meter zu sehen waren, und löste drei Bomben. Ein klemmender Hebel ließ nur eine fallen, die neben dem Kommandoturm detonierte. Keiner der zwei nacheinander folgenden Angriffe brachte einen Beweis für eine Beschädigung. US-Flugzeuge bombten ohne Erfolg die Sehrohre von zwei Ubooten, die in einem Bereich von 175 bis 200 Meilen südlich von Cape Pine operierten.[30]

Am 21. Januar 1942, dem gleichen Tag, an dem Bleichrodt einen nicht identifizierten voll beladenen 6000-t-Frachter 8 Meilen vor Shelburne, Nova Scotia, mit einem seiner Versager-Torpedos verfehlte, versenkte Kals den 8248-t-Tanker *Alexandra Hoegh* 160 Meilen südlich von Cape Sable in schwerer Dünung. Der erste Torpedo traf das Vorschiff um 2221 MGZ nach einem Lauf von 54 Sekunden (880 Meter). Die Tankerbesatzung ging sofort in zwei Boote, während das Schiff langsam vorn tiefer sackte. Als eine halbe Stunde später eines der Rettungsboote zum Schiff zurückkehrte, schoß Kals den Fangschuß aus 400 Metern. Das Kriegstagebuch berichtet:

»Auffallend breite, weiße, mittelhohe Sprengsäule. Der Tanker bricht auseinander, beide Schiffsteile bewegen sich völlig unabhängig voneinander. Das Heck ragt mit den Schrauben stark nach vorn geneigt aus dem Wasser. Der hintere Teil der abgeschossenen vorderen Schiffshälfte liegt unter Wasser. Die Neigung des Hecks hat sich verstärkt. Beide Hälften des gebrochenen Schiffes sacken langsam, aber stetig tiefer. Keine Nachhilfe mehr nötig.«

Nach weiteren erfolgreichen Unternehmungen vor New York kehrte Kals in seinen Heimathafen Lorient zurück. Während seiner einundsechzigtägigen Feindfahrt legte er 8520 Seemeilen zurück. Typisch für diese Vor-Schnorchel-Periode des Ubootkrieges verbrachte er den größten Teil der Fahrt über Wasser. Der BdU lobte seinen Kommandanten:

»Sehr gut und überlegt durchgeführte und erfolgreiche Unternehmung.« (KTB)

Trotz unruhigem Magnetkompaß und unzuverlässigem Kreisel erkundete *U 109* die Gewässer von Yarmouth bis Seal Island. Gelegentliche entfernte Ziele entzogen sich seinen Angriffen, da zu schnell oder unter Geleit. Ein Zerstörer überlief ihn direkt, ohne anzugreifen. Erneut bildeten Flugzeuge eine ständige Bedrohung. Am 23. Januar, 0812 MGZ, schoß *U 109* einen tödlichen Torpedo auf den vermeintlichen griechischen 6566-t-Dampfer *Andreas* auf dem Weg nach Yarmouth. Da keine alliierten Verlustmeldungen vorliegen, muß dies der britische 4887-t-Dampfer *Thilby* gewesen sein. Bei glatter See durchlief der Torpedo 800 Meter in 28 Sekunden und traf mit einer hohen Explosionswolke hinter dem Schornstein. Der Dampfer sackte auf ebenem Kiel nieder und sank dann langsam über das Heck auf den Grund. Inzwischen beobachtete Bleichrodt, wie die Besatzung in die Rettungsboote ging, und konnte ohne Schwierigkeiten die Lichter der Boote auf dem Wasser erkennen. Das getroffene Schiff gab sein »SSS« auf der 600-Meter-Welle, die U 109 ständig überwachte, und erhielt von der Station Camperdown vorerst die Antwort »warten«. Als Camperdown den Ruf weitergab, war es zu spät; das Schiff war seit langem über das Heck gesunken, der Bug ragte in die Luft. Das Heck lag nun auf einer Tiefe von 40 Meter auf. Bleichrodt lief mit hoher Fahrt nach Südosten ab, um bei Tagesanbruch aus dem Flachwassergebiet heraus zu sein. Achteraus, wo das Wrack lag, waren Flammen und die weißen Lichter von Fischerbooten zu sehen.

U 109 hatte im kanadischen Bereich keine weiteren Erfolge. Bleichrodts anschließende Suche von Seal Island nach Shelburne, Liverpool und Halifax wurde durch Luftüberwachung, Seeüberwachung und die »hellen Mondnächte« vereitelt. (KTB) Am 26. Januar bemerkt er, die zunehmende alliierte Überwachung der letzten Tage erschwere erfolgreiche Operationen mehr und mehr. Inzwischen waren die Geleitzugrouten für die Wintersaison verlegt worden, jedenfalls hatte er auch nur noch wenig Brennstoff und Torpedos zweifelhafter Qualität. Am 4. Februar ergänzte er von U 130, Kals, nördlich von den Bermudas Brennstoff, dann begaben sich die beiden Boote auf den Rückmarsch.

Alle Ubootkommandanten der ersten »Paukenschlag«-Welle hatten unter Torpedoversagern zu leiden, die ihre Schlagkraft schwächten und die Moral zu untergraben drohten. Durch die bittere Erfahrung nicht entmutigt, kompensierte Topp auf U 552 seine Enttäuschung mit einer ungewöhnlichen List. Verärgert darüber, daß er nicht stärker gegen die großen Schiffe, die ostwärts der Newfoundland Banks an ihm vorbeidampften, vorgehen konnte, griff Topp auf das Verfahren seiner Vorgänger im Ersten Weltkrieg in diesen Gewässern zurück. Gleich einem Überwasser-Kaperschiff befahl er eines Nachts einem 10 000 Tonnen griechischen Frachter beizudrehen, mit der Drohung, er werde torpediert, wenn er der Weisung nicht folge. Zu diesem Zeitpunkt bestand Topps einzige brauchbare Waffe in der 2-cm-Maschinenkanone. Sein Abzeichen, der »Rote Teufel« an der Turmwand, mag vielleicht die theatralische, wenn auch tödliche Wirkung, mit dem er das Folgende inszenierte, unterstrichen haben. Bei nahezu Sturmstärke durchbrach Topp 1000 bis 1500 Meter hinter seinem Opfer die Wasseroberfläche. Hohe Wogenmassen brachen sich mit breiten Gischtkronen, während er mit der Signallampe morste: »Stop, send a boat.« Ein paar Maschinenkanonenschüsse brachten das Schiff zum Halten; weitere Schüsse entlockten dem zögernden Signalmann des Frachters eine Antwort. Topp konnte die Antwort kaum lesen,

»da das Uboot von Zeit zu Zeit vollständig hinter den stürmischen Seen verschwand«. (KTB)

Schließlich gab die Signallampe »please, please, captain is coming«. Bald darauf kam der Kapitän in einem Boot mit den Schiffspapieren und suchte vorsichtig Schutz in Lee des Ubootes. Inzwischen war es der Besatzung gelungen, das

8,8-cm-Geschütz gefechtsklar zu machen. Nachdem er der Besatzung des Handelsschiffes Zeit gelassen hatte, sich mit ihren Rettungsbooten in der stürmischen See zu entfernen, feuerte Topps Besatzung etwa 126 Schuß Spreng- und Brandgranaten in den Rumpf ihres Opfers. Fast drei Stunden nach Angriffsbeginn notiert Topp in seinem Kriegstagebuch: »Dampfer sinkt über den Achtersteven mit einem letzten Anblasen der zusammengepreßten Feuersglut aus der vordersten Ladeluke. Rettungsboote sind in der Dunkelheit und dem Seegang nicht aufzufinden. Rückmarsch fortgesetzt.« Am 27. Januar 1942 lief *U 552* friedlich in die Sicherheit von St. Nazaire ein; fünf Tage zuvor war es auf *U 751*, Bigalk, gestoßen und hatte mit ihm in der aufgewühlten See des Mittelatlantik Erfahrungen ausgetauscht.

Das deutsche Reichssicherheitshauptamt, das die Volksstimmung sowohl durch eingehende Überwachung als auch durch Stichproben auf die Äußerungen auf Zeitungs- und Radiomeldungen beobachtete, stellte am 26. und 29. Januar 1942 fest, daß die Sondermeldungen über Ubooterfolge an der nordamerikanischen und kanadischen Küste »große Freude und Überraschung« im ganzen Land ausgelöst hatten.[31] Besonders beeindruckte die Fähigkeit der Uboote, trotz der »riesigen Entfernung« den Krieg über den Atlantik zu tragen. Dies bedeutete nach Ansicht des Sicherheitsdienstes in den Augen der deutschen Bevölkerung unmittelbar nach Pearl Harbor einen weiteren Prestigeverlust für Amerika. Die deutsche Öffentlichkeit, so schloß der Bericht, verlangte nun nach Informationen über die neuen Uboottypen, die dieser Schlacht zweifellos ein Ende setzen würden.

Nur Bruchstücke der Nachrichten über den Vorfall Topp erreichten die kanadische Öffentlichkeit. Der MONTREAL DAILY STAR meldete zum Beispiel am 11. Februar 1942, daß 27 Überlebende eines griechischen Schiffes, »das ein Uboot der Achse mit dreieinhalbstündigem Beschuß unter Wasser gedrückt hatte, einen östlichen kanadischen Hafen erreicht hatten«. In Halifax angekommen, hatten die Seeleute »von der gnadenlosen Beschießung ihres Schiffes und ihrer Männer in den Rettungsbooten berichtet«. Zwischen den Zeilen unterstellte dieser Bericht Mord auf hoher See.[32] Kanadische Unterlagen geben keine weitere Klärung. Ob solche Geschichten ernst zu nehmende Behauptungen waren oder journalistische Übertreibungen, sie bereiteten auf jeden Fall den Boden für die Ansicht, deutsche Uboote seien tückische Raubtiere und deutsche Ubootkommandanten dementsprechend, ein Bild, das bis weit nach dem Krieg erhalten blieb.

Acht Uboote der zweiten Welle jagten vom 21. Januar bis zum 19. Februar 1942 im Operationsgebiet zwischen den Newfoundland Banks und Nova Scotia und erzielten weniger dramatische Erfolge.[33]
Die zweite Welle konzentrierte sich auf drei Stellen: die Ostküste von Newfound-

land, die Westseite der Cabot Strait und die Ansteuerung von Halifax. Nur die starke Vereisung südlich der Cabot Strait verhinderte das Eindringen in den Golf. So blieben die Gewässer vor Newfoundland und Nova Scotia die Hauptkampfgebiete. *U 754* unter Kapitänleutnant Oestermann war am 30. Dezember 1941 in Kiel-Wik ausgelaufen, sein erstes Schiff griff er am 22. Januar 1942 vor Ferryland Head, Newfoundland, an. Seine Behauptungen von der Versenkung zweier Handelsschiffe, deren Beschädigung und Vernichtung er klar beobachtete, werden durch kanadische Unterlagen nicht eindeutig bestätigt. Eines war möglicherweise der 1344 Tonnen norwegische Dampfer *Williman Hanson* in einem Geleitzug von drei Schiffen, geleitet von HMCS *Georgian, Wetaskiwin* und *Camrose.*[34] Am 24. Januar war der andere der 2153 Tonnen große norwegische Dampfer *Belize,* 35 Meilen südöstlich von St. John's. Beide lösten erneut See- und Luftüberwachung aus, die die bitteren Verheerungen eines häßlichen Krieges enthüllten. US-Marineflugzeuge sichteten weit draußen in See ein umgeschlagenes Rettungsboot und einen Mann auf einem Floß. Beide wurden nicht wieder gesichtet. HMCS *Spikenard,* von einem Flugzeug zu einem Rettungsboot mit drei Überlebenden geleitet, fand nur ein vollgelaufenes Rettungsboot mit vier Leichen. Auch die *Shawinigan* stieß auf ein verlassenes Rettungsboot. Solche Sichtungen prägten sich in die Erinnerung vieler kanadischer Seeleute ein. Alan Easton, von 1941 bis 1942 Kommandant von HMCS *Baddeck,* drückte das so aus: »Während des Krieges habe ich viele leere Rettungsboote gesehen, und jedesmal fühlte ich schmerzlich, daß ihre geheimnisvollen Passagiere Schrecken und Tragödien durchlitten hatten und sie von einem Schatten des Unglücks umgeben waren.«[35]

In den frühen Morgenstunden des 25. Januar sichtete *U 754* den allein fahrenden, tief beladenen 3876 Tonnen großen griechischen Dampfer *Mount Kitheron,* der entgegen den Bestimmungen Positionslaternen gesetzt hatte.[36] Von zwei Torpedos zerbrochen, sank er innerhalb von 15 Minuten, nur zwei Meilen von St. John's entfernt. HMCS *Spikenard* nahm 18 Überlebende auf.[37] Fünfzig Meilen südostwärts von Cape Race versenkte *U 754* am 27. Januar den griechischen Dampfer

Tafel 4

Paukenschlag: zweite Welle: 21. Januar bis 19. Februar 1942

Uboot	Typ	Versenkungen	Torpediert nicht versenkt	Versenkte Tonnage
U 754 (Oestermann)	VIIC	4	–	11 386
U 751 (Bigalk)	VIIC	2	1 (8096 t)	11 487
U 82 (Rollmann)	VIIC	2	–	18 117
U 564 (Suhren)	VIIC	1	1 (6195 t)	11 411
U 576 (Heinicke)	VIIC	1	–	6946
U 85 (Greger)	VIIC	1	–	5408
U 98 (Gysae)	VIIC	1	–	5298
U 566 (Borchert)	VIIC	1	–	4181

Icarion.[38] Seltsamerweise sah Oestermann niemals ein Lebenszeichen an Bord, keine Bewegung, es wurden keine Boote zu Wasser gelassen, keine Lichter. Nachdem das Schiff mit gebrochenem Kiel dreiviertel Stunden lang langsam sank »brach es plötzlich auseinander und sank sofort«. (KTB) Es war ein schauriges Erlebnis. Zusammenfassend meldete Oestermann bei seiner Rückkehr nach Brest am 9. Februar über seine Unternehmung bescheiden:

»Keine besonderen Vorkommnisse während der Unternehmung, besondere Erfahrungen wurden nicht gemacht. Im Operationsgebiet zeitweise starker Verkehr, der nach Versenkungen abgestoppt wird. Dampfer fahren teilweise mit gesetzten Laternen, Feuer brennen friedensmäßig.« (KTB)

Seine Tätigkeit war reine Routine. Admiral Dönitz aber bemerkte hierzu:

»Gut durchgeführte erste Unternehmung des Kommandanten mit einem neuen Boot.« (KTB)

Seine nächsten kanadischen Unternehmungen waren − wie wir sehen werden − nicht so glücklich.

U 751, Bigalk, führte den zweiten, sehr wichtigen Vorstoß dieser Welle durch, den noch vorhandene Berichte beschreiben. Am 14. Januar 1942, einen Tag, nachdem die erste Welle ihren Überraschungsangriff begonnen hatte, lief er aus dem Biskayahafen St. Nazaire aus und kreuzte am 28. Januar die Newfoundland Banks.

»Schwere Brecher über dem Turm, Brückenwache angeschnallt, Boot stampft und rollt heftig.« (KTB)

Eindrehend in Richtung auf die vereiste und mit dichtem Nebel versperrte Cabot Strait tauchte er am 31. Januar 15 Meilen ostwärts Green Island in der Chedabucto Bay auf. An diesem Tag versenkte *U 82,* Rollmann, den 1190 Tonnen großen britischen Zerstörer HMS *Belmont* aus der Sicherung eines Geleitzuges, 160 Meilen südostwärts von Cape Sable.[39] Schlechte Wetterbedingungen verhinderten Flugzeugeinsatz bis zum 2. Februar, dann suchte die RCAF vergeblich nach Überlebenden der *Belmont.*

Beim Verlassen der Chedabucto Bay griff *U 751* den 8096 BRT großen Tanker *Corilla* an. Wie der spätere Bericht der *Bayou Chico* zeigt, illustriert dieses Gefecht, daß hinter den Statistiken von Schiffen, die »lediglich« torpediert wurden, viel mehr steckt als das, was offensichtlich ist. Bigalks Besorgnis, daß »im hellen Mondlicht das stampfende und gischtende Boot wahrscheinlich weit zu sehen ist« (KTB), traf wahrscheinlich zu. Denn die *Corilla* drehte kurz vor dem Schuß hart ab und begann auf dem 600-Meter-Band Uboot-Alarm und Position zu funken. Das Geschütz auf dem Heck eröffnete beeindruckend genau gezieltes Feuer. Das geschickte Zick-Zack-Fahren des Tankers sowie die Dunkelheit der Nacht hinderten *U 751* daran, auf neue Angriffsposition zu gehen, da er über den

Generalkurs der *Corilla* niemals sicher war. Manchmal verschwand das Schiff völlig aus Sicht. Er versuchte daher, die *Corilla* in Sicherheit zu wiegen, damit sie ihre Ausweichbewegungen entweder verringerte oder ganz aufgab. Anderthalb Stunden lang folgte ihr *U 751* unauffällig bis in die Nähe von Country Island Leuchtfeuer und schoß dann aus 2500 Meter einen Dreierfächer. Der rechte Torpedo wurde Oberflächenläufer, sprang und hüpfte über die hohen Seen hinter dem Ziel vorbei, der linke Torpedo verschwand ohne Detonation. Der mittlere Torpedo jedoch traf das Schiff nach einer Laufzeit von 140 Sekunden (2100 Meter) im Abkommpunkt vor der Brücke und detonierte mit einer hohen Sprengsäule an der Bordwand. Innerhalb von vier Minuten funkte er seine Notlage »SSS *Corilla* torpediert, noch schwimmend«, zackte weiter auf die Küste zu und sackte vorne tiefer. Wieder versuchte *U 751* vorzulaufen, um in Schußposition zu kommen und sein Heckrohr zum Tragen zu bringen, und lud vorne schnell nach. Um 0804 MGZ funkte *Corilla* erneut: »Schickt sofort Hilfe, wir sinken.«

Durch ständiges Zick-Zack-Fahren machte die *Corilla* Bigalks Versuch, eine günstige Schußposition zu erreichen, zunichte. Bald darauf beobachtete Bigalk, daß vom Achterschiff des Tankers in Richtung auf den Schatten eines »Zerstörers oder Torpedobootes« gemorst wurde. Das Boot kam nun mit hoher Fahrt in Richtung auf *U 751,* wurde aber »ausmanövriert«. Voll beschäftigt mit der Jagd sichtete die Brückenwache des Ubootes eine Boje an Steuerbord in 500 Meter Entfernung. Das Lot zeigte 60 Meter Wassertiefe. Um zu vermeiden, daß das Boot »auf die Rocks« lief, drehte *U 751* ab. Der »Versunkene Fels«, als Split Rock bekannt, liegt 2,3 Meilen nordöstlich von Country Island, umgeben von gefährlichen Flachwassergebieten, Riffen und Sandbänken. Wenn auch bedauerlich, daß die *Corilla* nicht mehr zu sehen war, so bemerkte Bigalk doch mit Befriedigung, daß auch sie vielleicht flaches Wasser erreicht habe oder besser noch, sich auf ein Riff gesetzt habe. »Jedenfalls fährt die *Corilla* nicht mehr nach England«, berichtet er in seinem Kriegstagebuch. Das Schiff erreichte jedoch aus eigener Kraft den Hafen und fuhr auch wieder im Geleitzug. Der Angriff löste starke Luftüberwachung aus, die *U 751* zwang, getaucht zu bleiben.[40] Im Horchgerät wurde keine Seeüberwachung festgestellt.

Nach Mitternacht, am 4. Februar 1942, erfaßte *U 751* auf seinem Weg nach Süden das Blinkfeuer von Little Hope Island, einem mit Felsblöcken bedeckten kleinen Inselchen, zwei Meilen ostwärts von Joli Point, an der Einfahrt zu dem kleinen Hafen Port Joli. Als zwei Zick-Zack fahrende Schatten aus der Dunkelheit in Richtung Küste auftauchten, entdeckte Bigalk ein Geleitboot mit einem 3500-BRT-Frachter. Nach einem Torpedoversager torpedierte er den 4335 BRT großen britischen Tanker *Silveray,* der sofort Alarm funkte. 41 Minuten später sank er durch den dritten Torpedo über das Heck. Bigalk jagte nun den zweiten Schatten, einen nicht identifizierten Frachter, von dem die Kanadier zuerst glaubten, es sei die *Silveray,* bestimmt für Liverpool, 60 Meilen südwestlich von Halifax. Als

U 751 auf 1000 Meter herangekommen war, stand der Frachter 1,5 Meilen vor der Hafeneinfahrt. Kanadische Flugzeuge vereitelten Bigalks Angriff. Zwei Tage später sichtete ein RCAF-Flugzeug auf der Suche nach Überlebenden der *Silveray* ein Vorpostenboot bei der Bergung eines umgekippten Rettungsbootes. Außer Wrackteilen und einem weiteren leeren Boot wurde nichts gefunden.[41]

Mittlerweile hatte sich *U 751* zurückgezogen. Nach einem Torpedoversager vor Chezzetcook Inlet und dem Ausmanövrieren von Überwachungsfahrzeugen, einschließlich einer Gruppe von »fünf fischdampferähnlichen Bewachern«, jagte *U 751* weiter vergeblich nach Zielen. An einem Punkt verfolgten Bewacher das Uboot in die flachen Küstengewässer. Als das Echolot »50 Meter« zeigte, änderte Bigalk von Dez zu Dez seinen Kurs, seine Verfolger drehten laufend mit, zuerst in Richtung Küste und dann langsam in offenes Wasser. Um 0335 MGZ befahl Bigalk Alarmtauchen; fünf Minuten lang lief er mit hoher Fahrt ab und ging dann auf Schleichfahrt. Der Horcher meldete, daß der Bewacher mehrere Male stoppte: horchen, suchen, einen Kontakt suchen. Neun Minuten nach dem Alarmtauchen hörte die Besatzung eine schlecht liegende Wasserbombe. Während der nächsten Stunde blieb der Bewacher, wie das Kriegstagebuch von *U 751* berichtet, mit größer werdendem Abstand auf der Suchkurve. Bei diesem Suchverfahren stellte man einen Observanten auf einen Kreis rund um eine Ubootsichtung, wobei die immer größer werdenden Kreise auf dem vermuteten Ausweichkurs des feindlichen Ubootes mit der vermutlichen Vormarschgeschwindigkeit weiterrückten. Kanadische Schiffe gingen fast ständig davon aus, ein Uboot bewege sich langsam in tieferes Wasser mit größeren Bewegungsspielraum. Oft geschah es jedoch, daß sich Uboote im flachen Wasser auf Grund legten oder sich ganz langsam auf die Küste zu bewegten. So entkam *U 751*. Über diesen Vorgang berichten keine kanadischen Dokumente.

Am 7. Februar war Bigalk auf die 100-Meter-Linie, etwa 8,5 Meilen von Leuchtturm Little Hope Island entfernt, zurückgekehrt und sichtete die tief geladene 8000 BRT *Empire Sun*. Sein erster gerade laufender Torpedo »G 7 a« ging unerklärlicherweise daneben. Das Schiff hatte den Angriff offensichtlich nicht bemerkt und hielt seinen Kurs ohne Zick-Zack zu laufen durch, während *U 751* in vorliche Schußposition lief, um dort das Schiff ins Visier laufen zu lassen. Ein Schuß mit genau den gleichen Unterlagen traf die *Empire Sun* im Abkommpunkt beim Schornstein nach 51 Sekunden Laufzeit (620 Meter). Das Schiff sackte langsam auf ebenem Kiel tiefer, die Besatzung ging in die Boote. Sein letztes Signal war »SSS *Empire Sun* torpediert 43.55 N, 64.22 W«. Nach zwanzig Minuten sank es über den Achtersteven, den Bug senkrecht nach oben gerichtet. Stunden später sichtete die RCAF ein Rettungsboot unter Segeln mit drei Menschen. Ein zweites Rettungsboot lief voller Überlebender in die Liverpool Bay ein. Die Zensur konnte die Nachrichten über solche Vorgänge nicht unterdrücken; früher oder später mußte sich der Kriegsinformationsausschuß mit den Gerüchten und dem Geschwätz befassen. Bigalks letzter Angriff im kanadischen Gebiet liefert das zweite Beispiel, in dem ein Uboot mit geringfügig taktischem Vorteil ein dreistes und gerissenes Täuschungsspiel lieferte. Wie Topp auf *U 522* in seiner erfolgreichen Rolle als Überwasser-Handelsstörer gegen einen eingeschüchterten griechischen Frachter, so hatte auch Bigalk seine Torpedos verschossen und griff mit Artillerie an. Im vollen Mondlicht und mäßiger Dünung eröffnete seine Geschützbedienung mit der 8,8-cm-Kanone das Feuer auf 2500 Meter. Die *Atlantian* erwiderte, wie Bigalk es beschreibt, »sehr schlecht mit einer 2-cm-Kanone« (KTB). Unter Abgabe der SSS Alarmmeldung lief das Handelsschiff mit hoher Fahrt ab. Bigalk beobachtete einen Treffer auf dem Heck, konnte aber die Geschwindigkeit bei dem Seegang nicht halten, da ihm sonst seine Männer wegschwammen und auch nicht genau zielen konnten. »Alle Salven lagen miserabel« (KTB), und er brach die weitere Verfolgung ab.[42] Erst 60 Seemeilen südwestlich von Sable Island glaubte Bigalk in ausreichend sicheren Gewässern zu sein, um einen längeren Lagebericht an den BdU zu geben. Alle Navigationshilfen hatte er unter friedensmäßigen Bedingungen arbeiten sehen und »mittlere Zerstörer- und Bewachertätigkeit« erlebt. Er war überrascht, Luftüberwachung auch nachts festzustellen, Überwachung des Küstendampferverkehrs nur gelegentlich. Das lag natürlich daran, daß die Kanadier ganz einfach nicht die ausreichende Anzahl von Schiffen besaßen, um den notwendigen Schutz zu stellen. Seiner Liste von Erfolgen fügte Bigalk mit Bedauern seine sechs Torpedoversager an. Diese 50 Prozent Versagerrate war der Durchschnitt aller Boote.

Nach einer qualvollen Durchquerung der Biskaya, in der *U 751* »heftig in schwerer See rollt und schlingert, starke Brecher über die Brücke«, lief er am 23. Februar 1942 in die Schleuse von St. Nazaire ein. Admiral Dönitz bemerkte dazu:

»Gut durchgeführte Unternehmung, deren Erfolg durch personelle wie auch materielle Versager beeinträchtigt wurde«. (KTB)

Bezeichnenderweise führte der BdU die Schuld an den Mängeln der Bewaffnung auf die Unerfahrenheit der Bedienungsmannschaften in See zurück.

Die dritte Welle der zwischen 10. Februar und 20. März für »Paukenschlag« bestimmten Boote operierte einzeln im Gebiet zwischen Newfoundland und Cape Hatteras. Vom 21. bis 25. Februar waren sechs von ihnen an der Operation gegen den Geleitzug ONS-67 im Mittelatlantik beteiligt.[43] (Siehe Tafel 5)

Obwohl ihr Hauptangriffsgebiet in den US-Zonen von Long Island nach Süden hin lag, begannen eine ganze Reihe ihre Angriffe bereits beim Passieren kanadischer Gewässer. *U 96,* Lehmann-Willenbrock, klemmte sich ganz dicht an Nova Scotia heran. Am 19. Februar 1942 versenkte er das britische 7965 BRT große Motorschiff *Empire Seal* 45 Meilen südöstlich von Cape Sable und am nächsten

Tag den amerikanischen 2398 BRT großen Dampfer *Lake Osweya.* Am 22. Februar waren es zwei Schiffe: um 0244 den 1948 BRT großen dänischen Dampfer *Torungen* durch Torpedo- und Geschützfeuer, dreißig Meilen südöstlich von Chebucto Head; und um 2257 den 8888 BRT großen britischen Motortanker *Kars,* etwa 14 Meilen südöstlich von Sambro Island Feuer. Der 4265 BRT große norwegische Dampfer *Tyr* folgte am 9. März, 40 Meilen südöstlich von Sable Island. Anderen ging es weniger gut. *U 656,* Kröning, zum Beispiel, wurde am 1. März 1942 etwa 25 Meilen südsüdostwärts von Cape Race durch ein amerikanisches Flugzeug der 88. Squadron mit der gesamten Besatzung vernichtet.[44] *U 587,* Borcherdt, unterstützt durch *U 158,* Rostin, stand nun während eines Überwasserangriffs auf den Geleitzug ONS-67 dicht unter der Ostküste von Newfoundland und schoß am 3. März drei Torpedos in den Hafen von St. John's. Die ungefährlichen Explosionen lösten eine ergebnislose Jagd durch HMCS *Minas, The Pas* und *Lunenburg* aus.[45] *U 587* versenkte den 900-Tonnen-Grönland-Bewacher *Hans Egeda* (verschiedentlich als *Hawse Guda* gemeldet) am 6. März, etwa 75 Meilen südlich von Tête de Gallantry, St. Pierre-Miquelon, und meldete, er habe zwei nicht erkannte Schiffe in kanadischen Gewässern versenkt: einen Bewacher, 120 Meilen südöstlich von Louisburg, und einen Frachter, 185 Meilen südöstlich von Cape Race.[46] Auf dem Rückmarsch versenkte Rostin *(U 158)* die verlassene SS *Empire Celt* (8032 BRT) vom Geleitzug ONS-67. Das Schiff wurde zuerst entweder von *U 162,* Wattenberg, oder *U 158,* Rostin, torpediert. Borcherdts wiederholte Sichtmeldungen machten ihn zum ersten Opfer eines durch »Huff-Duff« (HF/DF) Kurzwellenpeiler geleiteten Angriffs in der Atlantik-Schlacht.[47]

Tafel 5

Paukenschlag: dritte Welle: 10. Februar bis 20. März 1942

Uboot	Typ	Versenkungen	Torpediert nicht versenkt	Versenkte Tonnage
U 504 (Poske)	IXC	4	–	26561
U 96 (Lehmann-Willenbrock)	VIIC	5	–	25464
U 432 (H. O. Schultze)	VIIC	5	–	24987
U 404 (v. Bülow)	VIIC	4	–	22653
U 158 (Rostin)	IXC	3	1 (7118 t)	21202
U 94 (Ites)	VIIC	4	–	14442
U 578 (Rehwinkel)	VIIC	2	–	10540
		1 (US-Zerstörer *Jacob Jones*)		
U 155 (Piening)	IXC	1	–	7874
U 587 (Ul. Borcherdt)	VIIC	2	–	6619
U 653 (Feiler)	VIIC	1	–	1582
U 656 (Kröning)	VIIC	–	–	–
U 558 (Krech)	VIIC	3	–	21925
U 69 (Zahn)	VIIC	–	–	–

Auch Rostin, *U 158,* fiel einem durch »Huff-Duff« geführten Angriff zum Opfer, doch erst nach seiner zweiten Unternehmung nach Amerika.[48] Seine Betrachtungen zu »Paukenschlag« enthüllten schwere Mängel in der deutschen Ausbildung, die sich in der immer weiter ausdehnenden Atlantikschlacht noch verstärken sollten. Bis auf zwei Unteroffiziere war die Besatzung seeunerfahren und hatte zum größten Teil auch keine Ubooterfahrung. Dennoch hatte sie sich

»schnell in die neuen Verhältnisse einer längeren Unternehmung hineingefunden«. (KTB)

Das Fehlen ausgebildeter Horcher war nach seiner Ansicht »sehr unangenehm« (KTB). Hier wurde vielleicht zum erstenmal eingeräumt, daß Deutschland bereits 1942 nur theoretisch ausgebildete, »grüne« Besatzungen an die Front schickte, was 1944 üblich war. Rostin hob besonders den »Kampfgeist« seiner Männer, »vor allem der jungen Soldaten« hervor (KTB). Als Rostin nach dem Angriff auf den Geleitzug ONS-67 die US-Küste erreichte, fand er gegenüber der, die Hardegen mit *U 123* vor gar nicht langer Zeit angetroffen hatte, eine veränderte Lage vor. Vor allem die Luftüberwachung war nun sehr viel stärker.

Seit den Angriffen von *U 98* im Februar ging von Bülow mit *U 404* am nächsten an Halifax heran. Nachdem er vor Western Head im Nebel Eisfelder gesichtet hatte, operierte er zwischen Halifax und Pennant Point dicht unter der Küste. Am 5. März versenkte er nach Torpedoversagern den 5112 BRT großen amerikanischen Frachter SS *Collamer,* 10,6 Meilen ostwärts von Sambro Feuerschiff. Dicker Nebel und Mangel an Zielen zwangen ihn zur Weiterfahrt nach Long Island.

U 754, Oestermann, kehrte nach einer sehr kurzen Überholung in Brest wieder zurück, um sich der dritten Welle »Paukenschlag« anzuschließen. Am 23. März griff er sein erstes Schiff im kanadischen Gebiet an. Der 8700 BRT große Tanker *British Prudence,* ein Nachzügler des Geleitzuges HX-181, sank 150 Meilen nordöstlich von Sable Island innerhalb einer halben Stunde. Oestermann erkannte nun ein zweites Ziel – die *Bayou Chico* –, die ungefähr 6 bis 8 Meilen zurück lag.[49] Als die Jagd begann, drehte die *Bayou Chico* überraschend auf ihn zu und beschoß *U 754* mit einem Oberdecksgeschütz. Während das Handelsschiff wild hin und her zackte, fielen mehrere Schüsse dicht beim Boot. Die Ausweichbewegungen des Frachters hinderten *U 754* daran, in Schußposition zu kommen und zwangen ihn, an der Grenze der Sichtweite im Dunst zu bleiben und seinen Kurs ständig dem seines vorgesehenen Zieles anzupassen. Die SOS-Signale der *Chico* legte der Admiral der Newfoundland-Streitkräfte so aus, ein Rudel Uboote verfolge den Geleitzug HX-181. Er bestimmte HMS *Witherington, Acanthus, Eglantine, Potentilla* und *Rose* von St. John's zum zusätzlichen Schutz des Geleitzuges. Oestermanns Absicht, nach Einbruch der Nacht anzugreifen, gelang nicht; die *Bayou Chico* verschwand im Nebel und erreichte Halifax.

Bayou Chicos Notruf hatte auch die Hilfe der RCAF durch Sydneys 119. Bomberstaffel herbeigerufen. Die »Bolingbroke« 9066, geführt von dem erfahrenen,

21jährigen Flight Lieutenant C. S. Buchanan, überraschte *U 754* an der Oberfläche. Oestermann notierte in seinem Kriegstagebuch: »Der dreimotorige Bomber« zwang ihn zum Schnelltauchen auf 135 Meter und »warf in zwei Angriffen hintereinander zwei gut liegende Bomben«. Anstelle der taktisch wirkungslosen Einzelwürfe waren nun Reihenwürfe, bestehend aus je vier 125-kg-Bomben getreten. Buchanans Bordbuch beschreibt, daß sich nach der Detonation der ersten Reihe 6 Meter vor dem Bug das Uboot bis zu 45 Grad in die Luft erhob. Der Bordschütze beschrieb mit einiger Übertreibung,

»daß es senkrecht auf einem Ende stand, als rauche das Meer eine riesige Zigarre«.

Buchanan beobachtete dann, wie *U 754* sich auf die Seite legte und »sank«.

Die Nachricht der angenommenen »Vernichtung« unterdrückte der Zensor fünf Monate lang, bis starke Ubootangriffe im St. Lawrence die Regierung zwangen, die Wirksamkeit ihrer Abwehr gegen fremde Angreifer zu demonstrieren. Die offizielle Bekanntgabe des kanadischen Luftwaffenministers Power, ausgeschmückt mit lebendigen, vom Informationsbüro der Streitkräfte geschriebenen Geschichten, erzielte weitgehende Verbreitung. Zugleich mit der Veröffentlichung dramatischer, von dem Navigator William Howe aufgenommener Bilder, die das »Nazi-Uboot« im Todeskampf zeigten, verkündete die Presse, Buchanan habe »ein Uboot im Atlantik versenkt«.[50] *U 754* hatte jedoch mit geringfügigen Schäden überlebt, griff den Geleitzug ON-74 an und wurde seinerseits von HMS *Witch* und HMCS *The Pas* 65 Meilen südöstlich Sable Island schwer bombardiert. Die Schiffe warfen 41 gut liegende Wasserbomben, das Boot machte Wasser, geriet taumelnd außer Kontrolle und sank über die erprobte Tauchtiefe hinaus bis auf 220 Meter. Aus unerklärlichen und nicht gemeldeten Gründen brachen HMS *Witch* und HMCS *Le Pas* das Gefecht plötzlich ab, das mit etwas mehr Zähigkeit sicherlich zur Vernichtung geführt hätte. Beide hatten jedoch gute Gründe, so zu handeln. Geleitstreitkräfte konnten es sich 1942 nicht leisten, bis zur Erschöpfung zu jagen, weil sie sich sonst zu weit von ihren unzureichend geschützten Geleitzügen entfernt hätten. Oestermann kehrte nach Frankreich zur dringend benötigten achtwöchigen Werftliegezeit zurück.[51] Während dieser Zeit liefen zwei Uboote, deren Taten in den folgenden Kapiteln beschrieben werden, zu getrennten kanadischen Unternehmungen aus ihren Biskaya-Stützpunkten aus: *U 553* sollte in den St. Lawrence-Strom einlaufen und *U 213* in geheimer Mission in die Bay of Fundy eindringen.

Durch die Unternehmung »Paukenschlag« und die damit zusammenhängenden Ubootoperationen waren von Januar bis März 1942 vierundvierzig Schiffe in kanadischen Gewässern versenkt worden. Die Gesamttonnage entsprach einem heutigen modernen Supertanker. Nach den Berichten der deutschen Geheimpolizei hatte die deutsche Bevölkerung diese Leistung »mit Freude und Genugtuung« begrüßt.[52] Nach der Pause im Dezember 1941, in der kein Schiff verloren ging, waren die kanadischen Marinedienststellen durch die ersten einundzwanzig Verluste im Januar 1942 beunruhigt. Sie boten daraufhin ihre gesamten Abwehrstreitkräfte auf und verringerten, unterstützt durch die wiederholten deutschen Torpedoversager, die Verlustrate auf sechzehn im Februar, auf sieben im März und auf vier im April. Die kanadische Öffentlichkeit erreichten die Meldungen von diesen Versenkungen mit einer Verzögerung von drei Tagen bis zu fünf Monaten. Selten enthielten sie technische Einzelheiten. Aus dem Leben gegriffene Geschichten wurden aller militärisch nützlichen Information entblößt. Selbst heute, wo sowohl alliierte als auch Achsendokumente zur Verfügung stehen, ist es praktisch unmöglich, einige in der Presse berichtete Vorgänge zu identifizieren. Wie bei der Presseberichterstattung über den Angriff Buchanans auf *U 754* wurden Vorfälle je nach Verteidigungsgesichtspunkten manipuliert. Aus Gründen der Sicherheit und des nationalen Stehvermögens versicherte das Kriegs-Informationsbüro den Kanadiern, die Alliierten hätten nach wie vor die Seeherrschaft. Die Erinnerung an die beharrliche Verfolgung eines hinterlistigen und unmoralischen Feindes durch die Marine, eines Feindes, der gezwungen war, seine Opfer mit zusammengerotteten Wolfsrudeln tückisch zu bekämpfen, wurde immer wieder wachgerufen. Die Berichte sprachen von Versenkungen im »Nordatlantik« oder im »Mittelatlantik«. Ein genauer Beobachter der Presseberichte hätte jedoch sehr bald erkennen können, daß in Wirklichkeit »Westatlantik« eine euphemistische Bezeichnung für ein Gebiet direkt vor den kanadischen Küsten war.

Das Schweigen der Regierung über die Uboottätigkeit verlangte bald eine offizielle Erklärung, da für diejenigen, die an der Ostküste arbeiteten, allzu ersichtlich war, daß die Schlacht im Atlantik näher kam. An den Küsten Newfoundlands und Nova Scotias liefen Gerüchte von Begegnungen mit Ubooten herum. Die Besatzung des Lunenburg-Schoners *Marilyn Clair* berichtete von einer Unterhaltung mit einem vorbeifahrenden Uboot eines Nachts in See, während sie Fische verarbeiteten. Von einem anderen Uboot lief das Gerücht, es sei aufgetaucht und habe einen Fischer um Frischproviant gebeten. Die Schoner *Robertson I* und *Robertson II* aus Lunenburg waren in der Abenddämmerung Zeugen eines Angriffs; das letztere Fahrzeug behauptete, verfolgt, doch nicht belästigt worden zu sein.[53] Der Schoner *Lucille M.* aus Lockport stieß auf ein halb gesunkenes, beschädigtes Rettungsboot mit einer Leiche. In dem Bericht wurde von »einem weiteren Opfer der Nazi-Kriegführung« gesprochen.[54] Der Fund löste Spekulationen darüber aus, ob das Rettungsboot mit Maschinenkanonen beschossen worden war oder nicht. Die tatsächliche oder auch nur vermutete Anwesenheit deutscher Uboote war allein schon eine Art psychologischer Kriegführung, die den Mythos eines verstohlenen, das Feld beherrschenden, souveränen Gegners nährte. Zumindest die Fischer brauchten Schutz. Mr. V. G. Poittier erinnerte das Parlament in Ottawa während der Debatten über die Kriegs-Risikoversicherungen daran, daß deutsche Uboote im vorigen Krieg »die atlantische Fischerflotte praktisch zerstört hatten«. Das Haus teilte Poittiers Sorgen nicht.[55] Im Juli 1942 sollte die stillschweigende Neutralität zwischen Ubooten und Fischern zu Ende gehen, Schoner beschossen und versenkt werden.

Die kanadische Marine unternahm nun offizielle Schritte, die Zweifel der Nation zu zerstreuen: LCdr William Strange, RCNVR, von der Planungs- und Operationsabteilung im Marinehauptquartier, sprach am 5. März 1942 zum Ottawa Canadian Club und der Presse:»Jedem, der Nachrichten liest, ist klar, daß Uboote nicht weit von den nordamerikanischen Küsten operieren. Das ist kein Anlaß, überrascht zu sein, und ganz sicher kein Grund zur Aufregung . . . Diese Angriffe machen in den Augen der Öffentlichkeit Schlagzeilen, aber sie dürfen nicht unvernünftig herausgestellt werden.«[56] Der »Grabenkrieg auf See«, wie er etwas theatralisch die Schlacht im Atlantik bezeichnete, war wichtig, um Großbritannien gegen die Aggression der Achsenmächte zu unterstützen; seine Erfolge sollte man nicht nach der Häufigkeit von Ubootangriffen, ganz egal wo, messen, sondern nach dem Umfang der Tonnage, die England tatsächlich erreiche. Das leuchtete ein. Die Regierung, so betonte er, mußte über maritime Operationen Stillschweigen bewahren, um sie »vor Adolf Hitler und dem kleinen Mistkerl Joe Goebbels« geheimzuhalten. Dies bedeute natürlich, daß auch die Kanadier im Ungewissen gehalten werden müßten. Wie wir später sehen werden, stand die Regierung vor dem Dilemma, den Willen der Nation, sich für den Dienst in Übersee und verstärkte Kriegsproduktion einzusetzen und gleichzeitig Stillschweigen über die tatsächliche Bedrohung zu bewahren. Mahnend führte LCdr Strange aus:

»Man muß sich darüber klar sein, daß wir nur, wenn die Marine ihr traditionelles Stillschweigen bewahrt, hoffen können, den Feind in den Zustand von Zweifel, Unruhe und Sorge zu versetzen, wie es nach unserer Vorstellung sein muß.
Vom Schweigen hängen nicht nur unsere Schiffe ab, nicht nur das Leben unserer Seeleute auf unseren Kriegsschiffen und der Handelsschiffsleute, die die Seeverbindung aufrecht erhalten, sondern auch der Erfolg oder Mißerfolg unserer Waffen.
Wenn wir der Seeherrschaft verlustig gehen, können wir nicht darauf hoffen, den Krieg zu gewinnen.«

3. Kapitel

Die ersten Einsätze im St. Lawrence

Die »Schlacht im St. Lawrence«, um diesen vom OTTAWA JOURNAL 1942 geprägten phantasievollen und eingängigen Ausdruck zu benutzen, begann als unabhängiges Nebenprodukt der sechsten Welle deutscher Uboote, die Anfang des Frühjahrs dieses Jahres in die Küstengewässer Nordamerikas vorstoßen sollten.[1] Man darf dies nicht als richtige Schlacht bezeichnen, es waren vielmehr eine Reihe sehr wirkungsvoller Ubooteinsätze mit ernsten taktischen und politischen Konsequenzen für Kanadas nationale Verteidigung. Was als vorsichtige Erkundungen von *U 553* und *U 132* im Frühjahr begann, erreichte seinen Höhepunkt im Herbst mit den schwersten kanadischen Verlusten im Küstenbereich: HMCS *Raccoon*, HMCS *Charlottetown* sowie die Personenfähre SS *Caribou*. Vom 26. April bis zum 23. Mai setzte der BdU dreizehn Uboote gegen eine Vielzahl nicht geleiteter Schiffe an, die meisten außerhalb des Golfs, die aus dem einen oder anderen Grund nicht im Geleitzug fuhren. Grundsätzlich waren die deutschen Unternehmungen gegen die Vereinigten Staaten gerichtet; Sonderunternehmungen wie die von *U 213,* das in St. John's, New Brunswick, einen Spion an Land setzte, bewiesen jedoch das deutsche Interesse an einer Sondierung der kanadischen Abwehr. Obwohl im Mai nur sechs Schiffe in kanadischen und unmittelbar angrenzenden Gewässern versenkt wurden (mit einer Gesamttonnage von 23 542 BRT), band die Uboottätigkeit alliierte Überwasserfahrzeuge. Sie veranlaßte ebenfalls das »Eastern Air Command« (EAC) zu 560 operationellen Flügen sowohl innerhalb des Golfs als auch vor der östlichen Küste von Nova Scotia und Newfoundland. Operationelle Ausbildungseinheiten und Schulen der Grundausbildung flogen zusätzliche Einsätze.

Die mögliche Bedrohung für den Golf und den St. Lawrence-Strom zwang die RCAF in Mont Joli und Gaspé, Quebec, zusätzliche Gruppen aufzustellen. Auch die Marineflieger der Royal Navy liehen Kanada ein »Walrus«-Flugboot, das gerade verfügbar war. Geflogen von einem Sub-Lieutenant der RNVR und navigiert (ziemlich katastrophal, wie sich herausstellte) von einem Unteroffizier der RCAF, wurde es auf Sable Island stationiert, diesem trostlosen, wrackumkränzten Sand- und Felsenriff, 150 Meilen seewärts von Nova Scotia. Die »Walrus«, ein ziemlich seltsamer, 1936 konstruierter amphibischer Doppeldecker mit einer einzelnen Maschinenkanone und Druckpropeller, sollte eine Reichweite von 600 Meilen bei einer Geschwindigkeit von 250 Stundenkilometern haben. Bei dem schlechten Wetter und den Wartungsschwierigkeiten flog dieses Flugzeug jedoch selten; und wenn es das tat, fand es keine Uboote. Die Flugzeuge des »Eastern Air Command« erreichten trotz der ungünstigen Wetterlage mehr und verzeichneten allein im Mai 3500 Flugstunden über eine halbe Million Meilen. Zusätzlich zu einzelnen Überwachungsflügen geleiteten sie 114 Küsten- und Zubringergeleitzüge mit insgesamt 1576 Schiffen.[2] Die Uboote vor der kanadischen Küste gewannen anfangs den Eindruck, der Schiffsverkehr sei gestoppt worden. Diese Annahme diente zwar dem BdU als Erklärung für die relativ bescheidene Versenkungstonnage; sie berücksichtigte jedoch nicht die Änderung des alliierten Geleitzugfahrplans vom Winter- auf die Sommersaison.

Statistiken über alle Versenkungen in nordamerikanischen Gewässern im Mai 1942 zeigen, daß mit Ausnahme von *U 98*, Schultze, *U 566*, Borchert, *U 213*, von Vahrendorff und *U 352*, Rathke – die aus verschiedenen Gründen nichts versenkten – die verbleibenden auf Position befindlichen VIIC-Boote Erfolge hatten. Bezeichnend für den Verlauf der Uboot-Abwehrschlacht ist, daß keines dieser Boote den Juli 1944 überlebte, obwohl es bis auf eines allen gelang, den Angriff der sechsten Welle zu überstehen. Der einzige Verlust, *U 352*, hatte Pech mit seinem Torpedoangriff auf USCG *Icarus* am 9. Mai vor Cape Lookout, North Carolina, und wurde seinerseits mit neunundzwanzig Besatzungsmitgliedern von seinem vorgesehenen Opfer versenkt. Insgesamt fielen vier der ursprünglich dreizehn Uboote Flugzeugen zum Opfer, eines einer Mine und sieben Überwasserschiffen; im Januar 1943 verschwand *U 553* spurlos nach dem Auslaufen von La Pallice, Biskaya.[3]

Die Frühjahrs-Angriffsphase in kanadischen Gewässern begann am 3. Mai 1942 mit der Versenkung der *British Workman* (6994 BRT) durch *U 455,* Giessler, etwa 170 Meilen südsüdwestlich von Cape Race. Durch eine kurze Reihe von Unter- und Überwasserangriffen in den Gewässern von Nova Scotia verstärkte *U 588,*

Tafel 6
Versenkungen in nordamerikanischen Gewässern, Mai 1942

Uboot	Versenkte Schiffe	Torpediert nicht versenkt	Versenkte Tonnage
U 564 (Suhren)	4	2 (13 245 t)	24 390
U 333 (Cremer)	3	1 (8 327 t)	13 596
U 455 (Giessler)	1	–	6 994
U 593 (Kelbling)	1	1 (4 853 t)	8 426
U 653 (Feiler)	1	–	6 225
U 135 (Praetorius)	1	–	7 127
U 432 (Schultze)	5	1 (7 073 t)	6 110
U 553 (Thurmann)	3	–	16 995
U 588 (Vogel)	4	1 (7 460 t)	13 927

Vogel, den Eindruck eines Generalangriffs. Zuerst versenkte er am 10. Mai die *Kitty's Brock* (4031 BRT) etwa 45 Meilen südsüdwestlich von Cape Roseway, Nova Scotia, und zehn Tage später die norwegische *Skottland* (2117 BRT), 60 Meilen südwestlich von Yarmouth, Nova Scotia. Am gleichen Tag versenkte *U 432*, H. D. Schultze, 130 Meilen südostwärts von Cape Roseway das 324 BRT große Bostoner Fischereifahrzeug *Foam* durch Artilleriefeuer.[4] Die Besatzung der *Skottland* überlebte. Ein »Canso«-Flugboot aus Yarmouth sichtete fünfund-zwanzig Überlebende der *Skottland* in einem Rettungsboot und auf zwei Flößen und machte ein Fischereifahrzeug auf ihre Notlage dadurch aufmerksam, daß es bei einem niedrigen Vorbeiflug eine Maschinenkanonensalve vor den Bug legte. Dies war bezeichnend für viele spätere Vorgänge. Das Fischereifahrzeug schleppte dann die Überlebenden an Land. Am 18. Mai griff *U 588* den frei-fran-zösischen Frachter *Fort Binger* etwa 60 Meilen südwestlich von Yarmouth an. Ein Torpedo streifte das Schiff am Bug, ein zweiter ging am Heck vorbei, keiner von beiden detonierte. Als *U 588* zum Artillerieangriff auftauchte, drehte der Frachter vergeblich zum Rammstoß an; das anschließende Artillerieduell dauerte eine Stunde. Aus bisher ungeklärten Gründen verließen die Franzosen schließlich ihr Schiff, nur um mit dem Rettungsfahrzeug *Arresteur,* das von Yarmouth auf ihren Hilferuf hin ausgeschickt war, wieder auf das Schiff zurückzukehren. Der Vorfall löste eine große Suchaktion nach *U 588* aus, das am nächsten Tag aufge-taucht von SS *Ocean Honour* gesichtet wurde. Fast drei Monate später, am 31. Juli 1942, wurde *U 588* mit der gesamten Besatzung durch die kanadischen Kriegs-schiffe HMCS *Wetaskiwin* und *Skeena* versenkt.[5] Am 18. Mai jagte auch *U 432* etwa 30 Meilen vor Yarmouth, Nova Scotia, und versenkte den Kanadier SS *Li-verpool Packet* (1198 Tonnen) durch Torpedoschuß. Am 3. Juni fielen etwa in der gleichen Gegend der 102-Tonnen-Trawler *Ben and Josephine* sowie der 41-Tonner *Aeolus* seiner Artillerie zum Opfer.

Während *U 588* und *U 432* die Gewässer vor Nova Scotia in Unruhe versetzten und *U 213* in der Bay of Fundy einen Agenten an Land brachte, begann *U 553* eine Unternehmung eigener Art. Kapitänleutnant Karl Thurmann war am 19. April 1942 in St. Nazaire ausgelaufen und kreuzte am 3. Mai die Südspitze der New-foundland Banks. Dort zwang dichter Nebel *U 553*, seine Reise im großen Bogen nach Norden auf Cape Race zu hauptsächlich unter Wasser fortzusetzen. Am 5. Mai, um 0400 Uhr, gab der Befehlshaber Uboote Thurmann freie Jagd vom Golf of Maine bis zu einem Quadrat nordwestlich von Sable Island. Es war ganz typisch für Admiral Dönitz, daß er seinen Kommandanten innerhalb des Opera-tionsgebietes große Freiheiten ließ.
Während der nächsten paar Tage verbrachte Thurmann die meiste Zeit getaucht und machte mit seiner Besatzung Rollenexerzieren und Torpedowartung. Das erste Ziel tauchte am 6. Mai, 1500 Uhr, aus dem Nebel auf, als *U 553* etwa 80 Meilen südlich von Burin Peninsula, Newfoundland, getaucht fuhr: ein um 30 Grad beider-seits des Grundkurses zackender, ostwärts laufender Dampfer, geleitet von einer

»Korvette oder Bewacher, E = 600 Meter, geschätzt an 800–1000 BRT, zwei Geschütze, breiter Brückenaufbau«. (KTB)

Der Torpedo ging vorbei, vermutlich wurde das Ziel unterschossen. Drei Minuten später erlebte *U 553* die erste kanadische Abwehrmaßnahme: Der Bewacher drehte mit hoher Fahrt auf *U 553* zu und warf »in mittlerer Entfernung eine einzelne Wasserbombe«, die einen geringfügigen Sehrohrschaden und nach einem zweiten Angriff »normale Ausfälle verursachte« (KTB). Ebenso schnell, wie er begonnen hatte, endete der Angriff.

Während der Unterwasserfahrt 20 Meilen südwestlich von Scatarie Island bei Cape Breton am nächsten Tag fühlte *U 553* plötzlich, ohne daß im Horchgerät etwas zu hören war, die Wirkung von drei »zufälligen Fliegerbomben« (KTB), die erneut zu »normalen Ausfällen führten«. Thurmann hatte beabsichtigt, vor Halifax zu gehen. Da die Reparaturen jedoch höchstwahrscheinlich mehrere Tage in Anspruch nehmen würden, war jetzt ein ruhigeres Operationsgebiet erforderlich, doch nicht zu weit von den Möglichkeiten eines Gefechtes abgelegen. Er entschied sich daher, in die Cabot Strait und den Golf von St. Lawrence vorzustoßen. Nach seinem Segelhandbuch sollten diese Gewässer Ende April eisfrei sein. Auslaufender Verkehr zu den Sammelpunkten der Atlantik-Geleitzüge, so überlegte er, konnte sowohl durch die Cabot Strait als die Enge von Canso erwartet werden. Ungeachtet späterer kanadischer Beurteilung war dieser erste Vorstoß tief in kanadisches Hoheitsgewässer keine Entscheidung der deutschen Seekriegsleitung, sondern beruhte auf einer Initiative und unabhängigen Beurteilung eines Ubootkommandanten.

U 553 marschierte am sechsten und siebten Tag des Mai in großem, westlichem und nordwestlichem Bogen dicht an Cape Breton und Scatarie Island vorbei und drehte dann nach Osten ab zum Einlaufen in den Golf des St. Lawrence. Der Eingang des Golfs, ein 56 Meilen breites Tiefwassergebiet in der Cabot Strait zwischen Cape North und Cape Ray, Newfoundland, bietet nur eine wesentliche Gefahr: das Wrack-umkränzte St. Paul Island, 13 Meilen nordostwärts von Cape North im Golf gelegen. Die großen Wassertiefen und das Fehlen von Flachwassergebieten rund um die Insel warnen bei schlechter Sicht den Seefahrer nicht vor der navigatorischen Gefahr. *U 553* setzte seinen Kurs nach Nordwesten ab, um St. Paul Island in einem zehn Meilen großen Bogen zu runden, und hielt dann auf den roten Sandsteinfelsen Rocher aux Oiseaux (Bird Rocks) zu, den er in der Nacht vom 8. auf den 9. Mai in 20 Meilen Abstand rundete. Am Mittag des 9. Mai erreichte es einen Punkt 10 Meilen südwestlich von South Point auf Anticosti Island. Thurmann überprüfte seinen Schiffsort mit Hilfe des Funkfeuers von Heath Point auf der Ostspitze von Anticosti. Trotz der schlechten Sicht und gelegentlichen Nebels hatte *U 553* keinerlei navigatorische Schwierigkeiten, denn

Die Sichtung eines »großen Dampfers«, geleitet von »acht Torpedoboot-ähnlichen Fahrzeugen in breiter Suchformation« am 7. Mai, 10 Meilen südöstlich von Scatarie, hatte seine Vermutung über die Schiffahrtswege bestätigt (KTB). Von seiner Mittagsposition am 9. Mai lief U 553 im Nebel westwärts in die Gaspé Passage in eine Position 15 Meilen südwestlich von Southwest Point, Anticosti Island, dann nach Südosten zur Orphan Bank. Von hier aus lief es seinen Weg bis zum 11. Mai, 0400 Uhr, wieder zurück, dann drehte es auf Cap des Rosiers auf der Halbinsel Gaspé zu.

Während des ganzen 11. und 12. Mai 1942 patrouillierte U 553 drei bis acht Meilen vor Gaspé und konzentrierte seine Suche bis zum 15. Mai auf das Gebiet zwischen Cap Chat und Pointe à la Frégate. Zwischen seiner Sichtung am 7. Mai und einem kleinen Küstendampfer am 10. Mai fand »Karlchen« Thurmann, wie ihn seine Freunde nannten, nichts besonderes. Lagebeurteilung in seinem KTB:

»Vermute Stoßverkehr nach Halifax beziehungsweise St. John's kurz vor Abgang der Geleitzüge durch Cabotstraße beziehungsweise Gut of Canso. Möglich, daß Dampfer nach Friedensgesichtspunkten sonnabends in Montreal oder Quebec auslaufen. Dann können sie nicht vor morgen abend am Cap Gaspé sein. Der erste muß möglichst weit von Land umgelegt werden, um zunächst unbemerkt zu bleiben.«

Einzelne Beweise – nicht immer stichhaltig, wie sich herausstellen sollte – ließen die kanadischen Marinedienststellen ein Uboot in diesem Gebiet vermuten, obwohl sie natürlich nicht genau wissen konnten, wo es zuschlagen würde. Am 24. April hatte eine Küsten-Peilstelle die Funkspruchabgabe eines deutschen Ubootes auf 46 Grad, 05 Minuten West geortet, einem Meridian, der durch Flemish Cap lief, der abgelegenen Bank 90 Meilen ostwärts der Newfoundland Banks. Sie erwarteten daher, dieses Boot werde auf die Küste von Nova Scotia vormarschieren. Als jedoch ein Küstenbeobachter ein »unidentifiziertes Uboot auf westlichem Kurs vor Cape Ray, Newfoundland«, meldete, schien ein Angriff auf den Golf wahrscheinlicher.[6] Das einzige Uboot in dem Gebiet war U 553, das jedoch zu dieser Zeit rund 80 Meilen nordwestlich im Golf von St. Lawrence stand und daher nicht gesichtet werden konnte. Dennoch kamen Zweifel in die Überlegungen der kanadischen Verteidigungsdienststellen. Als U 553 am 10. Mai 30 Meilen ostwärts von Percé fuhr, wurde es bei 12 Meilen Sicht »von einer viermotorigen Landmaschine« der US-Army aus einer Höhe von 700 Metern angegriffen (KTB). Beim Alarmtauchen zählte Thurmann »fünf Bomben in mittlerer Entfernung«, die wiederum nicht mehr als »normale Ausfälle« verursachten (KTB). Das Flugzeug meldete, »Luftblasen und Trümmer an der Oberfläche« gesehen zu haben, zwei Tage später entdeckte eine Suche durch einen Minensucher aus Halifax, HMCS *Medicine Hat,* jedoch keine Spuren.[7]

U 553 war nicht nur gesichtet worden, es hatte auch unter technischen Schwierig-keiten zu leiden. Viele von diesen konnten mit Bordmitteln nicht behoben werden. Das Sehrohr mußte geschweißt werden, der Motor der Tiefenruder funk-tionierte nicht, Reparaturen an den Tiefenrudern selbst, die einen »wüsten Krach im Horchgerät verursachten«, konnten seine Position verraten (KTB). Genauso schlimm war, daß die Übertragung von der Zieloptik ebenfalls nicht funktio-nierte. Aber »Geduld ist die Hauptsache«, bemerkte Thurmann in seinem Kriegs-tagebuch. Das zahlte sich bald aus. Ein paar Stunden später begann der »Vorfall im St. Lawrence«.

Thurmann beobachtete, wie ein kleiner Küstenfrachter am 12. Mai, etwa um fünf Uhr früh, in Sicht kam; da fiel sein Blick auf ein »voll beladenes, ungefähr 5000 Tonnen großes Schiff mit vier Ladeluken und zwei Schwergutmasten« (KTB). Es war die britische *Nicoya*, 5364 BRT, auf dem Marsch von Montreal nach England. Thurmann nahm die Verfolgung auf. Eine Stunde später traf der erste Torpedo am Heck, gefolgt von einem Fangschuß mittschiffs, der das Schiff 10 Meilen nördlich von Pointe à la Frégate versenkte. 60 Überlebende landeten in Cloridorme und L'Anse à Valleau.[8] Die *Nicoya* hatte fast ein Jahr länger gelebt, als die Deutschen beabsichtigt hatten; am 20. Mai 1941 war es den geschickten und hartnäckigen Ausweichmanövern ihres Kapitäns gelungen, sie auf hoher See der hartnäckigen Verfolgung durch *U 111* zu entziehen.[9] *U 553* steuerte nun nach Westen mit 10 Knoten in den diesigen St. Lawrence hinein, am Cap de la Madeleine vorbei, bis am 12. Mai ein »sehr langes, etwa 6000 Tonnen großes vollbeladenes Schiff mit mindestens fünf Ladeluken« in Sicht kam (KTB). Es war die 4712 BRT große nie-derländische *Leto* auf dem Marsch von Montreal nach England. Die Schnel-ligkeit, mit der Thurmann die SS *Leto* entdeckte, schrieben die Kanadier später entweder »guten Unterlagen über die Schiffahrt auf dem St. Lawrence« zu oder seinem Wissen, »daß die Schiffe auf dem Fluß sofort in den nächsten Hafen beordert wurden, und er daher wenig Zeit für eine weitere Versenkung habe«. Außerdem glaubte man, er wäre nach Westen gelaufen, um Kriegsschiffen auszu-weichen, die möglicherweise aus dem Golf kämen, um ihn abzufangen.[10] Tat-sächlich aber wollte Thurmann nur erkunden und war ganz zufällig auf die *Leto* gestoßen. Ein einziger Torpedo traf sie mittschiffs aus 1200 Meter Entfernung, sie sank 12 Minuten später 17 Meilen nördlich von Cap de la Madeleine. 41 Über-lebende landeten in Pointe au Père bei Rimouski; zwölf wurden vermißt. Eine Stunde nach der Versenkung der *Leto* verzeichnete *U 553* die Detonation eines Torpedos auf ein 3000-BRT-Schiff, das durch keine Unterlagen zu identifizieren ist. Thurmann blieb überzeugt, er habe insgesamt drei Schiffe angegriffen.

Die Operationsabteilung des kanadischen Befehlshabers Atlantikküste unter-stellte völlig richtig folgende Gründe für Thurmanns Angriffsmethoden: mitten im Strom halten, um Entdeckung vom Ufer aus zu vermeiden und genügend Raum und Tiefe zum Alarmtauchen zu haben. Seine sämtlichen Angriffe erfolgten über Wasser, mit Ausnahme des dritten, der kaum eine Stunde später erfolgte. Denn kurz vor Morgengrauen sichtete Thurmann zwei weitere Fahrzeuge, die aus fast genau westlicher Richtung auftauchten. Er setzte seinen Angriff vor dem dunklen Hintergrund der Gaspé-Küste heraus an, der heller werdende Morgen zwang ihn aber zum Tauchen; doch um beide Schiffe im Sehrohr aufzufassen, war es zu dunkel. Nur das zweite Schiff war zu sehen. Sein Einzelschuß traf aus einer Enterfung von 2000 Metern hinten (KTB). Dunst verhinderte die Feststellung, ob »das 3000-Tonnen-Schiff«, das er getroffen zu haben glaubte, tatsächlich gesunken war. Die Befehlsstelle der Marine in Ottawa gab keine Einzelheiten an die Presse, und in den kanadischen Unterlagen ist nichts davon berichtet.

Die Versenkungen hatten unmittelbare sowohl taktische wie politische Auswirkungen. Während politische Gruppen die Bedeutung der Bedrohung debattierten, wurde am 17. Mai ein durchdachter Plan für die Verteidigung des St. Lawrence in Kraft gesetzt.[11] Am 12. Mai 1942 gab die Marinebefehlsstelle eine magere Bekanntgabe heraus:

»Der Marineminister gibt bekannt, daß am 11. Mai der erste feindliche Ubootangriff auf die Schiffahrt im St. Lawrence-Strom stattgefunden hat. Ein Frachter wurde versenkt. Einundvierzig Überlebende dieses Schiffes sind an Land gekommen. Die Lage auf dem Strom wird genau beobachtet, und lang vorbereitete Pläne für den besonderen Schutz der Schiffahrt unter diesen Umständen sind in Kraft getreten. Weitere Versenkungen in diesem Gebiet werden nicht bekannt gegeben, um dem Feind für ihn wertvolle Informationen vorzuenthalten.«

Die Verlautbarung erschien auf der Frontseite des gleichen Tages im OTTAWA EVENING JOURNAL und in der Nachmittagsausgabe des MONTREAL DAILY STAR, der in großen Schlagzeilen verkündete: »Frachter durch Uboot auf dem St. Lawrence versenkt.« Der VANCOUVER STAR vom 12. Mai überschrieb das Ereignis: »Achsen-Uboot versenkte Schiff auf dem St. Lawrence«, beschränkte aber im übrigen seine Berichterstattung auf eine genaue Wiedergabe der amtlichen Bekanntgabe. LE DEVOIR aus Montreal brachte in seinem Rückseitenbericht am 13. Mai nicht viel mehr: »Erste Torpedierung im St. Lawrence-Golf«. Die Zeitungen der Atlantikprovinzen wie der HALIFAX HERALD kamen mit ihrer Veröffentlichung natürlich in den Abendausgaben des 13. Mai 1942. Schlagzeilen verkündeten die Versenkung, eine stilisierte Karte zeigte eine »Nazi«-Seeschlange, die sich um die Küste von Nova Scotia durch die Cabot Strait windet und in den »Ozean-Dampferweg« westlich von Anticosti Island beißt. Ostküsten-Zeitungen blähten dieses Geschehen mit Zitat, Spekulation und Umschreibung auf. Noch vor Thurmanns Bericht erreichte die erste kanadische Reaktion Berlin. Am 13. Mai, 0915 Uhr, brachte der deutsche Rundfunk den Wehrmachtsbericht aus Berlin mit einer Reihe weitgehend ausgedachter Nachrichten, die die Bekanntgabe der kanadischen Regierung ausschlachteten und die eigenen, unvollständigen Angaben daraus ergänzte. Die Rundfunkmeldung, vom Marinehauptquartier in Kanada aufgenommen und übersetzt, besagte:

»Deutsche Uboote operieren nun auf dem St. Lawrence-Strom dicht unter Land. Gestern versenkte ein deutsches Uboot einen amerikanischen 6000-Tonnen-Frachter mit einer Juteladung aus Indien für Montreal. Das Schiff hatte die lange Reise aus Indien sicher zurückgelegt, nur um dann auf dem St. Lawrence versenkt zu werden. Dies ist das erste Mal, daß Uboote so weit von der hohen See entfernt operieren. Die Nachricht hat in Kanada und in den Vereinigten Staaten wie eine Bombe eingeschlagen. Das Marineministerium der Vereinigten Staaten (sic) gab bekannt, daß über eventuelle weitere Versenkungen in diesem Bereich nicht berichtet wird.«

Der VÖLKISCHE BEOBACHTER, die nationalsozialistische Parteizeitung, untermalte nach einiger Zeit den deutschen Elan durch die Veröffentlichung einer Luftaufnahme »des St. Lawrence-Stroms, wo die Uboote nun operieren«: Sie zeigte einen hinschlängelnden Bach, kaum 1500 Meter breit. Der kanadische Marinestab hielt die Rundfunkmeldung für eine Propagandaerfindung, eine Kombination aus Eile und Unwissenheit. Ungeachtet dieser Tatsache hatten die Deutschen in ihrer Rundfunkmeldung nicht einmal zwischen dem Sprecher der kanadischen Marine (in diesem Fall dem kanadischen Marineminister) und dem der US-Marine unterschieden. In deutschen Augen hatte Kanada kein eigenständiges Erscheinungsbild, nur das eines Lakais von England oder einer Schachfigur Amerikas. In seinem Bericht über die Quebec-Konferenz am 14. September 1944 bestätigte der VÖLKISCHE BEOBACHTER erneut die nach seiner Ansicht britische Auffassung, Kanada sei »ein Niemandsland zwischen Empire und USA«. Selbst noch im Januar 1945 hatte Kanada für die Besatzung von *U 1232*, Dobratz, keine klare Identität. Sie sahen Halifax ganz einfach als »Amerika« und sprachen davon, »den Yankees eine Lektion zu erteilen«.

Kanadas Marineminister, der Hon. Angus L. MacDonald, gab die zweite Versenkung mit einer Erklärung im Unterhaus am 13. Mai bekannt, die die Ostküsten-Zeitungen wie LE SOLEIL oder der HALIFAX HERALD unverzüglich aufgriffen. Dieses, so erklärte er, sei kein Widerruf seines früheren Verbotes von Presseverlautbarungen, weil die beiden Versenkungen, die so dicht zusammen lagen, tatsächlich einen einheitlichen Vorgang darstellten. Der MONTREAL DAILY STAR vom 13. Mai 1942 brachte nun die Schlagzeile: »Uboote versenken ein weiteres Schiff auf dem St. Lawrence; Feind lauert immer noch auf Schiffe auf dem Strom«, während das OTTAWA JOURNAL verkündete: »Zweites Schiff auf dem St. Lawrence versenkt: zwei Schiffe zu etwa gleicher Zeit auf dem kanadischen Flußrevier verloren.« Erst zwei Tage später meldete LE DEVOIR in Montreal »Die doppelte Torpedierung« und schloß mit einiger Ungeduld, daß »man in Ottawa keine neue Nachricht über einen Angriff auf ein drittes Schiff hat«.[12] Presseleute beeilten sich, Geschichten durch Interviews mit Bewohnern der Fischerdörfer auf Gaspé herauszufinden, telefonierten mit örtlichen Dienststellen und Zeugen und suchten Kontakt mit Überlebenden, wo immer sie sie nur finden konnten. Sie reimten sich einiges zusammen und veröffentlichten zum Ärger der Marine tatsächlich eine Reihe von Berichten, die beträchtliche Einzelheiten über die Operationen von *U 553* enthielten.

Der Leiter der Zensur reagierte im Namen des kanadischen Marinestabes durch die Herausgabe von »Anmerkungen zur Veröffentlichung von Nachrichten« an Presse- und Rundfunkleute.[13] Die Anmerkungen analysierten Presseberichte über die St. Lawrence-Versenkungen und zeigten, wie scheinbar unschuldige Geschichten aus dem täglichen Leben und journalistischer Spürsinn dem Feind wesentliche Informationen liefern konnten. Die amtliche Regierungsverlautbarung, so erklärte der Zensor, gab praktisch nichts Wichtiges bekannt außer der Tatsache, daß ein Angriff stattgefunden habe und lang vorbereitete Gegenmaßnahmen in Kraft gesetzt worden seien. Der Feind wußte bereits die ersten Einzelheiten, so führte er aus, und würde das zweite vermutet haben. Die Zeitungen hatten dem Gegner jedoch wichtige Schlußfolgerungen erlaubt. Sie ließen die Zahl und Größe der versenkten Schiffe, Zeit und Ort der Kampfhandlung, die Kriegsbereitschaft der bewaffneten Handelsschiffe, die vorherrschenden Wetterbedingungen, Geleitverfahren und die Logistik der Uboote selbst erkennen.

Die deutsche Rundfunkmeldung lag in ihrer Schilderung über die Wirkung dieser Versenkung in Kanada gar nicht so sehr daneben. Wenn die Nachricht von dieser Uboottätigkeit auch nicht − wie es dort ausgedrückt war − wie eine Bombe eingeschlagen hatte, so hatte sie doch, wie man es offiziell umschrieb, erhebliche Bestürzung und in der Tat politische Rückwirkungen ausgelöst. Der MONTREAL DAILY STAR und das OTTAWA DAILY JOURNAL veröffentlichten eine Karte des atlantischen Gebietes vom Gulf of Maine bis zur Belle Isle Straße mit der genauen Angabe der Angriffspositionen »in den Gewässern westlich von Anticosti«.[14] LE SOLEIL veröffentlichte eine ähnliche Karte am 15. Mai mit der überraschenden Nachricht, »daß der Krieg sich Kanada nähere«. LE SOLEIL vermutete Uboote dicht vor der Tür am Südufer des unteren St. Lawrence, obwohl »die Behörden nicht sagen wollen, an welcher Stelle die Nazi-Uboote ihr tödliches Werk verrichtet haben«.[15] Mit der Schlagzeile »Krieg nähert sich Quebec mit einer Invasion des St. Lawrence Stromes« stellte die englischsprachige Presse die französisch-freundliche Provinz Kanadas in der Debatte über die Einberufung zum Waffendienst in Übersee als »enfant terrible« heraus. Der HALIFAX HERALD vom 13. Mai betrachtete MacDonalds Bekanntgabe über die Angriffe als »eine Enthüllung, die den Krieg direkt vor die Tür der Bevölkerung der Provinz Quebec bringt«. Der MONTREAL DAILY STAR beschrieb, wie »altgediente politische Beobachter« die Ironie in der Haltung Quebecs kommentiert hatten. Denn, während »Überlebende von einem durch ein Nazi-Uboot auf dem St. Lawrence torpedierten Schiff in einem Hafen in Quebec an Land gebracht wurden, wirbelten Mitglieder, deren Wahlbezirke dicht an dem Uboot-gefährdeten Gebiet lagen, durch das Parlamentsgebäude und unterzeichneten ein Protestschreiben gegen Premierminister King«, der zu dieser Zeit »mehr Bewegungsfreiheit für größere Kriegsanstrengungen suchte«.[16]

Der HALIFAX HERALD brüstete sich, für eine Wählerschaft zu sprechen, deren »Bürger wissen, daß feindliche Uboote gerade eben hinter dem Horizont operieren«. Die Küstenbevölkerung, so erklärte er, muß nicht erst durch einen derartigen »Piratenakt« zur Einsicht gebracht werden. Nun aber »haben die Unterseepiraten zum ersten Mal in Sicht- und Hörweite der Bevölkerung der Provinz Quebec zugeschlagen«. Vielleicht könnte nun eine Änderung ihrer Haltung erwartet werden. Oder, wie ein Leitartikel mit überhöhtem Pathos donnerte:

»Werden diese schrecklichen und bedrückenden Nachrichten nun dazu dienen, die Gesinnung derjenigen zu ändern, die erklärt haben, daß die Streitkräfte dieses Landes nicht zu seinem Schutz über seine Grenzen hinausgehen sollten?«

Der HALIFAX HERALD hätte seinen Lesern diese selbstgerechte Phrasendre-scherei ersparen können, in der gesamten Nation wimmelte es von verschiedenar-tigen Anschauungen. Elemente außerhalb Quebecs sahen nur ungern ein, daß Kanada sich im Kriegszustand befand, in dem gewisse, im Frieden selbstverständ-liche Freiheiten zeitweise aufgehoben werden konnten. Lebenswichtige Werften in Midland sowie Kingston, Ontario, waren im April 1942 gesetzwidrig in Streik getreten, weil ein Arbeiter heruntergestuft worden war. Das veranlaßte den Arbeitsminister Mitchell im Unterhaus, die Eigenwilligkeit der Industrie mit dem Pflichtgefühl zu vergleichen, »das die Männer, die zur See gehen, auf Schiffen und Korvetten«[17] zeigten.

In Nova Scotia legten die Grubenarbeiter im Mai 1942 trotz des ersichtlichen und dringenden Bedarfs an Kohle die Arbeit nieder und legten die Grube Princess Colliery der Nova Scotia Coal & Steel Company still. Sogar der Versuch, die Beladung der Geleitzüge dadurch zu rationalisieren, daß man den Hafen von Halifax umorganisierte und die Hafenarbeiter der Leitung des juristischen Dekans, Vincent C. MacDonald, unterstellte, stieß im Unterhaus auf heftige Opposition. Unterstützt durch Angus MacInnes und John Diefenbaker griff der Führer der Konservativen diese Maßnahme an; Zeitungen beschrieben das nicht unkorrekt als »eine Zwangsverpflichtung zur Arbeit«. Die friedensmäßig betrie-benen Leuchtfeuer, Bojen und Funkbaken vor der kanadischen Atlantikküste symbolisierten, wie die deutschen Ubootfahrer ganz richtig erkannten, Kanadas Auffassung vom Krieg.

Die steigende Zahl von versenkten (oder vermutlich versenkten) Schiffen im St. Lawrence verstärkte die noch immer währende Zwangsverpflichtungsdebatte sowohl im Unterhaus als auch in dem Quebecer Landtag. »Nazi«-Angriffe dicht am Kernland Kanadas warfen für diejenigen ein besonderes Licht auf dieses Thema, die am Fluß und am Golf wohnten. Der Anblick und die Laute von Versenkungen und Torpedierungen sowie von Verwundeten und Überlebenden gaben Anlaß zu übertriebenen Gerüchten unter der Bevölkerung, deren Spekulationen über den tatsächlichen Umfang »der Schlacht« seltsamerweise durch das Schweigen der Regierung genährt wurden. LE SOLEIL vom 16. Mai 1942 drückte das so aus:

»Die phantastischsten Gerüchte breiten sich am Unterlauf des Flusses aus, seit offiziell bekanntgegeben wurde, daß zwei Handelsschiffe torpediert wurden... Man schließt daraus, daß andere Torpedierungen stattgefunden haben, die die Zensur geheimhält.«

Während dieser Zeit stand *U 553* ständig auf Funkempfang; die Verbindung mit dem BdU wechselte von gut bis sehr schlecht. Am 14. Mai, zwölf Meilen nördlich von Riviére à Claude stehend, brach Kapitänleutnant Thurmann die Funkstille und gab seinen ersten Lagebericht vom St. Lawrence:

»In Quadrat BB 1475 versenkt zwei Frachter 11 000 BRT, ein 3000-Tonnen torpediert. Leucht- und Funkfeuer friedensmäßig, geringe See-, sehr, sehr aufmerksame Luftüberwachung.« (KTB)

Der Funkspruch wurde von den kanadischen Beobachtungsstationen offensichtlich nicht aufgefangen, sonst hätten Suchstreitkräfte aufgrund von Kurzwellenpeilungen auf ihn angesetzt werden können, wie es eine Woche später geschah. In einem Spruch vom 16. Mai ergänzte Thurmann diese mageren Angaben wiederum, ohne dabei entdeckt zu werden:

»Stoßweise starker Zubringerverkehr ohne Sicherung Cape Gaspé, Gut of Canso, entsprechend Geleitabgang. Habe einlaufenden Verkehr nicht behindert. Halte Gebiet für erfolgversprechend. Tags unter Wasser, seit 12. unbemerkt, Hochdruckwetter, 83 CBM (Brennstoffvorrat) 7 + 2 (vorhandene Torpedos).«

Sechs Tage später schrieb das Marinehauptquartier in Ottawa den Text einer weiteren Sendung des deutschen Wehrmachtberichtes mit, in der verkündet wurde:

»Ein deutsches Uboot drang durch den Golf von St. Lawrence in den St. Lawrence-Strom ein und versenkte trotz Bewachung durch zahlreiche See- und Luftverbände drei Schiffe mit insgesamt 14000 BRT.«[18]

Die Sendung nannte drei Ubootkommandanten, darunter Thurmann, die sich »besonders in amerikanischen Gewässern ausgezeichnet haben«. Das gab den Kanadiern einen Hinweis auf das St. Lawrence-Uboot. Diese deutsche, stimmungsfördernde Gewohnheit, Namen von Kommandanten in Rundfunksendungen zu erwähnen oder sie anstelle von Ubootnamen und Turmnummern als

Anschriften in verschlüsselten Funksprüchen zu benutzen, vermittelte dem Marinenachrichtenstab eine persönliche Note. Die Alliierten reagierten darauf nicht ebenso. Die Besatzung von »U-Thurmann« hörte diesen speziellen Wehrmachtbericht aus Berlin in der Cabot Strait auf Südkurs vor Cape Breton Island. Er löste »große Freude« an Bord aus (KTB). Am 22. Mai erhielten Thurmann und seine Besatzung eine persönliche Nachricht von Admiral Karl Dönitz mit besonderer Anerkennung für erfolgreichen Einsatz. Da aber das kanadische Marinehauptquartier Thurmanns Lagebericht vom Mai nicht aufgenommen hatte, schloß es, Berlins Erwähnung eines »dritten Schiffes« habe keine zuverlässigere Quelle als »eine Spekulation des Kapitäns der *Leto* der kanadischen Presse gegenüber«. Ein Bericht auf der ersten Seite im OTTAWA JOURNAL (14. Mai) und anderen Zeitungen berichtete von einem Interview mit einem Kapitän und einem Kanonier von einem der beiden versenkten Schiffe während eines Kurzaufenthaltes auf der Eisenbahnfahrt nach Montreal. Diese Überlebenden vermuteten, daß das Uboot »eines seiner Opfer 6 Meilen verfolgte, ehe es den tödlichen Torpedo löste«. Deutsche Unterlagen enthalten keine Angabe, ob diese Zeitungsberichte Berlin erreichten; wie bereits gesagt, war Thurmann wahrscheinlich die einzige Quelle dieser Information. NSHQ bezweifelte das damals jedoch und begründete seine Meinung damit, daß »den deutschen Besatzungen schwerste Bestrafungen für bewußte Übertreibung ihrer Erfolge drohten, die es unwahrscheinlich machten, daß der Kommandant diese Geschichte selbst ausgedacht hatte«.[19] In diesem Fall verfälschten die kanadischen Klischeevorstellungen über die Beziehungen innerhalb der Ubootwaffe die Tatsachen.

Auf die Angriffe von *U 553* hatten die Kanadier zuerst mit der Einführung des Geleitzugsystems reagiert. Am 21. Mai 1942 um 0330 beobachtete Thurmann eine andere kanadische Abwehrreaktion: Cape Gaspé Feuer sowie die außen liegenden Baken waren gelöscht. Es war eine jener seltenen und vorübergehenden Gelegenheiten, bei denen die Navigationsbaken als Reaktion auf eine unmittelbare Bedrohung ausgeschaltet wurden. Die höheren Dienststellen hörten nicht auf zu versichern, daß der Betrieb aller navigatorischen Hilfsmittel zu allen Zeiten, ausgenommen in äußerster und unmittelbarer Gefahr für die Schiffahrt, notwendig sei. Am 21. Mai um 0400 MGZ verließ *U 553* die Cabot Strait etwa 5 bis 10 Meilen ostwärts von Cap des Rosiers auf der Halbinsel Gaspé und setzte eine lange Meldung an den BdU ab. Der Marinestab in Ottawa peilte die Funkspruchabgabe ein und ortete das Uboot 26 Meilen nordöstlich seines tatsächlichen Standortes. Unrichtigerweise schloß NSHQ, daß die beiden aus 159 beziehungsweise 122 Gruppen bestehenden Funksprüche Thurmanns »die erste Funkverbindung des Ubootes mit Deutschland war und anzeigten, daß er diesen Bericht kurz vor seiner Rückkehr in den Stützpunkt absetzte«. Tatsächlich jedoch hatte *U 553* seine Aufgabe erst zum Teil erledigt, denn »Boot A«, wie die kanadischen Marinestellen das Boot auf ihrer Lagekarte nun bezeichneten, beabsichtigte, »Sable Island zu umfahren und dann Halifax anzusteuern«, ehe es die Südspitze von Nova Scotia umrundete, um in die Bay of Fundy einzudringen (KTB). NSHQ ging davon aus, daß »das leichte Eindringen von ›A‹ die deutsche Admiralität veranlassen werde, weitere Boote in den Golf zu schicken«. Eine Reihe von Kurzwellenpeilungen zwischen dem 13. und 16. Mai, die »ein in nordwestlicher Richtung mit 10 bis 12 Knoten«, also fast mit Überwasser-Höchstfahrt, laufendes Boot zeigten, schienen diese Annahme zu bestätigen. Der Submarine Tracking Room im NSHQ in Ottawa nahm als wahrscheinlich an, »daß ›B‹ die Anweisung hatte, im Gebiet südöstlich von Anticosti oder in der Cabot Strait zu operieren und nur kurze Zeit im Golf blieb, nachdem es feststellte, daß die Schiffahrt stark geschützt war«. Ob das Boot »B« *U 455* (Giessler) war oder *U 432* (H. O. Schultze) blieb unklar, doch Thurmanns *U 553* war das einzige Boot, das im Mai im St. Lawrence-Golf operierte.

Während der nächsten drei Tage behinderte dichter Nebel von Cape Breton bis Cape Sable die Fahrt von *U 553*. Solche Bedingungen boten seewärts der 40-Meter-Linie wenig Aussicht auf Erfolg, zudem verhinderten die geringen Brennstoffreserven des Ubootes eine Aufklärung weiter südlich der Nebelgrenze. Thurmann nutzte seine Freiheit, um mit Hilfe des Segelhandbuches und der monatlichen Klimakarten seine taktische Lage zu verbessern. Wie er in seinem Kriegstagebuch schrieb, konnte er »in der Bay of Fundy weniger Nebel« erwarten und vielleicht sogar im großen Hafen von St. John's, New Brunswick, mit »zehn Meter Wasser an der Kaianlage und seinem Trockendock« wesentliche Ziele finden. Er beschloß daher, in den Gulf of Maine zu gehen und in die Bucht von St. John's vorzustoßen.

Im Nebel begann Thurmann, die Südspitze von Nova Scotia rund 35 Meilen südlich von Cape Sable zu umrunden. Außer einem Dreimast-Gaffelschoner am 25. Mai, etwa 45 Meilen südwestlich von Seal Island, tauchte kein Schiffsverkehr aus dem Dunst auf. Das Echolot war jetzt ausgefallen; das veranlaßte Thurmann, durch den 30 Meilen breiten Eingang in die Bucht von Fundy einzulaufen, um dort während der Reparatur in relativer Sicherheit zu sein. Die starken und unregelmäßigen Gezeitenströme in der Bucht, der häufige Nebel sowie die Schwierigkeit, in den typischen tiefen Gewässern einen sicheren Ankerplatz zu finden, fordern von einem Seefahrer, wie das Segelhandbuch warnt, mit »unaufhörlicher Aufmerksamkeit« zu reagieren. Ein Uboot konnte sich den vom Nebel verursachten taktischen Gefahren durch Tauchen entziehen; es konnte aber nicht auf die gleiche Weise die starken Strömungen vermeiden, die hier bis in die Tiefe von 50 Meter reichen. Als Thurmann sich seinen Weg um Lurcher Shoal ertastete, dann Southwest Head, Grand Manan Island, ansteuerte und auf St. John's zudrehte, begegneten ihm nur wenige Ziele: ein Motorsegler, der vor ihm vorbeizog, ein großer, neutraler Frachter, an der Bordwand »spanische Farben beleuchtet« (KTB), Fischkutter und ein einzelner Bewacher. Am 27. Mai tauchte Thurmann um 0315 MGZ vor der Hafeneinfahrt auf, wie *U 213* zwei Wochen vorher, als es einen Spion an Land gesetzt hatte. Er vermerkte in seinem Kriegstagebuch:

»Aufgetaucht. Sechs Seemeilen vor hell erleuchtetem St. John's. Funk- und Leuchtfeuer friedensmäßig. Hafeneinfahrt Lichtsperre durch starken Scheinwerfer, der aber offenbar nur nach Einbruch der Dunkelheit ein paarmal probiert wird. Gestoppt gelegen.«

Es bot sich ihm ein wenig interessantes Bild, als er in der ruhigen See und im vollen Mondlicht da lag; dreist funkte er an Berlin einen weiteren Lagebericht. Während des nächsten Tages machte Thurmann Gefechtsdienst und horchte mit dem Unterwasser-Horchgerät. Nur gelegentlich lief ein Schiff aus oder ein, nur gelegentlich erschien ein Bewacher. Erst am 4. Juni erklärte ein aufgefangener Funkspruch von *U 432*, warum das Gebiet leer war: *U 432* hatte in der Nähe einen Geleitzug aus vier Schiffen gejagt, nachdem er das Fischereifahrzeug *Foam* eine Woche vorher südlich von Halifax versenkt hatte.[20] Nach Thurmanns Ansicht war es eine »verdammte Sauerei«, daß sein Kamerad ihn nicht an der Jagd beteiligt hatte (KTB). Jede Nacht lag *U 553* still an der Oberfläche und funkte nach Berlin. Am 29. Mai beobachtete Thurmann zwischen 0343 und 0705 MGZ Nachtübungen von Flugzeugen, die 150 Meter über dem Wasser flogen, und bemerkte Gruppen von Bewachern, die in 1000 Meter Entfernung an ihm vorbei fuhren – alle liefen abgeblendet, außer ein paar nicht erkannten Schiffen, deren Positionslaternen brannten. Er beobachtete ein Flugzeug, das – während Bewacher manövrierten – direkt über das Uboot flog. Er schloß:

»Anscheinend Übungen im Erkennen von Fahrzeugen durch Flugzeuge«. (KTB)

Um 1015 MGZ setzte *U 553* erneut einen Funkspruch an Berlin ab. Während er sich langsam nach Südwesten, 60 Meilen die Bay of Fundy entlang, zurückzog, begann Thurmann in der Nähe von Briar Island, elf Meilen vor dem Eingang der St. Marys Bay, seine Schlüsse zu ziehen:

»Sechs Tage und Nächte lückenlose und unbemerkte Beobachtung haben ergeben, daß St. John's, zumindest zur Zeit, nicht als Verladeplatz für Geleite benötigt wird. Dagegen scheint ein intensiver Ausbildungsbetrieb mit Geleitschutz, U-Jagd und Luftverbänden zu verzeichnen. Weiter läßt das rege Ein- und Auslaufen von Korvetten usw. darauf schließen, daß St. John's als Stützpunkt, Ausrüstungs- und Ruheplatz für Sicherungsstreitkräfte benötigt wird, um Geleitsammelplätze zu entlasten.« (KTB)

Mittlerweile torpedierte und versenkte *U 432* um Mitternacht des 30. Mai die *Sonia*, 1188 BRT, vor Sea Island, Nova Scotia. Neunzehn Überlebende landeten in Barington Passage, etwa halbwegs zwischen Yarmouth und Shelburne. Einer der Überlebenden berichtete:

»Nachdem das Schiff gesunken war, tauchte das Uboot auf, und während sie ihre Kanone auf das Rettungsboot gerichtet hielten, befragte ein Offizier den Kapitän über Ladung, Bestim-

mungsort und so weiter. Der Kapitän seinerseits fragte den Offizier, ob er Deutscher sei, zweifellos freudig überrascht und erstaunt, daß man nicht mit der Maschinenkanone auf ihn geschossen hatte, und erhielt eine bejahende Antwort. Das Uboot nahm eine Rettungsboje mit dem Namen des Schiffes und auch etwas Treibgut von dem Wrack auf.«[21]

Am 1. Juni stand Thurmann um 0400 MGZ 25 Meilen westlich von Cape St. Mary's und gab seinen letzten Bericht über die kanadische Abwehr an Berlin: zahlreiche Korvetten und Bewacher aller Typen, reger Fischereibetrieb, bis zu fünf dreimotorige, schwere Landmaschinen gleichzeitig in der Luft. (Die Übungstätigkeit über der Bay of Fundy hatte ihn augenscheinlich beeindruckt.) Er berichtete, er habe noch neun Torpedos und für 25 Tage Verpflegung und beabsichtige, in US-Gewässern nach Zielen zu suchen. Sein Geschick wendete sich am 2. Juni, als er nach zwei Torpedoversagern den Frachter SS *Mattawin*, 6919 BRT, versenkte. Sieben Rettungsboote mit Überlebenden kamen davon. Ein »Canso«-Flugboot aus Yarmouth von der 162. Staffel sichtete 14 Stunden später die Rettungsboote, warf Nahrungsmittel und Notsignalfeuer ab und führte den norwegischen Frachter SS *Torvanger* zur Rettung heran. Neun Stunden später nahm der Frachter 32 Überlebende aus zwei Rettungsbooten auf und brachte sie am nächsten Tag in Halifax an Land. Ein Rettungsboot mit 20 Überlebenden landete am 4. Juni in Nauset, Cape Cod. Drei Tage später rettete der US-Frachter *General Green* 19 Überlebende und brachte sie nach Nantucket.[22] Einen Tag nach dem Angriff entdeckte *U 553* ein leeres Rettungsboot ohne Namen, zweifellos von der *Mattawin*. Thurmanns Kommentar zu diesem Fund wirft ein Licht auf die Lebensbedingungen an Bord des Ubootes, denn das Rettungsboot enthielt Delikatessen, die sie selbst nicht hatten. »Viel und gut erhaltenes Hartbrot und Schokolade für zwei vollständige Mahlzeiten, ferner noch kondensierte Milch, gut schmeckende Vitaminpastillen von ungeheuer sättigender Wirkung, reichen für 14 Tage, sehr willkommen« (KTB).

Während er sich vor dem Rückmarsch noch in das Operationsgebiet vor der amerikanischen Küste vorwagte, begann Thurmann die täglichen Rationen sehr genau einzuteilen. Als er am 5. Juni ausrechnete, daß er nur noch für 17 Tage Verpflegung hatte und Brennstoffergänzung nicht möglich war, setzte er Kurs auf seinen französischen Stützpunkt ab und umging die Nebelgrenze in einem großen Bogen vor der amerikanischen Küste über die Newfoundland Banks. Von 350 Meilen südöstlich von Halifax, bis er von den Newfoundland Banks frei war, wurde Thurmann durch Überwachungsflüge belästigt. Von seiner Mittagsposition am 10. Juni bis zum sicheren Hafen von St. Nazaire erstreckten sich 2200 Seemeilen eines unwirtlichen Ozeans, dessen Durchquerung mit täglich 180 Meilen 13 Tage erfordern würde. Zu dieser Zeit hatte Thurmann kaum noch für 14 Tage Verpflegung an Bord und machte sich schwere Sorgen. Dennoch kehrte er aufgrund von Funkmeldungen über einen UK-Halifax-Geleitzug in die Gegend von Virgin Rocks zurück, um ihn mit seinen restlichen drei Torpedos angreifen zu können. Am 11. Juni wurde er aufgetaucht von einem Flugboot überrascht, das ihn aus 1500 Meter Höhe 160 Meilen südöstlich von Cape Race anflog. Thurmann tauchte und wurde auf 40 Meter von »zwei Wabos steuerbord achtern ziemlich dicht eingegabelt« (KTB). Die »normalen Ausfälle« wurden gemeldet und beseitigt. Es stellte sich jedoch bald heraus, daß der Luftangriff doch größeren Schaden angerichtet hatte; die Bomben hatten den Zylinderblock des Backbord-Diesels gebrochen und machten den Motor dadurch unbrauchbar. Seine knappen Reserven und die Hartnäckigkeit des Flugbootes, das ihn in Schach hielt, drängten U 553 bald ab. Immer wenn Thurmann auftauchte, um auf den Geleitzug zuzulaufen, zwang dieser »hartnäckige Bursche« das Uboot zum Alarmtauchen und kreiste dann um die Stelle, an der das Uboot gerade verschwunden war (KTB). Unter diesen Umständen hatte Thurmann keine Erfolgsaussichten und schleppte sich nach St. Nazaire, wo er am 24. Juni 1942 um 1045 Uhr einlief, einen Tag nachdem die letzten Rationen ausgegeben worden waren. Admiral Dönitz bemerkte zu diesem Einsatz:

»Gut und zäh durchgeführte Unternehmung. Der Entschluß des Kommandanten, in den St. Lawrence-Strom einzudringen, wird hervorgehoben. Er ist mit dem Erfolg von drei Schiffen belohnt worden.« (KTB)

Die Aktivitäten der Uboote vor den kanadischen Küsten im Juni hatten das »Eastern Air Command« veranlaßt, seine Operationen auf über 587 000 Meilen in 657 Einsätzen zu erweitern. Das hieß fast 4500 Flugstunden in der Sicherung von 147 Geleitzügen. Im Juli, als nach Aussage der RCAF »die Ubootaktivitäten in den westatlantischen Gewässern ihren Höhepunkt erreichten«, sollte Eastern Air Command 891 Einsätze über 700 000 Meilen fliegen.[23] Die RCAF vermutete einige Erfolge – zum Beispiel am 23. Juni, 35 Meilen südwestlich von Sambro Island Feuer. Hier griff eine »Hudson« von der 11. Staffel in Dartmouth, Nova Scotia, ein aufgetauchtes Uboot an, das vielleicht das auf dem Rückmarsch befindliche U 432 war. Das Flugzeug gabelte das Uboot, während der Kommandoturm noch sichtbar war, mit vier Wasserbomben ein. Kurz danach tauchte das Uboot wieder auf und wurde mit 500 Schuß aus den Maschinenkanonen der »Hudson« beschossen. RCAF-Vertreter bezeichneten dies als »hervorragenden Angriff«, der sicherlich »schwere Beschädigungen« zur Folge hatte.[24]

Mittlerweile war U 132, Vogelsang, am 10. Juni aus seinem französischen Stützpunkt La Pallice ausgelaufen; wenige Tage später begann seine Fahrt zum St. Lawrence mit einer schweren Beschießung durch eine nicht identifizierte Korvette. Unter dem Angriff der gut liegenden Artillerie machte U 132 Alarmtauchen, sein Sehrohr wurde beschädigt. Während der nächsten zweieinhalb Stunden gingen 106 gut liegende Wasserbomben auf U 132 nieder, die fast zu seiner Vernichtung führten. Doch trotz Maschinenversager und verräterischer Ölspur entkam U 132. Sein Kommandant, Kapitänleutnant Vogelsang, lief stur weiter in den Atlantik, um mit sechs anderen Ubooten die Gruppe Endraß zu bilden. Admiral Dönitz hatte dieser Gruppe befohlen, den Kurs des Gibraltar-Home-Geleitzuges HG-84 »abzukämmen«.[25] Das hieß, sie sollten eine Dwarslinie bilden rechtwinklig zum vermuteten Generalkurs des Geleitzuges mit Abständen von 20 bis 30 Meilen von Boot zu Boot. Das erste Uboot, das den Geleitzug sichtete, sollte an ihm Fühlung halten, durch Funksignal die anderen unterrichten und mit dem Angriff warten, bis sich das Rudel versammelt hatte. Als der BdU jedoch das Ausmaß der Schäden auf U 132 erfuhr, ordnete er dessen Rückmarsch an. Der unerschütterliche Vogelsang antwortete: »Kann Geleitzugaufgabe bis Ende durchführen« (KTB). Luftüberwachung hinderte ihn daran, den Geleitzug zu erreichen, ehe die Suche durch die BdU-Befehlsstelle am 16. Juni abgebrochen wurde. U 89, Lohmann, und U 132 erhielten Befehl, von U 183, Schäfer, Brennstoff zu ergänzen und dann neue Positionen im Angriffsgebiet CA vor der Ostküste der Vereinigten Staaten einzunehmen.

Vogelsang beharrte darauf, seine Unternehmung fortzusetzen. Er marschierte nach Westen, bis ihm der BdU am 26. Juni auf einer Position 230 Meilen südöstlich von Cape Race das kanadische Kampfgebiet im Großquadrat »Bruno Bruno« zuwies. Dabei lenkte Admiral Dönitz die Aufmerksamkeit von Vogelsang auf Thurmanns Funkmeldung, der das Gebiet Quadrat Bruno Bruno 14 und 36 bis westlich Anticosti als günstigstes Angriffsgebiet bezeichnet hatte. In einem längeren Funkspruch wies ihn der BdU dann an: »Verkehr an engster Stelle des Schlauches erfassen, das heißt Mündung des Stromes. Stoßweise Verkehr, besonders sonnabends. Sonntag ist möglich. Wenig Seeabwehr. Wahrscheinlich nur Flugzeuge. Feststellen, ob Verkehr auch über Quadrat 22 ausläuft. Falls Gebiet nach sorgfältiger zäher Beobachtung ungünstig, freies Manöver.«[26]

Während nun U 132 Newfoundland am 21. Juni 1942 auf dem Weg zur Cabot Straße umrundete, entwickelte sich eine für die Konvoisteuerung und für die operative Führung der Bewacher unheilverkündende taktische Situation. Das britische Uboot P 514 (LCdr R.M.E. Pain, RN) befand sich auch in diesem Gebiet auf der Fahrt von Argentia nach St. John's, Newfoundland. Es hatte mit kanadischen Kriegsschiffen an einer Ubootabwehrübung teilgenommen. Die Durchfahrt eigener Uboote durch ein Operationsgebiet, das wahrscheinlich auch vom Feind befahren wurde, mußte geplant und abgesichert sein. Dislozierungsmeldungen mußten allen eigenen Kommandos übermittelt werden, sie mußten über die Route des Ubootes, seine Erkennungssignale und ES-Anrufe unterrichtet sein. Die Kommandanten der eigenen Unterseeboote mußten eingewiesen werden; selten durchfuhren sie solche Gewässer ungeleitet. Sowohl die Achsenmächte wie die Alliierten verfuhren nach diesem Grundsatz des Seekrieges. In diesem Fall wurde HMS P 514 durch die kanadischen Korvetten HMCS Chambly und Bittersweet geleitet, sowie die unter kanadischer Führung stehenden zwei britischen Korvetten der Blumenklasse, HMS Dianthus und HMS Primrose. Der

Einbruch dichten Nebels hatte *P 514* von seinen Geleitfahrzeugen getrennt, es war nun allein.

Am Vormittag des 21. Juni geleitete das *Bangor* Minensuchboot HMCS *Georgian* den St. John's-Sydney-Geleitzug CL-43 südlich von Cape Pine auf Newfoundlands Halbinsel Avalon, als es ein aufgetauchtes Uboot sichtete. Geleitzug CL-43 war anderthalb Stunden zu spät, dadurch stand er zehn Seemeilen hinter der Position, die COAC an alle alliierten Kriegsschiffe in diesem Gebiet bekannt gegeben hatte. Zu dieser Zeit hatte COAC den Kurs des Ubootes und seiner Geleitfahrzeuge geändert, um ein Zusammentreffen mit dem von Sydney auslaufenden Nordatlantik-Geleitzug SC-88 zu verhindern. Doch auch dieser Geleitzug stand zehn Meilen nördlich seines richtigen Kurses. Bei seinem Besuch im Lagezimmer des FONF in St. John's hatte man dem Kommandanten der *Georgian* vor seinem Auslaufen die Lagekarte gezeigt, auf der der Weg des Geleitzuges SC-88 eingezeichnet war. Da aber weder HMS *P 514* noch seine Geleitfahrzeuge den Hafen verlassen hatten – genau so wenig wie HMCS *Georgian* und der Geleitzug CL-43 –, waren auf dieser Lagekarte keine Wege eingezeichnet, die einen Hinweis auf eine mögliche gefährliche Annäherung beider Kurse gegeben hätten. Jedenfalls waren die kanadischen Dienststellen eindeutig der Ansicht, daß es in der Verantwortung des Unterseebootes läge, entweder befreundeten Schiffen überhaupt aus dem Weg zu gehen, vor allem Geleitzügen unter Bewachung, oder sich darauf einzustellen, sich unverzüglich und wirksam erkennen zu geben.

Da er keine Vorwarnung erhalten hatte, ging HMCS *Georgian* sofort, wenn auch vorsichtig, zum Angriff über, indem er das unidentifizierte Uboot während des Anlaufens anrief. Admiral Dönitz hätte das Verhalten des kanadischen Kommandanten nicht geduldet, denn er hatte seinen Kommandanten immer eingeschärft, der Anruf eines nicht identifizierten Zieles verriete die eigene Position und verhindere damit den Überraschungseffekt. Einen seiner Kommandanten hatte Dönitz gerügt, weil er die Gelegenheit, ein alliiertes Schiff zu versenken, verfehlte, weil er erst versuchte, Erkennungssignale auszutauschen. Wie ein entzifferter »Enigma«-Funkspruch zeigte, war er jedoch ebenso wenig erfreut, als ein anderer Ubootkommandant, Ali Cremer, *U 333*, den eigenen Blockadebrecher *Spreewald* versenkte, ohne den Versuch gemacht zu haben, seine Identität zu klären. Für jeden Angreifer war das eine höchst unangenehme Lage. Höchstwahrscheinlich hatte LCdr Stanley ein ungemütliches Gefühl, sein Ziel könne vielleicht ein eigenes Fahrzeug sein. Da aber das Uboot auf mehrere Anrufe nicht reagierte, rammte es HMCS *Georgian* und erlitt schwere Schäden an seinem eigenen Bug. HMS *P 514* sank mit der gesamten Besatzung vor Cape Pine. Als der Fehler entdeckt wurde, suchten Bewacher das Gebiet ab, fanden jedoch weder Überlebende noch Trümmer. Suche durch ausgebildete Ubootabwehrexperten brachte keinen Kontakt, der eindeutig als auf dem Grund liegendes Unterseeboot zu erkennen war. Noch wurde jemals geklärt, warum *P 514* auf den Anruf nicht reagiert hatte. Ein Untersuchungsausschuß unter dem Vorsitz von Captain E. R. Mainguy, der 1951 Befehlshaber der Marine wurde, entlastete LCdr Stanley richtigerweise. In seinen Bemerkungen über das Verfahren des Ausschusses stimmte Rear Admiral L. W. Murray, zu dieser Zeit Befehlshaber Newfoundland Force, zu, daß *Georgians* Kommandant

»der Lage entsprechend das einzig Richtige getan habe und empfahl, daß er für seine schnellen und wirksamen Maßnahmen unter schwierigen Umständen belobigt werden solle«.[27]

Die Versenkung des britischen Unterseebootes blieb bis zum Januar 1946 ein wohlgehütetes Geheimnis, als sowohl die kanadische Presse wie auch Reuter um Informationen über den »Vorfall« nachsuchten, von dem sie irgendwie erfahren hatten. Daß HMCS *Georgian* HMS *P 514* versenkt hatte, schien die einzige Tatsache zu sein, über die die Presse verfügte. Angesichts dieser Situation entschied der Leiter der Marine-Informationsstelle, Cdr. William Strange, RCNVR, daß, wenn man diese Angelegenheit nicht kläre, man die Presse geradezu einlade, eine entstellte Darstellung zu veröffentlichen und die Marine der Kritik aussetze, eine zugegebenermaßen unangenehme und peinliche Angelegenheit vertuscht zu haben. NSHQ in Ottawa und die Admiralität in London waren mit einer knappen Tatsachenaussage einverstanden.[28]

Dies war nicht das einzige Mal, daß alliierte Streitkräfte eines ihrer eigenen Unterseeboote versenkten. Im Juli 1944 versenkte zum Beispiel ein Flugzeug eines Hilfsflugzeugträgers beim Geleitzug ONM-243 das freifranzösische Unterseeboot *La Perle*. Der Vorfall wies auf mögliche Schwächen entweder im Fernmeldeverfahren innerhalb des Geleitzuges oder auch bei dem Verfahren zur Übermittlung von Angaben über eigene Unterseeboote durch Landdienststellen oder vielleicht auch auf beides hin.[29] Es lief das Gerücht, *La Perle* sei absichtlich versenkt worden, »da man keinem französischen Schiff trauen könne«; das war natürlich falsch. Solche Vorfälle waren nicht auf alliierte Einsätze beschränkt; auch die Deutschen versenkten eigene Schiffe unter ähnlichen Umständen.
Die Untersuchung über den Verlust von HMS *P 514* warf, nachdem Admiral Murray die Sachlage eingehend überprüft hatte, grundlegende Fragen über die Steuerung eigener Unterseeboote bei der Fahrt in der Nähe alliierter Geleitzüge auf. Von all diesen Schwierigkeiten, die seine Organisation seit Monaten erschwerten, bemerkte er am Rande, war nicht die geringste »das Fehlen eines erfahrenen Offiziers im Führungsstab« − mit Ausnahme natürlich seines eigenen Chefs des Stabes. Murray unterstützte alle vernünftigen Maßnahmen, um die Sicherheit eigener Unterseeboote zu gewährleisten − einschließlich der Beschränkung von Flugzeugangriffen auf den bekanntgegebenen Routen −, bestand jedoch auf einem wichtigen Grundsatz, der bei dem Angriff der *Georgian* vorrangig war:

»Ich halte nichts davon, Geleitstreitkräfte vor der Möglichkeit eines Zusammentreffens mit eigenen Unterseebooten zu warnen. Ich wünsche nicht, daß sich Ubootabwehrstreitkräfte unter meinem Kommando übermäßig sanft verhalten sollen, wenn ein aufgetauchtes Unterseeboot in der Nähe ihres Geleitzuges gesichtet wird.«

Als sich *U 132* am 30. Juni 1942 der Cabot Strait näherte, wiesen Motorschwierigkeiten Vogelsang darauf hin, daß sich selbst geringere Wasserbombenschäden auf sein Boot nach und nach auszuwirken begannen. Seine andere Sorge war die Luftüberwachung, die 58 Meilen nordöstlich von Scatarie Island mit einem Flugboot begann. Im Juli 1942 waren viele RCAF-Flugzeuge, die über dem St. Lawrence-Strom und dem Golf flogen, mit einem Gerät ausgerüstet, das in offiziellen Berichten geheimnisvoll als »Sonderausrüstung« bezeichnet wurde. Das war das ASV-(air-to-surface vessel)Radar mit einer theoretischen Reichweite von 4,5 Meilen. Zu dieser Zeit jedoch war das ASV für die Ortung von Ubooten im Golf ungeeignet, und selbst draußen in See erfolgte fast jede Ubootsichtung visuell. Erst spät im Jahr begannen die ASV-Ortungen bei den Einsätzen im Mittelatlantik eine große Rolle zu spielen, und nicht vor Mitte 1943 entwickelte das »Eastern Air Command« eine geeignete ASV-Taktik. Schließlich jedoch trug es zur großen Wende zugunsten der Alliierten bei.[30]

U 132 stieß auf keine navigatorischen Schwierigkeiten, denn außer den normalen Hilfsmitteln für die Küstennavigation »brennen Funkfeuer friedensmäßig gemäß Nautischem Funkdienst« (KTB). Vier Tage später sah Vogelsang 6 Meilen vor Cap de la Madeleine zwei 3500-t-Schiffe aus dem Dunst, doch weit außer Reichweite, auftauchen. Am 4. Juli erfaßte er vor Capucins, 6 Meilen westlich von Cap Chat im St. Lawrence, drei verschiedene Ziele im Horchgerät, die jedoch wegen Nebels nicht sichtbar wurden. Am 6. Juli beobachtete Vogelsang von kurz nach Mitternacht an, wie sich Schiffe 5 Meilen ostwärts von Baie Comeau sammelten und einen Geleitzug aus zwölf Schiffen bildeten, der jedoch für einen Angriff zu weit entfernt war. Auftauchend erfaßte er fünf einlaufende Schiffe in 5 Meilen Abstand von Cap Chat. Diese Schiffsbewegungen ließen ein Schema vermuten, in diesem Fall die Ablösung von Geleitzügen und Geleitstreitkräften. Hier begann Vogelsang am 6. Juli morgens den Quebec-Sydney Geleitzug QS-15 zu verfolgen, der bei strahlendem Mondlicht durch eine glitzernde phosphoreszierende See in so dichter Formation fuhr, daß sich für Vogelsang die Schiffe »überlappten« (KTB).

Was nun folgte, war nach »Eastern Air Command«

»der größte Verlust, den wir in diesem Monat im westlichen Atlantik an einer Stelle erlitten hatten«.[31]

Vier Torpedo-Einzelschüsse aus 1500 Meter Entfernung trafen sowohl das belgische Schiff *Hainault* und 14 Minuten später den Griechen SS *Anastasios Pateras*,

3382 Tonnen, mit zwei einzelnen Detonationen. Das zeigte, daß zwei Torpedos dieser Gruppe Versager waren. Einer der Dampfer sackte mit dem Heck ab. Unter dem Krach detonierender Torpedos und berstender Schiffe löste sich der Geleitzug »in alle Richtungen, größtenteils einlaufend auf« (KTB). Bis auf fünf Bootslängen kam *U 132* an einen Bewacher heran. Immer noch aufgetaucht schoß es einen Einzelschuß auf einen 6000-Tonner in 1000 Meter Entfernung: Torpedoversager. Ein weiterer Schuß auf ein anderes Schiff unter gleichen Umständen versagte ebenfalls.

Dann kam *U 132* auf 800 Meter an den britischen Dampfer *Dinaric,* 4312 Tonnen, heran. Der Holzfrachter führte die Flagge des Geleitzug-Vizekommodores. Vogelsang traf diesen »7000-t-Dampfer« mittschiffs (KTB). Als er um das Heck der *Dinaric* herumdrehte, beobachtete er, daß das Schiff Dampf abließ, 10 Grad nach Steuerbord krängte und auf die Küste zudrehte. In diesem Augenblick jedoch wurde Vogelsang abgelenkt durch das Mündungsfeuer von Geschützen, die Leuchtgranaten schossen. Als das *Bangor* Minensuchboot HMCS *Drummondville* ihn zu rammen versuchte, ging er sofort mit Alarm auf Tiefe; das Geleitboot lief dann über die Tauchstelle und warf Wasserbomben. Vogelsang stieß nun auf eine sehr unangenehme Besonderheit der Gewässer im St. Lawrence. »Wegen stark wechselnder Wasserschichten steht Boot bei 20 Meter, steigende Tendenz.« HMCS *Drummondville* deckte ihn mit drei gut liegenden Wasserbomben ein.

»Da Fluten nicht genügt, Torpedozelle vorn geflutet. Boot fällt auf 40 Meter. Drei Wasserbomben ungefähr 500 Meter ab.« (KTB)

Auf 80 Meter wurde *U 132* abgefangen, drei weitere Wasserbomben detonierten weiter ab.

Die Angriffe der *Drummondville* verstärkten die früheren Beschädigungen von *U 132.* Unter anderem war das Zwischenstück zur Schwingungsdämpfung der Hauptlenzleitung gerissen. Das hieß, Vogelsang konnte nur noch über das Feinflutventil lenzen und fluten. Das Boot fiel unaufhaltsam auf 185 Meter, dann versuchte Vogelsang es durch Anblasen der Tanks zu halten. Kurze Zeit stieg das Boot auf 100 Meter, dann detonierten sechs weitere Wasserbomben; danach trat Ruhe ein. Trotz der langsamen Fahrt des Bootes – die geringste Geschwindigkeit, das destabilisierte Boot zu halten, ohne in den Horchgeräten der Kanadier verräterische Geräusche zu verursachen – sank das Boot auf 180 Meter und verfügte nur noch über 80 kg Druckluft. Schließlich blies Vogelsang alle Tanks an und kam an die Oberfläche. Dort oben war alles ruhig und dunkel, zwei Bewacher standen zwei Meilen ab. Mit Höchstfahrt stob *U 132* davon, verfolgt von einem Bewacher, der vier Leuchtgranaten, jedoch weit daneben, schoß. *U 132* blieb im Dunkeln, der Bewacher warf zwei Gruppen von je drei oder vier Wasserbomben in das beleuchtete Gebiet.

Erleichtert, daß die Kanadier ihn nun ganz klar »verloren« hatten (KTB), lief Vogelsang auf der 100-m-Linie in sichere Gewässer, legte sich auf den Grund, ruhte aus und wartete. Sein Lenz- und Flutsystem war beschädigt, einer der Trimmtanks war nicht mehr wasserdicht, er hatte drei cbm Öl verloren und zog möglicherweise sogar eine Ölspur hinter sich her.[32] Der Kommandant der *Drummondville* behauptete später, den Gegner entweder »auf der Seite liegend, Schiffsboden nach oben, oder mit abgerissenem Kommandoturm gesichtet zu haben«.[33] Die Kanadier meinten, eine Menge Wrackteile gesehen zu haben, als das Boot getaucht war. Aus den Berichten beider Seiten ist nicht klar zu ersehen, was oder wie das geschah, es sei denn, *U 132* habe bei seinen Auftriebsschwierigkeiten die Oberfläche durchbrochen. Die britische Admiralität mit ihren strengen Beurteilungskriterien für die RAF und die RCAF schloß, daß es dort, wo *Drummondville* angegriffen hatte, »ausreichenden Beweis für die Gegenwart eines Ubootes« gab, schrieb ihr aber völlig richtig keine Versenkung zu.

Der Zwang zum Rückzug führte Vogelsang zur westlichsten Spitze von Anticosti; dort drehte er auf Fame Point auf der Halbinsel Gaspé zu. Erst am 16. Juli funktionierte sein behelfsmäßig repariertes Flut- und Lenzsystem wieder zufriedenstellend. Wegen starker See- und Luftüberwachung auf dem St. Lawrence-Strom zwischen Gaspé und Anticosti entschied sich Vogelsang, die Belle Isle Straße aufzuklären. In den frühen Morgenstunden des 10. Juli lud Vogelsang an der nordöstlichsten Grenze des Golfs, 26 Meilen Südost von St. Mary's Island, seine vorderen Torpedos nach. Um 1148 GMT stieß er im Quadrat AH 9777 auf die erste kanadische Bewachung: »zwei Minensuchboote Typ ›Speedy‹ und vier Vorpostenboote« (KTB). Mit langsamer Fahrt, die Besatzung auf Gefechtsstation, folgte er den sechs Booten durch die Enge in die Belle Isle Straße zwischen Forteau Bay, Labrador und Capstan Point, Newfoundland. Nach vierstündiger Verfolgung trat die Besatzung von den Gefechtsstationen ab. Nach einem gelegentlichen Küstensegler vor Newfoundland am 10. Juli, Segelbooten und einem »viermotorigen Landflugzeug« am 11. Juli sowie einem durch Zerstörer geleiteten Dampfer am 12. Juli erklärte Vogelsang das Gebiet für »einsatzmäßig ungünstig« (KTB). Der BdU bestätigte ihm, er könne sein Operationsgebiet nach eigenem Ermessen verlegen (KTB).

Mit Beginn der »Schlacht im St. Lawrence« stieg in vielen Quebecern der latente Verdacht auf, die Bundesregierung habe es versäumt, für ausreichende Abwehr zu sorgen. Das hartnäckige Schweigen der Regierung über die »räuberischen« Taten der Uboote, die den Bewohnern am St. Lawrence-Strom und am Golf schmerzlich vor Augen lagen, verstärkte die Stimmung besorgten Mißtrauens. Auf Ersuchen seiner Wählerschaft und provoziert durch die anscheinende Gefühllosigkeit der kanadischen Bundesregierung gegenüber dieser Lage, brachte Mr. J. S. Roy (Gaspé) am 10. Juli 1942 eine dringende Anfrage im Parlament ein.[34] Informiert durch seine Wählerschaft, daß »seit dem ersten Angriff am 11. und

12. Mai weitere Schiffe durch feindliche Uboote versenkt wurden« und besorgt darüber, daß »drei weitere Schiffe, Teile eines Geleitzuges von vierzehn Schiffen, am vergangenen Sonntagabend gegenüber Cap Chat auf dem St. Lawrence torpediert wurden«, griff Roy die Regierung an. Sie solle in Zukunft entweder Klarheit über die Situation schaffen oder eine Geheimsitzung einberufen, um »die Volksvertreter über den Ernst der Lage zu unterrichten«. Bezeichnenderweise antwortete der Premierminister selbst und rügte Roy für seine Indiskretion, weil er ein Thema zur Sprache bringe, dessen Einzelheiten dem Feind nutzen könnten; in jedem Fall aber, so fuhr der Premierminister fort, bliebe die Freigabe solcher Informationen ein Privileg des Marineministers. Das trug wenig zur Beschwichtigung oder Beruhigung bei, und der Sprecher des Hauses brachte Roys weitere Versuche, eine Klärung zu erreichen, zum Schweigen.

Drei Tage später, am Montag, dem 13. Juli, kam Roy auf das Thema zurück. Er fühle sich verpflichtet, nicht nur auf konkrete Unterrichtung zu drängen, sondern sich auch gegen die schwerwiegenden Andeutungen zur Wehr zu setzen, seine vorangegangene Frage im Haus habe die nationale Sicherheit untergraben. Dieses Mal konnte er sogar die Ansicht der Sonnabendausgabe der L'ACTION CATHOLIQUE zu seiner Verteidigung zitieren, die darauf hinauslief, »die Hälfte der Bevölkerung in der Stadt Quebec« habe von den Ubootangriffen gewußt, ehe Roy sie im Haus überhaupt erwähnte. Außerdem erklärte er beharrlich, er habe dem gefährdeten Geleitzug einen ganzen Tag Zeit gelassen, den sicheren Hafen zu erreichen, ehe er auf dessen Notlage hingewiesen habe. Die Gründe für das Schweigen der Regierung schienen ziemlich dunkel. In der Tat hatte die Wochenendausgabe der MONTREAL GAZETTE die sture Zensur der Regierung angegriffen. Nach ihrer Ansicht waren »die Bemühungen, dem Feind Informationen vorzuenthalten«, die »im ganzen Land und darüber hinaus« bereits ein offenes Geheimnis waren, bestenfalls leichtfertig. Angesichts dieser Äußerungen schien die öffentliche Meinung das scheinbar unpatriotische Handeln von Roy zu rechtfertigen. Die ständigen Unterbrechungen durch den Sprecher des Hauses hinderten Roy daran, seine Gründe für die Frage nach der Ubootbedrohung zu erläutern. In Abwesenheit des Marineministers mischte sich der Verteidigungsminister Hon. J. L. Ralston selbst in den Streit.[35] Roy, so behauptete er, hatte dem Ubootkommandanten einen Gefallen getan, indem er seinen Vorgesetzten in Deutschland von einer erfolgreichen Unternehmung berichtete, ohne ihn der Gefahr auszusetzen, entdeckt zu werden. (Ralston hatte dabei ganz offensichtlich den Kurzwellenpeiler »Huff-Duff« im Sinn.) Doch nun hatte Roys Sorge Boden gewonnen. Der Hon. R. B. Hanson, Führer der Opposition, erhob sich zu seiner Verteidigung: »Die Berichte sind nun in der Provinz Quebec weit verbreitet«; er selbst habe viele Briefe in dieser Sache erhalten. »In Matane und Cap Chat wußte in der Tat jeder Bescheid.« An diesem Punkt traf Hanson auf das entscheidende Thema, über das weder das Haus noch die Bevölkerung von Kanada unterrichtet war: »Wie ist die Einstellung der Regierung zu den Geleitzügen auf dem St. Lawrence? Gibt es sie überhaupt? Sollten wir nicht wenigstens in großen Zügen ihre Haltung wissen? . . . Wie stellt sie sich zum Schutz der Geleitzüge?«

Trotz Hansons Überzeugung, daß genaue Aussagen »eine beruhigende Wirkung haben würden«, blieb Ralston unbewegt und lehnte jede Stellungnahme ab. Verärgert über die mit der parlamentarischen Tradition und Praxis nicht im Einklang stehende Hartnäckigkeit, verlangte der Führer des kanadischen Unterhauses, M. J. Coldwell, eine geheime Sitzung des Hauses. Dies war ein Mittel, zu dem nicht nur das britische Parlament, sondern auch »unser Schwester-Dominion« bekanntlich gegriffen haben. Obwohl eine Geheimsitzung eine wahrscheinliche Lösung dieser Konfrontation versprach, schloß die heiße Debatte in einem Ton, der die Frankophonen und Anglophonen teilte, indem man ein Gerücht gegen ein anderes stellte. Nachdem Marineminister MacDonald erschienen war, stellte er die Bevölkerung von Quebec als eine einfältige Interessengruppe dar; von seiner eigenen Küstenbevölkerung habe er noch nicht ein einziges Mal Klagen gehört. Die Beleidigung war unfair, und die Polarisierung hatte während des ganzen Krieges höchst unerfreuliche Konsequenzen. Mittlerweile hatte unter anderem auch LE SOLEIL am 14. Juli die heiße Debatte unter der Rubrik »Die Torpedierungen im Golf St. Lawrence« veröffentlicht. Auch das deutsche Ministerium für Volksaufklärung und Propaganda in der Wilhelmstraße in Berlin hatte inzwischen aus irgendwelchen Quellen Nachricht von den Taten ihrer Uboote in kanadischen Gewässern erhalten. Der Berliner Rundfunk meldete am 21. Juli 1942 den Erfolg von Vogelsangs Unternehmung. Mitgeschrieben durch Associated Press und veröffentlicht in LE SOLEIL lautete der aufgeblasene Bericht:

»Sechzehn alliierte Schiffe in vier Tagen versenkt.«[36]

Die Quebecer hatten Anlaß zur Sorge.

Mittlerweile hatte Vogelsang mit *U 132* die westlichen Teile der Belle Isle Straße erkundet und beschloß, nach Cap Chat zurückzukehren, wo er den Quebec-Sydney Geleitzug QS-15 angegriffen hatte. Der direkte Weg führte nördlich von Anticosti durch die Enge de Jaques Cartier, auch als Mingan Passage bekannt. Doch selbst noch neun Tage nach dem Angriff flogen Überwachungsflugzeuge über dem Quadrat BA 36 von Les Méchins nach Gros Mornes hin und her. Es handelte sich vorwiegend um Flugboote, wie Vogelsang berichtete, aber auch viermotorige Landflugzeuge, zudem eine Vielzahl kleinerer Schiffe, die die Besatzung auf der Fahrt nach Matane immer wieder auf Gefechtsstation riefen. Die Horchergebnisse in dem Gebiet waren »sehr schlecht und täuschten oft«, aufgrund von »Wasserschichtungen« (KTB). Durch das Sehrohr sichtete *U 132* in 400 Meter Abstand einen »britischen Ubootjäger, 80 bis 100 Tonnen, mit Tarnanstrich, Bezeichnung 064« und stellte seine Bewaffnung fest: »ein 2-cm- oder 3,7-cm-Geschütz, auf der Back 15 bis 18 Wasserbomben« (KTB). Es war eine kanadische »Fairmile«. Am 18. Juli fuhr *U 132* aufgetaucht im hellen Mondlicht und beobachtete, daß der Küstenverkehr sich unter die Südküste zu klemmen pflegte. 24 Stunden lang hatte im Operationsgebiet Nebel geherrscht und ihn daran gehindert, einen Geleitzug anzugreifen. Das Schicksal schien gegen ihn zu sein; Nebel bei Nacht, Flugzeuge am Tag. Die RCAF meldete:

»Eine große Anzahl von Flugzeugen wurde von Charlottetown aus über dem St. Lawrence-Golf auf routinemäßige Navigationsübungsflüge entsandt, um die in dem Gebiet operierenden Ubootkommandanten in ständiger Spannung zu halten.«[37]

Vogelsangs letzter Angriff auf dem St. Lawrence begann am sonnigen Nachmittag des 20. Juli. Rauchwolken vor dem Vorgebirge von Cap de la Madeleine verrieten die Anwesenheit des Quebec-Sydney Geleitzuges QS-19. Diese undisziplinierte Schar lag nun über ein Zehn-Meilen-Gebiet verstreut, ehe HMCS *Weyburn* – fünf Stunden vorher vom Sydney-Quebec Geleitzug QS-20 entsandt – auf dem Schauplatz erschien. Da keine Bewacher in Sicht waren, hatte die *Weyburn* die Versprengten zusammengetrieben und schließlich die Aufgaben des dienstältesten Offiziers von HMCS *Chedabucto* übernommen. Nach vier Stunden Zusammentreibens nahm der neu-geordnete Geleitzug seinen Kurs erneut auf: *Weyburn* an der Spitze, HMCS *Chedabucto* und M/L *Q-074* an den Flanken und M/LS *Q-059* und *Q-064* achtern. Um 1315 Ortszeit hatte *Weyburn* HMCS *Chedabucto* angewiesen, an der Backbordseite entlang zu laufen und die »Fairmiles« über das Gesehene achteraus zu unterrichten.

So schien aus Vogelsangs Sicht der Geleitzug von »zwei Minensuchbooten und einem Ujäger geschützt« (KTB). *U 132* hielt in dem glitzernden, ruhigen Fluß weiter Kurs auf Sehrohrtiefe durch, obwohl ihm eine kanadische »Fairmile« auf 700 Meter nahe kam. Das Uboot ging auf 20 Meter, um ihr auszuweichen, kam inmitten des Geleitzuges wieder hoch und schoß einen Zweierfächer. Ein Torpedo traf aus 800 Meter Entfernung den Maschinenraum der SS *Frederika Lensen*, 4283 Tonnen, dem sofort vier Mann zum Opfer fielen. Der zweite Torpedo ging unerklärlicherweise daneben. Nach der Explosion gingen die restlichen 43 Besatzungsmitglieder in die Boote, das Schiff scherte aus der Kolonne, aus seiner Backbordseite brachen dicke Wolken von Dampf und Rauch. Beim Anblick des torpedierten Schiffes brachen die Binnenschiffe *John Pillsbury* und *Meaford* mit höchster Fahrt aus der Kolonne aus und vereitelten die Versuche von M/L *Q-064*, sie zusammenzuhalten. HMCS *Chedabucto* ging sofort bei der *Lensen* längsseits, sah aber nicht das bei einem Torpedotreffer übliche klaffende Loch. Statt dessen bemerkte er nur einen verhältnismäßig engen Spalt und ausgebeulte Platten, die auf eine innere Kesselexplosion schließen ließen.[38] Die Berichte erwähnen nicht die Angriffshandlungen eines Handelsschiffes, die Vogelsang beobachtet haben will, doch waren Beobachter der *Frederika Lensen* überzeugt, eine angreifende »Fairmile« habe Treffer erzielt. Während seines Schnelltauchens hörte Vogelsang gedämpfte Geräusche von neun Wasserbomben.

Etwa zwei Stunden später, wieder auf Sehrohrtiefe, beobachtete *U 132* die *Frederika Lensen,* Rettungsboote ausgesetzt, im Schlepp von HMCS *Weyburn* und gesichert durch eine »Fairmile«. Der Geleitzug SQ-20 unter dem Schutz von HMCS *Charlottetown* stand jetzt weit westlich. Um Mitternacht hatten sich weitere Bewacher um die *Lensen* versammelt, sie wurden unterstützt durch Überwachungsflugzeuge, die das Uboot so tief überflogen, daß es gezwungen war zu tauchen. Obwohl Flugzeuge *U 132* im St. Lawrence-Strom gesichtet hatten, entkam es bei dieser Gelegenheit. Inzwischen wurde HMCS *Clayoquot* auf den Schauplatz entsandt, um das beschädigte Schiff vor weiteren Angriffen zu schützen. Am nächsten Tag ankerte die *Frederika Lensen* in der Grande Vallée Bay. Hier brach sie in der Mitte auseinander und wurde Totalverlust.[39] Veranlaßt durch zwei dumpfe Explosionen, gefolgt von krachenden, knirschenden Geräuschen und dem Reißen von Schotten kam *U 132* an die Oberfläche und sah dort sein Opfer auf dem Strand mit einer großen herausquellenden Rauchwolke. Vogelsang faßte seine Beobachtungen in einen längeren Lagebericht an den BdU vom 24. Juli zusammen. Er hatte bei Verlassen der Cabot Strait außer harmlosen Fischern, die er als Ubootfallen verdächtigte, sonst wenig von taktischem Interesse gefunden.

Erst drei Monate später erlaubten die Sicherheitsvorkehrungen die Veröffentlichung dieses »kühnen Ubootangriffes am hellen Tag im St. Lawrence«. Der an alle Zeitungen verbreitete Bericht eines Kriegsberichterstatters, der auf einem der Marineschiffe gewesen war, gab beachtliche Einzelheiten über Zeit und Ort des Angriffs, Wetterbedingungen, Name des torpedierten Schiffes und die Zahl der Geleitfahrzeuge bekannt. Er enthielt auch ziemliches Wunschdenken, als er beschrieb, wie durch die »schnelle Einnahme von Angriffspositionen das Gebiet dicht um den Geleitzug zu einer wahren Todesfalle für jedes Uboot« gemacht wurde.[40] Eine von Freemans taktischen Spekulationen ging aber eindeutig auf seine Gespräche mit Marineangehörigen zurück, daß nämlich »der Überfall bei Tag das Werk eines einzelnen Unterseebootes war mit dem bestimmten Zweck, einige von den Sicherungsfahrzeugen abzuziehen und damit den Geleitzug für einen konzentrierten Rudelangriff in der Nacht verwundbarer zu machen«. Das Konzept der Rudeltaktik hatte sich in die Gedankenwelt der Bevölkerung eingegraben, und was der Bericht darüber sagte, war nicht ohne Logik. Tatsächlich aber war daran weder im Golf, wo keine Rudel operierten, noch selbst im Mittelatlantik etwas Wahres. Freemans zweite Spekulation bezog sich auf die Eigenschaften der deutschen Torpedos. Er behauptete, daß »Marineangehörige ihm erklärt hätten, daß die Torpedos, nachdem sie das Rohr verlassen hatten, nicht in einer geraden, horizontalen Linie liefen, sondern beim Lauf innerhalb einer Spanne von anderthalb Metern stiegen und fielen«. Die *Frederika Lensen* sei also während einer dieser Aufwärtsbewegungen des Torpedos am Boden getroffen worden. Diese entstellte Wiedergabe war nicht nur unlogisch; die Behauptung, der Tiefenlauf der Torpedos sei so programmiert, daß er in rhythmischen Wellen verliefe, war in der Tat auch unrichtig. Im Gegenteil, alle vertikalen Verschiebungen waren ausgesprochen arhythmisch und nicht geplant, und die deutsche Torpedo-Versuchsanstalt (TVA) hatte monatelang versucht, solche unerwünschten Tiefenveränderungen zu verhindern. Bisher hatten die Torpedos dazu tendiert, die Ziele zu unterlaufen; der Artikel jedoch nahm die LUT* (Lageunabhängigen) und FAT* (Flächenabsuchenden) Zielsuch-Torpedos vorweg, die auf vorgeschriebenen, horizontalen Suchkursen und auf eingestellter Tiefe liefen.

Die letzten sieben Boote, die vom 20. Juni bis zum 28. Juli vor der nordamerikanischen Küste operierten, fanden keine wertvollen Einzelziele mehr. Nur wenige Schiffe fuhren nun allein; beide Seiten betrachteten einzeln fahrende Schiffe als besonders gefährdet. Die Geleitzüge konzentrierten Schiffe und Geleitfahrzeuge so, daß sie die Uboote geradezu einluden, sich den Verteidigern zu stellen. So versenkte *U 215*, Hoeckner, am 3. Juli das amerikanische Schiff *Alexander McCombe*, 7191 Tonnen, vom Geleitzug BA-2, südöstlich von Nova Scotia und wurde dann von den Geleitfahrzeugen versenkt.[41] Zwölf Tage später versenkte das erfolgreiche *U 576*, Heinicke, das einen 11 147-t-Tanker vor der US-Ostküste torpediert hatte, zwei Schiffe im Geleitzug. Nach Gegenangriff durch ein Überwachungsflugzeug wurde *U 576* dann von SS *Unicoi* gerammt und sank mit der ganzen Besatzung.[42] Am 19. Juli rief der BdU *U 132*, Vogelsang, *U 89*, Lohmann, *U 458*, Diggins und *U 754*, Oestermann, auf Positionen südöstlich von Halifax zurück. Zwischen dem 30. Juli und 5. August waren die Erfolge gering: *U 458* versenkte ein 4870-t-Handelsschiff; *U 89* den kanadischen Schoner *Lucille M*, 54 Tonnen, nach 45minütigem Artilleriebeschuß 100 Meilen südlich von Cape Sable; und *U 754* vernichtete 120 Meilen südlich von Halifax das amerikanische Fischereifahrzeug *Ebb*, 260 Tonnen. Elf Überlebende des Schoners landeten am nächsten Tag mit zwei Ruderbooten in Clarke's Harbour. Wie einer berichtete, war *U 89*

»in Rufweite gekommen und ein gut englisch sprechender Kommandant hatte sein Bedauern ausgedrückt, daß er ihr Schiff habe beschießen müssen, aber er habe Befehle, denen er gehorchen müsse«.

Der RCAF-Bericht meldete jedoch, daß »zwei kleine Fischerboote rücksichtslos und ohne Warnung bei Nacht mit Artillerie angegriffen worden seien«.[43] *U 754* hatte den Schiffsführer der *Ebb* getötet und zwei der Besatzung verwundet, vier Männer wurden vermißt. Die RCAF rächte sie, wie wir sehen werden, am Ende des Monats. Inzwischen setzte der Gaspé-Abgeordnete Roy in einer nach einem Frontseitenbericht der LE SOLEIL »tumulthaften Sitzung in Ottawa« seine Forderung nach zuverlässiger Information über die Uboottätigkeit fort. LE SOLEIL unterstützte seine Sache am gleichen Tag durch die Bekanntgabe der Versenkung

---

* Anmerkung d. Übers.: LUT und FAT waren Torpedos, die, wenn sie ohne Treffer den Geleitzug passiert hatten, kehrt machten und in Schleifen durch den Geleitzug liefen, um sich so noch ein Ziel zu suchen.

der *Lucille M* in stark politisierendem Rahmen. Die Uboote und die RCAF waren jedoch viel aktiver, als die Presse wissen konnte.

Am 30. Juli griff eine Hudson, 60 Meilen südöstlich von Cape Roseway, ein aufgetauchtes Uboot an, möglicherweise *U 89*. Die vier 125-kg-Wasserbomben des Flugzeuges detonierten sehr dicht neben dem Uboot und verursachten Trümmer und eine 2,5 Meilen lange Ölspur. Das überzeugte die RCAF, daß der »ausgezeichnete Angriff« beträchtliche Schäden verursacht habe.[44] Andere Sichtungen und Angriffe ereigneten sich in der Bay of Fundy, doch können wir nicht sicher sein, welche Uboote, wenn überhaupt, daran beteiligt waren. Die RCAF verfolgte das »beschädigte« Uboot am nächsten Tag und sichtete es schließlich »unter Wasser mit zahlreichen Luftblasen . . . als ob das Boot versuche, zum Auftauchen seine Tanks anzublasen«. Die RCAF beurteilte das immer noch unidentifizierte Uboot als »offensichtlich in großen Schwierigkeiten«. Insgesamt meldeten die Flugzeuge der RCAF im Juli 1942 mehr Sichtungen als in irgendeinem der vorangegangenen Monate.

Inzwischen sichtete Vogelsang, *U 132,* am 30. Juli 25 Meilen südwestlich von West Point, Sable Island, den Geleitzug ON-113 auf einer Position, die weder Diggins noch Oestermann erreichen konnten. Die kanadischen Dienststellen waren sehr besorgt, denn Uboote hatten diesen Geleitzug in der vergangenen Woche so hartnäckig angegriffen, wie man es bisher im westlichen Atlantik noch nie erlebt hatte.[45] Vogelsang stand steuerbord weit voraus vor dem sich nähernden, für Halifax bestimmten Geleitzug: sechs Schiffe in der Breite, vier Schiffe in der Tiefe. Ein Ujagd-»Feger« lief an Steuerbordseite des Geleitzuges auf und über das Boot hinweg. Gerade als *U 132* wieder auf Sehrohrtiefe kam, machte der Geleitzug einen scharfen Zack und überlief ihn in voller Breite. »Doppelschuß auf einen 8000-BRT-Frachter« (KTB) aus 800 Meter Entfernung. Nach dem Schuß ging Vogelsang gleich auf Tiefe vor einem überlaufenden Dampfer. Getaucht drehte er parallel zum Generalkurs des Geleitzuges, fast genau Kurs West. Nach 28 Sekunden Laufzeit hörte er die Detonation seines Torpedos, dann

»zwischen den Schraubengeräuschen der Dampfer hörbares Knacken und Brechen, dazu längeres Rauschen«

eines auf Tiefe gehenden, brechenden Schiffes. Vogelsang hatten den britischen Dampfer *Pacific Pioneer,* 6734 Tonnen, versenkt. Aus technischen Gründen konnte *U 132* das eigene Absinken nicht aufhalten, bis es in 80 Meter Wassertiefe den Grund der Sable Island Banks berührte. Geräusche von Wasserbomben und Asdic füllten das Boot. Vogelsang stellte alle Maschinen, einschließlich Kreiselkompaß ab, um der Suche der drei deutlich über ihm zu hörenden Zerstörer zu entgehen. Beim Getöse und der Wasserverwirbelung jeder Wasserbombenexplosion stellte Vogelsang schnell seine Pumpen an, um das Boot vom Grund zu lösen, und kam schließlich frei. »Im Horchgerät nur noch ein Zerstörer zu hören, der zeitweise stoppt, er wirft von Zeit zu Zeit Schreckwabos. Auf Sehrohrtiefe gegangen, dunkle Nacht.« Kein einziger Torpedo blieb ihm übrig.

Der Staffelkapitän der 113. »Hudson«-Staffel war in der RCAF einzigartig in seinem Bemühen, sich die taktischen Erfahrungen der »Royal Air Force« zunutze zu machen, insbesondere die Verfahren der Ubootabwehr. Nun führte eine neue Taktik zur Vernichtung von *U 754,* Oestermann. Statt weiterhin im Niedrigflug zu überwachen, den die Ubootfahrer gut erkennen und geradezu erwarten konnten, flog die Staffel nunmehr in 1000 bis 1500 Meter Höhe.[46] Das eröffnete die Möglichkeit zu wirkungsvollen Überraschungsangriffen. Der Tag, den man sich für einen Test ausgesucht hatte, bot ideale atmosphärische Bedingungen. Am 31. Juli behinderte leichter Dunst über See die Sicht der Brückenausgucks nach oben, während Flugzeuge in der vorgesehenen Höhe einen ziemlich klaren Blick auf Objekte unter ihnen hatten. Die horizontale Sichtweite betrug 5 Meilen. Eine »Hudson« aus Yarmouth, Nova Scotia, sichtete *U 754* drei Meilen voraus in Überwasserfahrt mit einer Geschwindigkeit von 8 bis 10 Knoten. Das Flugzeug griff in einer engen S-Kurve an, und während die Ubootbesatzung sich um das Luk drängte, löste das Flugzeug vier Bomben. Als die Bomben dicht am Rumpf detonierten, war das gesamte Deck des Ubootes noch zu sehen. Mit einer scharfen Linkskurve beschoß die »Hudson« nun den Kommandoturm mit Maschinenkanonen. 55 Minuten später durchbrach eine schwere Explosion die Wasseroberfläche. Während ein ablösendes Flugzeug über die Trümmer flog, durchsuchten kanadische Überwasserschiffe das Zielgebiet. HMS *Veteran* entdeckte schließlich große Ölmengen, die ein Uboot auf dem Grund in 120 Meter Tiefe anzeigten. Der kanadische Bericht meldete richtigerweise eine Vernichtung.

Inzwischen hatte der BdU Vogelsang befohlen, den direkten Weg nach Hause zu nehmen, ohne – wenn irgend möglich – unterwegs Brennstoffergänzung anzufordern. Bis zum 5. August fuhr er nur mit dem Backbord-Diesel, dann war auch der Steuerbord-Diesel soweit repariert, daß er mit voller Kraft fahren konnte. Die technischen Einzelheiten dieser Reise, wie sie am 16. August 1942 nach dem Einlaufen berichtet wurden, bieten eine der wenigen logistischen Zusammenfassungen, die es aus dieser Periode gibt. Während der 68tägigen Unternehmung hatte *U 132* 8757,5 Seemeilen in Überwasserfahrt und 1143,9 Seemeilen im Unterwassermarsch zurückgelegt. Der Verbrauch betrug 151,34 cbm Dieselkraftstoff, 4692 Liter Öl und 10615 Liter Trinkwasser. Das Boot hatte alle zwölf Torpedos verschossen und fünf Schiffe mit insgesamt 21350 Tonnen versenkt. Mit den Worten des Chefs der Operationsabteilung von Admiral Karl Dönitz, dem Kapitän zur See Eberhard Godt (der liebe Gott), war es eine

»gut durchgeführte Unternehmung des Bootes. Der Entschluß des Kommandanten, nach Wabo-Beschädigungen die Unternehmung fortzusetzen, und seine Zähigkeit im Operationsgebiet des St. Lawrence-Stromes haben sich gelohnt und zu einem schönen Erfolg geführt«.

Im Herbst kehrte *U 132* nach Kanada zurück und ging mit der gesamten Besatzung am 5. November 1942 bei der Explosion eines Munitionsschiffes im Sydney-UK Geleitzug SC-107 vor Newfoundland verloren.

Der August 1942 war der Zeitraum intensivster Luftüberwachung, die das »Eastern Air Command« bis dahin in den Küstengewässern geleistet hatte. In 984 Flügen wurden ein 816000-Meilen-Gebiet in 6160 Flugstunden überwacht und 206 Geleitzüge mit insgesamt 3256 Schiffen geleitet.[47] Die Taktik von Dönitz, Druck auszuüben, war der eigentliche Grund dieser bis dahin noch nicht dagewesenen Steigerung der Abwehr. Obwohl nur drei Angriffe auf Uboote durch Flugzeuge stattfanden (zwei durch die RCAF und einer durch die US-Navy), erbrachten die Flugzeuge eine ungewöhnliche Anzahl von Sichtungen, die meisten im Golf von Maine und im Golf des St. Lawrence. Doch »kein Teil unserer Küste blieb von den feindlichen Ubooten unbeachtet«, stellte die RCAF fest. Einen größeren Rückschlag erlitten die kanadischen Luftstreitkräfte allerdings. Mit der Notwasserung der auf Sable Island stationierten »Walrus« der britischen Marineflieger verlor das »Eastern Air Command« einen wichtigen Gefechtsstand. »Nicht genügend erfahren in Navigation über See«, wie COAC den britischen Behörden meldete, hatte der Navigator versäumt, genügend Brennstoffreserven für seine Rückkehr zum Stützpunkt in Reserve zu halten.[48] Der Doppeldecker hatte in diesem Monat nur 20 Flugstunden über See geflogen. Der Korvette HMCS *Napenee* aus dem Geleit des Geleitzuges Halifax-UK HX-204 war es gelungen, die zweiköpfige Besatzung, die drei Tage schlingernd in der See überlebt hatte, ehe die »Walrus« sank, aufzunehmen. Commanding Officer Atlantic Coast legte dem Kommandeur des »Eastern Air Command« nahe, »mehr erfahrenes RCAF-Personal für zukünftige Flüge dieser Art bereitzustellen«. Aus niemals geklärten Gründen führte diese Frage jedoch zu keinen merkbaren Reaktionen. Obwohl die Mittel für die Fliegerei überall verstärkt wurden, verließ sich die RCAF auch weiterhin im wesentlichen auf die Erhöhung der Routine-Ausbildungsflüge über den Geleitzugwegen im Golf von St. Lawrence. Die Dienststellen waren auch in Zukunft davon überzeugt, daß »diese Flugzeuge eine abschreckende Wirkung auf Ubootkommandanten hatten«, da am Monatsende kein einziges Uboot die Schiffahrt im Bereich dieser Ausbildungsflüge angegriffen hatte. Auch anderswo dienten Ausbildungsflüge diesem Zweck.

Zwei Angriffe, möglicherweise auf *U 458,* Diggins, verdienen besondere Erwähnung. Der erste begann, als kanadische Küstenstationen die Funkspruchabgabe eines Ubootes etwa 30 Meilen südöstlich von Cape Roseway, Nova Scotia, einpeilten, und damit einen Ubootabwehreinsatz der 113. Staffel in Yarmouth auslösten. Am Nachmittag des 2. August sichtete eine »Hudson« aus 1200 Meter Höhe »ein aufgetauchtes Uboot, mit grauer Farbe ausgezeichnet getarnt«, das etwa 15 Knoten lief. Das Flugzeug ging zum Sturzflug über, um mit einer Geschwindigkeit von 225 Knoten die Zwei-Meilen-Strecke bis zum Ziel zu überbrücken, fing auf 15 Meter ab und warf vier 125-kg-Wasserbomben, auf eine Detonationstiefe von 8 Meter eingestellt. Siebenundzwanzig Sekunden brauchte das Uboot, um von der Oberfläche zu verschwinden, nach einer Sekunde schlugen die Bomben auf dem Wasser auf, die in 1,5 Sekunden auf acht Meter sanken. In der Annahme, daß ein mit 8 Knoten tauchendes Uboot in zehn Sekunden auf sieben Meter Tiefe ist und 40 Meter zurückgelegt hat, plazierte der Pilot seine Bomben so, daß sie beiderseits des Ubootdruckkörpers detonieren sollten. Der gut durchgeführte Angriff brachte einige Ölspuren und ließ geringere Schäden am Ziel erkennen. Mit den Worten der RCAF:

»Nur die Fähigkeit der Ubootbesatzung, so schnell ein Alarmtauchen durchzuführen . . .
bewahrte das Boot vor schwerem Schaden.«

Beim zweiten Angriff, zwei Tage später, 85 Meilen weiter östlich, sichtete eine »Hudson« bei einem Navigationsübungsflug aus einer Höhe von 600 Meter ein voll aufgetauchtes Uboot. Das Uboot lag bei 20 Meilen Sicht 4 bis 5 Meilen entfernt, als die »Hudson« zu steilem Sturzflug ansetzte. Die Flugzeugbesatzung schoß 1140 Schuß aus der Maschinenkanone, ehe sie auf 15 Meter abfing, Wasserbomben warf und schnell in eine linke Steigkurve eindrehte. Die Flugzeugbesatzung beobachtete, wie ihre Leuchtspurgeschosse vom Kommandoturm abprallten, auf dem die Deutschen sich um das Luk drängelten. Sie gewannen den Eindruck, daß die Geschützbedienung des Ubootes bis zur allerletzten Minute zur Abwehr auf ihrer Gefechtsstation geblieben war. Als eine Wasserbombe neben dem Kommandoturm detonierte, tauchte das Uboot steil in die schwere See. Obwohl die »Hudson« vermutete, einen Volltreffer erzielt zu haben, blieb der einzige Hinweis auf eine Beschädigung eine Verwirbelung der Wasseroberfläche durch große Luftblasen und ein kleiner Ölfleck. Das Flugzeug meldete, es habe »drei ausgezeichnete Fotoaufnahmen« gemacht und behauptete beharrlich, dieses außergewöhnliche Uboot sei ganz seltsam angemalt, »in grau-grüner und brauner Farbe, ähnlich dem Tarnanstrich unserer Flugzeuge«. Das mit ASV ausgerüstete Flugzeug, das theoretisch ein Uboot auf 4 bis 5 Meilen orten konnte, blieb auf dem Schauplatz, entdeckte jedoch in 17 Meilen Abstand nur rote Leuchtraketen, die möglicherweise ein »Signal eines hilflosen Ubootes« hätten sein können. Nach deutschen Unterlagen ging in dieser Nacht kein Boot verloren.

Nach kanadischen Berichten hatte nun »eine ungewöhnliche Ruhe« in der Uboottätigkeit eingesetzt. Mit den Worten des »Eastern Air Command«, daß »zur Zeit keine Uboote hier sind, was sich im Fehlen von Sichtmeldungen und Angriffen der Boote zeigt, ist verblüffend«. Doch eine neue Welle war unterwegs. Sie sollte auslösen, was ein Kriegsberichterstatter des OTTAWA JOURNAL in seinem besten Krimi-Englisch als »die Schlacht im St. Lawrence, a no-trace-of-the-body-business« nannte, ein Überfall nach Mafia-Art.[49]

4. Kapitel

Die Schlacht auf dem St. Lawrence-Strom

Anfang August 1942 liefen drei Uboote unabhängig voneinander aus Kiel-Wik aus, um zu erkunden, was Admiral Dönitz irrtümlicherweise für die Hauptausfahrt des St. Lawrence-Verkehrs in den Nordatlantik hielt: die Belle Isle Straße. Diese 78 Seemeilen lange Gewässerstrecke zwischen Labrador und Newfoundland bildet den nördlichen Ausgang für Schiffe, die vom Golf in den Atlantik laufen. Mit ihr beginnt für den Verkehr aus dem Golf und aus dem St. Lawrence-Strom der kürzeste Weg nach Europa. Uboote hatten dieses Gebiet im Herbst 1941 natürlich kurz berührt, sich aber niemals stärker darauf konzentriert. Was sich später zur »Schlacht im St. Lawrence« entwickelte und in den Monaten zuvor mit Einzelunternehmungen ankündigte, ergab sich im Grunde aus der Initiative von *U 165*, Hoffmann, und *U 157*, Hartwig, die nach achtzehntägiger Atlantiküberfahrt ihre zugewiesenen Operationsgebiete vor Newfoundland wenig erfolgversprechend beurteilten. Nicht zufrieden damit, einfach darauf zu warten, daß Ziele in Sicht kamen, suchten sie an der Quelle. Es waren die einzigen Uboote, die den Golf und den Strom über die Belle Isle Straße anliefen. »Rudel«-Angriffe gegen den Geleitzug ON 115 südöstlich von Flemish Cap vom 2. bis 4. August sowie die Versenkung des britischen Tankers *Arletta*, 4870 Tonnen, durch *U 458*, Diggins, östlich von Sable Island am 5. August kündigten dem Marinehauptquartier in Ottawa an, die Boote würden möglicherweise weiter vordringen. Am Ende waren an »der Schlacht«, wie sie im Volksmund bezeichnet wurde, fünf Uboote beteiligt, die im Sommer und Herbst 1942 nach Westen bis Point au Père in den Fluß vordrangen. Sie griffen fünf Geleitzüge an, versenkten siebzehn Handelsschiffe sowie einen beladenen Truppentransporter und zwei Kriegsschiffe, HMCS *Racoon* und *Charlottetown,* und empörten schließlich die breite Öffentlichkeit durch die Versenkung der Personenfähre SS *Caribou* zwischen Sydney und Port aux Basques. Die politischen Reaktionen und das Presseecho waren, wie wir sehen werden, scharf und treffend; sie führten am 9. September 1942 zu der dubiosen Entscheidung, den Golf für den Handelsschiffsverkehr zu schließen. Das war schon in sich ein großartiger deutscher Coup, denn er veranlaßte den Gegner zu schwerwiegenden Umleitungen von Kriegsmaterial. Ebenso schwerwiegend waren die gegenseitigen politischen Beschuldigungen, die noch lange nach dem Krieg weiter schwelten. Das hochtrabende Gewäsch einer halboffiziellen kanadischen Publikation von 1944 hob die Fähigkeiten der kanadischen Marine hervor, angesichts jahrelanger politischer Wirren aus der Not eine Tugend gemacht zu haben: »Die Schlacht im Golf war eine Schlacht von Schiffen und Kanonen, von Männern, die auf den weiten Wassern des St. Lawrence glänzenden Mut bewiesen, eine Schlacht von Worten und politischen Ansichten im Parlament der Nation.«[1] Es war kein kanadischer Sieg, es war eine kanadische Niederlage.

U 513, Rüggeberg, das als erstes am 24. August 1942 vor der Küste eintraf und das einzige Boot von dreien, das vor der Belle Isle Straße blieb, traf auf eine Öde, die an Norwegen erinnerte, dort wo es am trostlosesten war. Auf der einen Seite des Eingangs die steile, nebelbedrohte Labradorküste aus Granit- und Sandsteinfelsen, die zu flachen Kämmen und Gipfeln von 300 bis 500 Meter anstiegen; auf der anderen Seite die fast konturenlose Küste von Newfoundland von Cape Norman bis Cape Bauld, die sich knapp 30 bis 50 Meter erhob.[2] Bis Ende Dezember konnte er mit einer relativ eisfreien Fahrt rechnen.

Kapitänleutnant Paul Hartwigs Unternehmung auf *U 517* begann mit charakteristischem Gespür. Das populärste und am meisten verherrlichte »enfant terrible« in der Nachkriegsberichterstattung der kanadischen Presse über die St. Lawrence-Unternehmungen wurde später in der Bundesmarine Vizeadmiral und Flottenchef. Bei strahlendem Mondlicht griff Hartwig am 27. August vor der Morgendämmerung das amerikanische 5649-t-Schiff SS *Chatham* an, das von einem Kutter der amerikanischen Coast Guard, USCG *Mojave,* geleitet wurde. Auf Luftschirm verzichtend liefen noch die beiden Schiffe vor dem aus fünf Schiffen bestehenden Sydney-Grönland Geleitzug SG-6F her, der von USCG *Algonquin* und *Mohawk* geleitet wurde. Nach einer amerikanischen Rückschau erhielten die Grönlandgeleitzüge »die langsamsten und am schlechtesten ausgerüsteten Geleitstreitkräfte, geführt von Offizieren und Besatzungen der Coast Guard, die nur eine kurze Ausbildung in Geleitaufgaben oder Ubootbekämpfung erhalten hatten. Nur dem Zufall und dem lieben Gott war es zu verdanken, wenn einige nicht vollständig von den Ubooten weggeputzt wurden.«[3] Hartwig hatte eine geschickte Art des bewußt untertriebenen Auftretens und geschickten Handelns, eine Kombination, die so vielen Führungspersönlichkeiten der Marine eigen ist. Es ist immer wichtig für den Zusammenhalt einer Besatzung, daß der Kommandant zeigt, daß er etwas kann, denn das vor allem schafft Vertrauen. Wenn er das geschickt hinkriegt, um so besser. Erst nach der Explosion bewies die Aktivität auf den schrägen Decks der *Chatham* sowie die Masse der Rettungsboote, daß er einen Truppentransporter getroffen hatte. Das Schiff hatte 562 Passagiere und Besatzungsangehörige an Bord, es versank innerhalb einer Stunde und nahm dreizehn Menschen mit sich. Es war der erste amerikanische Truppentransporter, der im Krieg verloren ging. Trotz klaren Wetters und uneingeschränkter Sicht sah niemand *U 517*. Hartwig fuhr während der Nacht um Belle Isle herum und fand bei seiner Rückkehr sechzehn vollbeladene Rettungsboote, über denen ein Flugzeug kreiste. »Ein Kutter mit einer weißen Flagge« lief auf die Überlebenden zu. Das war entweder der amerikanische Zerstörer USS *Bernadou* oder die Korvette

HMCS *Trail,* die beide am Rettungsunternehmen beteiligt waren. Kanadische und amerikanische Marinedienststellen führten den geringen Verlust an Menschen auf die beiderseitige Tüchtigkeit und Findigkeit zurück.

Inzwischen hatte Hoffmann mit *U 165* Fühlung mit der Hauptmacht des Geleitzuges bekommen, unterrichtete den BdU und lief zum Angriff an. Zwei Torpedos trafen den US-Frachter SS *Arlyn,* 3304 Tonnen, ein dritter ging vorbei, und der vierte beschädigte den US-Dampfer SS *Laramie,* 7253 Tonnen, der dann versuchte, den Hafen zu erreichen. Fünf Besatzungsmitglieder kamen ums Leben. Die *Arlyn* sank mehr als eine Stunde später, dreizehn Passagiere und Besatzungsmitglieder gingen verloren. Überlebende landeten an verschiedenen Punkten in Labrador, Newfoundland und auf Belle Isle selbst. Wie in dem vorhergehenden Angriff sah niemand *U 165.* Hartwig versenkte schließlich den »langsam trudelnden Dampfer« *Laramie,* der in Sicht kam, nachdem er Hoffmanns Meldung an den BdU aufgenommen hatte.

Der BdU hatte einige Bedenken gegenüber Hartwigs Bitte, sein Operationsgebiet in den Golf zu verlegen; schließlich jedoch erlaubte er ihm und Hoffmann, in den St. Lawrence einzudringen, während Rüggeberg vor Belle Isle auf und ab stand und nach Möglichkeit einen Überraschungsangriff auf den Ankerplatz in der Conception Bay ausführen sollte. Zu diesem Zeitpunkt hatte sich Hoffmann bereits auf eigene Verantwortung durch die Straße davongestohlen; Hartwig folgte. Nach Ansicht des kanadischen Stabes (NOIC) Sydney hatten die Angriffe »die Beziehungen und Verbindungen zwischen Sydney und den amerikanischen Dienststellen in Argentia, Newfoundland, erheblich verbessert«. Bis dahin hatten sich die Amerikaner offensichtlich abseits gehalten. Jetzt aber hofften die Kanadier auf Zusammenarbeit.

Hartwigs erster Zusammenstoß mit den Kanadiern verblüffte ihn. In der Annahme, ein Überraschungsangriff in der Forteau Bay, die das Segelhandbuch als geeigneten Ankerplatz für Handelsschiffe am westlichen Ende der Straße bezeichnete, sei aussichtsreich, lief Hartwig während der dunklen Stunden des 1. September bis auf 20 Meter an die Hauptpier heran. Als er zwei Stunden später aufgetaucht aus der leeren Bucht auslief, stieß er auf ein einlaufendes Bewachungsfahrzeug, das ihm von vorn mit hoher Fahrt entgegen kam. Es fuhr an dem Uboot vorbei, schien dann aufzudrehen, die Fahrt zu erhöhen und die Verfolgung aufzunehmen. Hartwig erhöhte seine Fahrt und versuchte zu entkommen, tauchte, sobald es die Wassertiefe erlaubte und sackte durch unerwartete Wasserschichtungen auf den sandigen Grund. Maschinengeräusche des Bewachers drangen mit schaurigem Klang durch das Uboot. Der Bewacher kreiste mehrfach, ohne eine einzige Bombe zu werfen, suchte mit dem dräuenden Zirpen und Rasseln des Asdics, das bei dichtem Herankommen anzuhören war, als würde Kies gegen den Ubootrumpf geworfen. Hartig besteht auch heute noch darauf, »die

Kanadier hätten erkennen müssen, daß sie ein Uboot in der Zange hatten«. Solche Begegnungen überzeugten die deutsche Seekriegsleitung, den Kanadiern mangele es an Durchhaltevermögen. Sehr bald aber merkten die Deutschen, daß die Asdic-Suche durch besondere Eigenschaften des Golfs behindert wurde.

Am 2. September lief Hartwig weiter an der Labradorküste entlang in den Golf, da sichtete er den von HMCS *Weyburn* und *Clayoquot* gesicherten Quebec-Labrador Geleitzug NL-6, 15 Meilen südöstlich von Luke Island. Ein zweiter Geleitzug, LN-7, von Labrador nach Quebec mit den Schiffen *Donald Stewart*, *Ericus* und *Canatco* lief in entgegengesetzter Richtung in die Straße ein. Er war durch die weit voraus an Backbord stehenden HMCS *Shawinigan* und *Trail* gesichert. Die nun folgende Verwirrung führte zu widersprechenden Aussagen in amtlichen Berichten. Die beiden Geleitzüge steuerten auf praktisch entgegengesetzten Kursen, und beide Geleitgruppen waren voll damit beschäftigt, ihre Geleitzüge voneinander frei zu halten. Das gab Hartwig die Möglichkeit, in der Dunkelheit eine vorliche Position für einen Überwasserangriff auf LN-7 zu erreichen und dabei sogar ein Geleitboot auf etwa 600 Meter zu passieren. Im Augenblick des Schusses sah Hartwig einen Bewacher hart aufdrehen und auf sich zulaufen. Das war die *Weyburn,* die vor NL-6 stand und zum Rammstoß ansetzte. Da sie *U 517* nicht einholen konnte, eröffnete sie das Feuer mit ihrem 10,2-cm-Geschütz und veranlaßte das Uboot zu tauchen.[4] Commander A. B. »Tony« German, der Sohn des NOIC Gaspé, damals junger Leutnant,

»stand auf der Brücke der ›Weyburn‹, als sie auf ›U 517‹ platzte, das gerade einen Fächer schoß und das 1781-t-Binnenschiff ›Donald Stewart‹ versenkte ... Die ›Weyburn« fand tatsächlich auch nicht die leiseste Spur im Asdic, obwohl wir das Boot zweimal in Lebensgröße gesichtet hatten.«

Mit Ausnahme von drei Mann wurde die Besatzung der *Donald Stewart* durch HMCS *Trail* gerettet und in Quebec an Land gesetzt. Wie in Forteau Bay war Hartwig überrascht, daß die *Weyburn* von einer nachhaltigen Ubootbekämpfung absah.

Der Angriff führte zu verstärkter Luftüberwachung und Bedrohung durch Fliegerbomben. Die RCAF setzte ihnen stärker zu als die Marine. Hartwig erinnert sich, welche Belastung die Luftüberwachung der RCAF, die Schreckbomben und Angriffe für seine Wachoffiziere bedeuteten. Unvermutet stießen Flugzeuge auf sie herab, flogen dicht an ihnen vorbei, stürzten aus einer Wolke oder flogen dicht über dem Wasser aus der Sonne an und warfen Bomben, die, selbst wenn sie ungenau lagen, eine Menge Krach machten. Seine Offiziere waren durch diese Angriffe sehr mitgenommen und legten ihm nahe, das Gebiet lieber getaucht zu überwachen; aufgetaucht fühlten sie sich höchst unsicher. Das bestätigt die Vermutung der RCAF zur damaligen Zeit, daß zumindest ein »Uboot einen sehr schmeichelhaften Bericht über die Einsatzbereitschaft unserer Flugzeuge vor dieser Küste nach Deutschland« mitgenommen hat.[5] Ein Flugzeug hatte *U 517* sogar zweimal hintereinander angegriffen. Bei anderen Gelegenheiten war die Fahrt auf dem St. Lawrence so ruhig, daß sie mit geöffnetem Vorluk an der Oberfläche fuhren. Das war natürlich ein erhebliches Risiko, doch das war es wert angesichts des Hungers nach frischer Luft und der märchenhaften Ruhe in diesem Gebiet. Die Besatzung, so erinnert sich Hartwig, erlebte in diesem wundervollen Herbst bei Gaspé Augenblicke, die ihnen über vierzig Jahre lang in Erinnerung blieben. Das waren Augenblicke, die Besorgnis und die Gedanken an den Krieg zerstreuten, Augenblicke reiner Poesie. Viele erinnern sich noch eines frühen Morgens vor der Gaspé-Küste. Nur an einem kleinen Gebäude in der winzigen Siedlung sah man ein Lebenszeichen, als die Morgendämmerung den Beginn eines neuen Tages anzeigte: Aus dem Schornstein einer beleuchteten Hütte quoll einladender Rauch hervor. Die Unterhaltung auf der Ubootbrücke – zwischen Kommandant, Wachoffizier, Leitendem Ingenieur und Ausguck – lief zwanglos und sogar vertraut zwischen den Dienstgraden und glitt von einer Erinnerung zur anderen. Im Gedanken an die Heimat konnte die einzelne beleuchtete Hütte in dem Dorf nur die des Bäckers sein, der seine Brötchen bereitete, köstliche, frisch gebackene, knusprige Brötchen, die den Kern des traditionellen deutschen Frühstücks bilden. Gedanken an frisch gebackenes Brot ließen den harten Schiffszwieback und die Konservennahrung an Bord aus der Wirklichkeit verschwinden. Ein wenig Nostalgie kam in das halb ernste, halb spinnige Gespräch. Könnte man nicht ein Dinghi für einen Landgang aussetzen? Das blieb leider ein Traum.

U 165 hatte zu dieser Zeit den Südteil des Golfs bis zur Westküste von Cape Breton Island durchquert, wo ihm am 5. September ein Angriff auf das allein fahrende kanadische Frachtschiff SS *Meadcliffe Hall,* 1895 Tonnen, vor Chéticamp mißlang. Das Boot drehte nach Nordwesten in die Gaspé Passage hinein in der Hoffnung, in der Enge zwischen Pointe des Monts und Ste Félicité Verkehr anzutreffen. Rüggebergs kühne Tageserkundung mit *U 513* am gleichen Tag in der Conception Bay, Newfoundland, hatte weitgehende Auswirkungen. Nachdem er in der Nacht aufgetaucht in das Flachwassergebiet des Wabana-Ankerplatzes vor Belle Isle eingedrungen war, tauchte er am Morgen und versenkte zwei vollbeladene Schiffe, die Briten *Lord Strathcona,* 7335 Tonnen, und die SS *Sagonaga,* 5454 Tonnen. Beide sanken innerhalb von drei Minuten. Dreiunddreißig Besatzungsangehörige der *Sagonaga* kamen ums Leben. Die Explosionen lösten einzelne Schüsse der Küstenbatterien von Belle Isle aus; eine Wolkendecke in 60 Meter Höhe verhinderte Ubootabwehreinsätze durch Flugzeuge der RCAF, die schnell zur Stelle waren. Bis zur Vernichtung des 7174-t-Frachters *Ocean Vagabond* vor St. John's, Newfoundland, am 29. September hatte *U 513* keine weiteren Erfolge.

Die Versenkungen auf der Reede von Wabana entfachten in Newfoundland die gleiche Unruhe, wie es die auf dem St. Lawrence-Strom und -Golf in Quebec getan hatten. Newfoundlands offensichtliche Isolation sowie der koloniale Status verhinderten, daß Klagen in Ottawa erhoben wurden. Man akzeptierte den Verlust von Geleitfahrzeugen und Handelsschiffen im Geleitzug als »Kriegsgeschick«, wie der Operationsoffizier vom Flag Officer Newfoundland FONF bemerkte. Aber »der Verlust von Schiffen vor Wabana und dicht bei St. John's, obwohl auch ›Kriegsgeschick‹, sind einer Bevölkerung schwieriger zu erklären, die alles, was vor ihrer Tür versenkt wird, dem Pflichtversäumnis der Marine zuschreibt«.[6] Die erfolgreichen Angriffe von U 513 hatten mit den Worten des Operationsoffiziers von FONF »eine lautstark erhobene Forderung nach Schutz aus den Außenhäfen hervorgerufen, deren Wert in gar keinem Verhältnis zur Gesamtstrategie stand«. Trotz festen Zupackens des Zensors verbreitete sich die Nachricht von Ubootangriffen − wie in Quebec − schnell. Die Diskrepanz zwischen allgemeinem Wissen und offiziellem Schweigen betrachtete die Bevölkerung als »Vertuschung«. Die Häufung dieser Versenkungen, einschließlich der von U 518 am 2. November, führte zum Bau von Torpedonetzen, die jedoch nicht vor Ende Dezember 1942 fertig waren.

Mittlerweile hatte Kapitänleutnant Hartwig in einem 32 Meilen großen Bogen südlich von Heath Point, Anticosti, aufgeklärt; nun entschloß er sich, den Golf zur Halbinsel Gaspé zu überqueren. Am 7. September fing er um 10 Uhr Hoffmanns Funkmeldung über Geleitzugbewegungen im Quadrat BA 36 auf, dessen westliche und östliche Grenzen das Gebiet von Les Méchins bis Gros Mornes einschloß. Das war wahrscheinlich der gleiche Funkspruch an die deutsche Befehlsstelle, die die Versenkung von zwei Schiffen westlich von Les Méchins meldete.[7] Hartwig vermutete richtig, der Geleitzug werde sich dicht unter die Gaspé-Küste klemmen, seine beste Position sei daher so dicht wie möglich unter Land. Am Morgen wartete er vor Pointe à la Frégate, um in den Kampf um QS-33 einzugreifen.

Viele Stunden vor diesem Funkspruch hatte Hoffmann auf U 165 am Quebec-Sydney Geleitzug QS-33 Fühlung gehalten. Er bestand aus acht Handelsschiffen in zwei Kolonnen und passierte Pointe au Père östlich von Rimouski um 1630 MGZ, gesichert von einem Golf-Geleitverband in folgenden Positionen: Der Führer der Geleitstreitkräfte auf der Korvette HMCS *Arrowhead* und der *Bangor* Minensucher HMCS *Truro* standen an Backbord- bzw. Steuerbordseite der Spitzenschiffe; die »Fairmile« HMCML *Q-083* sicherte vor dem Verband, HMCML *Q-065* stand genau achteraus des Geleitzuges und die bewaffnete Yacht HMCS *Raccoon* eine halbe Meile achteraus. Bei schlechter Sicht in den frühen Morgenstunden des 7. September 1942 griff U 165 den Geleitzug an und versenkte fünf Meilen nordwestlich von Cap Chat den 2988 Tonnen großen griechischen Dampfer *Aeas*.[8] HMCS *Arrowhead* beleuchtete die Szene mit einer Leuchtgranate, deren Lichtkegel achteraus bis zur Position der *Raccoon* reichte; dort wurde diese, nach allem was man weiß, zum letzten Mal gesehen. *Arrowhead* setzte die

Ubootsuche fort, nahm 29 Überlebende der *Aeas* auf und kehrte auf ihre Sicherungsstation zurück. Die Überlebenden wurden auf Gaspé an Land gesetzt; zwei Besatzungsangehörige wurden vermißt. Nicht völlig davon überzeugt, dies sei ein Uboot gewesen, schrieben die kanadischen Dienststellen den Verlust der *Aeas* entweder »einem Torpedo oder einer inneren Explosion zu«. Sehr wahrscheinlich hatten zwei Explosionen die Lage verwirrt: die erste von Hoffmanns Torpedo, und die zweite, fünfzehn Minuten später, durch eine schwere Kesselexplosion, die das Schiff auf den Grund schickte. Der Verlust von HMCS *Raccoon* (ex *Halonia*) blieb so rätselhaft wie makaber.

Nach dem Monatsbericht des Operationsoffiziers in Halifax hatte HMCS *Raccoon* am 7. September um 0240 MGZ, Minuten nach der Versenkung der *Aeas* gemeldet, daß sie mit Torpedos angegriffen wurde. Einer lief offensichtlich zehn Meter vor ihr vorbei, der andere unterlief sie Vorkante Brücke. HMCS *Raccoon* scheint dann der Blasenbahn 6000 Meter entlang gelaufen zu sein und Wasserbomben geworfen, aber keinen Kontakt im Asdic gehabt zu haben. Gegen 0500 MGZ, fast drei Stunden nach dem Verlust der *Aeas*, verließ HMCS *Arrowhead* vorübergehend seine Station, um vor dem Geleitzug zu suchen. Um 0512 hörten bei Martin River Leuchtturm mehrere Schiffe kurz hintereinander zwei Explosionen, gefolgt von einem kurzen Ton einer Dampfpfeife. Trotz der Dunkelheit behaupteten Augenzeugen, zwei Wassersäulen backbord achteraus vom Geleitzug gesehen zu haben. Da dort die Station der *Raccoon* war, nahm man allgemein an, daß sie »den nächtlichen Räuber gefaßt hatte und einen Wasserbombenangriff durchführte.«[9]

Arrowhead fegte an der Backbordseite des Geleitzuges entlang zu einem Punkt weit hinter der Station der *Raccoon*, meldete aber weder Sichtung noch Kontakt. Aufgrund der Funkmeldungen von *U 165* erklärten deutsche Berichte, Hoffmann habe die *Raccoon* versenkt.[10] Im Geleitzug und bei den Sicherungskräften nahm jedoch keiner an, die Yacht sei vernichtet worden. Sieben Stunden nach ihrem Untergang forderte der Stabsoffizier (NOIC) Gaspé über Funk die *Raccoon* auf, Standort, Kurs und Fahrt zu melden. Als keine Antwort erfolgte, ging man davon aus, daß sie mit der gesamten Besatzung verloren gegangen sei. Nach und nach ergaben sich einige Einzelheiten. Am 21. September wurden eine Schwimmweste, mit dem Vorkriegsnamen der Yacht *Halonia* gezeichnet, zusammen mit kleineren Wrackstücken an der Westseite von Anticosti bei Ellis Bay angespült. Vier Wochen nach der Versenkung fand ein Bewacher die stark zersetzte Leiche eines Offiziers, die einzige Leiche, die von der *Raccoon* je gefunden wurde. Sie wurde mit allen Ehren in See beigesetzt. Fünf Tage später wurde das Motorboot der *Raccoon* beim Thunder River gefunden, dann weiteres Treibgut und ein Teil der Brücke der Yacht. Der Untersuchungsausschuß schloß, daß die Yacht bei einem Wasserbombenangriff »durch einen oder mehrere Torpedotreffer versenkt wurde«. Da Hoffmanns Logbuch nicht vorliegt, werden wir nie erfahren, was wirklich passiert ist.

Inzwischen stieß HMCS *Vegreville* zu dem durch Versenkungen und Zersprengung auf vier Schiffe und vier Geleitboote reduzierten Geleitzug QS-33. Im Laufe des Vormittags am 7. September lief der Geleitzug auf *U 517* zu, das um 1306 MGZ »drei dicke Dampfer, mindestens 6000 Tonnen, vier Bewacher und ein Flugzeug« erkannte (KTB). Da Entfernung und Lagewinkel ungünstig waren, blieb Hartwig drei Stunden unter Wasser, tauchte dann auf, um eine vorliche Schußposition zu erreichen. Regen, Dunst und Nebel verringerten die Sicht erheblich. Um 1724 funkte er an Hoffmann, der Geleitzug stände nun in der Höhe von Cloridorme und führe die Sicherungsstreitkräfte in Dwarslinie an den Flanken. Durch die Luftsicherung unter Wasser gedrückt, die ihn jedoch anscheinend nicht geortet hatte, kam er dadurch, daß die Formation direkt auf ihn zu zackte und ihn zwischen dem ersten und zweiten Schiff eingabelte, in Schußposition. Hartwig drehte um 180 Grad, und als einer der Bewacher 200 Meter vor ihm plötzlich abdrehte, schoß er vier Einzelschüsse. Durch das Sehrohr beobachtete Hartwig die Versenkung von drei Schiffen, 18 Meilen ostwärts von Cape Gaspé: die griechischen Frachter *Mount Pindus*, 5729 Tonnen, und *Mount Taygetos*, 3826 Tonnen, beide mit Kriegsmaterial, darunter auch Tanks, beladen, sowie den kanadischen Frachter SS *Oakton*, 1727 Tonnen.[11] Warum die *Oakton* Kohle für Sydney geladen hatte, ist völlig unklar. In einem Zeitraum von drei Minuten nacheinander torpediert, versanken die drei Schiffe innerhalb von 15 Minuten. Die *Oakton* hatte keine Verluste, die *Taygetos* fünf und die *Mount Pindus* zwei. »Fairmile« Q-083 brachte 78 Überlebende in Gaspé an Land, wo sie einen Zug nach Montreal bestiegen. Die Eisenbahnstrecke Gaspé – Montreal gab den Reportern in der Zeit der Ubootangriffe direkten Zugang zu unzensierten Nachrichten.

Die Nachrichtensendung des Berliner Rundfunks über den Atlantikkrieg an diesem Tag, bei der die kanadische Marine ziemlich schlecht weg kam, scheint sich auf die früheren Versenkungen im St. Lawrence gestützt zu haben. Aber wie alle wirkungsvolle Propaganda enthielt sie genügend Wahrheit, um authentisch zu klingen:

»*Der Verlust von zwölf Handelsschiffen mit insgesamt 80 144 Tonnen im Monat August veranlaßte die Briten und Engländer (sic) zu verzweifelten Abwehrmaßnahmen. Nun ist zum Beispiel die kanadische Marine, die sich zu neun Zehntel aus beschlagnahmten Fischerbooten, Küstenschiffen und Luxusyachten zusammensetzt, gezwungen, aus diesen drittklassigen Schiffen ein Geleitzug-Sicherungssystem aufzubauen. Diese Organisation bedient ein Drittel der bedrohten Schiffahrtsroute zwischen Kanada und den Britischen Inseln.*«[12]

Etwa zur gleichen Zeit sichtete eine »Hudson« der 113. Staffel aus Chatham, New Brunswick, *U 517* aus einer Höhe von 1500 Metern.[13] Die Flugzeugbesatzung meldete, daß »das Uboot seegrüne Farbe hatte, der Kommandoturm weiß, so daß auf größere Entfernung das Boot irrigerweise für ein Segelboot gehalten werden konnte«. Dies war nur eine der vielen Behauptungen über einen eigenartigen

Tarnanstrich, der in den deutschen Berichten keine Bestätigung findet. Mit der Sturzbomber- und Tiefabflugtechnik, die sich bei der Versenkung von *U 754* am 31. Juli südlich von Cape Sable so erfolgreich erwiesen hatte, setzte die »Hudson« ihren Angriff auf das ahnungslose Ziel an. Da es ihm nicht gelang, rechtzeitig Höhe zu verlieren, überflog das Flugzeug das immer noch aufgetauchte *U 517* in 250 Meter Höhe, fotografierte es durch die untere Bugklappe und beschoß den Turm mit Maschinenkanonenfeuer. Die »Hudson« löste ihre Bomben, nachdem Hartwigs Turm bereits unter Wasser war. Eine Analyse des Angriffs sowie ein großer Ölfleck vier Meilen im Quadrat überzeugte die RCAF, daß die »Hudson«

»ihr Ziel schwer beschädigt und wahrscheinlich auf einer Tiefe von 150 Meter versenkt hatte«.

Tatsächlich jedoch blieb *U 517* unversehrt.

Eine Woche später, am 14. September, gab der Marineminister, der Hon. Angus L. MacDonald, zum erstenmal bekannt, daß HMCS *Raccoon* »vermutlich im Kampf bei der Sicherung eines Geleitzuges von Handelsschiffen verloren gegangen sei und man mit dem Verlust der gesamten Besatzung rechnen müsse«. Er fügte eine Verlustliste mit den Namen der nächsten Angehörigen bei. Mr. MacDonald erklärte nun, daß sich das Tempo der feindlichen Aktivitäten »auf der kanadischen Seite des Atlantik« erhöht habe, gab aber aus Sicherheitsgründen nichts über die genaue Position bekannt. Daß ebenfalls vier Handelsschiffe verloren gegangen waren, kam am Rande heraus. Dies ließ die Leser im unklaren, ob die Schiffe im Geleitzug der *Raccoon* oder an anderer Stelle versenkt worden waren. Die kanadischen Zeitungen nahmen die Geschichte mit unterschiedlichem Nachdruck auf. LE SOLEIL in Quebec-City brachte am 13. September die Schlagzeile »Fünf Schiffe versenkt« und verband diese Versenkung mit dem Verlust von HMCS *Raccoon*. Die Spätausgabe des MONTREAL DAILY STAR vom gleichen Tag schlachtete die kurze offizielle Verlautbarung auf ihrer Rückseite aus und versuchte unter der Überschrift »Die Ostküsten-Geleitzugschlacht geht alle an« die Lage aus Bruchstücken von Informationen zu rekonstruieren. Nur der TORONTO DAILY STAR wies auf die kanadische Presseverlautbarung über die achtzig Überlebenden hin, die mit der Bahn in Montreal angekommen waren. Das konnte sich natürlich nur auf ein Gefecht im St. Lawrence beziehen. Der HALIFAX HERALD vom 16. September griff die Bekanntgabe vom vorigen Tag auf der ersten Seite auf und brachte eine makabre Zeichnung mit der Überschrift »Ihre Flagge wurde niemals gestrichen«, die eine halbversunkene Kriegsflagge zeigte, die in einer dunklen, schäumenden See verschwindet.[14] Der Name *Raccoon* in stilisierten Buchstaben, wie mit frischem Blut geschrieben, sollte mit falschem Pathos die empörten patriotischen Gefühle über die Nazi-Aggression wachrufen. Den Verlust der *Raccoon* verknüpften Berichte mit der »Schlacht im Atlantik, in der kanadische Kriegsschiffe ein Drittel der Last tragen«. 1944 sollte das fast die Hälfte sein.

Laut einer früheren Bekanntgabe des Marinehauptquartiers hatte die Schlacht nun »einen weit größeren Umfang erreicht als je zuvor«. Das OTTAWA JOURNAL vom 15. September unterstützte die Ansicht, daß die Vernichtung der *Raccoon* bei der Bekämpfung von Ubooten nur eines »von einer ganzen Anzahl von Gefechten war, in die die kanadische Marine als Folge des kürzlich nordwärts gerichteten Stoßes der deutschen Unterseeräuber« verwickelt wurde. Der Marineminister hatte die Grundlage für diese Versicherung während einer Rede in Hamilton in der vorangegangenen Woche geliefert. Obwohl sie beide vom gleichen Text ausgingen, hoben OTTAWA JOURNAL und TORONTO DAILY STAR die ermutigendere Darstellung hervor, daß »die Marine kürzlich Erfolge gegen Uboote erzielt habe«, die er bekannt geben werde, sobald es die Sicherheit erlaube.

Das OTTAWA JOURNAL war wahrscheinlich die aufschlußreichste aller Zeitungen. Sie zeigte ihren Lesern die deutsche Ubootstrategie als Folge des Kriegseintritts der Vereinigten Staaten auf:

»Die deutsche Ubootflotte hatte eine ›gute Jagd‹ vor der Küste der Vereinigten Staaten sowie in mittel- und südamerikanischen Gewässern.«

Hier seien die Uboote auf »verhältnismäßig leichten Widerstand bei der Versenkung ungeschützter wertvoller Schiffe gestoßen. Nun sei die Luftabwehr härter geworden, die Verluste gingen zurück und deshalb hätten die Uboote weiter nach Norden verlegt und hofften

nach einem längeren Zeitraum ohne schwere Angriffe den Transatlantikverkehr zu überraschen.«

Nun aber waren

»die Geleitstreitkräfte der Nordatlantikgeleitzüge meistens kanadische Schiffe – sie waren für die Deutschen gerüstet«.

Wie kampfbereit die Kanadier jedoch tatsächlich waren, hätte man bereits eine Woche früher bei der Dezimierung des St. Lawrence-Geleitzuges QS-33 beobachten können.

Nach Abschluß seines Angriffs gegen diesen Geleitzug steuerte Hartwig Cap des Rosiers, 18 Meilen weiter westlich, an und folgte dann der Gaspé-Küste nach Westen bis zum Cap de la Madeleine. Im Laufe des Morgens am 8. September tauchten drei Geleitboote in Dwarslinie auf, offensichtlich bei der Horchsuche nach dem »Wegelagerer« des vorangegangenen Tages. Hartwigs Alarmtauchen wurde erneut durch Wasserschichtungen in verschiedener Dichte behindert, die eine glatte Durchführung dieses sonst schnellen und genau berechneten Manövers verhinderten. Eintragungen im KTB veranschaulichen sein Pech mit Wasserschichtungen und Seekarten:

»Diese Wasserschichtungen und unzuverlässigen Tiefenangaben!... Dieses Jammern, aber der L. I schafft es schon.«

In den nächsten Tagen wechselte die alliierte Überwchung zwischen Vorposten-booten und Flugzeugen. Beim Dämmerungstauchen am 10. September im Qua-drat BA 3677 vor Capucins sichtete *U 517* einen Schatten bei Cap Chat: »wahr-scheinlich Hoffmann auf *U 165*« (KTB). Das war der letzte Blick auf seinen Kame-raden. Der nächste Schatten war gleichfalls ein Todeskandidat.

Die Blumen-Klasse-Korvette HMCS *Charlottetown* war am 12. Juli von der west-lichen regionalen Geleitgruppe zu den Golf-Geleitstreitkräften verlegt worden, mit denen sie anschließend elf Geleitzüge auf der Quebec-Sydney Route geleitet hatte. Die ersten beiden Bände des Logbuchs enthalten die stündlichen Einzel-heiten ihres kurzen Dienstes seit der Indienststellung in Quebec am 11. Dezember 1941. Die letzte Eintragung in Band zwei wurde am 5. Juni 1942 von einem wun-derlichen Kenner der Romane des 18. Jahrhunderts mit folgender Bemerkung abgeschlossen: »Und nun, lieber Leser, nimm Band drei, um zu sehen, was nun geschieht.« Der vermeintliche Romanschriftsteller konnte kaum wissen, daß das Buch drei mit dem Schiff untergehen würde, jeder »liebe« an einer Fortset-zung interessierte Leser hätte sich dies stückweise aus unterschiedlichen und oft widersprüchlichen Quellen zusammensuchen müssen. Zusammen mit HMCS *Clayoquot* und HMCS *Weyburn*, verstärkt durch »Fairmiles«, hatte HMCS *Charlottetown* ihren letzten Geleitzug SQ-35 bis Red Island vor der Mün-dung des Saguenay Flusses, 30 Meilen südostwärts von Bic Island, gebracht. Im allgemeinen glaubte man, von diesem Punkt aus die Schiffe stromauf sicher ohne Geleitschutz fahren lassen zu können, weil man die flachen Gewässer für zu gefährlich für getauchte feindliche Uboote hielt. Sobald der Geleitzug ver-schwunden war, liefen *Charlottetown* und *Clayoquot* am 11. September wieder flußabwärts, ohne in Rimouski Brennstoff aufzufüllen. Das war wahrscheinlich ein entscheidender Fehler.

Um 0655 Ortszeit machte der wachhabende Offizier der *Charlottetown* eine Standortbestimmung durch Sichtpeilung der Kirche von Cap Chat und Radar-Entfernungsmessung. Wie so oft bei Fahrten zu dieser Jahreszeit war ein Kirch-turm, der über die Nebelbänke herausragt, für den wachhabenden Offizier der einzige Sichtkontakt für die Küstennavigation. Seine gekoppelte Position für 0800 Ortszeit − die er knapp erreichte − lag sechs Meilen von der Küste ab und *Clayoquot* eine Meile backbord querab. Die beiden Schiffe waren auf Ostkurs und bei 11,4 Knoten in leichtem Nebel und wirbelndem Dunst gut vorange-kommen, waren aber nicht, wie es vernünftig und üblich war, im Zick-Zack und mit höherer Fahrt gelaufen. Die vorgesetzten Dienststellen kritisierten sie später für die Nichtbeachtung des üblichen Abwehrverhaltens und nahmen die Entschul-digung wegen angeblicher Brennstoffknappheit der *Clayoquot* nicht an. Denn es stellte sich heraus, daß die *Clayoquot* immer noch genügend Reserven hatte, um eine ausgedehnte Ubootsuche durchzuhalten. Man könnte jedoch zu ihrer Entschuldigung anführen, daß das Positionhalten im Nebel mit Hilfe ihres relativ primitiven Radargerätes zu geradem Kurs zwang. Asdic und Radar waren den ganzen Morgen in Betrieb, obwohl die Asdic-Bedingungen ziemlich schlecht blieben.

Weder *Charlottetown* noch *Clayoquot* hatten irgendeinen Hinweis auf die Gegenwart von *U 517,* bis um 0803 Ortszeit Hartwigs Doppelschuß die *Charlottetown* im Achterschiff nach einer Laufzeit von nur 14 Sekunden traf. Hartwig stand so dicht, daß er die Wasserbomben, die zu so schweren Besatzungsverlusten führten, auf dem Achterschiff seines Opfers aufgestellt sah.[15] Der Erste Offizier der *Charlottetown* war auf der Brücke, als das Schiff getroffen wurde. Ein Seemann behauptete, den ersten Torpedo gesehen zu haben, der »das Schiff achtern traf und so herumwarf, daß es auf entgegengesetztem Kurs lag«.[16] Der Leitende Maschinist war offenbar der einzige, der durch den Torpedo selbst getötet wurde, alle anderen Verluste ereigneten sich im Wasser.

Wie der Erste Offizier später meldete, begann die Besatzung unmittelbar nach dem ersten Torpedotreffer, das Schiff zu verlassen. Ein Befehl dazu war nicht notwendig, das Schiff war offensichtlich am Heck schwer getroffen. Die *Charlottetown* sackte so schnell achtern tiefer, daß die Besatzung automatisch die in Fleisch und Blut sitzenden Notmaßnahmen ergriff.

»Das Steuerbordboot wurde ausgesetzt, das Backbordboot aber kam wegen der Krängung des Schiffes nicht frei, weil es binnenbords an ausgeschwungenen Davits und gelösten Zurrings hing.«[17]

Sorge, Angst und Entschlossenheit herrschten in den letzten Minuten des Schiffes. Doch Heldentum und Mitgefühl überwanden sogar den Selbsterhaltungstrieb. Ein Funker gab, ehe er selbst über Bord ging, seine Schwimmweste an den Leitenden Maschinisten, der nicht schwimmen konnte. Er schwamm in der kabbeligen, ölverdreckten See, bis ihn eines der Flöße aufnahm. Er gehörte zu denen, die durch die detonierenden Wasserbomben beim Sinken der *Charlottetown* verletzt wurden. Ein anderer verlor sein Leben bei dem Versuch, eine schwimmende Rettungsinsel für seine sich abstrampelnden Kameraden herbeizuholen. Der Sanitäter kümmerte sich um die Verwundeten während dieser ganzen quälenden Stunden, obwohl auch er selbst verletzt war.

Ehe die *Charlottetown* auf Tiefe ging, war die gesamte 64köpfige Besatzung bis auf drei offensichtlich freigekommen, einige schwimmend, andere auf Flößen und im Boot. Später wurde einer, der sich unsicher an eine Kiste Cornedbeef klammerte, aufgenommen, ein anderer, der auf einem Schiffsfender trieb. Einer der letzten Überlebenden, der das Schiff verließ, war das Maskottchen Screech, der im letzten Augenblick ins Wasser geworfen wurde. Der Herr des Hundes, ein Seemann, ging mit dem Schiff unter. Er hatte sich nach den Worten des Ersten Offiziers besonders tapfer gezeigt, indem er Schwimmwesten ausnahmslos an alle verteilte, obwohl er selbst nicht schwimmen konnte. Als die *Charlottetown* unaufhaltsam über das Heck sank, versicherte sich der Kommandant mit Hilfe der Flöße und des Bootes, daß jedermann in Sicherheit war, und nach den besten Traditionen der Marine verließ er als letzter das Schiff.

Hartwig beobachtete am Sehrohr, wie sich vier Minuten nach dem ersten Schuß der Bug der *Charlottetown* himmelwärts hob und das Schiff über das Heck auf den Grund des Flusses 300 Meter tiefer sank. Doch gerade als sie zu sinken begann, gingen die ersten einer Reihe von Wasserbomben auf dem Achterdeck hoch. Vier oder fünf weitere Gruppen folgten, als die *Charlottetown* in größere Tiefen kam und die auf Druck eingestellten Zünder losgingen. Ungewiß, ob diese Detonationen von einem Flugzeug oder einem Geleitboot stammten – Zeitmangel sowie der dicke Nebel verhinderten, mit dem Sehrohr einen Rundblick zu nehmen –, ging Hartwig auf 120 Meter. Vier Stunden nach dem Angriff hörte *U 517*

»laufend Wasserbombendetonationen oder Detonationen von Munition« auf der gesunkenen Korvette (KTB). »Nach Horchpeilung Schottenbrechen und Auftiefegehen festgestellt.«

Doch das Kriegstagebuch erwähnt weder Fühlung mit einem suchenden Geleitboot noch seine eigene Ortung durch Asdic. Die Überlebenden der *Charlottetown* erlitten im Wasser schwere innere Verletzungen durch diese Detonationen, einige starben sofort; andere, wie der Kommandant, überlebten die Druckwellen nur, um später unter schweren Schmerzen zu erliegen. Andere fielen der Kälte und dem Öl zum Opfer. Der Erste Offizier der *Charlottetown* berichtete Einzelheiten von den Nachwirkungen:

»Ehe das Schiff vollständig sank, befand sich der größte Teil der Besatzung auf Flößen oder im Steuerbordboot. In diesem befanden sich zu dieser Zeit 17 Mann, aber es gelang uns, ein paar Männer aus dem Wasser aufzunehmen und auf ein Floß zu geben und dann, später, noch vier weitere, die schwer verletzt waren. Das dauerte etwa anderthalb Stunden. Leichen wurden nicht gesehen außer der des Kommandanten, den wir schließlich aufgriffen und an das Ruder banden, nachdem wir das Boot mit Überlebenden gefüllt hatten . . . Nachdem wir etwa eine Stunde auf die Küste zu gerudert waren, um Hilfe zu holen, wurde das Ruder durch das Gewicht der Leiche des Kommandanten abgerissen und wir ließen ihn treiben, weil wir ohne ihn schneller voran kamen und er wahrscheinlich von einem anderen Schiff aufgenommen würde, wenn der Nebel aufklarte!«

Unmittelbar nach dem Angriff auf HMCS *Charlottetown* änderte HMCS *Clayoquot* den Kurs in Richtung auf die vermutete Position des Ubootes. Während sie 80 Grad nach beiden Seiten mit dem Asdic suchte, begann sie Zick-Zack-Kurs zu laufen, was die beiden Schiffe auf der ganzen Fahrt hätten tun sollen. Die

Wasserbombenangriffe setzten den Funkumformer außer Betrieb, so daß sie den Feindkontakt erst drei Stunden nach der Torpedierung melden konnten. Weitere Kontakte gingen unter den schwierigen Asdic-Bedingungen des St. Lawrence ebenso verloren. HMCS *Clayoquot* suchte das Gebiet bei dickem Nebel ab und lief schließlich den Weg aufgrund der ausgezeichneten Kopplung des Steuermanns wieder zurück. Um 1130 Ortszeit erreichte sie die Überlebenden, die ihr 90 Minuten vorher zugejubelt hatten, als sie mit hoher Fahrt zum Angriff auf die vermutete Ubootortung vorbeibrauste. Erst jetzt konnte eine knappe »Strenggeheim-dringend«-Nachricht den Stabsoffizier (NOIC) Quebec von der Versenkung unterrichten, der eine Stunde später drei »Fairmiles« aus einem Geleit abteilte. Inzwischen hatte die *Clayoquot* 85 Überlebende an Bord genommen, »dreizehn von Wasserbombenexplosionen und Druckwellen schwer verletzt«. Um 2230 kamen sie auf Gaspé an.

Marinen rechnen im Krieg mit dem Verlust von Schiffen und Männern; im Fall der HMCS *Charlottetown* hatten jedoch schwere Fehler das vertretbare Risiko überschritten. Im Anschluß an eine Überprüfung der Beweisunterlagen, die dem Untersuchungsausschuß über den Verlust von HMCS *Charlottetown* unterbreitet worden waren, kam Rear Admiral Murray, Befehlshaber Atlantikküste, zu dem Schluß, daß

»keines der beiden Schiffe an Brennstoffmangel litt und deshalb nach der allgemeinen Praxis in Gewässern, von denen man weiß, daß sie vom Feind befahren werden, Zick-Zack hätten laufen sollen«.

Es gab keinen Beweis dafür, daß die auf dem Achterdeck aufgestellten Wasserbomben gesichert waren.

»Wäre das gewesen, so wären wahrscheinlich mehrere Menschen gerettet worden.«

Da es zu dieser Zeit noch keine allgemeinen Befehle für das Tragen von Schwimmwesten in See gab, fügte Rear Admiral Murray hinzu, daß

»solche Befehle unverzüglich erlassen werden sollten«.[18]

Die Vernichtung von HMCS *Charlottetown* »durch ein Uboot bei einem Zusammenstoß im Atlantik«, wie eine Zeitung verkündete, versorgte die Presse vom 18. September bis zum 24. September mit vielen Berichten und Fotografien.[19] Wie gewöhnlich bauschte die Presse die offizielle Verlautbarung auf, fügte Einzelheiten hinzu, fotografierte Familienzusammenkünfte von heimischen Überlebenden und spekulierte über den Krieg in See. Völlig berechtigt betonte sie das »stille Heldentum«, die »kühle Tüchtigkeit« und den erfreulichen Geist der Disziplin, der Hingabe und der Selbstaufopferung, die die Verbundenheit in der Bordgemeinschaft kennzeichneten. Cdr. P. B. German, RCN, NOIC Gaspé, berichtete offiziell, daß die

»Tapferkeit aller Offiziere und Männer der HMCS ›Charlottetown‹ den Traditionen der Marine entsprach«.[20]

Doch die herausragende dramatische Besonderheit der Versenkung und der daraus folgenden Verluste ergaben neue Geschichten:

daß das Schiff und seine Männer buchstäblich durch ihre eigenen Wasserbomben zugrunde gegangen waren. Trotz dieser Bitterkeit gelang es der Presse jedoch, eine noch erregendere, obwohl offensichtlich weniger genaue Darstellung zu geben:

Charlottetown »sank im Kampf mit Ubooten im Atlantik bei der Abwehr eines Ubootangriffes auf einen Geleitzug«. Am 13. September verband der HALIFAX HERALD die Versenkung der *Charlottetown* mit dem weit entfernten Verlust von HMCS *Ottawa* mit 109 Mann.[21]

Der HALIFAX HERALD vom 19. September machte die Nachricht von der *Charlottetown* zu einer Unterüberschrift unter der Schlagzeilengeschichte von HMCS *Assiniboines* »spektakulärem Sieg über die Hunnen« durch Rammstoß gegen *U 210*, Kapitänleutnant Lemcke, 400 Meilen vor Newfoundland, und der Einbringung von Gefangenen.[22] Obwohl das Gefecht der *Assiniboine* in Wirklichkeit sechs Wochen früher, am 6. August stattgefunden hatte, erlaubte der Rückgriff des HERALD auf die verspätete Presseverlautbarung die Schlußfolgerung, daß *Assiniboine* und *Charlottetown* im gleichen Gefecht verwickelt waren, vielleicht sogar bei der gleichen Geleitzugsicherung und möglicherweise sogar im Kampf mit dem gleichen Rudel.

In einem Kommentar zu dem Thema »Tapfere Männer, denen die Nation hohe Anerkennung zollt«, erklärte der HALIFAX HERALD, die Nachricht von *Charlottetown* und *Assiniboine* habe »größeres Verständnis für die Art des Ringens mit dem unterseeischen Feind« vermittelt. Wie in ganz Kanada üblich, mischte der Kommentar nun voll Fantasie die beiden Vorgänge miteinander und verkündete:

»Diese Geschichte vom stundenlangen Kampf auf dem Atlantik, von auf kürzeste Entfernung feuernden Geschützen, von der Zerstörung von Feuerleitgeräten, von Flammen, die bis auf die Brücke schlugen, von jubelnden Männern, die Sprengladungen auf den Feind regnen ließen – diese Geschichte ist eine der dramatischsten in den Annalen von Kanadas junger und stetig größer werdenden Marine.«[23]

Die Besatzung der *Charlottetown* jedoch wußte es besser und schwieg.

Am 15. September um die Mittagszeit identifizierte Hartwig völlig korrekt ein amphibisches Flugzeug als die Vorausaufklärung des erwarteten Sydney-Quebec Geleitzuges SQ-36, den er zwei Stunden später sichtete. Vier Tage hatte er in Dunst und Nebel – von Cap Chat bis Fame Point und Bird Rocks bis Cap des Rosiers – den St. Lawrence durchstreift; nun war er zuversichtlich. SQ-36, wie er im KTB notierte, bestand anscheinend aus

»21 Dampfern und mindestens sieben Zerstörern, Korvetten und Bewachern«.

Der Geleitzug fuhr in

»sieben Kolonnen à drei Dampfern; vorn drei Feger, an der Seite je zwei Bewacher, zwei Fernsicherungen (Zerstörer) und ein Flugzeug«. (KTB)

Tatsächlich war er jedoch nur durch einen einzelnen Zerstörer, HMS *Salisbury,* die Korvette HMCS *Arrowhead,* die *Bangor* HMCS *Vegreville* und drei »Fairmiles« gesichert.[24] Wie es so oft der Fall war in gemeinsamen Operationen mit der Royal Navy in kanadischen Gewässern, waren die Befehlsstränge und Fernmeldeverbindungen in der Geleitsicherung nicht ganz klar. Beim Verlassen des Geleitzuges von Sydney war HMCS *Arrowhead* Geleitführer gewesen, war aber dann seiner Eigenschaft entkleidet worden, als der britische Zerstörer HMS *Salisbury* einen Tag später hinzustieß. Da der Zerstörer zuvor zur »Western Local Escort Force« gehört hatte, wußte er wahrscheinlich über die Regeln der Geleitzugsicherung sehr wenig und war auch sonst nicht genügend erfahren. Es entstand daher eine ziemliche Verwirrung, was und von wem getan werden mußte, eine Tatsache, die wahrscheinlich zu einer 16minütigen Verspätung führte. Ehe überhaupt etwas geschah, stand das Uboot mitten im Geleit. Alle Geleitstreitkräfte suchten offensichtlich vor dem Geleitzug nach Minen, die die *Arrowhead* dort aus irgendwelchen Gründen vermutet hatte.

Hartwig erinnert sich noch, wie er sich vorsichtig in den näher kommenden Geleitzug sacken ließ; nachts stand der Kommandant unten am Sehrohr, seine bevorzugte Stellung für den Angriff, während der Wachoffizier und zwei Ausguckposten auf der Brücke standen; bei Tag blieb er getaucht. Steigende Spannung, Furcht vor einem Flugzeugangriff, die quälenden Fragen, ob man diese Taktik fortsetzen oder sich herausziehen solle; all dies drückte auf ein bereits überlastetes Nervensystem. Aber »man entwickelt einen sechsten Sinn, wie ein Tiger im Dschungel«, erinnert er sich. »Man überprüft sehr kühl seine Kräfte und geht das immer gegenwärtige kalkulierte Risiko ein.« Während er nun in Schußposition glitt, beobachtete Hartwig, wie die Formation plötzlich den Kurs 30 Grad nach Backbord änderte und ihn an der Steuerbordseite außerhalb des Geleitzuges ließ. Fasziniert von den Bewegungen des Zerstörers, der 400 Meter nach Backbord und dann 150 Meter an Steuerbord querab Zick-Zack lief, geriet Hartwig zu dicht an den Geleitzug, bis etwa auf 120 Meter. Dann schoß er einen Viererfächer »auf zwei sich überlappende Dampfer der zweiten Rotte« (KTB), und beobachtete, wie sein »Aal« traf, ehe Wasserbombenexplosionen ihn zum Schnelltauchen zwangen. Dort konnte er nichts weiteres mehr beobachten.

Die Torpedos von *U 517* trafen das in Ballast fahrende 2741 Tonnen holländische Schiff *Saturnus* und den 2166-t-Norweger *Inger Elisabeth* an den Steuerbordseiten; innerhalb von 15 Minuten sanken sie. Vier Mann kamen ums Leben. Überlebende wurden nördlich von Gaspé an Land gebracht, von dort mit dem Lastwagen nach Gaspé hinein und weiter nach Montreal.[25] Die Explosionen, die

U 517 zum Tauchen zwangen, stammten von drei bewaffneten Handelsschiffen, SS *Llangollen, Cragpool* und *Janetta;* sie behaupteten, auf mehr als ein Sehrohr direkte Treffer und Nahtreffer erzielt zu haben; in Wirklichkeit hatten sie unabhängig voneinander auf *U 517* geschossen. Gegenangriffe durch *Salisbury* und *Arrowhead* führten zu nicht überzeugenden Ölspuren auf der Wasseroberfläche. *Salisbury* erklärte:

»Da die meisten unserer Schiffe westlich der Gaspé-Passage versenkt wurden, müssen die schlechten Asdic-Bedingungen dem Gegner bekannt sein; sie schossen ihre Torpedos meistens bei Tag und kamen gut davon.«

Das war richtig erkannt.

Klugerweise hatte Hartwig *U 165,* Hoffmann, davon unterrichtet, daß der Geleitzug die Gaspé-Küste entlang fuhr. Am 16. September in der Frühe griff *U 165* bei hellem Tageslicht SQ-36 ein paar Meilen nordwestlich von Cap Chat an. Obwohl die Schiffe sein Sehrohr beim Angriff sichteten, gelang es ihm, den britischen 6624-t-Frachter *Essex Lance* zu torpedieren. HMCS *Vegreville* nahm das Schiff in Schlepp und übergab es dem Bergungsschlepper *Lord Strathcona* für die Fahrt nach Quebec, wo es am Abend des 22. September eintraf. Das Schiff wurde repariert und wieder in den Geleitzugdienst gestellt. Der 3667 Tonnen griechische Frachter SS *Joannis* jedoch ging innerhalb von zehn Minuten unter. Die Gegenangriffe der Geleitstreitkräfte brachten keine sichtbaren Erfolge. 32 Überlebende der *Joannis* und 48 von der *Essex Lance* wurden von »Fairmile« Q-082 aufgenommen und in Dalibare an Land gesetzt.[26] Kurz danach torpedierte *U 165* sein letztes Schiff aus diesem SQ-36-Geleitzug; der amerikanische 4570 Tonnen große *Pan York* überlebte. Am gleichen Tag sichtete eine »Hudson« der 113. Staffel in Chatham aus einer Höhe von 1500 Meter das aufgetauchte *U 165* und ging nach der neuesten Taktik zum Steilanflug über. Der weiße Anstrich des Bombers erlaubte eine unbemerkte Annäherung. Er schoß 360 Schuß aus einer Maschinenkanone, fing auf 15 Meter ab und gabelte das tauchende Boot mit vier 125-kg-Wasserbomben ein, die auf acht Meter Tiefe eingestellt waren. Ein Ölfleck ließ auf Beschädigung schließen, die jedoch, da das deutsche Kriegstagebuch nicht vorliegt, nicht bestätigt werden kann.[27]

In den folgenden Tagen stießen Hartwig und Hoffmann auf so viele Situationen und mögliche Ziele, daß sie hier nicht einzeln aufgeführt werden können. Es genügt festzustellen, daß die kanadische Luftüberlegenheit im Verein mit dem schnell abnehmenden Schiffsverkehr die deutschen Kampferfolge drastisch reduzierten. Am 9. September hatte das Kriegskabinett in Ottawa der britischen Forderung, den St. Lawrence-Strom zu schließen, nachgegeben. Im Hinblick auf eine frühere britische Anforderung auf 17 Geleitstreitkräfte zur Unterstützung der für November 1942 geplanten Landung in Nordafrika, wurde diese Entscheidung um so bereitwilliger getroffen. Diese Schiffe konnten natürlich nur zur Verfügung gestellt werden, wenn man die ohnehin überlasteten Küstensicherungs-Streitkräfte neu verteilte. Wie wir gesehen haben, schlossen die Forderungen des reinen Küstenverkehrs die vollkommene Schließung des Golfs aus. Die Schiffahrtsleitorganisation, NCSO, konnte mit dieser neuen Situation nur dann fertig werden, wenn sie eine flexiblere Geleitzugsteuerung einführte. Die Schnelligkeit der Entscheidung des Kriegskabinetts führte trotz früherer Bedenken der Marinedienststellen zur unverzüglichen Umleitung der ankommenden Geleitzüge nach St. John's, New Brunswick, Halifax oder Sydney; sie ließ der Marine praktisch keine Zeit, die QS- und SQ-Geleitzüge zwischen Quebec-City und Sydney, Nova Scotia, schrittweise auslaufen zu lassen. Die Schließung verärgerte die Politiker in Quebec; die krasse Umleitung von Transport und Handel über Land führte zur schnellen Entwicklung von Häfen und Endbahnhöfen außerhalb der Provinz. Hartwig bemerkte die radikale Umstellung des Verkehrs ab 25. September.

Zwei Ereignisse in dieser Periode hinterließen bei den Kanadiern den Eindruck, sie hätten mindestens zwei Uboote im nahen Küstenvorfeld vernichtet. Bei beiden handelte es sich um Hartwig. Als er den Geleitzug Sydney-Quebec SQ-38 überholte, sichtete ihn HMCS *Georgian* am 21. September vor Cap Gaspé »aufgetaucht . . . auf eine Entfernung von 1000 Meter, und zwar das Sehrohr und Teil des Kommandoturms«. Aufgeschreckt versuchte Hartwig »den Bewacher zu knacken«, sah wie »Männer nach achtern ans Wasserbombengerät laufen«. Beim Alarmtauchen versuchte die *Georgian* ihn zu rammen, lief im ersten Anlauf über den Tauchstrudel und begann damit eine Reihe entschlossener Angriffe, die zwei Stunden dauerten, und meldete, daß das Uboot plötzlich hinter ihm auftauchte. Das Boot »legte sich dann auf die Seite, zeigte achtern einen deutlichen Strudel und sank«. Die Operationsabteilung in Halifax hielt es für wahrscheinlich, daß das Uboot vernichtet war. Hartwig indessen hatte Grund, wieder über die Schichtungen zu fluchen; in seinem Kriegstagebuch ist nichts von Durchbrechen der Wasseroberfläche oder Auf-die-Seite-Rollen vermerkt.

Drei konzentrierte Luftangriffe zwischen dem 25. und 29. September von Ellis Bay, Anticosti, bis Cape Gaspé bewiesen die Effektivität der Ubootabwehrtaktik der RCAF. Ihre Bomben fielen jedesmal dicht neben *U 517*. Hartwig bezeichnete sie alle als gut liegende Bomben und zollte dem Maschinenkanonenbeschuß, der regelmäßig über seinen Turm fegte, Anerkennung. Regierungsstellen hielten die Nachricht von diesen Angriffen zurück, bis sie einen politischen Vorteil daraus ziehen konnten. Beim letzten Mal griff ein Flugzeug der 113. Staffel auf dem Rückflug nach Chatham, New Brunswick, ein Uboot mit Wasserbomben und Maschinenkanonen an, ehe es dem Uboot gelang, tauchend zu entkommen.[28] Als es später nach langer Fahrt auf relativ geringer Tauchtiefe auftauchte, lag auf dem Vorschiff von *U 517* neben der Kanone eine nicht explodierte Wasserbombe. Sie war offenbar so eingestellt, daß sie auf größerer Tiefe, als das Uboot gelaufen war, explodieren sollte. Als die Besatzung sie über Bord gerollt hatte, detonierte sie in der Tiefe. Bis *U 517* den Golf von St. Lawrence am 2. Oktober 1942 endgültig verließ, bedrängten Flugzeuge es auch weiterhin und ließen es nicht an die Schifffahrtswege herankommen. Wenig Ziele sowie Torpedo- und Brennstoffmangel zwangen das Uboot zum Abbruch seiner Unternehmung.

Am nächsten Tag lieferte Hartwig einen der vielen Beweise dafür, daß Uboote sich der Angriffe auf Neutrale enthielten, auch wenn deren Verhalten als Provokation ausgelegt werden konnte. Beim Anlauf auf drei gesicherte und voll beleuchtete Schiffe kam er so nah, daß er durch das Sehrohr ihre Namen lesen und ihre Nationalität feststellen konnte. Die schwedische *Fenris*, 1950 Tonnen, die *Bardaland*, 2595 Tonnen, und die griechische *Mongabarra*, 1950 Tonnen, die vor zwei Tagen in Montreal ausgelaufen waren, identifizierte er als einwandfreie Neutrale, die nicht umgelegt werden sollten. Nach den Regeln des Krieges galt jedoch ein Nichtkriegführender, der im Geleitzug und von kriegführenden Geleitstreitkräften gesichert war, als Freiwild. Rückblickend hält es Hartwig für einen Fehler der Kanadier, die schwedischen Schiffe in eine derartig gefährliche Lage gebracht zu haben. Allein fahrend und voll beleuchtet, wären sie völlig sicher gewesen. Es wäre für Hartwig leicht gewesen, sie zu versenken, aber der Gedanke an mögliche politische Rückwirkungen hielt ihn zurück. Hartwigs Gefühl war absolut richtig, denn Dönitz empfahl später seinen Kommandanten:

»Ihr könnt auf alles schießen, aber faßt nur ja keinen Schweden an.«

Die nun wirklich offensichtliche Uboottätigkeit auf dem St. Lawrence hatte die Bewohner an der Gaspé-Küste in steigendem Maße beunruhigt. Ständig waren sie Zeuge von Ereignissen, über die sowohl die Regierung als auch die Presse Schweigen bewahrten. Aktivitäten durch Parlamentarier aus Quebec führten — wie wir bereits früher sahen — zur Polarisierung der Beziehungen zwischen Regierung und Provinz, die ohnehin auf dem Siedepunkt waren. Die dringende Forderung nach einer Geheimsitzung des House of Commons im Sommer 1942, eingebracht von Mr. J. S. Roy und unterstützt vom Führer der konservativen Opposition, R. B. Hanson, sowie dem Führer des Hauses M. J. Coldwell stieß auf heftigen Protest des Marineministers Angus MacDonalds. In Erwiderung auf Roys flehentliche Bitte, Schutz zuzusichern, hatte sich MacDonald geweigert, »die Planungen für ein einziges Schiff der kanadischen Marine aufgrund aller Fragen zu ändern, die von heute bis zum St. Nimmerleinstag gestellt würden«.[29] Fünf Tage nach diesem Ausbruch, am 18. Juli 1942, berief der Premierminister die Geheimsitzung ein. Die Oppositionsparteien waren der Ansicht, die Versenkungen im Juli seien schwer genug gewesen; das deutsche Vordringen im Spätsommer und durch den ganzen Herbst hindurch schien jedoch bedenklicher denn je. Mr. Roy schrieb daher Anfang Oktober an den Premierminister, das Parlament müsse unverzüglich einberufen werden, um die Schiffahrtslage zu debattieren. Am 13. Oktober, mehrere Tage nach der öffentlichen Verlautbarung der Abenteuer von *U 165* und *U 517* und einen Tag vor der verspäteten Bekanntmachung der Juli-Versenkung der *Frederika Lensen* vor Cap de la Madeleine, gab Mr. Roy der Presse folgende Erklärung: »Die Bevölkerung meines Wahlkreises möchte sicher sein, daß die Abwehr auf dem St. Lawrence ausreichend ist und die Abwehrmaßnahmen der Luftwaffe gegen die Ubootgefahr auf die wichtigsten Schiffahrtswege gerichtet sind.«[30] Der Premierminister sah jedoch keinen Anlaß, das Parlament vor Januar 1943 einzuberufen. Das Stillschweigen der Regierung sollte diese drei Tage später, nach der Nachricht von der Versenkung der Sydney-Newfoundland Fähre SS *Caribou* durch *U 69* in der Cabot Strait, in große Schwierigkeiten bringen.

Die deutschen Propagandastellen verfolgten diese Gegensätze mit beachtlichem Interesse. Ein Frontseitenartikel im VÖLKISCHEN BEOBACHTER über den Ubootkampf »Von Kapstadt bis Kanada« prangerte am 4. November die angeblichen Ausflüchte von Ottawa an:

»In der Art von Churchills besten Schwindeleien hatten die Politiker die zahlreichen Versenkungen im Golf von St. Lawrence geleugnet«,

von denen selbst die deutsche Bevölkerung »trotz aller Geheimhaltung Ottawas« wußte. Am 18. Dezember trompetete er eine dem Transportminister zugeschriebene Äußerung heraus, die besagte, daß Uboote zweimal so viel Schiffe versenkten, wie die Alliierten bauen konnten.[31]

Mit einem alten Public-Relations-Trick und krasser Manipulierung von Nachrichten zur Beschwichtigung der ohne Zweifel angstvollen Gefühle der Bevölkerung, erließ der kanadische Minister der Luftverteidigung die Nachricht von Flugzeugangriffen gegen *U 517;* drei Monate lang hatte er die Einzelheiten auf Eis gelegt. »RCAF schickt Nazi-Uboot auf den Grund des St. Lawrence« und »Uboote kommen in den St. Lawrence, aber nicht alle kommen wieder hinaus«, so verkündete ein Artikel im OTTAWA JOURNAL vom 16. Dezember. Der HALIFAX HERALD schrieb: »RCAF erwischt ein anderes Boot« und veröffentlichte eine Fotografie des vernichtenden Angriffs. Die Zeitungen bestanden darauf, »daß dies wahrscheinlich der Tod für den lauernden Räuber der Tiefe und seine Besatzung« gewesen sei. Die Presse knetete die gewohnt kurze offizielle Verlautbarung tüchtig durch, und es gelang ihr dabei, die Besatzung zu interviewen, die ihr Material für einen flammenden, lebensnahen Bericht des Krieges auf See lieferte. Ein Fliegeroffizier erklärte später, daß bei diesen Angriffen auch ein beträchtliches Maß an Glück eine Rolle gespielt habe. »Wir sind bei unseren normalen Uboot-Überwachungsflügen einfach über sie gestolpert.« Die Presse war nicht der Ansicht. Der Erfolg, trompetete der HALIFAX HERALD heraus, war nichts anderes als das Ergebnis »nie erlahmender Wachsamkeit«.
Während Hoffmann und Hartwig ihre Erfolge genossen, stand Rüggeberg mit *U 513* siebzehn langweilige Tage in fast ständigem Nebel vor Newfoundland auf

und ab. Exkurse entlang der Ostküste brachten abgesehen von dem anfänglichen Angriff auf den Ankerplatz Wabana nichts außer einem beunruhigenden Zusammenstoß, als Rüggeberg in dickem Nebel vor dem Hafen St. John's fast auf einen Zerstörer prallte. Erst am 29. September gelang ihm die Torpedierung des 7174 Tonnen *Ocean Vagabond,* 3,5 Meilen ostwärts der Kriegssignalstation St. John's. Am Ende seiner niederdrückenden Überwachungsaufgabe faßte Rüggeberg seine Beobachtungen über den Handelsschiffsverkehr zusammen und erwähnte besonders das einzelne Vorpostenboot, das täglich die Einfahrt nach St. John's bewachte, sowie die ständige Luftüberwachung. Alle Lichter brannten friedensmäßig, außer dem begrenzten Einsatz von St. John's und Cape St. Francis. Bull Head sowie Fermeuse Head, so meldete er, waren gelöscht. Aus diesen und anderen Beobachtungen ergibt sich, daß von allen Kriegsgebieten in dem später so benannten kanadischen Nordwest-Atlantik nur Newfoundland eine richtige Steuerung seiner Befeuerung durchführte. Nach seinem Angriff vor Métis Beach fand *U 69* die Lichter von Gaspé jedoch abgeblendet. Das war eine Art Kriegsbefeuerungs-Maßnahme, an die die deutschen Ubootfahrer in den europäischen Gewässern gewöhnt waren. Diese Befeuerungsmaßnahme steuerte die Navigationsbefeuerung großzügig bei der erwarteten Ankunft oder Abfahrt befreundeter Einheiten, verhinderte aber andererseits die Nutzung durch den Feind. Dieses System wurde in Kanada nie genutzt, obwohl militärische Dienststellen diese Möglichkeit erwogen hatten, als sie die verschiedenen Ausgaben des Golf-Verteidigungsplanes vorbereiteten.

Hartwig verließ die Cabot Strait am 8. Oktober und überquerte die Newfoundland Banks am 9. Oktober, einen Tag, ehe Rüggeberg sein Küstenüberwachungsgebiet verließ. Beide trafen nach einer schnellen Überfahrt am 19. Oktober in Lorient ein. Die Einstellung des Befehlshabers der Uboote war eindeutig. Hartwigs Feindfahrt war:

»Ausgezeichnete erste Unternehmung des Kommandanten mit einem neuen Boot. Die Durchführung beweist Können und Geschick des Kommandanten. Der zum größten Teil aus Geleitzügen erzielte Erfolg ist sehr erfreulich.« Im Entwurf gez. Dönitz. (KTB)

U 165, Hoffmann, wurde auf der letzten Wegstrecke in der Biskaya vernichtet.[32] Beim Auslaufen zum nächsten Einsatz wurde auch *U 517* versenkt. Trägerflugzeuge von HMS *Victorious* vernichteten das Uboot am 21. November 1942 in der Biskaya. 55 Besatzungsmitglieder wurden gerettet, darunter auch der Kommandant.

Nur einen Tag vor der Versenkung von HMCS *Charlottetown* durch *U 517,* am 11. September, legte *U 69* unter der Führung von Kapitänleutnant Gräf Minen in der Chesapeake Bay. Dies war der erste Schritt einer Unternehmung, die schließlich in einer der berühmtest/berüchtigtsten Versenkungen in der Marinegeschichte von Newfoundland gipfelte. Nach Beendigung dieser Minenunternehmung wurde es Gräf vom BdU freigestellt, sich ihm geeignet erscheinende Operationsgebiete zu suchen. Die Wahl führte ihn tief in den St. Lawrence-Strom hinein und dann nach Port aux Basques. Während der nun folgenden Tage blieben von Cap Hatteras bis zur Newfoundland Bank Flugzeuge seine Hauptbedrohung. Mit Ausnahme von zwei Gelegenheiten, bei denen er Ubootfallen vermutete, machten ihm alliierte Schiffe keine Sorgen. Auf kanadischer Seite gibt es keinen Hinweis darauf, daß solche Schiffe jemals dort eingesetzt wurden; die US-Navy hatte sie Ende März allerdings ohne Erfolg vor der Ostküste eingesetzt.[33] *U 69* rundete St. Paul Island in der Cabot Strait am 30. September bei ungewöhnlicher Sicht, die ihm den Blick auf beide Seiten der Straße von North Cape auf Cape Breton Island bis zur Küste Newfoundlands bei Cape Ray erlaubte. Während der nächsten paar Tage führte *U 69* eine Suchaktion an der Westseite der Cabot Strait auf der Nordwest-Südost-Achse vor Cape Breton Island durch; wenn der Golf nicht geschlossen gewesen wäre, hätte er dort auf SQ- und QS-Geleitzüge stoßen können. Nachdem er nunmehr wußte, daß es in diesem Gebiet offensichtlich unmöglich war, zum Erfolg zu kommen, setzte Gräf den Kurs auf Quadrat 3830 ab, knapp 10 Meilen von dem Gebiet entfernt, das Vogelsang, *U 132*, während seines Vorstoßes im Juli vor Matane erreicht hatte. Kein Uboot war jemals weiter den Fluß hinaufgekommen; Vogelsangs Rekord wackelte.

Gräfs Aufklärungsvorstoß durch ständige Radarausstrahlungen hindurch, die sein »Funkmeß-Beobachtungsgerät«, das deutsche Radar-Warngerät, auslöste, führte ihn am 6. Oktober durch die Flußmündung zwischen Pointe des Monts und Ste. Félicité-Cap à la Baleine. Er führte ihn an Baie Comeau vorbei, wo er gegen die Wattgebiete von Rivière Manicougan aufklärte, bis er zu einem nach Westen weisenden Vorstoß in Strommitte vor Matane zurückdrehte. Hier setzte *U 69* am 9. Oktober zum Angriff auf den Labrador-Quebec Geleitzug NL-9 an. Das war einer der lebenswichtigen Küstengeleitzüge, den auch die Schließung nicht verhindern konnte. Sieben Frachter, geleitet von zwei »Zerstörern« (in Wirklichkeit die Korvetten HMCS *Trail, Shawinigan* und *Arrowhead*), marschierten mit sieben Knoten. Ein ständiges Zirpen mit höchster Lautstärke im Radar-Warngerät ließ bei Gräf während der nächsten drei Stunden seiner Manöver kaum Zweifel daran, daß die Kanadier die entscheidende Phase seines Anlaufs erfaßt hatten. Auf der letzten Strecke verschwand der Ton. Dieser plötzliche Abbruch eines festen Radarkontaktes weist vielleicht auf eine gewisse technische Unerfahrenheit des Mannes am Gerät hin, doch mit größter Wahrscheinlichkeit handelte es sich um einen Fehler der notorisch unzuverlässigen SW1C oder SW2C, die auf kanadischen Geleitstreitkräften eingebaut waren. Für Gräf aber »hatte die Gerätebedienung prächtig geschlafen« (KTB). Seine kühne Hartnäckigkeit machte sich bezahlt.

Gräfs Zweierfächer aus 2000 Meter Entfernung traf einen 4000-t-Frachter nach KTB − tatsächlich das 2245 Tonnen große, früher finnische Schiff SS *Carolus* −

8,4 Meilen nordöstlich von Pointe Mitis Leuchtfeuer. Dieser Angriff, 173 Meilen von Quebec City entfernt, war der bis dahin tiefste Einbruch. Gräf beobachtete eine hohe, dunkle Sprengwolke, der fast unmittelbar ein Feuer im ganzen Schiff folgte, das zerbrach und innerhalb von zwei Minuten auf den Grund des Flusses sank. Um den Schauplatz in taghelles, grelles Licht zu tauchen, reagierten die Geleitstreitkräfte mit Leuchtgranaten. Selbst aus so großer Entfernung wie Pointe aux Outardes an der Westspitze der Halbinsel de Manicougan am Norudfer des Flusses konnten Beobachter an der Küste dieses Schauspiel verfolgen. Die Anwohner am Südufer hörten die Explosionen des Angriffs und der folgenden Jagd. Einer von Gräfs »Zerstörern«, die Korvette HMCS *Arrowhead,* rettete 18 Besatzungsmitglieder der *Carolus,* von denen sich einige dreiviertel Stunden lang an leere Fässer, Wrackstücke und Rettungsflöße geklammert hatten.[34] Das Krachen der Wasserbomben in der Ferne begleitete Gräfs Rückzug bis zum nächsten Punkt seiner Unternehmung vor Cap Chat.

Die Meldungen über den Angriff erreichten die Öffentlichkeit innerhalb einer Woche. Am 15. Oktober gab der Marineminister seine gewohnt knappe Darstellung, des Inhalts, daß ein Handelsschiff der Vereinten Nationen »vor einigen Tagen durch den Torpedo eines deutschen Ubootes« auf dem St. Lawrence nahe Métis versenkt worden sei. Seine Verlautbarung enthielt kaum mehr, als daß das Uboot nicht gesichtet worden sei, daß man 18 Seeleute gerettet habe und 12 noch vermißt würden. Mit ihrem typischen Einfallsreichtum spürte die Presse weitere Einzelheiten von Beobachtern an der Küste und Überlebenden heraus und machte daraus Artikel, die dem Feind wichtige Informationen über den Ubooteinsatz und die kanadische Abwehr lieferten. Diese Artikel führten zweifellos zu erheblichem Aufsehen in höheren Militärkreisen, denn sie waren ein klarer Verstoß gegen die »Weisungen zur Veröffentlichung von Zeitungsberichten«, die der offizielle Zensor im Mai 1942 nach dem St. Lawrence-Vorfall herausgegeben hatte. Große Schlagzeilen der LE SOLEIL in Quebec-City vom 15. Oktober verkündeten zum Beispiel: »Frachter vor dem Strand von Métis torpediert.« Mit der Ortsangabe Métis Beach enthüllte die Geschichte das Ausmaß des Uboot-Vorstoßes: »Das ist das erste Mal, daß ein feindliches Unterseeboot so tief drinnen im St. Lawrence gemeldet wird.« Das goß Öl in die Flammen der Quebecer Politiker. Das OTTAWA EVENING JOURNAL vom 15. Oktober überschrieb den Vorfall: »Uboot versenkt Schiff unterhalb Rimouski.« Ein Interview mit einem ungenannten Steuermann des gesunkenen Schiffes sowie mit anderen, gleichfalls von der Wirksamkeit des kanadischen Gegenangriffs überzeugt, lieferte die erregende Unterüberschrift: »Kanadische Geleitstreitkräfte vernichten Uboot vor Métis Strand.« Eine Karte auf der ersten Seite zeigte, daß die »Ubootgefahr verstohlen den St. Lawrence-Strom hinauf schleicht«. Das hieß »Ubootvorstöße bis 220 Meilen vor Quebec-City«. Eines war nun klar, sie griffen das Herzland Kanadas an. Zeitungsberichte, die aus Sicherheitsgründen die Ortsangabe »Ostküstenhafen« trugen, sprachen nun von »Métis Strand«.

Zusammengestückelt in der üblichen Collage aus Tatsachen, vorsätzlicher Ungenauigkeit, Mutmaßung und Erfindung verbreiteten die Artikel das richtige Datum (»vergangenen Donnerstag nach Mitternacht«), die Zeit sowie den Ort des Angriffs als 21 Meilen von Rimouski entfernt. Sie stellten die Zahl der Überlebenden heraus, die bis dahin nicht dagewesene Art des Ubootvorstoßes (»weiter stromauf als alle vorherigen Ubootangriffe«) sowie die Art des Vorgehens (»schoß aus kurzer Entfernung von einem Punkt, der nicht weiter als 2,5 Meilen vom nächstgelegenen Ufer entfernt war«). Sie führten weiter aus, daß »Marineschiffe auf dem Fluß patrouillieren und Geleitzüge sichern«, und daß in diesem Fall »die einsatzfähigen Flugzeuge sofort zum Schauplatz geschickt wurden«. Die Veröffentlichung der Beobachtungen von »Octave Gendron, Leuchtturmwärter, und seiner Familie von 13 Kindern, die auf einer weit in den Fluß hinausspringenden Stelle wohnen«, identifizierte deutlich Pointe Mitis Leuchtfeuer als Bezugspunkt für den Angriff. Zudem bestätigten Bemerkungen, die dem geretteten Marinekanonier aus Montreal zugeschrieben wurden, daß »etwa 30 Wasserbomben durch Kriegsschiffe geworfen wurden«, die wahrscheinlich »das Uboot in diesen engen Gewässern erwischten und ihm den Todesstoß gaben«, zwei Tatsachen: daß Handelsschiffe auf dem St. Lawrence mit militärischen Geschützbedienungen besetzt waren und daß Sicherungsstreitkräfte beim Gegenangriff besonderen Problemen gegenüberstanden. Im Zusammenhang mit der Meldung von *U 69* an Berlin innerhalb von 24 Stunden nach dem Geschehen hätte die Ausbeute von diesen entstellten »lebensnahen Berichten« den Deutschen nicht nur die Bestätigung von Gräfs Erfolg geliefert, sondern auch interessante Einblicke in die verschiedenen Aspekte der kanadischen Abwehr. Sie hätten ebenfalls einen Einblick in die Stimmung und Beurteilung der Bevölkerung im Hinblick auf die Schlacht auf dem St. Lawrence gegeben. Nach den Worten des Marineministers mußte sich Kanada auf noch härtere Prüfungen einstellen:

»*Obwohl in den Monaten August und September ein Nachlassen der Verluste an Handelsschiffen durch Uboote im östlichen Atlantik feststellbar ist, haben uns die fortgesetzten Angriffe auf dem St. Lawrence zu dem Schluß geführt, daß wir keinesfalls mit unseren Anstrengungen nachlassen dürfen. Und ebenso wenig dürfen wir in unseren Bemühungen nachlassen, unsere Marine zu vergrößern, so daß wir den Gefahren der schweren Monate, die noch vor uns liegen, gewachsen sind.*«

Und als ob sie dieser besonderen nationalen Anstrengung Rechnung tragen wolle, empfahl die Kommission des öffentlichen Dienstes (Civil Service Commission) – nachdem man sich nun drei Jahre im Krieg befand –, den traditionellen Arbeitstag von 6,5 auf 7,5 Stunden zu verlängern, zum Teil dadurch, daß man eine bescheidene Verringerung der gewohnten anderthalbstündigen Mittagspause in Kauf nahm. Männer auf See konnten mit solchen Bequemlichkeiten nicht rechnen.

Einen Tag nach dem Angriff brachte LE DEVOIR in Montreal auf der ersten

Seite einen Bericht über die Auswirkung »der Torpedierung auf dem St. Law-rence-Strom und im Golf« auf die Bundespolitik. Sie zitierte den Quebecer Abge-ordneten J. F. Roy, daß »die Lage noch schwieriger ist als seinerzeit bei der Geheimsitzung des Unterhauses im letzten Sommer«, und sie lobte den Erfolg des Parlamentsmitgliedes von Gaspé, der auf eine Geheimsitzung im Parlament gedrängt hatte. Das war nicht nur entscheidend wichtig, um die Bedrohung abzu-schätzen, sondern auch über die kanadischen Gegenmaßnahmen ein Urteil zu gewinnen. In der Tat, so argumentierte die Zeitung, müsse Marineminister Mac-Donalds sein »bisheriges überlegenes Gehabe aufgeben« und eine völlig andere Haltung einnehmen. Der Artikel bewies Sympathie für Parlamentarier wie Roy, der entscheidend wichtige direkte Informationen besaß, zu denen die Regierung eine Diskussion ablehnte. Sie unterstützte zudem die gegensätzliche Auffassung Quebecs, die sich im Grundsätzlichen von der Ottawas bezüglich der nationalen Verteidigung unterschied, nämlich die Verteidigung von Kanada *in* Kanada: »Die Verteidigung von Kanada in Kanada ist fraglos unsere erste und am meisten ver-gessene Pflicht.« Die ungesetzlichen Streiks der Schweißer und Schlosser in den Werften von Lauzon, Quebec, im nächsten Monat sollten die ohnehin gespannte Lage noch verstärken.[35]

U 106, Rasch, war mittlerweile nach Überquerung der Newfoundland Banks und unter ständiger Luftüberwachung in die Cabot Strait eingelaufen. Bei jedem Auf-tauchen drückte ihn das auf Radarstrahlen reagierende Warngerät erneut unter Wasser und zwang ihn zu einer aufregenden und nutzlosen »delphinartigen See-fahrt« (KTB) vor der Südküste von Newfoundland und den vermuteten Geleit-zugwegen vor Cape Breton und Gaspé. Der Druck der Luftüberwachung zerrte an seinen Nerven, so daß er schließlich dieses Gebiet verließ. Am Nachmittag des 11. Oktober, während eines Unterwassermarsches 12 Meilen südöstlich von St. Paul Island, Cabot Strait, gewann er jedoch kurze Zeit die Oberhand durch Sichtung des Geleitzuges BS-31, Cornerbrook-Sydney. Die kurze, rauhe See ver-hinderte lange Zeit, daß er die beiden von einem Flugboot gesicherten Dampfer erkannte. Irgendwo in der Entfernung hörte er »schnelle Schraubengeräusche von Zerstörern« (KTB). Tatsächlich war dies die bewaffnete Yacht HMCS *Vison*, das einzige Geleitfahrzeug. Die Handelsschiffe kamen in breiter Formation und brachten *U 106* in ausgezeichnete Schußposition. Doch nur ein Schuß auf das letzte Schiff der Linie bot sich an: »Zum Glück ist es der Größere. Typischer Erz-dampfer, Brücke ganz vorn hinter einer sehr kurzen Back, dann Schwergutlade-bäume und den Schornstein achtern« (KTB). Es war der britische 2140-t-Frachter *Waterton*. Rasch feuerte zwei gezielte Einzelschüsse aus 300 Meter Entfernung, die das Schiff im Abkommpunkt einer vorn und der andere achtern unter dem Schornstein trafen. Er beobachtete, daß SS *Waterton* unverzüglich achtern über das Heck absackte und drehte scharf ab, um nicht unter den Rumpf zu geraten. Die Anwesenheit eines Flugbootes zwang ihn, tiefer zu gehen. Die »Canso« der 117. Staffel, die eine halbe Meile von der *Waterton* entfernt in einer Höhe von

350 Meter flog, war im Augenblick des Angriffs sofort im Gleitflug auf das getroffene Schiff niedergegangen und stand genau in dem Augenblick, als der zweite Torpedo traf, 50 Meter über ihm. Die Explosion »hüllte das Flugzeug in eine Wolke aus Rauch und Trümmern«. Die 422-t-Yacht HMCS *Vison,* die den Geleitzug sicherte, erhielt jedoch, ohne daß Rasch das merkte, einen deutlichen Kontakt und griff mit einer einzelnen Wasserbombe an. Rasch war in diesem Augenblick auf einer Tiefe von 30 Metern, er hörte eine »starke, helle Detonation, wahrscheinlich von einer Fliegerbombe« (KTB). HMCS *Vison* führte den Angriff mit zwölf weiteren Wasserbomben fort. Rasch verzeichnete

»schnelle Schraubengeräusche und zwei Serien von Wasserbomben, von denen die erste ziemlich gut liegt. Den Geräuschen nach sind zwei Zerstörer am Werk. Die Horchbedingungen sind sehr schlecht.« (KTB)

Die »zwei Zerstörer« – nämlich die *Vison* – hatten wenig Aussicht, den Kontakt zu halten. Typisch war auch die wechselnde Wasserdichte, die *U 106* zu schwer machte und es bei 90 Meter Wassertiefe auf Grund sacken ließ. Weiterfahrend ging *U 106* tiefer bis auf 185 Meter; dort blieb er acht Stunden unbehelligt liegen.

HMCS *Vison* rettete die gesamte Besatzung der innerhalb von acht Minuten gesunkenen SS *Waterton* und brachte sie in Sydney an Land. Dies war der einzige Erfolg von *U 106,* obwohl es im St. Lawrence nach Westen bis auf drei Meilen vor Les Méchins vordrang. Admiral Dönitz hatte am 12. Oktober Rasch und Schwandtke *(U 43)* Operationsfreiheit in diesem nordwestlichen Quadrat gegeben, das während der dunklen Nächte der Neumondperiode erfolgversprechend erschien. Da er keinen Verkehr antraf, zog sich Rasch »delphinartig« in den Golf und weiter durch die Cabot Strait zurück. Jedesmal wenn er auftauchte, löste ein Flugzeugradar sein Warngerät aus und zwang ihn zum Alarmtauchen. Die RCAF schuf so Bedingungen »genau wie in der Biskaya« (KTB). Obwohl er nicht davon überzeugt war, in jedem Fall durch ein Flugzeugradar geortet zu werden, ließ ihm doch das dauernde Quaken seines Funkmeß-Beobachtungsgerätes keine andere Wahl als in die relative Sicherheit wegzutauchen. Wie es im KTB lautet:

»Obwohl ich nicht davon überzeugt bin, daß ich bei jeder Ortung auch vom Flugzeug erfaßt bin, so ist auf Grund der Lautstärke doch keine Grenze zu ziehen, und ich muß jedesmal tauchen. Dadurch wird der Aufenthalt in solchen Küstengewässern zu einem ständigen Rauf und Runter.«

Entscheidend wichtig war dabei, daß das Warngerät (FuMB) nur die Richtung anzeigen konnte, aus der die Radarimpulse kamen, aber nicht die Entfernung. »Wir brauchen ein Gerät, das auch die Entfernung mitgibt«, bemerkte er in seinem Kriegstagebuch. Weil die Luftbedrohung ihn dazu zwang, hatte Rasch eine ungeheure Zeit getaucht verbracht – 42 von 97 Tagen der Feindfahrt. Das war eine ungewöhnlich lange Zeit für die Vor-Schnorchel-Zeit; zudem mußte sich Rasch aus jeder möglichen Luftüberwachung zurückziehen, um der Besatzung

Gelegenheit zu geben, mal frische Luft zu schnappen. »Zu viel Unterwasserfahrten verdirbt den Kampfgeist«, schrieb er in seinem KTB. Selbst 50 Meilen von Cape St. Mary's, Newfoundland, entfernt verhinderte am 30. Oktober ständige Luftüberwachung den Anlauf auf einen verlockenden Geleitzug von 14 Schiffen.[36]

Kapitänleutnant Schwandtkes Kanada-Einsatz auf *U 43* begann am 10. Oktober, 150 Meilen südlich von Cape Race; er bildete einen taktischen Kontrapunkt zur weitgehend unergiebigen Unternehmung von Rasch. Auch sein Einsatz litt schwer unter der alliierten Lufttätigkeit, die das Radar-Warngerät des Ubootes auslöste und ihn dadurch ständig in eine taktisch mißliche Lage versetzte, da sie ihn länger unter Wasser und außerhalb der Torpedoreichweite hielt, als Schwandtke das lieb war. Besonders nervenbelastend war die Sorge, daß sein Warngerät, selbst wenn Überwasserstreitkräfte ihn geortet haben mußten, nicht in allen Fällen zu reagieren schien. Entweder war sein Gerät unzuverlässig, überlegte er in seinem Kriegstagebuch, oder die Kanadier benutzten ein Radargerät auf einer anderen Wellenlänge. Die sich daraus ergebende Unruhe und Frustration in der Cabot Strait hinderte ihn aber nicht daran, tief in den St. Lawrence vorzustoßen, sobald der BdU ihm am 12. Oktober Erlaubnis erteilt hatte, so weit westlich in den Fluß hineinzugehen, wie er wollte. Die »sehr beträchtliche Wasserschichtung« im St. Lawrence gab ihm ein Gefühl der Sicherheit gegen die Bedrohung durch Asdic-Ortung, selbst als seine Horchgeräte Schraubengeräusche und das »ping« des Asdic aufnahmen. Nach der Freigabe für weitere Operationen überquerte Schwandtke die Gaspé-Passage bis Pointe Queste, Anticosti, bis zur 200-Meter-Linie. Dieser folgte er an der Nordküste von Quebec entlang, an Pointe des Monts vorbei in die sogenannte »Enge« oder »Schlauch« in der Flußmündung. Vom 16. bis 18. Oktober fuhr Schwandtke von Cap Chat nach Westen bis zu einem Punkt 10 Meilen südlich von Baie Comeau. Hier, nur wenige Meilen von der Stelle, an der *U 69* am 9. Oktober die *Carolus* versenkt hatte, wurde Schwandtke durch eine Ubootabwehrtechnik beunruhigt, die praktisch jede Erfolgschance auf dem Fluß ausschloß. Bei mehreren Gelegenheiten beobachtete er:

»*Etwa eine Stunde nach Ortungen durch Flugzeuge erscheinen suchende Bewacher. Vermutlich halten sich diese stets unter Dampf klar*«,

um Ubootsuche durchzuführen.

»*Geradezu verblüffend ist die gute Zusammenarbeit zwischen Luft und See*«. (KTB)

Am 19. Oktober 1942 erreichte Schwandtke die westlichste Position, auf die bis dahin ein Uboot auf dem Fluß gekommen war: Pointe au Père, östlich des Hafens Rimouski. 17 Tage lang durchstreifte er Flußmündung und Golf des St. Lawrence, ohne ein einziges Mal zum Angriff zu kommen. Am 24. Oktober funkte er an den BdU:

»Abrate Ansatz weiterer Boote – zahlreiche ungeübte See-, gut zusammen arbeitend mit Luftstreitkräften.«

Wie um diesen Punkt zu unterstreichen, überraschte ihn noch einmal ein Flugzeug am 25. Oktober, gerade als er zum Angriff auf einen Küstengeleitzug

»bestehend aus etwa zehn Dampfern und sechs Zerstörern bzw. Geleitfahrzeugen«

vor Cap Chat ansetzte. Vier gut liegende Fliegerbomben zwangen ihn zum Schnelltauchen auf 120 Meter.[37] Vom 28. Oktober bis 4. November stand Schwandtke beharrlich zwischen Cap Chat und Mantane auf und ab und meldete schließlich an den BdU, Handelsschiffsverkehr und Seeüberwachung hätten plötzlich aufgehört. Der Golf war jetzt geschlossen, die Schiffahrtsaison jedenfalls fast vorbei.

Hartnäckigkeit angesichts von Widrigkeiten mag ein gewisses militärisches Verdienst sein. Admiral Dönitz lobte Schwandtkes zähes Durchhalten, da er an einer ergebnislosen Unternehmung festhielt, obwohl die Umstände ihm seit langem nahegelegt hatten, woanders sein Glück zu versuchen. Doch Dönitz' Beurteilung der Unternehmung des altbewährten Kommandanten Rasch auf *U 106* hätte fairerweise auch ins Kriegstagebuch von Schwandtke geschrieben werden sollen. Dönitz schrieb es der kanadischen Luftwaffe zu, sie habe Rasch daran gehindert, mehr zu erreichen als den bescheidenen Erfolg durch die Versenkung der SS *Waterton*. Rasch und Schwandtke stimmten darin überein, die enge Zusammenarbeit der kanadischen Marine mit der Luftüberwachung gleiche die Unerfahrenheit und die zahlenmäßige Schwäche der Seeüberwachung mehr als aus. Tatsächlich sollten die Deutschen bald erfahren, daß diese entscheidende Luft- und See-Zusammenarbeit in der Schlacht im Atlantik die Waage zum Nachteil der Uboote ausschlagen lassen würde.

Gräfs Versuche mit *U 69,* zum Kampf zu kommen, wurden ebenfalls durch das ständige Piepen seines Radar-Warngerätes FuMB gestört. Vom 9. bis 11. Oktober drückte ihn Flugzeugradar so oft unter Wasser, daß er Schwierigkeiten hatte, die Batterien und seine Druckluftflaschen aufzuladen. Weitere Operationen in diesem Gebiet hielt Gräf nicht für ratsam und steuerte die Cabot Strait an. Hier erhielt er am 13. Oktober, etwa 18 Meilen von St. Paul Island, den Hinweis des BdU auf drei einlaufende für Montreal bestimmte Getreideschiffe; die SS *Formosa, Camelia* und *Eros.* So geschah es, daß ihn seine Suchkurse zwischen Cape North auf Cape Breton Island und Cape Egmont nach Schiffen, die sich schließlich als neutrale Schweden entpuppten, rein zufällig auf den Weg der Eisenbahnfähre SS *Caribou* führten. Der straffe Winterfahrplan schien zudem das Unglück geradezu herbeizulocken. Der Angriff gegen Zivilpersonen in den kanadischen Gewässern spitzte die politische Debatte zu und rief Ängste vor einem skrupellosen Feind hervor, der ungestraft angreifen konnte.

Die in Rotterdam gebaute 2222 Tonnen große SS *Caribou* war im Oktober 1925 als neuestes der Golfschiffe in St. John's, Newfoundland, eingetroffen. Seit der Jahrhundertwende waren ihre Vorgänger das einzige Verbindungsglied zwischen den Endbahnhöfen der Newfoundland Railway in Port aux Basques und der Canadian National Railway in North Sydney, Nova Scotia. Die 90 Meter lange *Caribou* wurde bei ihrer Ankunft einem kurzen Umbau unterzogen, um den Rumpf für die Eisfahrt zu verstärken, und verbrachte die nächsten 17 Jahre damit, Passagiere und Fracht über die 101 Meilen lange Strecke offenen Gewässers zwischen diesen beiden Haupthäfen zu transportieren. Gelegentlich fuhr sie im Frühjahr als Seehundjagdschiff.

Für diesen Golfdienst waren Familientraditionen charakteristisch. Die Besatzungen lebten in den Gemeinden bei dem Kanalhafen Port aux Basques an der Südwestküste. Ganze Familien hingen von der Gesellschaft ab, und die Söhne folgten den Vätern auf diesen Schiffen. Diese Küstentradition brachte vielleicht mehr als alles andere die Härte des Krieges bis in die Häuser der friedlichen Golfküstengemeinden, die sich bis dahin relativ sicher vor der Bedrohung durch die deutsche Ubootflotte gefühlt hatten. Seit Generationen waren die Seefahrerfamilien Newfoundlands mit den Risiken ihres Berufes vertraut, bei den planmäßigen Fahrten der *Caribou* jedoch fragten die Besatzungen nicht mehr, ob die Uboote zuschlagen würden, sondern nur wann. Trotz gegenteiliger Behauptungen gibt es jedoch keinen Beweis dafür, daß die Einhaltung eines regelmäßigen Fahrplans bei der Entdeckung und schließlichen Versenkung der *Caribou* irgendeine Rolle spielte.

Es war nichts Ungewöhnliches, daß man immer wieder glaubte, Uboote in diesem unwirtlichen Gebiet geortet zu haben. Das Auftauchen von *U 69* war jedoch nicht nur taktisch bedeutsam. Der Angriff dieses Ubootes traf die Küstengemeinden ins Herz und machte aus einem rein taktischen Manöver eine − wie es kanadische Politiker sowie die Presse nannten − abscheuliche Tat. Denn bei den 31 Opfern der 46 Mann starken Besatzung brachte der Tod auf See vielfache schmerzliche Verluste in sechs Familien. Die Presse konnte nach der Versenkung mit nur wenig Übertreibung behaupten: »Viele Familien wurden ausgelöscht.«[38]

Die SS *Caribou* lief am 13. Oktober 1942 planmäßig aus North Sydney aus, nachdem sie noch ein Rettungsmanöver geübt hatte. Von den 237 Passagieren (darunter 73 Zivilpersonen einschließlich Mütter und Kleinkinder sowie 118 Köpfe militärisches Personal) sollten nur 101 die Überfahrt überleben. Die Kriegsbedingungen verlangten, daß das abgeblendete Schiff Zick-Zack-Kurse fuhr. An diesem Abend steuerte es von Sydney nordwestlich auf Cape North zu, ehe es dann mit seinem einzigen Geleitfahrzeug auf Port aux Basque zuhielt. Kurz vor Mitternacht sichtete *U 69* einen Schatten, dahinter einen zweiten, kleineren Schatten. Bei relativ ruhiger See, sehr guter Sicht und schwachem Nordlicht erkannte *U 69* bald

»einen stark qualmenden Fracht-Passagierdampfer von ca. 6500 BRT, Steuerbord achteraus sichert ein Zwei-Schornstein-Zerstörer«.

151

Das Boot setzte sich über Wasser vor, um in eine günstige Schußposition zu kommen. Gräfs Fehler bei der genauen Identifizierung der Klasse und der tatsächlichen Größe des Schiffes zeigt die Schwierigkeiten für Ubootkommandanten, ihre Erfolge zu schätzen. Solche Fehlinformationen verstärkten die Probleme der deutschen Seekriegsleitung, die eigene taktische und strategische Position zu bewerten.

Gräfs »Zwei-Schornstein-Zerstörer« – der Minensucher HMCS *Grandmère* mit einem Schornstein – hatte die *Caribou* völlig korrekt von achtern gesichert und handelte nach der Vorschrift der WACIs (Western Approaches Convoy Instructions) für den Einsatz eines einzelnen Schiffes bei der Sicherung eines Geleitzuges. Die spätere Analyse des Angriffs von *U 69* brachte die kanadischen Dienststellen zu der richtigen Ansicht, daß ein solches Schiff einen wirksameren Schutz biete, wenn es 2000 bis 3000 Meter vor dem Schutzobjekt fahre oder sogar – vorausgesetzt natürlich entsprechende Geschwindigkeiten von Geleitzug und Sicherung – das Handelsschiff mit 15 Knoten in einer Entfernung von 3000 Meter umkreise.[39]

U 69 war in jeder Beziehung taktisch im Vorteil, denn sein tiefliegender Rumpf war nicht zu sehen, als es sich sowohl die Zeit als auch die vorliche Position zum Angriffsziel aussuchte. Bei der Sicherung von achtern konnte das Horchgerät die Schraubengeräusche des Ubootes nicht von denen der *Caribou* unterscheiden. Unter idealen Bedingungen war die größte Reichweite des Asdic kaum mehr als 1200 bis 1500 Meter.

Noch entscheidender war, daß HMCS *Grandmère* über kein Radar verfügte. Wie alle anderen Geleitstreitkräfte des in Sydney liegenden Verbandes hatte sie auch keinerlei Aussicht, ein Gerät zu bekommen, bis die Prioritäten der Ausrüstung für die Geleitstreitkräfte in Halifax erfüllt waren. Beide Schiffe, *Caribou* und HMCS *Grandmère,* fuhren also blind.

Als Gräf aus 650 Meter Entfernung einen einzelnen Torpedo schoß, stand SS *Caribou* gerade 40 Meilen südwestlich seines Bestimmungsortes, HMCS *Grandmère* steuerbord achteraus.[40] Trotz der möglichen Störung durch das Geleitfahrzeug war dies die günstigste Position.

Der Torpedo traf die *Caribou* nach 43 Sekunden Laufzeit an Steuerbord. Im Treffpunkt stieg eine hohe, dunkle Sprengsäule auf, die Kessel des Schiffes explodierten, sie sank in vier Minuten.

Während der ersten entscheidenden Augenblicke wurde eine unbestimmte Zahl von Rettungsbooten und Flößen zerstört. Unerklärlicherweise waren einige Familienmitglieder in verschiedenen Kabinen untergebracht. Als der Torpedo traf, trug das zu nervlichen Belastungen und Ängsten bei, denn jetzt suchte man einander unter chaotischen Bedingungen, ehe man an Oberdeck kam. In dem Wirrwarr wurden viele getrennt; auf diese Weise gingen zweifellos eine Frau und ihre drei Kinder verloren.

Gräf beobachtete, daß der Dampfer sofort bis knapp zur Reling wegsackte und Schlagseite bekam; er sah, wie HMCS *Grandmère* auf 800 bis 1000 Meter Entfernung erst auf die *Caribou* zudrehte, ihn dann anscheinend sah und in scharfer Kurve auf ihn zubrauste. HMCS *Grandmère* hatte tatsächlich das aufgetauchte Uboot voraus gesehen und versucht, es zu rammen.[41] Es gibt Behauptungen, der Kapitän der *Caribou* habe *U 69* ebenfalls gesichtet und versucht, es zu rammen. Da aber sein Schiff innerhalb Sekunden nach dem Angriff nicht mehr steuerfähig war, scheint das unwahrscheinlich. Bei der ausgezeichneten Sicht war ein Entkommen über Wasser nicht mehr möglich; so ging Gräf mit einem schnellen Alarmtauchen auf Tiefe und drehte mit äußerster Kraft in Richtung auf die sinkende *Caribou*. Dort, so überlegte er, würde das Geleitfahrzeug keine Wasserbomben werfen. Das Tauchen vereitelte den Rammversuch von HMCS *Grandmère*, als sie nur noch 150 Meter ab war. Als sie über den Tauchstrudel des Bootes lief, warf sie eine Reihe von sechs Wasserbomben nach Sicht, *U 69* merkte jedoch nur eine einzelne Explosion über sich. Zu dieser Zeit hörte die Ubootbesatzung laute Sinkgeräusche der *Caribou*, das Brechen der Schotten war im ganzen Boot zu hören. Dann folgten zwölf deutliche Wasserbombendetonationen und das Ticken des Asdic-Gerätes der *Grandmère*. Sie führte die Angriffe bei völliger Dunkelheit aus, ohne die als Asdic-Köder ausgestoßenen »Bolde« zu erfassen. Dies war der erste gemeldete Einsatz in kanadischen Gewässern.

Beim ersten Torpedotreffer auf die SS *Caribou* warfen heftige Explosionen die Passagiere aus ihren Kojen; unvollständig bekleidet hasteten sie über die gefährlich schräg liegenden Decks oder auf der Suche nach Familienmitgliedern in die tiefer liegenden Kammern. Für Überlegung war wenig Zeit. Das Wasser stürzte in die dunklen Kammern und Durchgänge, Passagiere tasteten nach Schwimmwesten und fummelten ängstlich, um sie festzumachen und in Sicherheit zu kommen. Einige Überlebende berichteten von wildem Schrecken, Panik und unbeschreiblichem Chaos, ehe das Schiff unterging. Sie berichteten von Passagieren, die sich um Rettungsboote und Flöße drängelten, von denen viele zertrümmert waren; von einer Frau, die in rasendem Entsetzen ihr Baby über Bord warf und dann hinter ihm her in den Tod sprang; von dem 15 Monate alten Jungen aus Halifax, der dreimal in Seenot geraten war und jedesmal durch einen anderen Retter geborgen wurde. Er war das einzige von 15 an Bord befindlichen Kindern, das überlebte.[42] Alles in allem war die Situation verworren und verzweifelt.[43] Die schnelle Vernichtung des Schiffes ließ die Überlebenden in einer Nacht stiller Verzweiflung zurück, in lähmende Unterkühlung und in manchen Fällen in den einsamen Tod. Ein Zeuge berichtete, er habe auf kurze Entfernung einen Seemann erlebt, der sich laut betend an ein Stück eines zertrümmerten Rettungsbootes klammerte. Sie versuchten ihn zu retten, aber er klammerte sich an das Wrackstück und starb vor ihren Augen. Erschöpft und angsterfüllt gab das geistige Erbe von Generationen seefahrender Newfoundlander ihnen Kraft; das Vaterunser und der Gesang von Chorälen waren über die ganze Nacht hin zu hören. An

Trümmer geklammert, auf gekenterten Booten oder zusammengekauert auf über-füllten Flößen, und das über fünf Stunden lang, bewiesen viele Überlebende selbstlosen Mut. Diesen Geist bewies Krankenschwester Margaret Brooke die ganze Nacht lang bei ihren Bemühungen, ihre Mitschwester Agnes Wilkie zu retten. Im Gedanken an die schreckliche Nacht, die sie mit zwölf anderen auf einem umgekippten Rettungsboot verbrachte, sich an Taue klammerte, während die Wellen einen nach dem anderen hinwegspülten, erinnert sich Schwester Brooke:

»*Agnes sagte, sie bekäme einen Krampf, sie ließ los, aber es gelang mir, sie zu packen und so gut ich konnte bis zum Tagesanbruch festzuhalten. Schließlich riß eine Welle sie fort. Als ich nach ihr rief, kam keine Antwort, sie muß bewußtlos gewesen sein. Die Männer versuchten, sie zu erreichen, aber sie trieb davon.*«[44]

Schwester Brookes Tapferkeit und Mut brachte ihr im Januar 1943 den »Order of the British Empire«.[45]

Schwer überladen kenterten mindestens drei Rettungsboote; die schon durchfro-renen und geschwächten Insassen wurden in den immer stärker werdenden See-gang geschleudert. Das traumatische Erlebnis blieb über 20 Jahre hinweg lebendig; dann noch erinnerte sich ein Augenzeuge des Entsetzens von Frauen und Kindern, die sich unter den Wrackstücken und dem engen Raum auf ein paar beschädigten Flößen abquälten. »Der erste Schimmer der Morgendämmerung wurde mit Jubel und dem erneuten Versuch, Lieder anzustimmen, begrüßt ... Während der nächsten drei Stunden stieg unsere Stimmung und fiel wieder in sich zusammen, als Flugzeuge gesichtet wurden, aber nicht dicht genug herankamen, um uns zu entdecken. Dann begann der Wind aufzufrischen, der Seegang wurde stärker.« Drei Stunden nach der Versenkung und lange vor Tagesanbruch erreichte ein Flugboot aus North Sydney den Schauplatz. Es fand »über die See verstreute Flöße, Rettungsboote und Wrackteile, ein Rettungsboot sechs Meilen von der Versenkungsstelle entfernt«.[46]

Das Bild, das die Medien während des ganzen Krieges von den »heimtückischen und rücksichtslosen Nazi-Wegelagerern« zeigten, lieferte bezeichnenderweise auch einen Grund für diese schrecklichen Kenterungen. Das Uboot, so behauptete ein Zeuge, war neben den Booten und Flößen aufgetaucht und hatte sie umgekippt. Zeitungsberichte betonten später, dies sei eine besondere deut-sche Form taktischer Schikane. Die Vorstellungen darüber, wie die Deutschen mit den Opfern ihrer Seekriegführung zu verfahren pflegten, saßen so tief in den Men-schen, daß ein Kanonier aus Toronto darüber erleichtert war, weder Maschinenge-wehrfeuer sehen noch hören zu können, als das Uboot in der Nähe war. Tatsäch-lich jedoch war *U 69* die ganze Zeit über getaucht und blieb es auch bis 16 Stunden nach dem Angriff. Nur gelegentlich kam es auf Sehrohrtiefe und beobachtete ein Vorpostenboot, einen Motorsegler und sehr starke Luftüberwachung in der

Abenddämmerung. HMCS *Grandmère* brach die Suche nach zwei Stunden ab, um ihre Bergungsversuche fortzusetzen. Sie fand 103 Überlebende, zwei davon starben an Bord. Noch vier Stunden setzte sie ihre Suche fort, dann wurde sie von den bewaffneten Yachten HMCS *Reinder* und *Elk,* dem *Bangor* Minensucher HMCS *Drummondville,* der »Fairmile« *Q-055* und dem RCAF Seenotboot *B-109* abgelöst. Auch aus Port aux Basque liefen mehrere Fischereifahrzeuge zur Unterstützung aus. Die Überlebenden der *Caribou* wurden nachmittags in Sydney an Land gesetzt.

Am 20. Oktober traf Gräfs allerletzter Torpedo die 7803 Tonnen große SS *Rose Castle* im Wabana-Sydney Geleitzug WB-9, 16 Meilen südöstlich von Ferryland Head, Newfoundland, der jedoch wegen eines Versagens im Zündmechanismus nicht detonierte. Gräf beobachtete, wie der Dampfer »stark gierte, eine Minute nach dem Schuß anhaltend mit der Dampfpfeife heulte, stoppte, sich quer zur See legte und Notlichter abbrannte. Artillerieeinsatz wegen Wetterlage nicht möglich« (KTB). 20 Minuten später setzte die *Rose Castle* ihre Reise fort, nachdem sie auf der Seenotwelle Nachricht von dem Angriff abgesetzt hatte. Der deutsche B-Dienst fing diesen Ruf auf und schloß auf einen Angriff durch Gräf. Die Gnadenfrist des Schiffes endete 14 Tage später. Auf dem Marsch nach New Carlisle, Quebec, wo es einen Spion absetzen sollte, versenkte *U 518* es auf der Wabana-Reede in der Conception Bay.

Die Nachricht vom Schicksal der *Caribou* erreichte die kanadische Öffentlichkeit drei Tage nach dem Geschehen. Die Schlagzeile von LE DEVOIR verkündete »Verlust der Fähre *Caribou* mit 137 Personen, darunter 68 Kanadier«. LE SOLEIL überschrieb ihren Bericht »Die *Caribou* torpediert, 137 Tote«. Die englischsprachige Presse berichtete noch anschaulicher. Ein Artikel auf der letzten Seite des OTTAWA JOURNAL verkündete: »Die Versenkung der *Caribou* beweist Heimtücke der Nazi-Kriegsführung.« Der HALIFAX HERALD brachte die Überschrift »Frauen und Kinder unter den Opfern des Torpedotreffers − der Verlust ist die größte Schiffahrtskatastrophe des Krieges in den Gewässern um die kanadische Küste«.[47] Fotografien und Augenzeugenberichte betonten die Brutalität des Angriffs, sie hoben den Mut und das Durchstehvermögen der Überlebenden hervor sowie die menschliche Würde derer, die erlagen. Mit scharfen Worten, die er bisher vermieden hatte, wandte sich der Marineminister MacDonald an die Öffentlichkeit:

»Die Versenkung der SS ›Caribou‹ bringt den Krieg mit aller Tragik nach Kanada. Wir beklagen den Verlust von Offizieren und Mannschaften unserer Seestreitkräfte ... Doch die, um die unsere Herzen am meisten bluten, sind die Frauen und Kinder ... Wenn es Kanadier gegeben hat, die nicht erkannten, daß wir einem rücksichtslosen und erbarmungslosen Feind gegenüber stehen, jetzt kann es solche Kanadier nicht mehr geben. Hätte es noch eines Beweises für die Heimtücke der Nazi-Kriegführung bedurft, hier ist er. Kanada wird die SS ›Caribou‹ nie vergessen.«

Es ist vielleicht bezeichnend, daß dieses Pathos nur in Rückseitenberichten gedruckt wurde. Die Presseberichterstattung schloß auf der ersten Seite die *Caribou*-Serie mit einem Krankenhaus-Interview ab, in dem sich die junge Braut des Pilot Officers, die ihren Mann überlebt hatte, über die Versenkung äußerte: »Wenn das, was geschah, viele Kanadier aus ihrer Selbstgefälligkeit aufschrecken würde«, so gab sie zu bedenken, »dann ist das nicht nutzlos geschehen.«[48] Wie auch immer die Wirkung 1942 gewesen sein mag, die Versenkung der *Caribou* machte keinen langwirkenden Eindruck, denn in Angelegenheiten der nationalen Verteidigung hat Kanada kein Gedächtnis. Fast 40 Jahre später, im April 1982, mußte der Botschafter der Vereinigten Staaten in Kanada, Paul Robinson, eine kanadische Marinekonferenz in Vancouver darauf hinweisen, daß Kanada »den St. Lawrence-Strom immer noch nicht verteidigen kann«.[49]

5. Kapitel

Spione und Wetterfunkstationen: Langbein, Janow und Kurt

Der Krieg bringt komplizierte Organisationen und Techniken zur Beschaffung von Feindnachrichten hervor.[1] Die deutschen Methoden der Spionage und Gegenspionage bedienten sich ebenso vielfältiger Verfahren, wie man sie auch im alliierten Lager findet: von ausgefeilter Technologie und der Entzifferung alliierter Funksprüche durch den xB-Dienst bis zur Beschaffung von Geheimmaterial von aufgegebenen Schiffen und Wracks, die Befragung von Kriegsgefangenen oder sogar die Gefangennahme ziviler Seeleute. Uboote brachten automatische Wetterstationen in ausländische Territorien und landeten Geheimagenten hinter feindlichen Linien. Zwei dieser Methoden des deutschen Nachrichtendienstes hatten Kanada zum Ziel. Es ist vielleicht bezeichnend, daß die Technik sich in diesem Fall als vertrauenswürdiger erwies als angeworbene Menschen, denn die beiden zögernden und zurückhaltenden Spione, Langbein und Janow, leisteten höchst fragwürdige Dienste, während die Wetterstation Kurt bis 1981 unentdeckt durchhielt. Es gibt Beweise dafür, daß der deutsche Nachrichtendienst Spione hastig und mit erstaunlicher Ungeschicklichkeit auf ihre Aufgaben vorbereitete, für die sie deutlich wenig Neigung zeigten. Die Einsatzleiter dieser Spione hätten sich eigentlich nicht wundern sollen über das, was herausgekommen war, denn eine deutsche militärische Untersuchung war 1931, wenn auch äußerst zynisch, zur Ansicht gekommen, daß »Spione ausnahmslos Menschen mit erheblichen moralischen Defekten sind«, ein Faktor, der einen der Betrachter dazu brachte, Dante zuzustimmen, der Verräter in den letzten Kreis der Hölle verbannt hatte.[2] Der V-Mann, oder Vertrauensmann, genoß selten das volle Vertrauen seines Meisters. Die deutsche Seekriegsleitung betonte im Dezember 1942, daß »Agenten niemals als absolut zuverlässig angesehen werden können«.[3] Aus Furcht vor möglichem Verrat hatte sie sich geweigert, ein Uboot auszuschicken, um einen Agenten aus Island abzuholen. Im Gegensatz dazu schickte sie zwei Uboote nach Kanada, um deutsche Kriegsgefangene aufzunehmen.

Kaptl. von Varendorff, der im Oktober 1939 mit Prien in Scapa Flow war, unternahm im Mai 1942 mit *U 213* den ersten einer ganzen Reihe solcher Geheimeinsätze von deutschen Ubooten in kanadischen Gewässern.[4] Prien kannte von Varendorff als einen geselligen und kompetenten Offizier, der »von einer quecksilbrigen Lebendigkeit war wie ein Junge vor einem großen Streich« (Günther Prien, MEIN WEG NACH SCAPA FLOW, Berlin: Im Deutschen Verlag, 1940, S. 176).

Dieser Einsatz rutschte in die dritte und letzte Phase von »Paukenschlag« und fiel also mit der Unternehmung von Karl Thurmann auf *U 553* zusammen, dessen Einzelunternehmungen den Beginn der Schlacht im St. Lawrence einleiteten. Der Hintergrund des Einsatzes von *U 213* bleibt mysteriös. Es liegen weder deutsche noch kanadische nachrichtendienstliche Unterlagen vor, nur geheimnisvolle Notizen im Kriegstagebuch des Ubootes, die den Eindruck eines Ränkespiels bei der Landung des Agenten in St. John's, New Brunswick, verstärken.[5] Innerhalb zweier Stunden nach seinem Eintreffen in Lorient beendete von Varendorff am 24. April von Brest kommend seine »Rücksprache mit dem Vertreter des OKW über den Sondereinsatz« (KTB). Das Kriegstagebuch läßt keinen Rückschluß auf den Inhalt der Besprechung oder die Zielrichtung der Planung zu. Weniger als drei Stunden vor der Abreise am nächsten Tag vermerkt von Varendorff: »Leutnant (M.A.) Langbein an Bord«. Das war wahrscheinlich der Deckname des Agenten; das M.A. bezeichnete seine angebliche Marinelaufbahn, Marineartillerie, um zu erklären, daß er mit Ubootsachen nicht vertraut war. Nur der Kommandant sollte in die Sonderaufgabe eingeweiht sein.

Akten der RCMP (Kanadas berittene Polizei, die auch für Staatssicherheit zuständig war) und Zeugenberichte beschreiben Langbein als einen sympathisch wirkenden Mann, der leicht Freunde fand, ein enzyklopädisches Gedächtnis besaß und von 1928 bis 1932 in Kanada gelebt hatte.[6] Er hatte in Alberta vermessen, in Winnipeg bei der Eisenbahn gearbeitet und in Flin Flon in einer Grube. Das Land war ihm ans Herz gewachsen. Obwohl ein Zeuge sich erinnerte, daß er nur gebrochen Englisch spreche, hatten andere ihn sehr gut mit einem englischen oder sogar mit einem liebenswerten holländischen Akzent sprechen hören. Offensichtlich war er nach Deutschland zurückgekehrt, um seine Eltern zu besuchen, hatte vielleicht geheiratet. Nach seiner Einberufung zum Heer hatte er eine Spionageausbildung erhalten und einen Einsatz in Rumänien hinter sich. Insgeheim vom Nationalsozialismus und vom Krieg enttäuscht hatte er die relativ harmlose Aufgabe übernommen, über die Örtlichkeit kanadischer Industrien und den Betrieb rund um die Haupthäfen wie Halifax zu berichten. Es wurde ihm verboten, sich auf Sabotage einzulassen. Das bot dem Opportunisten eine noch nicht dagewesene Chance, nach Kanada zu entkommen, wo er hoffte unterzutauchen und ein gemütliches Leben zu führen. Als er sich unter dem Deckmantel eines Marineoffiziers auf *U 213* an Bord meldete, hatte er ein tragbares Sende-Empfangsgerät bei sich, einen Zivilanzug, eine alte von einer Ölgesellschaft herausgegebene Straßenkarte von New Brunswick sowie einen gefälschten Personalausweis auf den Namen Alfred Haskins, 182, Younge Street, Toronto, vom 16. Oktober 1940. Es gibt Vermutungen, daß der wirkliche Haskins entweder ein gefangener RCAF-Flieger oder jemand war, den Langbein in Kanada kennengelernt hatte. Schließlich hatte er 7000 Dollar in großen amerikanischen Scheinen bei sich und 12 oder 13 Dollar kanadisches Geld. Beide Währungen sollten ihm noch Schwierigkeiten bereiten.

U 213 verließ Lorient planmäßig am 25. April 1942, gerade sechs Tage nach *U 553* (Thurmann), durchfuhr die gefährliche Biskaya getaucht in hellem Mondlicht, das den Alliierten ausgezeichnetes Fliegerwetter bescherte, und setzte seinen Kurs nach Westen auf einer Art Großkreis ab. »Vier Tage Sauwetter von vorn« zwang das Boot zu einem normalerweise nicht vertretbaren Brennstoffverbrauch von 3,6 bis 4 cbm am Tag. Das wollte von Varendorff nur »im Hinblick auf die Aufgabe« in Kauf nehmen. Diese Bemerkung läßt vermuten, daß er unter härterem Termindruck und operationeller Dringlichkeit handelte als die Geheimmission von *U 518* in der Baie des Chaleurs im folgenden November. Unstabile Wetterlage vor der kanadischen Küste, die sich innerhalb von zehn Minuten von klarem Himmel in eine undurchdringliche Nebelwand verwandeln konnte, drängte ihm die Bemerkung auf, daß man »für erfolgreiche Operationen eine gute Portion Glück brauche« (KTB).

In der Nacht des 12. Mai entschloß sich von Varendorff, in die Bay of Fundy einzulaufen, weil – wie er notierte – »ich mit einer Wetterverschlechterung rechnen muß und bei Nebel die navigatorischen Schwierigkeiten bei den herrschenden Stromverhältnissen zu groß sind«. Erneut stellte er fest, daß ihn die Durchführung des Einsatzes eine Menge Brennstoff kostete. Seine Bemerkungen lassen ein beträchtliches Maß an Besorgnis vermuten, und daß allein das Wetter ihn drängte, zu diesem Zeitpunkt dicht unter die Küste zu gehen. Es war ein beachtliches Unternehmen. In der Bay of Fundy erkannte er deutlich, daß sogar seine Kartenausrüstung für solche Unternehmung nicht ausreichend war. Zweifellos lag ihm die British Admiralty Chart Nr. 352 vor, eine Großgebietskarte kleinen Maßstabes, die die deutsche Kartenstelle regelmäßig ausgab. Andere navigatorische Unterlagen, die seine Nachfolger zur Verfügung hatten, lagen ihm nicht vor – besonders der ins einzelne gehende deutsche Uboot-Atlas, der die Ostküste von Kanada abdeckte und erst später herausgegeben wurde. Dieser enthielt 13 Detailkarten der Bay of Fundy. Das Uboot-Segelhandbuch für die Bay of Fundy erschien erst Ende August. Von Varendorff würde daher höchstwahrscheinlich Schwierigkeiten haben, navigatorische Einzelheiten zu erkennen.

Auf Wunsch des deutschen Oberkommandos sollte die Landung östlich von St. John's erfolgen. In dieser Beziehung war sein Plan ganz einfach: »Einlaufen bei Nacht, bei Tag auf Grund, dann bei Nacht Ausschiffung und wenn möglich vor St. John's einen Dampfer knacken und wieder auslaufen« (KTB). *U 213* sichtete Lurcher Shoal Feuerschiff und passierte ohne Schwierigkeiten an ein paar Fischerbooten vorbei Manan und Long Island. Um die Leuchtbaken zu benutzen, die alle unter friedensmäßigen Bedingungen brannten, hielt er sich an die Steuerbordseite. Nur die unregelmäßigen Suchbewegungen der Scheinwerfer in St. John's ließen auf kanadische Abwehr schließen. Keine Überwachung wurde festgestellt. Um 0300 Uhr Ortszeit lag *U 213* querab von St. John's, südlich von Quaco Ledge. Von Varendorff beabsichtigte nun, bis zur Dämmerung zu warten, ehe er sich in

60 Meter Wassertiefe vor der nördlichen Quaco Leuchttonne auf Grund legte. Dort würde er zwei Meilen vor der Küste liegen und sich bei Tag der Küste zu Erkundungszwecken auf Sehrohrtiefe nähern. Als er sich um 0630 Uhr Ortszeit auf 50 Meter auf Grund legte, verdeckte das Wetter alle Leuchtbaken außer den hellen Blitzen von St. Martin Leuchtfeuer. Während des ganzen Tages fühlte er, wie die Strömung an seinem Boot zerrte. Im Horchgerät war nichts zu hören. Um 1830 Uhr lief er wieder auf Sehrohrtiefe bis eine Meile vor die Küste, konnte aber im Dunst nichts sehen.

Die letzte Phase begann am 13. Mai um 2230 Uhr Ortszeit mit dem Auftauchen von *U 213*, um das Boot durchzulüften, die Batterien aufzuladen und sich bis auf 1200 Meter der Küste zu nähern. Die Besatzung machte das Schlauchboot klar, die Wache an Deck bemühte sich, am diesigen Strand etwas zu erkennen. 20 Minuten nach Mitternacht »legte das Schlauchboot unter Führung des II. WO mit zwei Seeleuten ab« (KTB). Sobald das Boot nicht mehr zu sehen war, verschlechterte sich die Sicht merklich. Von Varendorffs Kriegstagebuch gibt keinen Hinweis auf Art und Ablauf der mysteriösen Landung. Seine Karte zeigt nur, daß er »Melvin's Beach« zur Anlandung ausgewählt hatte. Die Erinnerungen der RCMP ergeben, daß Langbein in voller Marineuniform landete. So hätte er, wenn er am Ufer festgenommen worden wäre, den Status eines Kriegsgefangenen beanspruchen können und nicht die Todesstrafe zu erwarten, die jedem gefangenen Agenten drohte. Offensichtlich in der Annahme, das Schlauchboot werde in relativ kurzer Zeit zur Küste und wieder zurück finden, hielt von Varendorff *U 213* gegen starken Weststrom mit E-Maschinen auf der Stelle. Für den Fall, daß sie in der Dunkelheit getrennt würden, hatten von Varendorff und sein II. WO eine Reihe von Lichtsignalen verabredet. Als der Offizier um 0300 Uhr noch nicht zurückgekehrt war, begann von Varendorff seine Signale in Richtung auf die Küste zu blinken. Um 0430 Uhr Ortszeit, »vier Stunden und zehn Minuten« nach dem Ablegen, wie von Varendorff ängstlich berichtet, kam das Schlauchboot in Sicht. Es hatte drei Stunden gebraucht, um einen geeigneten Landeplatz zu finden, nachdem die ersten Versuche an der Steilküste von Melvin's Beach fehlgeschlagen waren. Nach den Berichten der RCMP fand die Landung in der Nähe des Salmon River, etwa 30 Meilen südwestlich von St. John's und ein paar Meilen von der Ortschaft St. Martins entfernt, statt. Wir können nur vermuten, was genau an der Küste geschah. Das Kriegstagebuch berichtet nur von der Fahrt des Schlauchbootes: »0720 (deutscher Zeit) Landung durchgeführt, von Land abgesetzt, 0830 an Bord zurück«. Wie von Varendorff notiert, war »das Verhalten des II. WO klar und bestimmt. Ihm ist der Erfolg der Landung trotz aller Schwierigkeiten, die durch Sicht, Strom und Unkenntnis des Landeplatzes entstanden, zu danken.« Das war eine schöne, wenn auch typisch sparsame Anerkennung. *U 213* meldete den Erfolg der Unternehmung am 16. Mai, als es frei von der Bay of Fundy stand, dem BdU.

Schwierige Wetterbedingungen machten bei der Abfahrt aus kanadischen Gewässern alle Hoffnungen, Handelsschiffsziele angreifen zu können, zunichte. Er selbst wurde wahrscheinlich von der norwegischen HMNS *Lincoln* angegriffen, die meldete, am 15. Mai, 18 Meilen Südsüdwest von Yarmouth ein aufgetauchtes Uboot gesichtet zu haben.[7] Für den Rest war die Lage

»zum Verzweifeln: oben blauer Himmel, ringsherum Nebel«. (KTB)

So beruhte die Sicherheit der Handelsschiffe in diesem Fall nicht

»auf dem Befehl, seine menschliche Ladung an Land zu bringen und sich dann zu entfernen, ohne die, in deren Hand die Verteidigung dieses Gebietes lag, ungebührlich zu beunruhigen«.

Dieses kanadische Urteil wurde im Unterhaus 1952 vorgetragen, als die Spionagegeschichte zum erstenmal in der Öffentlichkeit auftauchte.[8] Der BdU warf von Varendorff wegen seines schlechten taktischen Ergebnisses Mangel an Angriffsgeist vor. Doch die Sonderaufgabe war gut durchgeführt, und der BdU hoffte, der junge Ubootkommandant habe aus seinen »Fehlern« schließlich doch etwas gelernt.

Nach der Landung auf kanadischem Boden begrub Langbein-Haskins die Marineuniform und den Sender, den er nie benutzen würde, in wasserdichten Umhüllungen und machte sich bei Tagesanbruch auf einen zweieinhalbstündigen Fußmarsch nach St. Martins. Hier gab er die ersten der nicht mehr gültigen kanadischen Zweidollarscheine aus, die sein Kollege von Janowski noch im November in Quebec ausgeben würde. Die Scheine, 1917 ausgegeben, waren ein Drittel größer als die derzeit gültigen und längst aus dem Verkehr gezogen. Die Kaufleute in St. Martins haben darin anscheinend kein Problem gesehen, bis es zu spät war. Von St. Martins begab sich Langbein teils per Anhalter, teils per Bahn nach St. John's, Moncton, und schließlich nach Montreal. Die Peinlichkeiten mit den großen amerikanischen Scheinen führten ihn in Etablissements, die dieses Geld annahmen und ohne Rückfragen in kanadische Währung wechseln würden. In solchen Straßen brachte er vorsätzlich sein Geld durch, bis er in einem Bordell von einer Streife festgenommen wurde. Wie das dort bei Kunden, die in flagranti erwischt wurden, damals üblich war, zahlte er seine Kaution unter einem angenommenen Namen und wurde schnell wieder entlassen. Das muß für jemand, den seine Vorliebe für die Fleischtöpfe des kolonialen Kanadas in den 30er Jahren in Mondscheinkneipen in Flin Flon, Manitoba, und in die Gesellschaft der blonden Annie und der Schwedin Ann geführt hatte, enttäuschend gewesen sein, so erinnert sich ein höherer RCMP-Offizier. Nach einem Monat in Montreal begab sich Langbein nach Ottawa, wo er vom 19. Juli bis 1. November 1944 unauffällig lebte. Zuerst zog er in das jetzt lange abgerissene Grandhotel in der Sussex Street. Das war anscheinend eines der meistbesuchten Etablissements der Stadt und der Lieblingsplatz der Angehörigen der Streitkräfte und Staatsdiener, die im Daly-Haus auf der anderen Straßenseite beschäftigt waren.[9]

Wie lange er in dem Hotel blieb, ist unklar. Im August 1943 zog er sich in eine Privatpension zurück und erklärte, Krankheit habe seine Entlassung aus dem Staatsdienst erzwungen. Die Familie, bei der er wohnte, bestreitet, daß er sich wie gerade der Playboy benommen habe, den die Nachkriegspresseberichte aus ihm machten. Am 1. November 1944 verließ der nunmehr mittellose Langbein sein Heim, angeblich um zum Fischen zu fahren, und stellte sich der Leitung des Marine-Nachrichtendienstes. Dieser überstellte ihn der RCMP, wo er einen verständlicherweise skeptischen Superintendenten davon zu überzeugen versuchte, er sei von einem deutschen Unterseeboot an Land gebracht worden. Nachforschungen durch einen Sergeanten bestätigten alle Angaben Langbeins. Er grub den immer noch unbenutzten Sender aus und fand einen Infanteriespaten und eine Decke, die der Spion weggeworfen hatte. Langbein hatte sich niemals mit Spionage befaßt und nur von den Mitteln gelebt, mit denen Berlin ihn versehen hatte. Er verbrachte den Rest des Krieges in einem Internierungslager und wurde bei Ende der Feindseligkeiten repatriiert. Die glücklose Reise des von Janowski nahm einen ganz anderen Verlauf.

Die Jungfernfahrt des Ubootes *U 518* vom Typ IXC im Herbst 1942, unter seinem neuen Kommandanten Oberleutnant zur See Friedrich Wissmann, war mit ungewöhnlichen Gefahren und Abenteuern belastet. Bei seiner ersten Unternehmung, die Dönitz später als Modellfall ansah, erhielt »Wissmännchen«, wie er scherzhaft genannt wurde, den Befehl, einen Agenten nach Kanada zu bringen und gleichzeitig jede Gelegenheit auszunutzen, die alliierte Schiffahrt an wichtigen Knotenpunkten an der kanadischen Küste anzugreifen. Admiral Dönitz war immer noch überzeugt, daß die Belle Isle Straße den Hauptausgang in den Atlantik für die Golfschiffahrt bildete. Der Erfolg von *U 165* und *U 517* in dem Gebiet hatte ihn offensichtlich noch nicht das System der Geleitzug-Zubringerwege (Quebec − Sydney, Sydney − Halifax und Halifax − Boston) erkennen lassen, die die Belle Isle Straße umgingen. Sie sammelten nicht nur den Küstenverkehr, sondern leiteten ihn auch in die großen atlantischen Geleitzüge von Halifax und New York. Zu dieser Zeit benutzten nur die Geleitzüge zwischen den Golfhäfen und Island oder Quebec und Labrador die Belle Isle Straße. Die spärlichen Berichte über die kanadische Unternehmung von *U 518* geben keinen klaren Hinweis auf die Prioritäten für Wissmann. Es ist zum Beispiel nicht ganz gewiß, ob die Zeitbestimmung der Anlandung des Agenten der Entscheidung Wissmanns oder des Agenten anheim gestellt war. Oder ob *U 518* sich erst mit den zugewiesenen taktischen Aufgaben befassen sollte, ehe er den V-Mann an einem höheren Orts vorbestimmten Ort an Land setzte.

Unter normalen Umständen erhielten die Kommandanten genaue navigatorische Anweisungen, die Länge und Breite des Hauptanlandeplatzes angaben, dazu Einzelheiten über ein oder zwei Alternativen, wie bei der Anlandung von Spionen in Maine durch *U 1230* (Hilbig). Nichts deutet darauf hin, daß mit Wissmann ähnlich

162

verfahren wurde. Angesichts der Tatsache, daß Kommandanten gewöhlich ihre Aufträge in versiegelten Umschlägen erhielten, die nur zu einem festgelegten Zeitpunkt nach der Ausreise oder nach Eingang eines Funksignals geöffnet werden durften, können wir davon ausgehen, daß Wissmanns Sonderaufgabe Gegenstand von Einweisungen und Besprechungen war. Was auch immer die Prioritäten in der Theorie gewesen sein mögen, aus den Unterlagen ist klar ersichtlich, daß der Agent – später von den Kanadiern als Werner Alfred Waldemar von Janowski identifiziert – eine lange Ubootunternehmung aushalten mußte, bis andere taktische Ziele erreicht waren. Kein Wunder, daß er nach 44 Tagen Unterwasserfahrt den verräterischen, muffigen Ubootgestank ausströmte, der unter anderem dem Geschäftsführer des Carlisle Hotel auffiel.[10]

Im Frühjahr und Sommer 1942 war Kanada voll von Spekulationen über Spionagetätigkeit. Sie wurden genährt durch Berichte sowohl in englisch- als auch französischsprachigen Zeitungen über Spione, die man in den Vereinigten Staaten geschnappt hatte. Die reine Sensationsmache dieser Geschichten ließ den St. Lawrence-Strom und den Golf viel verwundbarer erscheinen, als er es tatsächlich war. So verkündete zum Beispiel der HALIFAX HERALD vom 1. April 1942: »Uboot landet Deutsche an der Küste an. Spione kommen an Land, geben Meldungen an Boote.« Diese ins Auge springende Schlagzeile verheimlichte die Tatsache, daß die erwähnte Küste die amerikanische war, wo Spione tatsächlich ergriffen wurden. In der Folge schlugen schlecht informierte Berichte über dieses Thema hohe Wellen in der Presse. Informationen aus zweiter Hand erweckten gelegentlich den Eindruck, als seien sie höchst offiziell, so wie am 22. Mai, als der Leiter der Zivilverteidigung für den Staat Maine behauptete, daß »den Polizei- und Heeresdienststellen genaue Informationen vorliegen, die zeigen, daß fremde Agenten kürzlich an der Küste von Maine angelandet sind«.[11] Wie der MONTREAL STAR berichtete, betrachtete er später »es als absolut möglich, daß der Feind versuchen könne, Fallschirmspringer oder andere Luftlandetruppen in Maine zu landen«, um den ausländischen Agenten, die von Kanada her eingedrungen wären, Rückendeckung zu geben. Spekulationen über Kanadas Anfälligkeit für Bombenangriffe waren in aller Munde, wenn nicht sogar unheildrohend, wie STAR WEEKLY'S vom 28. März 1942 bezeugte. Er veröffentlichte eine ganzseitige farbige Karte »Nordamerikanische Städte und Großstädte nun von Achsenbombern bedroht«. Pearl Harbor hatte bewiesen, daß »es hier passieren kann«, hieß es, und das Szenario von Trägerflugzeugen vor Kanadas Pazifik- und Atlantikküsten wurde ausgemalt. Dann standen die Nazis 15 Minuten vor Halifax, 75 Minuten vor Quebec-City und Montreal und zwei Stunden vor Ottawa und Toronto. Anlandungen von Spionen waren daher nur »Zermürbungseinsätze« vor einem Großangriff.

LE SOLEIL von Quebec-City nahm am 23. Mai das Stichwort auf: »Ausschiffung von feindlichen Agenten ist auf der ganzen Länge des St. Lawrence möglich.« Sie wies auf die Verletzlichkeit der gesamten Golfregion hin. Am 29. Juni brachte LE SOLEIL einen amerikanischen Bericht über ergriffene Saboteure, die offensichtlich geplant hatten, über die USA nach Kanada einzureisen. »Saboteure planten die Zerstörung von Fabriken in Kanada.« Ein ausführlicher Bericht im HALIFAX HERALD vom 30. Juni legte dar, daß sechs der acht ergriffenen Deutschen, alles frühere Einwanderer in die Vereinigten Staaten, durch ein Uboot an Land gesetzt worden waren, und zwar mit pauschalen Befehlen, eine fünfte Kolonne aufzustellen und Industriezentren zu zerstören. Solche beunruhigenden Berichte führten zu einer offiziellen Erwiderung der RCMP; die »Mounties« bestanden darauf, daß »keine Nazi-Spione von deutschen Unterseebooten vor der kanadischen Atlantikküste an Land gesetzt worden waren«. Das Verteidigungsministerium versicherte der kanadischen Öffentlichkeit, »daß eine aufmerksame 24stündige Wacht durch Küstenpatrouillen am Atlantik sowie dem Pazifik aufrecht erhalten wird«.[12] Zu dieser Zeit war Leutnant Langbein allerdings bereits unentdeckt von *U 213* in St. John's, New Brunswick, an Land gesetzt worden, hatte sich aber noch nicht ergeben. Quebecs liberaler Premier der Provinzregierung warnte Mitte Juli den kanadischen Prime Minister Mackenzie King während der heißen Debatten über die Schiffahrtskrise auf dem St. Lawrence, daß die Bevölkerung seiner Provinz nervös sei; er legte ihm nahe, daß nach »zwei zuverlässigen Quellen« ein Angriff auf die Funkstation auf dem Flughafen Ste Flavie durch zwei Männer gemeldet worden war, die möglicherweise von einem Uboot an Land gesetzt worden waren.[13] Nur der HALIFAX HERALD vom 29. Juli wies darauf hin, daß einer von Kanadas wichtigsten Sicherheitskordons aus allgegenwärtigen »Geisterpatrouillen« bestünden. Diese unsichtbare Macht sicherte die Strände an Kanadas zerklüfteter Atlantikküste. Es stellte sich heraus, daß diese Miliz tatsächlich so gut wie unsichtbar war: Bestenfalls stellte sie eine Deckung von nur einem Mann auf sechs Meilen Küstenlänge. In Janowskis Fall allerdings erwiesen sich die Phrasen des HERALD ironischerweise als prophetisch:

»Können Spione und Saboteure an Kanadas Ostküste landen? Diese Frage ist seit der Razzia des FBI in den USA viele Male gestellt worden... Die Antwort auf diese Frage ist ja, sie können... Eine viel wichtigere Frage ist, wenn sie tatsächlich landen, wie weit kommen sie? Die Antwort darauf ist einfach... auf dem kürzesten Wege zum nächstgelegenen Gefängnis.«[14]

Doch in Quebec war die Saat der Unruhe gelegt und konnte plötzlich aufgehen. LE SOLEIL vom 20. Juli hielt ihren Lesern die Notwendigkeit der Heimatverteidigung vor. Weitverbreitete Veröffentlichungen über die Exekution von sechs der in den USA ergriffenen Spione trugen nicht dazu bei, dieses Gefühl der Bedrohung zu mindern.[15] Im Frühling und Spätsommer 1942 erinnerten Leitartikel über die Uboottätigkeit in den kanadischen Binnengewässern (und das tatsächliche Kampfgeschehen, das viele Quebecer beobachten konnten) daran, daß »die

164

Nazis auf dem St. Lawrence aktiv sind«.[16] Unter diesen Umständen war eine Einberufung zum Dienst in Übersee nicht sehr sinnvoll.

U 518 lief am 26. September 1942 aus dem Tirpitzhafen in Kiel aus. Es unterbrach die Reise bei der üblichen Zwischenstation Kristiansand in Norwegen, wo es am 28. September Brennstoff und Wasser auffüllte, und passierte am 3. Oktober die Island-Passage nördlich der Faröer auf dem Weg in den freien Atlantik. Erst am 15. Dezember würde es wieder in den Biskayastützpunkt Lorient einlaufen. Nach Wissmanns Bericht erreichte er sein erstes Operationsgebiet etwa 60 Meilen Nordost von Belle Isle am 18. Oktober um Mitternacht. Dieser Teil der Fahrt glich in etwa der siebzehntägigen ereignislosen, nebelumhüllten Suchfahrt von Rüggeberg auf *U 513* im vergangenen Monat. Während der zehn nebligen Tage auf Position sah Wissmann kaum mehr als zwei Fischerboote und bezeichnete es »als völlig totes Gebiet«, so wie es Schäfer auf *U 183* kürzlich während der zehn Tage im Südabschnitt der Belle Isle Straße angetroffen hatte. Der BdU forderte von *U 518* und *U 43* über Funk ihre verspäteten Lageberichte an. Zu dieser Zeit stand Schwandtke mit *U 43* im St. Lawrence-Golf. Einer Anweisung, das Operationsgebiet zu verlegen, vorgreifend, steuerte Wissmann auf Südostkurs rund um Newfoundland und erhielt 100 Meilen nordöstlich von Cape Freels die Berechtigung, »während der Neumondperiode nach BA und BB 10-40 zur Durchführung der Aufgabe vorzustoßen«.

Die einzige Bedingung für Wissmann scheint das Absetzen des Agenten von Janowski irgendwann während der dunklen Neumondnächte gewesen zu sein. Darüber hinaus scheint ihm der BdU Freiheit gegeben zu haben, über Wege und Methoden zu entscheiden. Der direkte Weg von seiner gegenwärtigen Position nach Percé auf der Halbinsel Gaspé führte etwa 560 Meilen nach Nordwesten in die Belle Isle Straße und weiter in den Golf. Aus ungeklärten Gründen wählte er die Alternative: 950 Meilen rund um Newfoundland und in die Cabot Strait. Da er den Funkspruch des BdU an Bargsten (*U 521*) und Schwartzkopf (*U 520*) mitgehört hatte, der auf besondere Möglichkeiten auf dem Wabana-Ankerplatz vor Bell Island, Conception Bay, hinwies, hoffte er zweifelsohne auf diesem längeren Weg auf Ziele zu stoßen. Wissmann notierte in seinem Kriegstagebuch seine Absicht,

»der Reede einen Besuch abzustatten, da die beiden anderen anderweitig eingesetzt sind«.

Vier Wracks in Lance Cove zeugen von den Angriffen Rüggebergs mit *U 513* im September 1942 und von Wissmann fast zwei Monate später am 2. November. Wissmann berichtet im KTB:

»An beiden Seiten Land, viele Lichter, fahrende Autos. Scheinwerfer über der Insel. Stehe tief in der Bucht, bisher nichts gesehen. An der Ostseite der Bucht dicht unter Land wieder nach Norden gelaufen. Auf Gefechtsstation. Weiter vorgedrungen. Zwischen Inseln, Inselchen, großen Steinen und einer großen, gelöschten Gittertonne hindurchmanövriert. Mond

kommt heraus (der kommt auch immer dann, wenn man ihn nicht braucht). Scheinwerfer streichen über die Wasseroberfläche. Ich glaube erfaßt zu werden und drehe ab. Beim näch-sten Scheinwerferleuchten wieder deutlich zwei Schatten zu sehen. Dampfer liegen zwischen mir und dem Scheinwerferkegel. Wieder rangedreht, dichter unter Land, um dem Schein-werfer möglichst zu entgehen. Beim Näherkommen drei Dampfer vor Anker in Sicht. Schein-werfer leuchtet wieder. Gerade jetzt äußerst unsympathisch. Die nächsten Sekunden ent-scheiden. Schwenkt er weiter, dann hat er mich. Genau vor mir hält er an. Schwenkt zurück und wird dann gelöscht. Jetzt muß es geschehen.«

U 518 versenkte die vor Anker liegenden SS *Rose Castle* und den französischen Erzfrachter *PLM-27* mit beträchtlichen Menschenverlusten und beschädigte SS *Flyingdale* durch einen Torpedo, der die Pier traf.[17] Aufgetaucht schon gut 4 Stunden und mit äußerster Kraft verließ *U 518* den Schauplatz, drehte um das Südende von Bell Island und in die Sicherheit tieferer und weniger beengter Gewässer. Wie er im KTB notierte: »Der Scheinwerfer, der die Dampfer schützen sollte, wurde ihnen zum Verhängnis.«

Die durch diese Versenkungen ausgelösten Einsätze der Ubootabwehr führten auf seiner Fahrt zur Cabot Strait, 40 Meilen ostwärts von Cape Race, zum schweren Bombenangriff auf *U 518*. Einer Reihe von vier 125-kg-Wasserbomben, auf acht Meter Wassertiefe eingestellt und in den Tauchstrudel des Bootes geworfen, fiel *U 518* fast zum Opfer; sein Radarwarngerät hatte ihn nicht vorge-warnt. Nebel vereitelte eine weitere Verfolgung durch das Flugzeug.[18] Die Angriffe von *U 513* und *U 518* zwangen die Kanadier, die Reede von Wabana als Ankerplatz aufzugeben und den Bau von Torpedonetzen vor diesen Kaianlagen in Angriff zu nehmen. Obwohl die Netze trotz widrigen Wetters Ende Dezember fertig waren, hatten die Uboote eine erhebliche Störung in Schiffahrtspläne und Überwachungsfahrten gebracht.[19]

Auf seiner Fahrt zur Cabot Strait beriet sich Wissmann nun mit seinem V-Mann über die letzten Einzelheiten und vereinbarte die Nacht des 9. November für die Operation. Am 8. November gibt sein Kriegstagebuch den ersten Hinweis auf den Ort der Landung des Agenten: Marinequadrat Bruno Bruno 4141, dessen Nord-grenze von Point Bonaventure bis Pointe de New Carlisle in der Baie des Chaleurs verläuft. Weitere Unterlagen sind nicht vorhanden. Rein navigatorisch gesehen war seine Wahl gut. Die Baie des Chaleurs ist die tiefste im Golf, frei von Untiefen und hat das mildeste Klima in der ganzen Gegend. Nebel, außerhalb der Baie sehr häufig, dringt selten bis ganz ins Innere vor, doch Regen und Dunst sind oft mit stürmischen Ostwinden verbunden. Mit ein bißchen Glück würden all diese Umstände die Operation begünstigen. Taktisch war die Wahl jedoch, wie wir sehen werden, ein großer Fehler. In einem winzigen Dorf kann ein Fremder nicht unerkannt bleiben.

Der 41 Jahre alte V-Mann von Janowski kam nicht das erste Mal nach Kanada. Anscheinend war er 1930 in die Provinz Ontario ausgewandert, wo er sich zuerst als Gelegenheitsarbeiter in Ailsa Craig, 20 Meilen von London entfernt, verdingt hatte. Hier erhielt der Einwanderer später eine Vollbeschäftigung als Landarbeiter. Ein Zeitungsinterview mit dem Polizeichef der Stadt unmittelbar nach dem Krieg entlockte diesem das Urteil, daß von Janowski »ein guter Arbeiter war, aber sehr großspurig, der sich mit seiner Herkunft aus einer angesehenen deutschen Familie brüstete«.[20] Später beschrieb er seinen Vater als Oberst der Infanterie. Diese prodeutsche Haltung führte zu einem angeblich viel diskutierten Krach mit einem Veteran des Ersten Weltkrieges, dem nach des Polizeichefs Worten »die Art mißfiel, mit der Janowski über Deutschland und den letzten (1914–18) Krieg das Maul aufriß«. Die Stadtbevölkerung schien ihn aber wegen seiner gewinnenden Persönlichkeit und seines Cellospiels akzeptiert zu haben. Nach seinen Aussagen hatte er 1932 eine Frau aus Toronto geheiratet, die regelmäßig in Ailsa Craig Ferien machte. Einige Berichte besagen, sie sei eine finanziell unabhängige Witwe mit eigenem Geschäft gewesen. Man ist sich jedenfalls allgemein darüber einig, daß die Ehe glücklich blieb, solange sie ihm die Mittel für die Teilnahme an irgendwelchen Kursen gab. Sie schenkte ihm eine teure Kamera, mit der er wiederholt öffentliche Gebäude und die Küste während seiner Reisen durch die Provinz fotografierte. Nachdem er 3000 Dollar ihres Vermögens ausgegeben hatte, trennten sie sich. Einem Bericht zufolge lebte zu dieser Zeit seine Frau in ständiger Furcht vor ihm, daß er während häufiger Alkoholexzesse ihr Leben bedrohe. Etwa ein Jahr vor Kriegsbeginn reiste er anscheinend weiter nach dem nördlichen Ontario.

Unter welchen Umständen er nach Deutschland zurückkehrte, ist nicht klar. Während der Depression in Kanada waren andere deutsche Emigranten verleitet worden, in das offenkundige wirtschaftliche Wachstum Nazi-Deutschlands zurückzukehren. Es kann sein, daß auch von Janowski sich davon angezogen fühlte. Die Details seiner Laufbahn und Lebensweise in dieser Vorkriegsphase seiner Wanderungen bleiben dunkel. Die Phantasie der Nachkriegskommentatoren füllte die Lücken aus.[21] Doch ob er tatsächlich in Marseille zur Fremdenlegion ging, ob er nach einiger Zeit in einem französischen Gefängnis bei Dieppe in der deutschen Armee diente und sich später wegen seiner Erfahrungen in Kanada selbst den Nazi-Spionagekreisen anbot, das sind reine Vermutungen. Auch seine Motivation für die Spionage bleibt unklar. Seine anscheinend oberflächliche Vorbereitung auf den Kanada-Einsatz und seine offensichtlich unbekümmerte und naive Art bei der Durchführung seiner Aufgabe legen nahe, daß die deutschen Dienststellen ihm keinen hohen Wert beimaßen. Jedenfalls machen uns die kanadischen Zeitungsberichte nach dem Krieg glauben, daß »der schlanke, unscheinbar aussehende Mann es mit den scharfäugigen, wachsamen und schnell denkenden Bürgern von New Carlisle nicht aufnehmen konnte«.[22]

Am 9. November lief *U 518* entlang der Südküste in die Baie des Chaleurs ein, fuhr dicht an North Miscou Point und den Miscou Flats vorbei und tauchte bei mäßiger Sicht vor dem Shippegan Channel auf. Seine Position konnte Wissmann durch die Leitfeuer von Pointe de Petite Lambèque überprüfen. Nach dem Uboot-Segelhandbuch, das erst 1943 in Berlin herausgegeben wurde, bot die Bucht keinerlei navigatorische Schwierigkeiten, da das Echolot rechtzeitig vor Untiefen warnte.[23] Ohne neuere deutsche Segelanweisungen mußte sich Wissmann auf eine britische Ausgabe stützen oder auf deutsche und britische Admiralitätskarten, die auf Vermessungen von 1913 basierten. Durch die Wahl der Südroute hielt sich Wissmann 14 Meilen von der Nordküste ab, auf der der Agent an Land gehen sollte. Dadurch setzte er sich jedoch den unberechenbaren Gezeitenströmen bei den Miscou Banks aus. Diese gefährlichen Bänke erstreckten sich zwei Meilen von der Küste nach Westen. Doch U 518 hatte keine wirklichen Schwierigkeiten, weil navigatorische Feuer in genügender Anzahl vorhanden waren. Als U 518 am 8. November Kurs auf die Nordküste nahm, fand Wissmann Wetter und Beleuchtung günstig für seine Zwecke: leichter Wind aus Südwest, mäßige Sicht und mäßig heller Himmel.[24] »An Land starker Autoverkehr auf beiden Seiten der Bucht«, hieß es im KTB, und erfreulicherweise keine Schiffe im Bereich. »Langsam wird es in den Ortschaften dunkler«; Wissmann stand fasziniert vor dem immer noch regen Autoverkehr.

Das Uboot lief nun bei steigender Tide auf die Küste zu, um die Sonderaufgabe in Quadrat »BB 4141, obere Kante Mitte« durchzuführen. Gegen Mitternacht bereitete die Besatzung das Schlauchboot zum Aussetzen vor. Von Janowski und Wissmann hatten für die Landung den Strand eben ostwärts von Sawyer's Point ausgesucht. Von der Siedlung New Carlisle durch die bewaldete Kuppe von Pointe de New Carlisle abgedeckt, war der Strand nicht nur abgeschieden, sondern bot auch Zugang zur Autostraße 132 und zur Eisenbahnlinie. Das war wichtig, denn der Agent hatte vor, sich so schnell wie möglich in Montreal in seine angenommene Rolle als Radioverkäufer für eine Fabrik in Toronto niederzulassen.[25] Sobald er dort war, sollte er sich mit Hamburg für weitere Anweisungen in Verbindung setzen. Der deutsche Nachrichtendienst hatte ihm offensichtlich nur eine einzige Kontaktadresse gegeben: die kanadische faschistische Partei unter Adrien Arcand in Montreal. Diese Gruppe, so hatte man ihm erklärt, sei recht gut organisiert und loyal der Sache der Nazis gegenüber und würde ihm jede nur mögliche Hilfe geben. Seltsamerweise hatte sich keiner die Mühe gemacht, ihn davon zu unterrichten, daß Arcand und zehn seiner aktivsten Getreuen schon zwei Jahre früher, 1940 festgenommen waren und noch hinter Gittern saßen. Dieses entscheidende Versehen ist besonders überraschend angesichts der Tatsache, daß die »Arcand-Festnahme« in allen kanadischen Zeitungen auf der ersten Seite gebracht worden war.

Kurz nach Mitternacht am 9. November lief Wissmann mit E-Maschinen auf die Küste zu und flutete seinen vorderen Tauchtank, um U 518 auf sanft abfallendem Vorstrand aufzusetzen. Am Ufer, das sich vor ihm etwa 15 Meter über dem Meeresspiegel erhob, standen einzelne Häuser; zu seiner Linken, dicht an der Küste entlang, lief eine Landstraße. Fünfzehn Minuten, nachdem *U 518* mit dem Bug auf den Strand aufgesetzt hatte, kam ein Auto und strich mit dem Scheinwerfer kurz über das Wasser und das Boot, ehe es nach Osten in Richtung New Carlisle weiterfuhr. Das KTB beschreibt das Abenteuer mit romanhafter Spannung:

»Mir blieb die Spucke weg! Unwillkürlich befehle ich noch, Köpfe weg. Das Auto dreht weiter und läuft dann unmittelbar vor uns in etwa 800 Meter Abstand vorbei. In seinem Scheinwerferlicht sind an Land die dort einzeln stehenden Häuser und alle Kleinigkeiten gut zu erkennen. Die Häuser machen einen ärmlichen Eindruck.« (KTB)

Von Janowski hatte mittlerweile seine drei Gepäckstücke in das Dingi geladen. Der eine Koffer enthielt Zivilkleidung, die er anziehen wollte, wenn er sicher an Land gekommen war. Der Koffer mit seiner gesamten Marineuniform (blaues Offiziersjakett, grüne Uboot-Leinenhosen und eine Offiziersmütze) wollte er im Sand vergraben; es konnte ihm als Alibi dienen, falls man ihn erwischte. Er wollte dann — so wie Langbein ebenfalls geplant hatte — behaupten, er sei von einem Uboot desertiert und Anerkennung als Kriegsgefangener verlangen.

Die anderen beiden Gepäckstücke enthielten die Werkzeuge seines Gewerbes.[26] Im ersten war der sehr schwere und unförmige 40-Watt-Telefunkensender, den er den Strand hoch und über die Autostraße in das Dorf schleppen mußte; im zweiten eine genarbte lederne Aktentasche, offensichtlich deutscher Herstellung, mit einer Sammlung gebrauchsfertiger Ausrüstung: 4994 Dollar in sowohl gültiger wie (was er nicht wußte) überholter kanadischer Währung; 1000 Dollar in 50 amerikanischen 20-Dollar-Goldstücken; Schlüsselmaterial und mikrofotografische Anweisungen; Geheimschriftmaterial in der Form von Zündhölzern; eine 25 mm automatische Pistole, die man leicht in der Hand verbergen könnte und von der Ruby Arms Company, Spanien, gefertigt war; ein Satz Schlagringe mit bösartigen Stacheln; Notproviant, i. e. Schokolade und Traubenzuckertabletten, von denen er glaubte, sie seien weit kräftiger, als die spätere Analyse zeigte; mehrere Karten von St. John's, New Brunswick, Toronto, Montreal, Quebec, Halifax und Gebietskarten des östlichen Kanada; eine metallische Erkennungsmarke des deutschen Militärs; ein Soldbuch mit dem verräterischen Adler und Hakenkreuz; eine kanadische Kennkarte, deren ursprünglicher Name durch den eines William Branton, 323 Danforth Avenue, Toronto, ersetzt war; und einen ebenso bearbeiteten Führerschein aus Quebec von 1940. Diese kanadischen Dokumente hatte man möglicherweise kanadischen Soldaten nach dem Überfall auf Dieppe weggenommen. Eine Reihe scheinbar harmloser Gegenstände vervollständigten die Ausrüstung: ein Alphabetschieber aus Pappe, vermutlich zur Herstellung primitiver Schlüssel, sowie zwei englischsprachige Bücher, die vielleicht als Unterlage für Schlüsseltexte dienen sollten. Eines war eine ziemliche Schundausgabe schlecht geschriebener Detektivgeschichten, das andere eine Sonderausgabe von P. L. Travers MARY POPPINS, erschienen 1939 in Leipzig, mit dem Aufdruck auf dem Vorblatt »Darf nicht in das britische Empire oder die USA eingeführt werden«. Eine gute Stunde nach Beginn der Landungsoperation kam das Schlauchboot zurück.

»V-Mann wurde mit seinem Gepäck gut und trocken an Land gebracht.« (KTB)

Janowski zog seinen grauen Rollkragenpullover und einen grauen Tweedanzug an, vergrub die Marineuniform, warf den Spaten weg und wartete bis zum Morgengrauen. Wissmann drückte Tauchbunker 7 und die Regelzellen aus und zog das Boot mit E-Maschinen zurück. Die Aufgabe wurde, so notierte er, völlig geräuschlos und unbemerkt durchgeführt. Trotz gelegentlich aufflackernder Angst gab der leichte Ablauf der Operation Wissmann Grund zur Zufriedenheit.

»Ich bin nach den dort vorgefundenen friedensmäßigen Verhältnissen der festen Überzeugung, daß der V-Mann auch weiterhin durchgekommen ist.« (KTB)

Mit diesem Schluß konnte er sich kaum weiter von der Wahrheit entfernen, denn nach 24 Stunden war Leutnant Werner von Janowski festgenommen und dabei, als Doppelagent umgedreht zu werden.

Bis etwa 0700 Uhr morgens, als es genügend hell war, um nach oben zu gehen, blieb Janowski am Fuß des Steilufers. Mangels deutscher gegensätzlicher Dokumentation scheinen seine Pläne und Entschlüsse bei der Landung ziemlich durcheinander gewesen zu sein. Natürlich mußte er sich nach 44 Tagen in der Enge von *U 518* und einer Nacht auf einem kalten Quebecer Strand nach einem Bad gesehnt haben. Dies ist die einzige Erklärung für seinen kurzen Aufenthalt in der kleinen Stadt New Carlisle. Den Sender und die Aktentasche in der Hand, ging er gegen 0830 Uhr auf der Autostraße zur Stadt. Ein vorbeifahrendes Fahrzeug mit einem Eisenbahnschaffner am Volant nahm ihn auf. Nach dem MONTREAL STANDARD vom 20. Mai 1945 war dies »der erste Kontakt mit dem eingedrungenen Teutonen«.[27] Trotz neugieriger Fragen des Fahrers scheinen sie sich wenig unterhalten zu haben. Als früherem Bewohner von Toronto und Umgebung war Janowskis Rolle nicht schwierig. Er beschrieb sich selbst als Verkäufer für die Northern Electric Company und erwähnte das Hotel, zu dem er jetzt wollte, was auf genaue Kenntnis der Stadt schließen ließ. In New Carlisle meldete er sich unter dem Namen William Branton an mit der Absicht, nicht länger als nötig im Hotel zu bleiben. Er sagte dem Personal, er wolle nur ein Bad und Frühstück haben, ehe er weiterfahre. Sein Englisch mit einem fremden Akzent fiel niemandem auf, doch die Kürze seines Aufenthaltes, sein zögerndes Verhalten und sein seltsamer Körpergeruch ließen vermuten, daß da etwas nicht stimmte. Er behauptete – und das war unverständlich –, mit dem Bus gekommen zu sein, doch der erste Bus des Tages kam erst gegen Mittag an.[28]

Der Sohn des Hotelbesitzers, der 23 Jahre alte Earle J. Annett jr., wurde in die Sache verwickelt, als »Janow«, wie er in Deutschland genannt wurde, eine leere Streichholzschachtel mit der Aufschrift »Fabriqué en Belgique« wegwarf und seine Rechnung mit zwei veralteten kanadischen Dollarnoten beglich. Janowski beschuldigte später seine Führungsleute, sie hätten ihn betrogen, indem sie ihm solche inkriminierenden Scheine gegeben hätten. Wie der junge Annett der Presse 1945 mitteilte, hatten jedoch weder er noch sein Vater einen ernsthaften Verdacht, obwohl man gerade zur damaligen Zeit erwartete, »daß die Deutschen irgendwann im Krieg versuchen würden, einen Spion in der Bucht an Land zu setzen«.[29] Als er erfuhr, daß ein Zug nach Westen um 1110 Uhr abginge, lehnte Janowski das Angebot von Earle Annett ab, ihn zum Bahnhof zu fahren, und ging mit seinem unförmigen Funksender zu Fuß weiter. Sobald Janowski gegangen war, rief Annett den Polizisten Alphonse Duchesneau der Quebec Provincial Police an. Mittlerweile hatte er sich darüber Gedanken gemacht, daß man ihn mit gefälschtem Geld geprellt habe. Vielleicht war er zu dieser Zeit auch neugierig geworden, wie ein ziemlich muffig riechender Reisender so früh mit einem nicht existierenden Bus angekommen war. Duchesneau inspizierte daraufhin das Hotelzimmer, das Janowskis Sorglosigkeit aufwies; er hatte eine fast volle Pakkung belgischer Zigaretten vergessen. Nun war Annett mißtrauisch geworden und folgte Janowski zur Bahn. Hier bot er dem mysteriösen Reisenden eine Zigarette an, woraufhin Janowski eine Streichholzschachtel hervorholte, die genau so aussah wie die, die er im Hotel weggeworfen hatte. Am Schalter zog er eine neue 20-Dollarnote aus einer Rolle von Scheinen und bezahlte damit die 3.40 Dollar nach Matapedia. Drei Jahre später erinnerte sich der Schalterbeamte im nachhinein des »verdächtigen Kerls«, der ihn veranlaßte, »mit dem Deputy Sheriff zu telefonieren«.

Unmittelbar nach dem Krieg meinte ein Leitartikel im OTTAWA CITIZEN, die Geschichte sei zu diesem Zeitpunkt bereits ein »Laurel-und-Hardy-Auftritt« geworden.[30] In der Überzeugung, sein Verdacht sei über jeden Zweifel erhaben, informierte Annett die Marinestreife, von der er wußte, daß sie die Züge von und zu dem Stützpunkt Gaspé begleitete. Da aber die Marinepolizei kein Recht hatte, sich mit Zivilpersonen zu befassen, sprangen der Marinepolizist und Annett wieder von dem wartenden Zug und fuhren zur Quebec Provincial Police. Mit Duchesneau fuhren sie erneut zum Bahnhof, der nun den Zug bestieg und sich neben den Verdächtigen setzte, während ein Kollege über die Autostraße zur nächsten Station fuhr. Von einer beiläufigen Unterhaltung ging Duchesneau zu einer sorgfältig bohrenden Befragung über, verlangte dann die Kennkarte des Verdächtigen und durchsuchte das verräterische Gepäck. In diesem Augenblick erklärte Janowski: »Ich bin erwischt, ich bin ein deutscher Offizier.« Die Pistole war in seinem Gepäck, er machte keinen Versuch, den Schlagring, den er in der Tasche hatte, zu benutzen. Nun spielte Janowski-Branton seine Legende aus und beanspruchte den Status als Kriegsgefangener.

Wachtmeister Duchesneau und sein Gefangener stiegen in Bonaventure, Quebec, neun Meilen weiter westlich, aus und fuhren im Streifenwagen nach New

Carlisle zurück. Janowski beanspruchte das Recht, seine Marineuniform anzuziehen, und Polizeioffiziere geleiteten ihn zum dem Platz, an dem er sie vergraben hatte. Die Polizei handelte in mancher Hinsicht schneller als die Nachkriegspresse anmerkte. Sie benachrichtigte den Marine-Stabsoffizier für Operationen in Gaspé, der eine besondere zweitägige Ubootsuche durch die zwei *Bangors* HMCS *Burlington* und *Red Deer,* in der Baie des Chaleurs anordnete.[31] Nachkriegszeitungsberichte beschimpften die Polizei, weil sie Janowski erlaubt hatte, so unverschämt den Kriegsgefangenenstatus zu beanspruchen. RCMP-Offiziere versicherten, sie habe die Quebec Provincial Police wegen der laxen Behandlung des Falles zurechtgewiesen. Es gibt jedoch keinen erreichbaren Beweis für diese Behauptung; im Gegenteil, Janowski sagte später einem Bürger, der ihn in der Zelle besuchte, auch er sei überrascht, »so gut behandelt zu werden«. Nachdem er Marinemütze und Jakett angezogen hatte, aber weiterhin seine Tweedhosen trug, wurde er zum QPP-Büro gebracht. Um 2200 Uhr brachte Duchesneau Janowski in das Landesgefängnis und übergab ihn der Obhut des Gefängniswärters und Sheriffs Gus Goulet. Dem schien die Unterhaltung mit »Janow« Spaß gemacht zu haben; am nächsten Morgen brachte er ihm ein nahrhaftes Frühstück mit frischen Eiern. Mittlerweile hatte Duchesneau den Chef der QPP in Quebec unterrichtet, der wiederum die RCMP ins Bild setzte. Gegen Mitternacht am 10. November nahm der Inspektor der RCMP vom Hauptquartier in Montreal den Spion offiziell in Gewahrsam. Die RCMP brachte ihn schleunigst nach Montreal; dort benutzten sie ihn als Doppelagenten.

Im Verlauf der weiteren Geschichte amüsierte Janowski die Polizei mit der Erzählung, er sei mit einem der größten deutschen Uboote gekommen. Nach seinem unglaublich klingenden Bericht trug es Flugabwehrgeschütze, nicht weniger als vier Torpedorohre, 22 Torpedos und eine 70köpfige Besatzung. Doch diese Angaben stimmten in etwa, es war ein Typ IXC Boot. Ein erster Bericht des kanadischen Marinenachrichtendienstes vom 12. November meldete, die RCMP habe in New Carlisle am 9. November eine verdächtige Person festgenommen, die später als »deutscher Offizier, am 6. November von einem Uboot an Land gesetzt«, identifiziert wurde. Die Marine schien sein Alibi akzeptiert zu haben. Indem er die kanadischen Dienststellen Glauben machte, er sei drei Tage früher an Land gekommen als es wirklich der Fall gewesen war, versuchte Janowski eindeutig, die Kanadier von einer Verfolgung abzubringen. Wissmanns *U 518* brauchte Zeit, um wegzukommen. Vom ersten Alarm am 9. November, bis am 13. November schließlich der Brennstoff ausging, kreuzten jedoch die kanadischen Kriegsschiffe *Burlington* und *Red Deer* in der Bucht hin und her, um ihr Opfer abzufangen. Nach Brennstoffergänzung in Gaspé setzten sie mit Hilfe von Flugzeugen der RCAF ihre Suche bis zum Tagesanbruch des 14. November fort. Zivil-Beobachter an Land lenkten die Schiffe oft mit gut gemeinten, aber falschen Alarmen ab. Diese Meldungen trugen zu den »zwanzig Uboot-Sichtmeldungen« durch Küstenbeobachter und Fischer im Monat November wesentlich bei. Die

Suche hatte zu spät begonnen; fünfeinhalb Stunden nach Verlassen des Strandes von New Carlisle steuerte *U 518* zu einer flüchtigen Erkundung in die »Ubootgasse« vor Gaspé.

Inspektor Harvisons persönlicher Bericht über seine Befragung und die daraus folgende Steuerung von Janowski-Branton als Doppelagent ist der einzige zuverlässige amtliche Bericht über dies Schlüsselereignis in der kanadischen Erfahrung bei der Gegenspionage. Unter Leitung eines hochrangigen Ausschusses, in dem die Teilstreitkräfte und die ministeriellen Abteilungen vertreten waren, richtete die RCMP einen Funksender für Janowski im Haus eines RCMP-Dolmetschers in Montreal ein, der nur als »Johnny« bekannt ist. Er hatte im Ersten Weltkrieg auf Ubooten gedient; ein Jahr später, im November 1943, wurde er bei dem Versuch, *U 536* vor Pointe de Maisonette, New Brunswick, zu kapern, Mitglied des Enterkommandos. Sendeleistung und Reichweite des neuen Senders übertrafen die des Koffermodells, das der Spion an Land gebracht hatte. Um Hamburg nicht zu verraten, daß ihr Mann nunmehr gesteuert wurde, mußte er sehr sorgfältig abgestimmt werden. Auf diesem Weg ließ die RCMP den Janowski sorgfältig ausgesuchte Informationen über die Leitstelle in Hamburg nach Berlin durchgeben. Sie hofften, dadurch seine Glaubwürdigkeit zu untermauern, um Hinweise auf die Methoden der Nachrichtendienststellen in Deutschland zu bekommen. Im Dezember 1942 nahm die RCMP mit Janowskis Funkleitstelle in Hamburg Kontakt auf und hatte bis November 1943 täglich Funkverkehr mit Hamburg.[32] Doch die Informationen scheinen nur in eine Richtung gegangen zu sein. Hamburg hat offenbar nie versucht, von sich aus mit Montreal Kontakt aufzunehmen, sondern wartete statt dessen, daß Janowski etwas unternahm. Als die Verbindungen irgendwann nach dem November 1943 abbrachen, erhielt Janowski auf seine Anforderung nach Anweisung oder Unterstützung keine Antwort mehr, selbst dann nicht, als er vorgab, nun mittellos zu sein. Doch selbst 20 Jahre später, als Harvison mit seinem Spion in Deutschland zusammentraf, blieb er überzeugt, die Täuschung sei gelungen.

Der Erfolg der RCMP bei der Steuerung von Janowski als Doppelagent hing in hohem Maß von der Geheimhaltung seiner Gefangennahme in New Carlisle ab. Inspektor Harvisons Erinnerungen zeigen, daß die Reporter in der Tat Wind von der Festnahme bekommen hatten, viele sogar rechtzeitig eingetroffen waren, um aus der örtlichen Bevölkerung Einzelheiten für ihre Geschichten zu erfahren. Sie hätten wenig Schwierigkeiten gehabt, genügend Einzelheiten zu erlangen, mit denen sie die Phantasie ihrer Leser über diese nachweisliche Bedrohung der nationalen Sicherheit entzünden konnten. Zeitungsberichte über Janowskis Festnahme hätten nicht nur den Schutzmantel der RCMP weggerissen, sondern auch die schlimmsten Befürchtungen Quebecs über die unmittelbare Nazibedrohung bestätigt. Harvison war sich zweifellos über die ganze Spionage-Panik, die den Golf überschattete, im klaren, und seine spätere Autobiographie lobte die Presse, weil »nicht eine einzige Zeile erschien, bis die Zensur bei Kriegsende aufgehoben wurde«.

In Wirklichkeit gab es jedoch viele Leckstellen. Am 23. November 1942, gerade zwei Wochen nach Janowskis Festnahme, veröffentlichte das amerikanische Magazin NEWSWEEK die ersten Hinweise unter der Überschrift »Kanadische Notiz«. Sie forderte ihre Leser auf, »auf eine Ankündigung über die Festnahme eines deutschen Ubootkommandanten bei New Carlisle, Quebec, zu achten«.[33] Weiteres erfolgte nicht. Am nächsten Tag jedoch, am 23. November, gab der Marineminister Angus MacDonald eine Pressekonferenz, in der er geschickt das Spionagethema umging, als er die Versenkung von 20 Schiffen auf dem St. Lawrence-Strom und im Golf im Lauf des Jahres 1942 bekannt gab. Direkt befragt, ob jemals Spione von deutschen Ubooten in Kanada im Bereich des St. Lawrence angelandet worden seien, bemerkte MacDonald überflüssigerweise, es sei zwar technisch möglich, Männer an entlegenen Punkten an dem Ufer des St. Lawrence an Land zu setzen, sie könnten jedoch »nur dann weiterkommen, wenn sie fließend französisch sprächen und Zivil trügen«.[34] Vermutlich war er persönlich über die Festnahme Janowskis unterrichtet, hatte aber wohl von dem Lapsus der NEWSWEEK nichts gehört. Der nächste Sicherheitsverstoß ereignete sich am 4. März 1943 in dem Quebecer Landtag. Im Laufe einer langen Rede, die auch die nationale Sicherheit berührte, warf ein Abgeordneter ein, ein deutscher Spion sei in New Carlisle festgenommen worden, als er gerade wichtige Informationen über die Verteidigung des St. Lawrence senden wollte. Am nächsten Tag gab eine Anzahl von Zeitungen diese Aussage wieder.

Es gibt keine Unterlagen darüber, ob diese Berichte nach Berlin durchgesickert waren; im Gegenteil, die deutschen Unterlagen zeigen, daß Janowski trotz dieser Lecks einen gewissen Grad an Glaubwürdigkeit besaß. Dies Vertrauen konnten die kanadischen Stellen nicht erkennen, da Berlin ihm keinerlei Informationen zuspielte. So berichtet eine Eintragung im Kriegstagebuch der deutschen Seekriegsleitung vom 24. April 1943, daß ein Agent das Auslaufen eines Murmansk-Geleitzuges am 19. April 1943 gemeldet habe.[35] Am 31. Mai 1943 berichtet das Kriegstagebuch von der Meldung eines »sehr zuverlässigen Agenten in Kanada«, die am 17. Mai übermittelt wurde und die das Auslaufen der »ersten großen Weizenverschiffung« aus dem St. Lawrence-Golf ankündigte. Der Geleitzug sei »der größte, der jemals aus Kanada abgefertigt« wurde; er wurde angeblich durch die unwahrscheinliche Ansammlung von »vierzehn Schiffen gesichert, darunter zwei Kreuzer, ein oder zwei Flugzeugträger«, und sei um den 6. Mai vor St. John's, Newfoundland, zu erwarten. Die alliierten Nachrichtendienste wußten sehr wohl, daß der BdU keine Uboote in diesem Gebiet hatte, die diese Behauptungen bestätigen konnten.

Wenn Harvison recht hat mit der Behauptung, daß die RCMP Janowski 18 Monate lang steuerte, ehe sie ihn dem britischen Nachrichtendienst in England übergab, dann kann seine Tarnung durchaus aufgeflogen sein. Der DAILY GLEANER in Fredericton brachte am 14. Juni 1943 eine in Rimouski, Quebec, datierte »aus dem Leben gegriffene« Geschichte, die offenbar durch den Zeitungsdienst des TORONTO STAR verbreitet wurde und dadurch eine große Auflage erhielt. Der Bericht mit der Überschrift »CPC im St. Lawrence-Bereich organisiert − deutscher Offizier im Hotel durch eine Frau aufgespürt« beschrieb die Arbeit des »Comité Protection Civile« (ziviles Schutzcorps) in der Provinz Quebec, die das Gebiet gemeinsam mit den vom Bund eingesetzten »Küstenbeobachtern« schützte. Die Bundesregierung, so behauptete der Bericht, hatte gerade »die CPC Beobachter mit blauen Overalls und Stahlhelmen ausgerüstet«. Mit rührender Offenheit bemerkte der Bericht: »Typisch für die Arbeit der zivilen Beobachter und der Angehörigen des Reserveheeres ist die Geschichte, wie die Frau eines Hotelbesitzers in New Carlisle an der Baie des Chaleurs im vergangenen Jahr einen deutschen Offizier erwischte.« Der Bericht führte dann die wichtigsten Hinweise auf (belgische Zigaretten, große Dollarnoten) und enthüllte, der Offizier habe »die Polizei zu seinem Versteck am Strand geführt, wo er ihnen die deutsche Uniform, ein Funkgerät und Handschellen« zeigte. Wie talentiert dieser Deutsche auch gewesen sein mag, so hatte der zivile Beobachter dem Reporter gesagt, »er war für die Menschen dieser Halbinsel nicht gerissen genug«.

Die nächste Sicherheitspanne ereignete sich am 29. Juli, als der Leiter der Provinzialpolizei von Quebec vor der Quebec Police und den Chefs der Feuerwehr in Quebec eine Ansprache hielt. Bei der Beschreibung der zusätzlichen Aufgaben, die ihren Mitgliedern nun auferlegt seien, behauptete er, die Wachsamkeit der Provinzialpolizei von Quebec habe zur Festnahme von »mehr als einem Spion« geführt.[36] Obwohl keine Details preisgegeben wurden, sah die RCMP in dieser Anspielung einen Verstoß gegen die Zensur. Die Deutschen − so die Ansicht der RCMP − könnten leicht den Schluß ziehen, daß der »eine Spion«, auf den er angespielt hatte, Janowski war. Von Langbein wußte die RCMP noch nichts. Schließlich berichtete L'ACTION CATHOLIQUE am 27. Dezember 1943 von einer Ankündigung in der CANADA GAZETTE, daß Alphonse Duchesneau vom König ausgezeichnet worden sei. L'ACTION CATHOLIQUE erriet völlig richtig die Gründe: »Vermutlich ist der Detektiv Duchesneau für den Mut und die Geistesgegenwart ausgezeichnet worden, die er bei der Festnahme eines deutschen Spions bewiesen hat.«[37]

Die Aufhebung der Zensur bei Kriegsende führte zu einer Menge teils richtiger, teils spekulativer Berichte über Janowskis Anlandung und Festnahme. Alle gingen auf eine schwache amtliche Presseverlautbarung zurück; viele hatten ihren Ursprung in sich widersprechenden Interviews mit örtlichen Augenzeugen; keine beruhte auf deutschen oder RCMP-Quellen.[38]
Einige Zeitungen brachten die Geschichte als »heiße« Nachricht auf der ersten

Seite, andere als abgedroschene Berichte auf der letzten.[39] Diese Berichte führten zu einer Anzahl wirrer Gerüchte, von denen eines die geographisch unmögliche Ansicht behauptete, der Spion Janowski sei bei »zerklüfteten Küsten« bei Métis Beach am St. Lawrence-Strom angelandet, »hinauf auf die Métis-Felsen geklettert« und dann nach Süden durch die Halbinsel Gaspé bis New Carlisle gegangen, um von dort zu versuchen, nach Montreal zu gelangen. Es gibt kein Beweismaterial, das die Behauptungen des OTTAWA JOURNAL vom 15. Mai bestätigen könnte, daß »die Täuschung der Nazi-Spionageherren in Hamburg so erfolgreich war, daß andere in Kanada untergetauchten deutschen Geheimagenten verleitet wurden, sich der RCMP zu entdecken«.[40]

Die Spionagegeschichte hatte in politischen Kreisen Quebecs ziemlich brisante Auswirkungen. Der MONTREAL GAZETTE zufolge wurden bei einer Debatte über den Haushalt des Generalstaatsanwalts am 15. Mai 1945 »die Kämpfe gegen deutsche Uboote vor Gaspés Küste im Quebec-Landtag noch einmal durchgekämpft«.[41] Heraufbeschworen hatte die heiße Debatte der Abgeordnete Léon Casgrain mit der Frage an den Premierminister, ob er beabsichtige, den Detektiv Alphonse Duchesneau für die Festnahme des deutschen Spions auszuzeichnen. Die Antwort des Premierministers war eindeutig. Duchesneau, so versicherte er, sei von der Partei »Union Nationale« ernannt, und nur seiner Wachsamkeit und nicht der der Bundesregierung war es zu verdanken, daß der Spion überhaupt gefaßt wurde. Die politischen Spannungen zwischen Quebec und der kanadischen Bundesregierung nutzend, brachte der Premier eine lang schwebende Sorge Quebecs zum Ausdruck, nämlich die unzureichende Verteidigung des Golfs und des Flusses, für die die Spionagetätigkeit den unwiderleglichen Beweis lieferte. Damit spielte er auf die im Krieg umlaufenden Überlegungen in der Provinz an, die Streitkräfte des Bundes hätten das Eindringen deutscher Uboote in den Golf praktisch ohne Gegenwehr zugelassen. Das Ziel dieser hinterlistigen Handlung des Bundes, so führte er aus, sei, den Hafen von Quebec auszuschalten und den lukrativen Handel zwangsläufig woandershin umzuleiten. (Als Fluß und Golf 1942 für den gesamten Schiffsverkehr außer dem Küstenverkehr geschlossen wurden, war dies in gewisser Hinsicht tatsächlich geschehen.) Unbeabsichtigt manövrierte sich der Abgeordnete Casgrain in die Rolle eines Lakais von Ottawa, indem er erklärte, er habe seit 1942 von dem Vorfall in New Carlisle gewußt, aber auf Verlangen eines britischen Nachrichtendienstoffiziers, der Janowski interviewt hatte, geschwiegen. Dieses Stillschweigen Casgrains empfand der Premier fast als Mißachtung; ein Bürger Quebecs sollte diese Bedrohung aufgedeckt haben, anstatt sich hinter Zensurbestimmungen des Bundes zu verstecken.

Wissmann blieb mit *U 518* bis zum 17. November 1942 im Golf, zu spät in der Jahreszeit und zu lang nach der Schließung des Golfs, um noch irgendwelche Erfolgschancen zu haben. Die Ausreise aus kanadischen Gewässern führte das Boot auf den Weg des einlaufenden Geleitzuges ON-145, zweihundert Meilen ostwärts von

Sable Island, aus dem er den 6140 Tonnen großen SS *Empire Sailor* versenkte; 21 Besatzungsmitglieder gingen unter. HMCS *Timmins* und *Minas* brachten 41 Überlebende in Halifax an Land.[42] Später torpedierte *U 518* noch die Schiffe *British Renown* und *British Promise* und überstand selbst einen schweren Gegenangriff im Mittelatlantik. Im Kriegstagebuch des Bootes findet sich folgende Stellungnahme des BdU:

»Die erste Unternehmung des Kommandanten mit neuem Boot wurde mit besonderem Schneid und Geschick... durchgeführt. Der schwere Wassereinbruch infolge Materialversager hätte fast zum Verlust des Bootes geführt. Der Umsicht und Entschlossenheit des Kommandanten und der Besatzung, dem überlegten und schnellen Arbeiten der Männer sowie dem Glück, das sich dem Tapferen zugesellte, ist es zu danken, daß das Boot erhalten blieb. Der Kommandant hat mit erfreulichem Angriffsschwung die erreichbaren Chancen angestrebt und richtig ausgeschöpft. Eine beachtliche und vorbildliche erste Unternehmung.«

Das Boot ging zweieinhalb Jahre später mit der ganzen Besatzung durch einen »Hedgehog«-Angriff verloren.

Für die deutschen militärischen Operationen waren Wetterberichte lebenswichtig. Angesichts der Tatsache, daß die Wettersysteme im allgemeinen von West nach Ost über den Atlantik ziehen, war es dringend erforderlich, daß Uboote in See das Meldenetz der Überwasserschiffe und Küstenstationen ergänzten und so oft wie möglich Wettermeldungen an den BdU gaben. Einige Einsätze galten fast ausschließlich Wettermeldungen, sei es zu Beginn oder am Ende eines taktischen Einsatzes. Oft befahl der BdU einzelnen Booten, wenn sie es am wenigsten erwarteten, unverzüglich Wettermeldungen abzugeben. So zum Beispiel bei Einsätzen dicht unter der nordamerikanischen Küste oder bei Operationen tief im St. Lawrence-Golf. Solche Funkmeldungen bedeuteten häufig die Durchbrechung einer langen Zeit der Funkstille und damit der Preisgabe für die Peilstationen der Alliierten. Letztlich jedoch blieb es der Entscheidung jedes einzelnen Kommandanten überlassen, ob er diese Durchbrechung der Funkstille für tragbar hielt oder nicht. Zur Unterstützung dieser weitreichenden und äußerst beweglichen Wettereinsätze baute Deutschland 21 automatische Land-Wetterstationen, die zu vorher bestimmten Sendezeiten spezielle Angaben lieferten. Vierzehn dieser unbemannten Stationen waren in arktischen oder subarktischen Bereichen aufgebaut (Spitzbergen, Bäreninsel, Franz-Joseph-Land und Grönland); fünf standen rund um die Barents-See nördlich Norwegens und zwei waren für Nordamerika bestimmt. Nur die erste für Nordamerika bestimmte Station kam je in Betrieb. Die Aufstellung durch *U 537*, Kapitänleutnant Peter Schrewe, war im Sommer 1943 eingeplant. Der zweite Einsatz schlug fehl; Kapitän zur See Mühlendahl wurde mit *U 867* am 19. September 1944 durch eine »Liberator« der RAF nordnordwestlich von Bergen versenkt. Die Leiche des Kommandanten wurde in Norwegen an Land gespült; ein makabrer Hinweis darauf, wie einsam die Männer auf See kämpften.

Im Sommer 1943 beauftragte der BdU *U 537* auf seiner Jungfernreise, die automatische Station WFL-26 (Wetterfunkgerät Land) im nördlichen Teil von Labrador aufzustellen.[43] Für die technischen Einzelheiten waren der wissenschaftliche Berater Dr. Kurt Sommermeyer und sein technischer Assistent Walter Hildebrandt verantwortlich, die beide zu diesem Zweck eingeschifft waren. Die Station mit dem Decknamen »Kurt« bestand aus einer Reihe meteorologischer Instrumente, einem 150-W-Kurzwellensender mit Antennenmast und einer Ansammlung von Nickel-Cadmium- und Trockenzellenbatterien. Sie war in zehn Zylinder von 1,5 Meter Durchmesser mit einem Gewicht von je 100 kg verpackt. Der Zylinder mit der Instrumenteneinheit enthielt einen 10 Meter hohen Antennenmast mit Windstärkemesser und Windrichtungsanzeiger. Um bei Entdeckung jeden Verdacht zu zerstreuen, hatten die Deutschen die Zylinder mit der Aufschrift »Canadian Weather Service« versehen. Eine Organisation dieses Namens existierte gar nicht, doch das schadete nichts, denn WFL-26 wurde erst im Juli 1981 entdeckt und als deutsches Gerät identifiziert. Nachdem sie planmäßig aufgestellt war, sollte die Station eine verschlüsselte Wetterkurzmeldung in einem zeitlichen Abstand von drei Stunden senden. Zu diesem Zweck setzte eine komplizierte Kontaktwalze die Beobachtungswerte für Temperatur, Luftfeuchtigkeit, Luftdruck, Windgeschwindigkeit und Windrichtung in Morsezeichen um. Diese wurden dann auf 3940 kHz an Empfangsstationen in Nordeuropa gefunkt. Die Sendezeit für die gesamte Wetterkurzmeldung einschließlich einer Minute Vorwärmzeit war nie länger als 120 Sekunden.

Schwere Bombenangriffe der britischen und der US Air Force auf Hamburg und Kiel am 24. und 25. Juli verzögerten die Ausreise von Schrewes neuem Boot vom Typ IXC-40. Zum erstenmal hatten die Alliierten die deutschen Radargeräte durch den Abwurf großer Mengen von Stanniolstreifen mit dem Namen »Window« getäuscht, die praktisch genauso funktionierten wie die deutschen Düppel. Durch die Verzögerung kam das reparierte *U 537* in die immer heftiger werdenden Herbststürme im Nordatlantik. Am 13. Oktober riß ein schwerer Brecher, hervorgerufen durch außergewöhnliche, von 45 bis 60 Knoten Geschwindigkeit anschwellende Windstärken, das Vierlings-Flakgeschütz aus seiner Befestigung und warf es über Bord. *U 537* hatte nun praktisch überhaupt keine Luftabwehr, eine schwere Beeinträchtigung für ein Boot ohne Schnorchel. Der fehlende Vierling erlaubte 1981 eine genaue Identifikation von *U 537* auf einem Foto mit der Seitenansicht eines Ubootes vor Anker vor der Küste von Labrador. Am 18. Oktober 1943, einen Monat, nachdem *U 537* aus Kiel ausgelaufen war, befahl der BdU, mit dem Sondereinsatz durch Vormarsch in westlicher Richtung auf die Nordspitze von Labrador zu zu beginnen. Mit sparsamster Geschwindigkeit drehte Schrewe auf Kurs.
Die Wahl des Aufstellungsortes für WFL-26 blieb anscheinend weitgehend der Entscheidung von Schrewe, in Abstimmung mit den technischen Beratern, überlassen.

»Um es möglichst zu vermeiden, auf Menschen zu stoßen, zum Beispiel in dieser Jahreszeit nach Süden ziehende Eskimos, werde ich zur Aufstellung des Wetter-Funkgerätes einen Platz auswählen, der im Norden der Labradorküste liegt.« (KTB)

Er wußte, daß er noch nicht durch Eis bedroht war und sich notfalls nach Süden zurückziehen konnte. Vom 18. bis 21. Oktober verhinderte bedeckter Himmel eine genaue astronomische Standortbestimmung, so lief *U 537* nach Kopplung auf die Küste zu. Schrewe hatte sich entschieden, die Operation ohne Rücksicht auf ein durch ein schadhaftes Diesel-Einlaßventil leckes Boot durchzuführen. Er rechnete damit, daß er in einem Labradorfjord vor Anker liegend reparieren könne. Ein Prüfungstauchen auf 140 Meter nach behelfsmäßiger Reparatur unterwegs zeigte, daß das Boot sicher genug war, in Feindgebiet vorzustoßen. Nach fünf Tagen Schneesturm und Koppelnavigation sichtete Schrewe am 22. Oktober, morgens, Cape Chidley an der Nordspitze von Labrador. Von hier aus arbeitete er sich mit Lotungen nach Süden vor und passierte die schlecht kartographierte Küste, die auch heute reich an nicht verzeichneten Riffen und Untiefen ist. Nun konnte Schrewe die schiefrige Klippenküste klar erkennen, die er nach den Karten erwartet hatte. Mit dem Echolot tastete er sich nach Südwesten zwischen Home Island und Avayalik Island hindurch und umrundete schließlich die Südspitze der Halbinsel Hutton. Am 22. Oktober ankerte er in der Attinaukjuke Bay (jetzt Martin Bay), 300 Meter von der Küste entfernt auf der Position 60° 4,5′ N, 64° 23,6′ W.

Innerhalb einer Stunde ging ein Spähtrupp mit einem Schlauchboot an Land, um einen Platz für den Sender auszukundschaften. Um spätere alliierte Späher zu täuschen, ließen sie leere amerikanische Zigarettenpackungen und Streichholzheftchen zurück. Dann begann die Besatzung, das Gerät in zwei großen 6-Meter-Schlauchbooten an Land zu bringen. Auf einer Landerhöhung postierte Schrewe bewaffnete Ausguckposten, um sich gegen Überraschungen von See her zu schützen. Das technische Personal ging an Routinearbeiten und Sehrohrreparatur, während die übrige Besatzung die Nacht hindurch bei zwei Grad Kälte an Land tätig war. Kaum 24 Stunden nach dem Ankern war die Arbeit geschafft. Die erste Sendung von WFL-26 ging zwar drei Minuten zu spät hinaus, war aber ansonsten technisch perfekt. Nachdem er den Erfolg seiner Aufgabe abgewartet hatte, ging *U 537* genau 28 Stunden nach seiner Ankunft ankerauf; 300 Meilen von dem Sender entfernt meldete er die Erfüllung der Aufgabe und erhielt Operationsfreiheit im kanadischen Bereich. Mit Ausnahme von anderen Geheimeinsätzen war *U 537* im Jahr 1943 das einzige Uboot mit einer speziellen, auf Kanada abgestellten Aufgabe. Am 26. Oktober erhielt Schrewe vom BdU zwei Funksprüche: Der eine warnte ihn vor Minen, die *U 220* gerade vor St. John's gelegt hatte, und der zweite, zehn Stunden später, mit dem überflüssigen Rat, der Neumond böte ihm höchst günstige Möglichkeiten vor diesem Hafen. Während seines ganzen Kanada-Einsatzes beobachtete Schrewe WFL-26 und meldete bei einer

Reihe von Gelegenheiten starke Störungen durch eine Station, die sich dann als deutsch herausstellte. Aus Gründen, die wir nur vermuten können, haben kanadische Stationen nichts von »Kurt« in Labrador gehört. Sie waren zweifellos vollauf damit beschäftigt, Sendungen in See zu überwachen.

Während der ganzen Südfahrt vor der Küste Newfoundlands und später auf den Newfoundland Banks lösten alliierte Radargeräte ständig die Radarwarngeäte von *U 537* aus. Ob das Naxos auf dem 10-Meter-Band oder der Wanze-Frequenzsucher zwischen 140 und 170 cm ausgelöst wurden, die Ortung konnte nach Ansicht von Schrewe »von Flugzeugen oder von das erweiterte Küstenvorfeld überwachenden Fesselballons« herrühren (KTB). Da er nicht wußte, in welchem Umfang er tatsächlich geortet wurde, zog er es klugerweise vor, hauptsächlich getaucht zu operieren und nur aufzutauchen, um die Batterien aufzuladen und das Boot durchzulüften. Am 29. Oktober hatte das Uboot-Lagezimmer in der Marinebefehlsstelle in Ottawa richtigerweise ein Uboot »im Bereich von St. John's« angenommen. Feststellungen der Funkpeilstationen wurden sehr bald von Meldungen der Entzifferungsdienste bestätigt. Der Flag Officer Newfoundland (FONF) löste einen Sonderalarm aus, woraufhin das »Eastern Air Command« seine Überwachungseinsätze verdoppelte.[44] Schrewe wurde Ziel einer weiträumigen, bis Mitte November dauernden »Operation Salmon«, an der dreizehn Schiffe und zahlreiche Flugzeuge beteiligt waren. Die Suche erstreckte sich südlich und östlich auf die 24 Uboote der Gruppe »Siegfried«, die zu der Zeit den Geleitzug HX-262 angriffen. Gegenangriffe von HMS *Vidette, Duncan* und *Sunflower* vernichteten *U 274*, was durch »Wrackteile und andere Beweisstücke menschlichen Ursprungs« bestätigt wurde. Schrewe erlebte auf den Newfoundland Banks Luftangriffe. Trotz seines schweren Handicaps griff er auf die derzeit gängige Doktrin zurück, den feindlichen Flugzeugen aufgetaucht zu begegnen, anstatt zu tauchen, und sich einem Bombenangriff von seiner am wenigsten verletzlichen Seite zu zeigen. Ihm wurde bald klar, daß die Luftangriffe »das ganze Seegebiet (für ihn) vergrämt« hatten (KTB).

Am 5. November faßte der BdU drei beunruhigende Unregelmäßigkeiten zusammen, die auf eine Schwäche in der Ausrüstung seiner Boote hinzudeuten schienen: die hohe Zahl der Ubootverluste im vorhergehenden Monat; die hohe Zahl von Meldungen über Luftangriffe auf Uboote, ohne daß die Radar-Warngeräte ausgelöst wurden; die durch Analysen untermauerte Tatsache, daß Geleitzüge, lange bevor sie die Ubootaufstellungen erreichten, erhebliche ausweichende Kursänderungen unternommen hatten.[45] Das zeigte ihm, daß die Alliierten »wieder einmal« ein bis dahin unbekanntes Ubootortungsverfahren eingeführt hatten. Gegen dieses Verfahren schienen die Deutschen nunmehr wehrlos zu sein. Als sich der Oktober 1943 dem Ende zuneigte, stellte die Operationsabteilung des Flag Officer Newfoundland (FONF) fest, daß »nach den schweren Angriffen auf die Geleitzüge ONS-18 und ON-202« die Schlacht im Atlantik »nun lediglich zu einer ständigen Bedrohung durch Uboote degeneriert worden war, die die Unterhaltung starker Geleit- und Unterstützungsgruppen erforderte«. Die Schlacht hatte sich 1943 tatsächlich zu Ungunsten der Deutschen gewandelt. Die Operationsabteilung des FONF befand:

»›Auf seiten der Uboote (war) ein Zögern bei der Durchführung der Angriffe‹ festzustellen. Diese insgesamt ›erfreuliche Lage der Dinge‹ zeigte sich in der Tatsache, daß ›der angeblich zielsuchende Horchtorpedo, der im September so viel Schaden angerichtet hatte, nun keine weiteren Ziele fand und den Ubooten auch der erhoffte Erfolg gegenüber der Luftbedrohung versagt blieb.‹«

Es waren mehrere Faktoren, die die Atlantikschlacht unwiderruflich gegen die Deutschen gewandelt hatten. Der am meisten sichtbare Faktor war die vergrößerte Reichweite der alliierten Flugzeuge. Sie konnten nun das »Black Pit« (schwarze Lücke) schließen. Das war die gefährliche Zone im Mittelatlantik, die zuvor außerhalb der Reichweite von in Nordamerika, Island oder Großbritannien stationierten Flugzeugen lag. In dieser Lücke hatten die Uboote weitgehend unbeschadet die Geleitzüge angegriffen. Zudem machte es die alliierte Entzifferung des deutschen »Enigma»-Schlüssels »Triton« durch ein »Ultra« genanntes Verfahren möglich, Geleitzüge um die Ubootaufstellungen herumzuführen. Erfolgten jedoch Angriffe, so kam noch ein anderer Faktor ins Spiel: Die Alliierten hatten auf mathematischer Grundlage taktische Schaubilder für die Geleitstreitkräfte entwickelt, nach denen diese mit Erfolg operierten. Verstärkt wurde dies noch durch die Zusammenarbeit zwischen Geleitzügen und den »Support Groups«. Mit Hilfe von »Ultra« nach strategischen Gesichtspunkten aufgestellt, konnten diese mit oder ohne Flugzeugträger zur Verteidigung bedrohter Geleitzüge herbeieilen. Der erfolgreiche Einsatz von Schiffs- und Flugzeugzentimeter-Radargeräten war die entscheidende taktische Ergänzung dieser Entwicklung.

Am 8. Dezember, vormittags, legte *U 537* am Skorff-Bunker in Lorient an. Obwohl seine Erfolge aus kaum mehr bestanden als Schußwechsel mit Flugzeugen und Bindung alliierter Abwehrkräfte, war die Wetterstation ein Erfolg. Zudem hatten die Deutschen beträchtliche Erfahrungen mit den Stärken und Schwächen eines IXC-Ubootes gesammelt, die zu Verbesserungen auf anderen Booten dieser Klasse führten. Die Besatzung von *U 537* war zwar Weihnachten zu Hause, doch das sollte ihr letztes sein. Am 28. Februar 1944 liefen sie zu einer Langzeitunternehmung nach Südostasien aus und wurden am 9. November 1944 in der Java-See, nördlich von Bali, durch einen Torpedo des amerikanischen Ubootes USS *Flounder* vernichtet. Von denen, die mit *U 537* in Labrador im Einsatz gewesen waren, überlebte nur einer den Krieg. Werner von Bendler wurde kurz vor der letzten Ausreise von *U 537* zu einem Offizierslehrgang abkommandiert.

6. Kapitel

Geheimoperationen: Flucht und Blockade

Zu den geheimen Ubooteinsätzen in kanadischen Gewässern gehörten nicht nur die Anlandungen von Spionen und Wetterstationen. Auch Minenlegen und der Versuch, deutsche Kriegsgefangene abzuholen, sind dazu zu rechnen. Solche Einsätze in fernen Kriegsgebieten waren mit beträchtlichem Aufwand an Planung, Ausrüstung und Material verbunden, die auf den ersten Blick nicht im richtigen Verhältnis zum Erfolg standen. Erfolg aber darf nicht nur nach der Zahl durch Minen versenkter Schiffe oder nach aufgenommenen Gefangenen bemessen werden; wichtig sind dabei ebenfalls die Möglichkeiten, durch Geheimoperationen sowohl psychologischen wie taktischen Druck auf die Reserven des Gegners auszuüben. Minenoperationen in den Jahren 1943 und 1944 zum Beispiel hatten direkte Auswirkungen auf die Kriegsindustrie und die fiskalischen Prioritäten, denn die Kanadier wurden dadurch zum letzten Schiffbauprogramm des Krieges veranlaßt. Die geplante Gefangenenbefreiung durch die Deutschen setzte sowohl den kanadischen Nachrichtendienst als auch das Zerstörerkommando und die RCMP in Bewegung, ganz im Sinne des Grundsatzes von Dönitz, den Gegner zu binden. Dönitz' Fähigkeit, die kanadische Abwehr ungestraft zu durchstoßen, warf in Kanada ernste Fragen über die kanadische Abwehrbereitschaft und Abwehrfähigkeit auf.

Admiral Dönitz und sein Stab sahen in dem Unterfangen, deutsche Kriegsgefangene aus kanadischen Lagern zurückzuholen, bemerkenswerte Vorteile: Ermunterung der Männer in Gefangenschaft, Störung des Feindes, Befreiung wertvoller Ubootleute zu einer Zeit, da die Verluste hoch waren, und nicht zuletzt die propagandistische Wirkung. In der Annahme, daß seine Männer in Feindeshand fallen könnten, hatte er verschiedene Verständigungsmittel zum Austausch wichtiger Informationen entwickelt. Berichte darüber, wie seine Uboote verloren gegangen waren und welche Waffen und Verfahren die Alliierten angewandt hatten, waren wichtig. Das verlangte ein Verständigungssystem, das gegen die Zensuren gefeit war, die alle Post, die durch die regulären Kriegsgefangenen-Postverbindungen über das Rote Kreuz lief, genau überprüften. Über diese Verfahren wurden die Kommandanten vor ihrer ersten Unternehmung mündlich unterrichtet; die Auflösung dieser Schlüssel wurde niemals aufgeschrieben. SCHLÜSSEL IRLAND war einer der einfachsten; bei ihm bedeuteten Buchstaben des Alphabets Punkte und Striche des Morsealphabets, dadurch waren knappe Mitteilungen einfacher Angaben in anscheinend völlig harmloser Korrespondenz möglich.[1] Die 26 Buchstaben des Alphabets wurden in zwei Gruppen von neun Buchstaben und eine Gruppe von acht Buchstaben aufgeteilt. Der erste Buchstabe jedes Wortes in einer solchen Korrespondenz bedeutete entweder einen Punkt oder einen Strich nach folgendem Schema: Gruppe 1 (Buchstaben A–I) bedeutete einen Punkt; Gruppe 2 (Buchstaben J–R) stand für einen Strich. Der letzte Buchstabe in jeder dieser Gruppen lieferte die zuverlässige Gedächtnisstütze Irland für die Unterteilung des Alphabets. Um die daraus entstehenden Reihen von Punkten und Strichen in die richtige Morsekombination zu trennen, bedeuteten die Buchstaben aus der dritten Gruppe (S–Z) einen Zwischenraum. Ein Zensor würde wohl kaum darauf kommen, daß die Klage eines Ubootkommandanten »meine Kameraden und ich waren lange in Sorge, denn ...« tatsächlich die Waffe nannte, durch die sie versenkt wurden. In Morsezeichen umgesetzt buchstabierte der erste Buchstabe jedes Wortes »Mine«. In diesem Fall lieferten neun Worte einer scheinbar harmlosen offenen Sprache ein einzelnes Wort der verschlüsselten Mitteilung. Man konnte durch dieses Verfahren natürlich keine lange militärische Meldung schreiben. Sie bot aber einem einfallsreichen Schreiber beträchtliche Möglichkeiten und Spielraum.

Diese verschlüsselten Briefe setzten einen Prozeß in Gang, der schließlich zu den Unternehmungen »Elster« und »Kiebitz« führte. Die Briefschreiber sollten entweder an tatsächliche Angehörige oder an eine erfundene Heimatadresse schreiben, von der diese Briefe abgeholt wurden. Der BdU hatte dafür gesorgt, daß die Familien seiner Ubootoffiziere darauf hingewiesen wurden, Briefe von Kriegsgefangenen enthielten möglicherweise kriegswichtige Informationen; das könnte besonders bei Briefen der Fall sein, die in einer seltsamen Grammatik oder mit ungewöhnlichen Anspielungen geschrieben waren. Die Empfänger übergaben diese Briefe dann an den BdU zur Überprüfung. Ihre Antworten – nach Einweisung durch den BdU – schloß die Verständigungskette. Da ein Brief aus einem kanadischen Lager über die Schweiz nach Deutschland drei Monate benötigte, konnte der Gefangene in sechs Monaten eine Antwort erwarten. Der zweifache Austausch Irland-verschlüsselter Korrespondenz zwischen dem BdU und den Gefangenen, das absolute Minimum, um eine Abholung zu arrangieren, nahm ein ganzes Jahr in Anspruch. In der Zwischenzeit konnten die Gefangenen die Wartezeit ausnutzen, um sichere Fluchtpläne zu entwickeln, die fertig waren, wenn die Antwort vom BdU eintraf. Selbst wenn das letztlich nicht gelang; Fluchtpläne zu entwerfen, hob die Stimmung der Gefangenen. Wo immer er konnte, unterstützte der BdU solche stimmungsfördernden Maßnahmen. Die Angehörigen sandten mit Unterstützung des BdU Pakete mit Konterbande wie Briefe, Karten, winzige Radioteile in doppelbödigen Büchsen mit Lebensmitteln. Wie wir sehen werden, sollte das Abfangen einer Büchersendung des Roten Kreuzes durch die RCMP den Fluchtplan aus dem Lager Bowmanville, Ontario, aufdecken. Die Dienststellen konnten bei den Tausenden von Briefen und Karten und Hunderten von Paketen, die in jedem Monat über das Rote Kreuz zwischen den kanadischen Kriegsgefangenenlagern und Deutschland hin- und hergingen, bestenfalls Stichproben machen. Die Entdeckung von Konterbande war daher weitestgehend Glückssache.

Im Lager 70 bei Fredericton, New Brunswick, hatten deutsche Marineoffiziere auf diese Weise über einen langen Zeitraum hinweg Nachrichten mit dem BdU ausgetauscht, um einen Ausbruch und eine Heimfahrt zu arrangieren. Die Abholung erhielt den Decknamen »Elster« und war bis in alle Einzelheiten vom Kapitänleutnant Ali Cremer, damals 2. Admiralstabsoffizier im Stab des BdU ausgearbeitet worden.[2] Diese Planung übergab Cremer dem Kommandanten von *U 262*, Oberleutnant Heinz Franke, persönlich in La Pallice an der Biskaya am 6. April 1943 kurz vor der dritten Feindfahrt des Bootes. Daß *U 262* als Reserveboot für diesen Einsatz vorgesehen war, wußte Franke nicht. Sollte das erste Boot durch die Gefahren der Biskaya hindurchkommen, würde Franke den Inhalt der Befehle niemals erfahren, da er sie erst nach Eingang eines besonderen Ausführungssignals von der Befehlsstelle öffnen durfte. Es erwies sich, daß das unbekannte erste Boot nicht überlebte und Franke die Aufgabe übernahm. Trotz seiner Jugend war er sachlich fähig und kampferfahren. Sein Dienst auf dem Schlachtschiff *Gneisenau,* als es gemeinsam mit dem Schlachtschiff *Scharnhorst* den 16697 Tonnen großen Hilfskreuzer *Rawalpindi* vernichtete, hatte ihn stark beeindruckt. Damals nahm ein artilleristisch schwächeres Schiff schwere Schläge hin und zögerte sein unvermeidliches Ende durch das Können und die Entschlossenheit seiner Besatzung hinaus.[3] Er selbst überstand schwere Angriffe und wurde schließlich noch im März 1945 Kommandant eines neuen Ubootes vom Typ XXI.

Franke hatte am 15. April 1943 nach neuntägiger Fahrt von La Pallice aus die stark überwachte Biskaya gerade hinter sich gelassen, als ihm der BdU befahl:

»Sonderaufgabe Elster durchführen.«

Dazu sollte *U 262* am 2. Mai 1943 kurz vor dem Aufnahmepunkt, North Point, an der Nordspitze von Prince Edward Island stehen. Die Kriegsgefangenen vom Lager 70 mußten nach ihrem Ausbruch 198 Kilometer von Fredericton nach Moncton hinter sich bringen und dann versuchen, über die 80 Kilometer Küstenstraße über Cape Pelé nach Cape Tormentine oder über die längere 100-Kilometer-Strecke über Sackville und Baie Verte weiterzukommen. Vor ihnen lag dann die 14 Kilometer lange Fährverbindung über die Northumberland Strait nach Port Borden, ehe sie sich das letzte Stück, die 130 Kilometer lange Strecke nach North Point über Summerside, Tignish und Seacow Pond vornehmen konnten. Wie sie sich diese Reise praktisch vorstellten, weiß man nicht mehr. Selbstgemachte Land- und Seekarten, bei deutschen Gefangenen anderer Lager beschlagnahmt, beweisen ein hohes Maß von Können in Kartographie und Nachrichtenbeschaffung. Maßstabgerecht auf Wachspapier gezeichnet, gaben diese farbig angelegten Karten Wege, Schnellstraßen sowie Eisenbahnen an und zeigten Einzelheiten über Bodengestaltung und Ansiedlung.[4] Ebenso einfallsreich waren die Gefangenen bei der Herstellung kanadischer Dokumente und Verkleidungen.[5]

Von seiten des BdU hatte man die Einzelheiten seines Anmarschweges und der Taktik völlig der Entscheidung von Heinz Franke überlassen. In einem Brief an den Verfasser fast 40 Jahre später erinnerte er sich:

»Ich stand plötzlich vor einer Aufgabe, die durchzuführen für Boot und Besatzung sicherlich einige Risiken mit sich bringen würde. Bei der Planung war so manche Unbekannte sowohl auf dem Anmarschweg wie vor allem auch am Zielort selbst mit einzubeziehen.«[6]

Franke hatte bis dahin noch nie in kanadischen Gewässern operiert, noch jemals den Atlantik überquert. Das war zugegebenermaßen nicht anders als bei seinen Vorgängern beim Unternehmen »Paukenschlag« im Januar 1942 oder bei den ersten Unternehmungen in dem St. Lawrence im darauffolgenden Frühjahr und Sommer. Die Kampfbedingungen in Küstengewässern hatten sich jedoch seither radikal geändert, und Franke fühlte sich zweifellos unbehaglich, daß er vor seiner Feindfahrt keine Gelegenheit hatte, sich eingehend zu unterrichten und seine Möglichkeiten zu besprechen. Bis zu diesem Augenblick zum Beispiel wußte er noch nicht genau, wen er aufnehmen sollte. Das konnte am Strand ernste Konsequenzen haben.

Die Navigationsausrüstung des Bootes mag nicht vollständig gewesen sein. Die Standardausrüstung für Atlantikboote enthielt zumindest deutsche und britische Großraumkarten kleinen Maßstabes, basierend auf Vermessungen von 1913. Möglicherweise fehlten Franke die neuesten deutschen Ausgaben über die kanadische Küste, im besonderen der unschätzbare Ubootatlas über die kanadischen atlantischen Gewässer. Frankes Obersteuermann, Herbert Garotzki, erwies sich jedoch als hervorragender Navigator. Franke erinnert sich, kurz gesagt, eines beunruhigenden Gefühls, ganz auf sich allein gestellt zu sein. Das *Handbuch für Ubootkommandanten* betonte den Grundsatz, daß jeder Ubootkommandant im Kampf grundsätzlich Einzelgänger ist, auch wenn er in Rudeln operiert. Doch in Augenblicken wie diesen schien das Alleinsein noch stärker zu sein als in anderen Fällen. Seinen Obersteuermann und die Wachoffiziere zog er zwar ins Vertrauen; die Besatzung jedoch unterrichtete er zu keiner Zeit über Ziel und Zweck dieses Einsatzes. Diese Unkenntnis war für die Besatzung eine schwere psychologische Last.

Geheimhaltung war oberstes Gebot. Die ständige Forderung, Geleitzüge auf dem Anmarschweg zu melden und an ihnen Fühlung zu halten, brachte ihn jedoch in einen schweren Konflikt, da er damit möglicherweise seine Anwesenheit und

Absichten preisgab. Sechs Stunden nach Eingang des »Elster«-Signals meldete Franke einen großen Geleitzug und fragte nach Klärung seiner taktischen Grenzen. Der BdU gab ihm freie Hand, »bis zum Längengrad durch die kanadische Zone in Quadrat BB 9996« Schiffe anzugreifen. Das bedeutete den Längengrad 52° West, der 30 Meilen vor St. John's, Newfoundland, verlief. *U 262* würde natürlich Newfoundland in weitem Bogen umfahren, 220 Meilen nach Südosten laufen und damit ausreichend Spielraum für Angriffe lassen. Die Nachricht des BdU hatte mahnend besagt, was immer auch geschehe, »befohlener Termin muß eingehalten werden« (KTB).

Die Informationen für die wahrscheinliche Eislage in der kritischen Phase von Frankes operationellem Terminplan waren keineswegs ermutigend: Innerhalb des Golfes selbst und auch auf den Anmarschwegen im Atlantik waren ziemlich zusammenhängende Eisfelder zu erwarten. Die ostwärtige Strömung aus dem Golf würde das Eis nach See zu treiben und durch den einzigen Zugang zu seinem Zielgebiet, die relativ enge 56 Meilen breite Cabot Strait, quetschen. Dies würde ihn in eine taktische, bisher noch nicht erlebte Zwangslage bringen. Seit dem 25. westlichen Längengrad hatte er den Atlantik, fast immer getaucht, ungestört passiert. Am 25. April 1943, einen Tag früher als geplant, traf das Boot vor der Cabot Strait ein. Hier hatte Franke etwas konzentrierten Schiffsverkehr erwartet und war erstaunt über das offenbar ungewöhnliche Fehlen jeden Verkehrs und jeder Luftüberwachung. Es herrschten ruhige Wetterbedingungen, gleichmäßige Temperatur um den Gefrierpunkt, klare Sicht bis zu 15 Meilen, sogar bei Nacht, starkes Nordlicht und Meeresleuchten. Wäre sein Metox-Radarwarnempfänger nicht funktionsunfähig gewesen, hätte er sich völlig sicher gefühlt.

U 262 stand nicht allein vor Kanadas Küste. *U 174,* Grandefeld, und *U 161,* Achilles, hatten sich seit Mitte März als Wetterboote langsam nach Westen bewegt, bis sie der BdU in nordamerikanische Gewässer befahl, wo auf dem Großkreis laufende Halifax-UK-Geleitzüge zu erwarten waren. Bei den Newfoundland Banks drehten die beiden Boote bei schwerem Wetter und unter lähmender Luftüberwachung ab. Diese Flugzeuge hatte die RCAF zum Schutz von Geleitzügen eingesetzt, dazu kamen 15 »Liberator«-Bomber, die die US Army gerade in Gander stationiert hatte. Eine xB-Dienst-Entzifferung führte *U 174* auf einen Geleitzug 120 Meilen von Sable Island, dort wurde das Boot am 27. April durch eine in Argentia, Newfoundland, stationierte »Ventura« der US Navy mit allen Mann vernichtet.[7] Zu diesem Zeitpunkt orteten Funkpeilungen *U 161* 60 Meilen südlich von Cape Sable. Es hatte, abgesehen von der Versenkung der 250 Tonnen kanadischen Brigg *Angelus,* auf dem Weg von Barbados mit Melasse nach Halifax, wenig Erfolg. Die Versenkung erfolgte im Stil Erster Weltkrieg. Er ließ die Besatzung aussteigen und versenkte den Segler dann mit Artilleriefeuer. Etwa ein halbes Jahr später, am 27. September, vernichtete ein US-Flugboot *U 161* vor der brasilianischen Küste.[8]

Die Nachrichtendienst-Abteilung von Rear Admiral Murray in Halifax sah in der Versenkung von *U 174* und der Kurzwellenortung von *U 161* einen Beweis für »Aufklärungs-Uboote«, deren Auftreten einen sonst ungewöhnlich ruhigen Monat gestört hatte.[9] Im unwirtlichen April begannen die Vorbereitungen für die neue Schiffahrtsaison und die bevorstehende Öffnung des Golfes. Die kanadische Marine stellte verschiedene Schiffe für Gaspé und Sydney zusammen, die zur Golf-Kampfgruppe und den St. Lawrence-Geleitstreitkräften treten sollten; andere waren für die Wabana-Geleitzüge mit Stützpunkt in St. John's, Newfoundland, bestimmt. Als Vorbereitung auf neue Einbrüche deutscher Uboot-Streitkräfte begannen die E-Boot-Flottillen für Gaspé ihre Übungen mit Ubooten und Flugzeugen. Sie sollten auf Station gehen, sobald der Golf eisfrei war. So lange konnte *U 262* nicht warten.

Bei seinem forschen Vorstoß in die Cabot Strait in der Nacht vom 26. auf den 27. April stieß *U 262* nach und nach auf die vorausgesagte Eislage. Die ersten dünnen Schichtungen, die es mit verringerter Geschwindigkeit und ohne große Schwierigkeiten durchfuhr, bildeten zuerst die einzigen Hindernisse. Wie er in seinem KTB notiert:

»In der Cabotstraße kein Überwachungsverkehr festgestellt. Beide Maschinen LF. Eisfeld voraus, Treib- und Schiebeeis. Das Feld ist größer und dichter als das vorher angegebene. Mit geringsten Fahrtstufen Eisfeld durchfahren. Die Eisfelder nehmen an Größe und Dichte laufend zu, so daß ich gegen 10 Uhr in einem unübersehbaren Treibeisfeld feststecke. Muß annehmen, daß westlich das Eis sich zu einer festen Decke verdichtet. Wenn das der Fall ist, bin ich gezwungen, Durchführung der Aufgabe abzubrechen. Entschließe mich trotz der dichten Eismassen zum Unterwassermarsch in NW-Richtung, in der Hoffnung, daß ich abends beim Auftauchen das Eisfeld, das sich vielleicht nur vorm Ausgang der Cabotstraße staut, unterfahren habe.«

Die Batterie hatte genügend Reserven, um die Rückkehr ins offene Wasser in Tauchfahrt möglich zu machen, sollte der Golf auch weiterhin fest zugefroren sein. Obwohl die vorderen Torpedorohre durch einen Eisschaden an den Mündungsklappen voll Wasser liefen, tauchte das Boot gegen 0500 Uhr früh durch ein Loch im Eis und trat seine 16 Stunden dauernde Fahrt durch die »Ubootgasse« an. Der erste Versuch, rund 36 Meilen nordostwärts von Bird Rocks aufzutauchen, scheiterte an einer undurchdringlichen Eisdecke. Franke ging wieder auf 20 Meter Tiefe und fuhr fünf Minuten bis zu seinem zweiten Durchbruchsversuch weiter. Um dem Boot die bestmögliche Auftriebskraft zu geben, stieß *U 262* durch Anblasen aller Tanks mit seinem Kommandoturm durch in die freie Nacht. Das Turmluk klemmte allerdings unter einer großen Eisscholle, die die Brücke aus der See geschaufelt hatte. Als das Luk schließlich gewaltsam geöffnet wurde und sie wieder die Sterne über sich sehen konnte, war die Brückenwache erleichtert.
Die Erleichterung über die Befreiung ließen Frankes Sorgen wegen der ziemlich beträchtlichen Eisschäden nicht aufkommen. Der backbordachtere Netzabweiser

war losgerissen, das Schanzkleid der Brücke verbogen, sowohl die 8,8-Kanone als auch die Maschinenkanone nicht mehr zu gebrauchen, die Mündungsklappen der vorderen Torpedorohre verbogen. Nun war *U 262* praktisch wehrlos. Trotzdem fühlten sich Franke und seine Besatzung völlig sicher. 500 Meter freies Wasser lag vor ihnen, und die Eisdecke schloß jede Möglichkeit der Überraschung oder gar eines Angriffs durch Überwasserschiffe aus. Niemand würde zu dieser Jahreszeit ein Uboot im Golf vermuten. Sein KTB notiert:

»Nehme an, daß wegen noch vorhandener Treibeisfelder die Schiffahrt hier noch gesperrt ist; bin wahrscheinlich das einzige Fahrzeug, was im St. Lawrence-Golf schwimmt.«

Und das war er auch. Sie hatten also reichlich Zeit, die Batterien aufzuladen und das Boot in absoluter Sicherheit durchzulüften. Sollte es notwendig werden, würden sie ihren Weg unter dem Eis ohne Schwierigkeiten zurückfinden. Allein Luftüberwachung konnte Schwierigkeiten bringen, vor allem da das Radarwarngerät immer noch nicht funktionierte. Weiterhin durch große Packeisfelder bedrängt, arbeitete sich das Boot bis auf 33 Meilen vor Heath Point, Anticosti, vor. Dort sichtete Franke am 30. April offenes Wasser; das bestätigte seinen Entschluß, seine Aufgabe durchzuführen. Am 1. Mai hatte *U 262* noch 110 Meilen bis North Point, Prince Edward Island, vor sich. Am nächsten Tag, vor Sonnenaufgang, tauchte das Boot, um die niedrigen roten Klippen, die von Riffen und Flachwasser bis zu 4,5 Meilen vor der Küste sowohl nach Norden wie nach Osten hin umgeben waren, auf Sehrohrtiefe anzusteuern.

Um 0630 Uhr Ortszeit am 2. Mai glitt *U 262* auf 30 Meter Tiefe auf die östliche Kante von North Point und lag vier Meilen von der Küste entfernt. Da die Westseite des Riffs steil ansteigt, hatte Franke den abgestuften und daher leichteren Zugang zu flachem Wasser gewählt. Damit hatte er den ersten Teil seiner Verpflichtung erfüllt, war aber keineswegs sicher, wie er die nächsten Schritte bei dieser Unternehmung ausführen sollte. Als er zur ersten Überprüfung des Abholpunktes auf Sehrohrtiefe ging, war er erschrocken, durch sein Luftzielsehrohr drei Maschinen vom Typ »Maryland« über seiner Position kreisend zu entdecken. Das war »verdächtig«, schrieb Franke in seinem Kriegstagebuch, nach Tagen völliger Abgeschlossenheit genau über seinem Zielpunkt Luftüberwachung zu finden. Seine pragmatische Natur legte ihm jedoch die weniger gefährliche und tatsächlich richtige Erklärung nahe, daß er unter dem Ansteuerungspunkt und der Anflugschneise eines Ausbildungsflughafens lag. Die deutschen Segelanweisungen gaben keinen Hinweis auf die RCAF Stützpunkte in North Sydney und Sydney.

Doch der quälende Verdacht, die Operation sei verraten und die Kanadier lägen auf der Lauer, ließ Franke nicht mehr los. Am 2. Mai tauchte er bei Einbruch der Nacht vor North Point Leuchtfeuer auf. »Das Wetter ist äußerst günstig für die Durchführung der Aufgabe, spiegelglatte See und gute Sicht« (KTB). In den nächsten vier Tagen setzte *U 262* Tag und Nacht seine Suche in Nord- und Süd-schlägen fort und wartete auf irgendwelche Zeichen vom Strand, mit denen die Aufnahmephase eingeleitet werden sollte; möglicherweise irgendein Lichtsignal, ein Morsespruch vielleicht, oder auch ein kleines Boot, das vom Strand her anru-derte. Diese Einzelheiten waren mit dem Briefschlüssel zwischen den Kriegsge-fangenen und dem BdU nicht vereinbart worden; eine Tatsache, die *U 262* ent-weder der Kaperung oder der Vernichtung aussetzte, wenn der Plan entdeckt werden sollte. Suchkurse von der Spitze von Prince Edward Island an den Richt-feuern des kleinen Fischerdorfes Tignish Harbour vorbei führten *U 262* so dicht an die Küste, daß es die Gefahr der Entdeckung geradezu herausforderte. Die Blitze von North Point Leuchtfeuer beleuchteten laufend das Oberdeck und jagten der Besatzung Angst- und Schreckensschauer über den Rücken.

Zum letztenmal stand Franke am frühen Morgen des 6. Mai vor North Point Reef, von irgendwelchen Bewegungen an der Küste war nicht der leiseste Hinweis zu erkennen. Befehlsgemäß brach er die Operation ab und steuerte nordnordost-wärts um die Magdalenen-Inseln herum in den Golf und dann auf Kurs Südost durch die »Ubootgasse« in die Cabot Strait.

»Schade, daß ich ohne Erfolg wieder zurückkehren muß.« (KTB)

Dies ist eines der großartigsten Fehlunternehmen im kanadischen Küstengebiet, von denen man weiß. Die wenigen gemeldeten Ubootsichtungen durch Flug-zeuge und Küstenwächter im Golf hätten mit einiger Phantasie die Ausreise von *U 262* aufzeigen können. Die 78. »Fairmile«-Flottille konnte jedenfalls erst, nachdem sie am 16. Mai von Halifax kommend Sydney erreicht hatte, reagieren. An diesem Tag jedoch griff ein »Anson«-Schulflugzeug aus Charlottetown, Prince Edward Island, mit nur zwei Wasserbomben ausgerüstet, im Gebiet zwischen East Point und den Magdalenen-Inseln etwas an, was der Pilot als »stilliegendes Uboot auf Sehrohrtiefe« beschrieb. *U 262* hatte zu diesem Zeitpunkt dieses Gebiet bereits hinter sich gelassen. Die Meldung der »Anson« behauptete jedoch hart-näckig, seine beiden Bombenanläufe aus einer Höhe von 30 Meter »auf das noch sichtbare Sehrohr habe Wrackteile und Ölflecken« zur Folge gehabt. Bilder dieses Vorgangs gab es nicht; andere Flugzeuge meldeten in den nächsten Tagen weitere Sichtungen. Fünf Tage später, am 21. Mai, meldete ein »Catalina«-Flugboot aus Gaspé, Quebec, den Angriff auf ein getauchtes Uboot nordöstlich der Magda-lenen-Inseln – viele Tage, nachdem *U 262* die offene See erreicht und vom U-Tanker *U 459* Brennstoff übernommen hatte.[10] Deutsche Berichte geben keinen Hinweis auf die sehr entfernt liegende Möglichkeit, ein anderes Uboot sei in diesem Gebiet gewesen. Keine Unterlage gibt eine Erklärung für die Kühnheit, mit der der Stabsoffizier (NOIC) Gaspé in seinem Kriegstagebuch aufgebauscht über das Kampfgeschehen im Monat Mai berichtet: »Feindliche Uboote sind mehrfach im Golfgebiet aufgetreten. Die ausgezeichnete Zusammenarbeit der RCAF bereitete diesen Besuchern einen warmen Empfang, und es ist bedauerlich, daß in dem einzigen Fall, bei dem Überwasserstreitkräfte nahe genug am Schauplatz der Sichtung waren, um in die Jagd einzugreifen, kein Kontakt hergestellt werden konnte.«[11] Erst nach dem Krieg erfuhr Franke von einem Kameraden, der aus Kanada zurückkehrte, daß der »Elster«-Ausbruch durch einen vorherigen ergebnislosen Ausbruch verhindert wurde, der zu stärkeren Überwachungsmaßnahmen im Lager führte. Hätten die Gefangenen im Lager 70 ihre Ausbrüche so koordiniert wie ihre Kameraden im Lager 30 in Bowmanville, hätte die kühne Fahrt von *U 262* sie nicht nur vielleicht retten können, sondern auch dem Berliner Rundfunk ausgezeichnetes Propagandamaterial geliefert. Es gibt keinen Hinweis darauf, der alliierte Nachrichtendienst habe von dem Plan erfahren.

Während Franke im April 1943 mit *U 262* auf dem Marsch nach Prince Edward Island war, plante der Stab des BdU bereits eine andere Befreiungsaktion. Diesmal war der Treffpunkt Pointe de Maisonette, New Brunswick, an der Nordwestküste von Caraquet Harbour an der Südwestseite der Baie des Chaleurs. Ziel des Einsatzes war, Mitglieder der »Lorient Spionageeinheit«, wie sie sich selbst nannten, aufzunehmen, die mit Hilfe eines Tunnels irgendwann im September/Oktober 1943 aus dem Lager Bowmanville, Ontario, ausbrechen wollten.[12] Die Gruppe wurde angeführt von Kretschmer, »Otto dem Schweigsamen«, der als Kommandant des »Goldenen Hufeisen«, *U 99*, mit den andern beiden Tonnagekönigen Joachim Schepke, *U 100*, und Günther Prien, *U 47*, die höchsten Auszeichnungen seines Landes erhalten hatte.[13] Alle drei Boote gingen zwei Jahre vorher, im März 1941, verloren; Schepke und Prien fielen, Kretschmer wurde gefangengenommen. Andere Mitglieder der Ausbruchsgruppe waren Kapitänleutnant Hans Ey, *U 433*, versenkt am 16. November 1941; Oberleutnant Horst Elfe, *U 93*, gesunken am 15. Januar 1942 und Kretschmers Erster Wachoffizier und früherer Flaggleutnant von Dönitz, Oberleutnant Jochen von Knebel-Doeberitz.

Der 31jährige Kapitänleutnant Rolf Schauenburg, Kommandant des Typ IXC-40 Bootes *U 536*, der schließlich diesen Einsatz durchführte, hatte seit seinem Eintritt in die Marine 1934 eine bewegte Laufbahn hinter sich. Während seiner Ausbildung auf dem Linienschiff *Schlesien* war er anläßlich der Krönung König Georgs VI. in Großbritannien gewesen und hatte ebenfalls Kanada besucht. Bei der Schlacht vor dem Rio de la Plata diente er auf der *Graf Spee* und wurde danach in Argentinien interniert. Er brach aus, durchquerte als Tuchhändler getarnt Südamerika, wurde zweimal wieder aufgegriffen und schließlich durch Vermittlung eines deutschen Konsuls wieder freigelassen. Im Januar 1941 kam er über Chile nach Deutschland zurück. Auf seinem Uboot soll Schauenburg insofern ein strenges Regiment geführt haben, als er in der bedrückenden Enge eines Ubootes auf Dickschiffdisziplin und »Anzug« bestand. Nach deutscher Uboottradition kamen die Besatzungen von Feindfahrt unrasiert und im Arbeitsanzug zurück, eine Art, die Schauenburg anscheinend niemals zuließ. Man kann diese Forderung verstehen, auch wenn sie zur damaligen Zeit wohl etwas auf die Stimmung drückte. Seine Männer achteten seine starke und entschlossene Haltung. Die zwanzigbändige Duden-Enzyklopädie, die er auf das Uboot mitbrachte, ist ein Hinweis auf seine humanistischen Neigungen.

Nachdem er seine erste Feindfahrt auf dem in Lorient stationierten *U 536* gerade beendet hatte, erfuhr Schauenburg anscheinend bei einem Besuch in der Befehlsstelle in Berlin zum erstenmal von dem Rettungsplan. Nach dem reißerisch geschriebenen Bericht zu urteilen, den Schauenburg 1956 der Zeitschrift KRISTALL lieferte, hatte ihn Uboot-As und Asto Addi Schnee zur Unternehmung ausgewählt.[14] Die notwendigen Befehle brachte ein Sonderkurier nach Lorient. Wahrscheinlich waren zwei andere Uboote nacheinander für die Aufgabe vorgesehen, die dann weit vor ihrer Ankunft in kanadischen Gewässern verloren gingen. Daher war Schauenburg wahrscheinlich nicht so gründlich eingewiesen, wie sein Remmidemmi-Bericht in KRISTALL ahnen läßt. Er lief jedenfalls am 29. August 1943 in Lorient aus mit dem Befehl, eine Position nördlich der Azoren einzunehmen. Am 12. September funkte ihm der BdU lakonisch: »Aufgabe ›Kiebitz‹ durchführen – keine zusätzlichen Angaben.« Dies ist die erste amtlich dokumentierte Angabe in der Reihe der Ereignisse und zeigt, daß der BdU davon ausging, *U 536* sei ausreichend informiert, um entsprechend zu handeln. Die Besatzung erfuhr nichts vom Zweck dieses Einsatzes, bis das Boot in kanadischen Gewässern war. Es ist vielleicht eine Ironie der Historie, daß »Kiebitz« noch eine andere Bedeutung hat, nämlich Zuschauer beim Kartenspiel. Schauenburg würde schließlich nichts tun als warten und beobachten, während die kanadischen Marineoffiziere im Leuchtturm Maisonette Karten spielten und auf einen Fehler von ihm warteten.

Mittlerweile hatten die Ausbrecher von Admiral Dönitz die Bestätigung des Treffens erhalten, angeblich hatten sie sogar in Doppelböden von Konservendosen kanadisches Geld und einen Funkschlüssel erhalten, um eine normalerweise von deutschen Blockadebrechern benutzte Funkfrequenz zu beobachten. Von einem Schacht, den man durch einen Schrank betrat, gruben sich rund fünfzig Mann abwechselnd voran – bis Sickerwasser den Tunnel einbrechen ließ. Daraufhin schlossen sie sich mit einer zweiten Gruppe Tunnelgräber zusammen, die einen 100 Meter langen Tunnel graben wollte. Dieser sollte unter dem Stacheldrahtzaun und die danebenliegende Straße hindurch ins Gebüsch führen, wo man im letzten Moment einen Ausstieg graben wollte. Die Pläne sahen vor, daß Kretschmers Gruppe am 27. oder 28. September Pointe de Maisonette erreichen sollte.

Wenn die Alliierten nicht in der Lage gewesen wären, die deutschen »Triton«-Signale zu entziffern, wäre es den deutschen Kriegsgefangenen vielleicht doch gelungen, den Abholpunkt zu erreichen und nach Deutschland zu fahren. Aber im

Sommer 1943 hatte der kanadische Marinenachrichtendienst den Chef der Royal Canadian Mounted Police (RCMP) unterrichtet, ihm sei es gelungen, »gewisse Codes zu knacken«, die nicht nur auf einen Massenausbruch, sondern auch auf das Eintreffen eines Ubootes in kanadischen Gewässern hinwiesen. Natürlich war nun eine koordinierte Planung erforderlich. Bei Nacht untersuchte ein RCMP-Team unter Leitung von Kommissar Harvison die Umgebung des Gefangenenlagers und benutzte dabei eine Sonde mit Mikrofon; Grabgeräusche bestätigten die Arbeit am Tunnel. Der Tunnel war, wie sich Harvison später erinnerte, »ein technisches Meisterstück... mit einer Länge von 100 Metern«.[15] Die kanadische Marine sowie die RCMP stießen nun auf wichtige bestätigende Beweisstücke unter einer Anzahl von Büchern, die den Gefangenen von Deutschland über das Rote Kreuz zugeschickt worden waren. Sie schickten die Bücher zur Prüfung an das Kriminal-Untersuchungslaboratorium in Regina, wo der frühere Staff Sergeant Stephen Lett, von Anfang an Mitglied des Laboratoriums, eine entscheidende Entdeckung machte. Beim Öffnen des Einbandes eines Exemplars mit dem Roman von Arnold Ulitz, »Die Braut des Berühmten« vom Berliner Propyläenverlag, fand er »im Einband eine Reihe wichtiger Ausbruchsdokumente in Gestalt einer Seekarte der kanadischen Ostküste, eines gefälschten kanadischen Personalausweises und eine Menge kanadischer und amerikanischer Banknoten«.[16] Die Seekarte verriet den Treffpunkt mit dem Uboot. Lett hatte bei der Öffnung der verschiedenen Bände herausgefunden, daß die schlechte Qualität des Papiers und des Einbandes eine Wiederherstellung der Bücher in ihre ursprüngliche Form unmöglich machte. Er hatte deshalb ein Schema entwickelt, jedes Stadium des Auseinandernehmens peinlich genau zu fotografieren, so daß er den Einband mit ähnlichem Material rekonstruieren konnte. Auf diese Weise schuf das Labor höchst fachmännisch und mit meisterlicher Täuschung ein Duplikat des Einbandes. Nachdem man die Bücher erneut gebunden, die Originaldokumente fotografiert und an den ursprünglichen Platz gelegt hatte, schickte man die Bände an die vorgesehenen Empfänger.

Warnungen vor der Operation »Kiebitz« veranlaßten Admiral L. W. Murray, eine Vierergruppe zu bilden, die abgesehen von ihm selber aus Captain W. L. Puxley RN (dem damaligen Kommandeur der britischen Zerstörer in Halifax), Lt. »Rocky« Hill, RNR (Kommandant eines britischen Ubootes, das zur Ubootabwehr-Ausbildung abgestellt war) und dem Ausbildungsoffizier LCdr Desmond Piers bestand.[17] Murray wählte anscheinend Piers als Schlüsselfigur mit Sonderanweisungen, das Uboot zu kapern. Unter dem Vorwand, man suche besser geeignete Wasserverhältnisse für die Ubootabwehr-Ausbildung, besuchten Piers und Hill die Baie des Chaleurs. Sie planten, »zwei fahrbare Radareinheiten mit zwei Meilen Abstand bei Miscou Leuchtfeuer aufzustellen«; die Tarnung war allerdings schwierig, da jedes aus einem Lastwagen und einem Anhänger bestand. RCMP- und Marinedienststellen hatten kurz den Gedanken in Betracht gezogen, die Gefangenen ausbrechen zu lassen und sie dann bis zum Aufnahmepunkt zu beschatten. Das erwies sich als unnötig, als man erfuhr, wo das Uboot erwartet wurde. Daraufhin entwickelten sie einen realistischeren Drei-Tages-Plan.[18]

Man würde den Ausbruch zulassen und die Ausbrecher dann einen nach dem anderen im Gehölz hinter dem Tunnelausstieg festnehmen. In der irrigen Annahme, die Uboote im St. Lawrence und vor der Atlantikküste überwachten die kanadischen Rundfunksendungen, würde man zweitens die Medien von dem Massenausbruch unterrichten. Von irgendwelchen Festnahmen würde man natürlich nichts bekannt geben. Spätere Presseverlautbarungen sollten die Namen von Gefangenen nennen, die an der vorgesehenen Ostroute an verschiedenen Punkten angeblich ergriffen worden waren, allerdings nicht die Namen der sieben Männer, die das Uboot erwartete. Dies sollte den Ubootkommandanten zur Annahme bringen, seine Passagiere hätten Erfolg gehabt und seien unterwegs. Die dritte Phase, »das Ziel der ganzen Unternehmung«, wie Harvison später äußerte, war, »das Uboot unversehrt zu kapern«. Zu diesem Zeitpunkt stand *U 536* im St. Lawrence-Golf mit dem Befehl, nicht später als am 26. September vor Pointe de Maisonette zu sein.

Die Kaperung eines feindlichen Ubootes erfordert ein erfahrenes Enterkommando, wie sie schließlich 1945 gebildet wurden, als sich die Uboote nach Kriegsende kampflos ergaben. Jetzt aber mußte man mit Gewalt rechnen. Der Plan sah vor, ein Geleitfahrzeug solle das Uboot zum Auftauchen zwingen. Ein Hummerboot mit einer ausgesuchten Besatzung, ausgerüstet mit Handgranaten, Revolvern, Dolchen und Rauchgranaten sollte dann eine Kette durch das offene Turmluk führen, um zu verhindern, daß das Luk wieder geschlossen wurde, und anschließend das Boot besetzen. Die Technik mit der Kette wurde tatsächlich im Ablauf der Kapitulation 1945 benützt. Nach Kommissar Harvisons Bericht sollten sieben Freiwillige die sieben Ausbrecher darstellen. Zu ihnen gehörte der mysteriöse »Johnny«, der für die RCMP den gefangenen Spion von Janowski nach Montreal gebracht hatte. Rückblickend besehen betrachtete Harvison die Erfolgschancen als sehr gering.

»Die Freiwilligen waren tapfere Leute, die für einen heroischen Einsatz ausgebildet wurden; doch wenn das Vorhaben platzte, hatten sie nur die Aussicht, tote, aber glücklose Helden zu sein.«

Dem streng geheimen Quartett wurde eine fünfte Person angegliedert. Es handelte sich um LCdr Ansten Anstensen, später Professor für Deutsch und Norwegisch an der University of Saskatchewen, der damals dem kanadischen Nachrichtendienst angehörte. Er hatte an der Universität Breslau promoviert und sprach fließend deutsch. Piers hatte den Gedanken erwogen, Anstensen solle in der Verkleidung eines ausgebrochenen Oberst des Heeres, und damit ranghöher als der Kommandant des Bootes, eine Art Führungsrolle auf dem Boot spielen. Dieser Teil des Planes war höchst naiv. Es zeigte sich jedoch, daß die Admiralität in

London die kanadische Marine überredet hatte, das Boot nicht zu kapern, sondern zu vernichten.[19] Und zwar mit guten Gründen. Die Kaperung des Ubootes hätte »Ultra« verraten können. Piers stellte deshalb eine Mannschaft zusammen, die die entsprungenen Gefangenen an Land festnehmen sollte, und plante Schiffe »um die Ecke herum, ein paar Meilen entfernt« zu stationieren, die er dann heranrufen würde, um das Uboot zu vernichten, sobald man die ersten Anzeichen hatte, daß es da war.

Ein anderer Ubootfahrer in Bowmanville hatte mittlerweile einen eigenen Fluchtplan entwickelt. Kapitänleutnant Wolfgang Heyda, *U 434*, wollte den Lagerzaun mit einem Bootsmannsstuhl an einer Starkstromleitung überqueren, die an hölzernen Pfählen befestigt durch das Lager lief. Die Pfähle standen äußerst günstig beiderseits der Stacheldrahtumzäunung. Er hatte sich ein paar Steigeisen wie die der Telegrafenarbeiter angefertigt, den Stuhl und die Taue behelfsmäßig aufgetakelt und stand bereit, die Ankunft von *U 536* zu nutzen. Nachdem der Massenausbruch durch die Entdeckung des Tunnels gegenstandslos geworden war, sammelten sich die Gefangenen um Heyda und versorgten ihn neben anderen Dingen mit kanadischem Geld und einer schlecht sitzenden Uniform eines kanadischen Heeres-Unteroffiziers. Hätte er den Personalausweis aus dem Ulitz-Roman benutzt, wäre er als Fred Tomlinson aus der Coswell Street 46 in Toronto gereist.[20] Deutsche Erinnerungen weisen darauf hin, daß Heyda ein vorzüglich gefälschtes Dokument mit Murrays Unterschrift bei sich hatte, das ihn ermächtigte, im Auftrag der Marine biologische Untersuchungen bei Maisonette Point anzustellen. Piers dagegen erinnert sich, daß Heydas Dokument zeigte, »daß er von den Royal Canadian Engineers entlassen war, um bei der Northern Electric Company an Ubootabwehrausrüstungen zu arbeiten«. Was für Dokumente es auch tatsächlich waren, Piers behauptet, daß »sie alle hervorragend gemacht waren, genau wie das kanadische Vorbild, doch alles mit der Hand angefertigt«.
Heyda floh allein am 24. September 1943 und reiste anscheinend mit dem Zug nach Montreal und weiter über Bathurst, New Brunswick, nach Pointe de Maisonette. Die Quellen berichten nichts über die Tatsache, ob er eine 50 km lange Strecke über die Landstraßen 11 und 320 bis Pointe de Maisonette marschieren mußte oder mit der Eisenbahn bis kurz vor Grand-Anse fahren konnte. Von dort blieb nur ein Fußmarsch von 10 km. Auf jeden Fall passierte er anschließend die kanadische Postenkette mit dem gefälschten Passierschein, kampierte unauffällig am langen Sandstrand und wartete auf das Eintreffen von Schauenburg. Der Punkt selbst ist sehr schwer festzulegen, weil die Küste an der Seeseite einen langgestreckten Bogen macht, der schließlich in einer trockenen Sandgrube endet, die gegen Caraquet gerichtet ist. Dort ist das Ufer felsig mit flachen Klippen. Bei der Identifizierung des Aufnahmepunktes hätte die Postenkette Heyda behilflich sein können. Der heutige Besucher dieses populären Sommerstrandes findet dort keinerlei militärische Spuren; auf den Grundmauern des alten Leuchtturmes steht eine moderne Navigationsbake.[21]

Um den 16. September herum war *U 536* im St. Lawrence-Golf eingetroffen, hatte anscheinend Befehl, vom 23. September an auf Funkmeldungen der Ausbrecher zu achten und in der Baie des Chaleurs, einen Tag vor der vermutlichen Ankunft von Kretschmers Gruppe, am 26. September einzutreffen. Am 25. September lösten streng geheime Befehle von Admiral Murray, durch Boten an den Zerstörer HMS *Chelsea* wie auch an drei Korvetten und fünf *Bangor* Minensuchboote überbracht, Überwachungsfahrten südlich der Baie des Chaleurs aus; am 28. September riegelten sie die Bucht, sobald *U 536* drinnen war, ab. Unterstützt durch die »Fairmiles« kämmten die neun Schiffe in Dwarslinie den Eingang ab, während *U 536* seine Kontakte suchte.

Bei dieser Operation war HMCS *Rimouski* eine besondere Rolle zugewiesen.[22] Es war das erste Schiff, das mit Streulicht experimentierte, ein Konzept, das das Schiff bei Nacht praktisch unsichtbar machen sollte. Theoretisch ist ein abgedunkeltes Schiff bei Nacht sichtbar, weil es dunkler ist als der Hintergrund. Streulicht, das über die Aufbauten wischt, so wurde argumentiert, würde das Schiff mit Himmel und See verschmelzen. Das nach einem Quebecer Dorf benannte Schiff *Rimouski,* scherzhaft als die »polnische Korvette« bezeichnet, war während ihrer Werftliegezeit in Liverpool, Nova Scotia, mit einem System von Lichtern und automatischer Steuerung ausgerüstet und mit Komplementärfarben versehen worden. Die Versuche mit diesem System in Pictou, Nova Scotia, beschrieb der frühere Kommandant der »Fairmile« *ML 053* kürzlich so:

> *»Es war unheimlich; man konnte den dunklen Schatten der Korvette gegen den Nachthimmel eine Minute sehen und dann, wenn das Streulicht eingeschaltet wurde, verschwand sie einfach.«*[23]

Nach den Erinnerungen des ehemaligen Kommandanten erwies sich das System als wirksam. Für die Leute an Bord jedoch »war die Wirkung etwas unbehaglich«. Es war hell genug, um bei Nacht auf der Brücke zu lesen, oder − ohne wie üblich zu tasten und zu stolpern − über das Oberdeck zu gehen. Nach der jahrelangen Verdunklung war das ungemütlich, aber funktionierte tatsächlich. Auf diese Weise sollte sich die »unsichtbare« *Rimouski* aus der Bewacherlinie lösen und an das Uboot herangehen. »Langsam, mit Positionslaternen und eingeschaltetem Streulicht, um so ein kleines Küstenfahrzeug darzustellen.«

Wie sich die Ausbrecher mit dem Boot in Verbindung setzen sollten − ob mit einem Sender-Empfangsgerät, das ein deutscher Flieger in Bowmanville gebaut hatte, oder auf andere Weise −, ist nicht klar. Als letzte Verbindung war eine Morselampe von der Küste aus geplant. Sobald *U 536* mit den Ausbrechern Verbindung hatte, sollte ein Landungstrupp, bestehend aus dem 20jährigen Leutnant Günther Freudenberg und einem Heizer, in einem Schlauchboot mit Außenbordmotor an Land gehen. Der junge Freudenberg ist heute Professor und Dekan des Fachbereiches Kultur und Geowissenschaften an der Universität von Osnabrück;

er beeindruckte später den alliierten Nachrichtendienst als eine Art verwegener Abenteurer. Die Befrager berichteten, daß er beabsichtigte, nach Art der amerikanischen Gangsterfilme mit einem Bleigewicht in seiner Wollmütze zu landen, mit der er jedem Störenfried eine verpassen wollte. Heute ein nachdenklicher Pazifist, findet Dr. Freudenberg die Würdigung seiner Rolle äußerst wunderlich und weit hergeholt.

Mittlerweile hatten Piers und seine Männer ihr Hauptquartier im Leuchtturm aufgeschlagen, in das sie sich am 27. September »zu einem kleinen Kartenspiel« zurückzogen. Zuvor hatten sie eine rätselhafte Nachricht erhalten, die besagte, daß der Massenausbruch aus Bowmanville fehlgeschlagen, ein Mann jedoch ausgebrochen sei und versuchen werde, zum Treffpunkt zu kommen. Am Abend des 27. September sprachen Wachtposten an der Küste Heyda an und brachten ihn in den Leuchtturm, um ihn Piers gegenüberzustellen. Wie der Spion von Janowski, so berichtet Piers heute, hatte er »die Tasche voll altem Geld, 20-Dollar-Scheine, die seit Ende der zwanziger Jahre nicht mehr im Verkehr waren«.[24] Die Umstände von Heydas Festnahme können nicht bestätigt werden, obwohl der ausgetauschte deutsche Marineoffizier Dietrich Loewe die deutsche Seekriegsleitung im Januar 1944 informiert hatte, daß die Kanadier Heyda nur 1000 Meter vom Treffpunkt entfernt geschnappt hatten.[25] Piers erinnert sich, die RCMP herbeigerufen zu haben, um sich mit dem Gefangenen entsprechend dem abgesprochenen Plan zu befassen, aber er klärt uns nicht darüber auf, was das war. Sie brachten Heyda nach Bowmanville zurück, wo die Gefangenen zweifellos nach Deutschland berichteten. Erst nach dem Krieg konnte Piers dem mit ihm verbündeten Nato-Offizier Kretschmer sagen, welche Hinweise Heyda verraten hatten. Schauenburgs 1956 in der Zeitschrift KRISTALL veröffentlichtes Interview liefert ein reißerisches Drehbuch nach dem Muster eines Hollywood-Krimis. Also stand der hilflose Gefangene einem hohnlächelnden, arroganten Marineoffizier gegenüber, der »drei Bataillone aufgeboten hatte, um das Uboot zu bekommen, das Leuchtfeuer wieder angesteckt ... und sogar den Vorkriegs-Leuchtturmwärter von der Navy reklamiert«. Er selbst sei »eigens von England herübergekommen, um die ›Hunnen‹« zu erwischen. Zu Heydas Überraschung erwies sich der Vernehmungsoffizier nicht als Kanadier, sondern als britischer Marineoffizier.[26] Das war höchstwahrscheinlich Lt. W. S. Samuel, RNVR, vom kanadischen Marinenachrichtendienst.

An Bord des Ubootes witterte man Verrat. Seit er am 24. September in die Bucht eingelaufen war, hatte Schauenburg ein unruhiges Gefühl geplagt. Er stellte nicht nur fest, daß seine Karten überholt waren und wichtige Landmarken fehlten, auch eine Kette von »Zerstörern«, durch die er lief, machte ihn mißtrauisch, besonders da die ganze Bucht seltsamerweise frei von anderen Fahrzeugen war. Er blieb bei Tag getaucht, tauchte nur bei Nacht auf, um die Batterien zu laden, und lag halb geflutet mit überspültem Deck, um ein möglichst geringes Profil zu bieten. Zeitweise ging er bis zu 200 Meter an die Küste heran. In der Nacht zum 26. September gewannen Schauenburg und seine Offiziere den Eindruck, daß hier Kriegsschiffe zusammengezogen wurden: Sechs eines unbestimmten Typs standen weiter draußen in der Bucht, ein »Zerstörer« hatte weiter drinnen Position bezogen, während eine »Korvette« anscheinend vor dem verabredeten Treffpunkt auf Position gegangen war. Mehrere Beobachtungen seit Beginn ihres Vorstoßes unter die Küste bestätigten der Besatzung von *U 536* das Vorhandensein einer Falle. Dies Gefühl verstärkte sich, als ein seltsames Funksignal auf einer anderen Frequenz als die für die Verbindung mit den Ausbrechern vorgesehene die Stille durchbrach. Es rief das Uboot mittels eines ganz anderen als des vorgesehenen Codewortes unter die Küste. Ebenso verwirrend waren die deutschen Worte »Komm, komm«, die jemand von der dunklen Küste aus in offener Sprache gemorst hatte, wiederum ganz anders als das vereinbarte Erkennungssignal.[27] Zu diesem Zeitpunkt meldeten die mobilen Radarstationen einen Kontakt an Piers, der immer noch Heyda verhörte. Dann, nach deutscher Darstellung »vollständig aus heiterem Himmel«, gingen in der Nähe Wasserbomben hoch. Schauenburg sah nun die Aufnahme als hoffnungslos an und plante die eigene Flucht. In der richtigen Annahme, die Kriegsschiffe vermuteten, er suche nun tiefes Wasser auf und im flachen Wasser würden sie aus Angst, durch ihre eigenen Wasserbomben beschädigt zu werden, auch nicht angreifen, drehte er auf die Untiefen bei Miscou Flach zu. Während des ganzen 27. September, dem Tag, an dem Heyda geschnappt wurde, lag *U 536* auf dem Grund und wartete.

In der Nacht vom 27. auf den 28. September kroch *U 536* auf einer Tiefe von 20 Meter aus der Baie des Chaleurs; im Horchgerät über sich die Geräusche suchender Überwasserfahrzeuge. Eines der Fahrzeuge machte den Eindruck, als folge es ihnen eine beträchtliche Zeit lang. Die Besatzung hörte Wasserbombenexplosionen in einiger Entferung und überlegte, ob das Schreckbomben, Übungsbomben oder wirkliche Bomben waren. Der britische Nachrichtendienst berichtete wesentlich später, Kriegsschiffe hätten in dieser Nacht einen Kontakt vor der Baie des Chaleurs angegriffen. Der Leutnant Freudenberg erinnert sich, daß sie sich so dicht wie möglich unter die Küste klemmten, fast über den Grund rutschten und nur so viel Wasser über sich hatten, daß die Oberkante des Kommandoturms und die Sehrohre bedeckt waren. Einmal wurde *U 536* während der Flucht in ein Fischdampfernetz verwickelt, man konnte hören, wie die Winschen gegen den Zug des ungewöhnlichen Fanges arbeiteten. Später fanden die Deutschen Netzteile auf der Brücke und am Netzabweiser. Weitere verläßliche Einzelheiten sind nicht ans Licht gekommen. Einige Seeleute der kanadischen Suchfahrzeuge hatten das seltsame Gefühl, das gejagte deutsche Uboot kenne die Baie des Chaleurs besser als sie selbst und arbeite vielleicht mit den Fischern, besonders den frankophonen von Quebec und New Brunswick zusammen. Das ging natürlich weit an der Wahrheit vorbei.

Die abgebrochene Unternehmung von *U 536* erfolgte, wie Überlebende erinnern, nicht ohne Schneid. Eine deutsche Legende beharrt darauf, *U 536* habe beim Auslaufen in der Cabot Strait drei nicht funktionierende Torpedos auf einen unachtsamen Zerstörer geschossen, der darauf nicht reagierte. Kanadische Kriegstagebücher geben keinen Hinweis auf Feindtätigkeit in dem Gebiet. Deutsche Nachkriegserzählungen blähten dieses Ereignis auf,[28] ebenfalls eine deutschsprachige kanadische Zeitung, THE VANCOUVER COURIER-NORDWESTEN im Jahr 1979. Der heimliche Rückzug des Bootes erwies sich hier als »Meisterleistung, sich mit beschädigtem Boot nicht nur aus der Bucht und der Mündung des St. Lawrence in die offene See zu pirschen, auch noch zwei kanadische Zerstörer mit einem Torpedofächer seiner neuesten Zaunkönig-Torpedos, die ihr Ziel selbst suchten, abzuschießen«. Am 5. Oktober 1943 unterrichtete *U 536* den BdU, daß »Kiebitz verpfiffen« sei. Die Ubootleute vermuteten ein Leck im Befehlsweg. Tatsächlich aber war »Ultra« am Werk. Eine von Sir John Plumb verfaßte Zusammenfassung des britischen Nachrichtendienstes vom 28. Dezember 1943, die auf »Z-Quellen« beruhte, wies auf eine Vielzahl von Täuschsignalen und chiffrierten Funksprüchen hin, und zwar zwischen dem 19. Juli und dem 28. September. Das auf Amerika II gefunkte Codeverfahren entsprach der Planungs- und Durchführungsphase von »Kiebitz«. Bletchley Park erkannte auch, wie außerordentlich schwierig es den Deutschen war, Kontakt mit den Kriegsgefangenen in Kanada durch Schlüsselverfahren aufzunehmen. (»Intelligence Memorandum No. 42«, 28. Dezember 1943, PRO, ADM 223,15)

Schauenburgs letzte Begegnung mit Kanadiern − er hielt sie eigentlich für Einheiten der Royal Navy − erfolgte am 20. Oktober unter schwierigsten Bedingungen auf dem Heimmarsch nordöstlich der Azoren. Vor Halifax und an der Küste von Nova Scotia auf- und abstehend, ohne auch nur einmal die Gelegenheit zum Angriff zu haben, schloß sich *U 536* an die acht Boote der Gruppe Schill 2 an. Diese hielten Fühlung an dem 66 Schiffe starken Geleitzug MKS-30/SL-139 auf dem Weg von Gibraltar und Freetown nach Großbritannien. Dabei geriet *U 536* in die Suchkurse dreier kanadischer Geleitfahrzeuge: der Korvetten HMCS *Snowberry, Calgary* und der Fregatte HMS *Nene*.[29] Das scharfe Asdic-»Ping« gegen den Druckkörper von *U 536* riß die nichtsahnende Besatzung auf einer Marschtiefe von 160 bis 190 Meter aus ihrem Gefühl völliger Sicherheit. *U 536* war knapp an Brennstoff und ohne Torpedos. Kurzwellenpeilungen hatten die Geleitzugsicherung auf die Anwesenheit des Ubootrudels hingewiesen. *Snowberry* wurde aus ihrer achteren Position von *Nene* herangeführt, bis sie selbst auf 1000 Meter Asdic-Kontakt bekam und zehn Wasserbomben nach Schema »G« (Tiefeneinstellung zwischen 100 und 180 Meter) warf, denen 25 Minuten später ein Angriff nach Schema »E« (Tiefeneinstellung 50 bis 100 Meter) folgte. Der Kommandant der Korvette meinte: »Wenn es das Uboot nicht beschädigt hat, so hat es es doch schwer durcheinander geschüttelt.«[30]

Der Angriff war in der Tat vernichtend. Das Uboot wurde plötzlich hecklastig, die Beleuchtung fiel aus, der Sicherungskasten stand in Flammen und gelber Rauch quoll heraus. Kurz danach wurde *U 536* gefährlich in die Senkrechte geworfen, schwankte auf seinen Schrauben und stürzte dann in eine Tiefe von 240 Meter.[31] Trotz dieser heftigen Bewegungen gelang es dem einfallsreichen Zweiten Ingenieur, Wilhelm Kujas, das hoffnungslos beschädigte Boot wieder zu stabilisieren, aus dem er dann später selbst nicht mehr herauskam. Als das Uboot an die Oberfläche kam und sich in der Bilge Chlorgas bildete, sammelte sich die Besatzung in der Zentrale, klar zum Aussteigen. Der Wirbel der Wasserbomben war kaum verklungen, als der Turm von *U 536*, eben steuerbord voraus von *Snowberry*, die Wasseroberfläche durchbrach. *Snowberry* fuhr dicht längs des Ubootes vorbei in einem Manöver, das Schauenburg zu der Meldung veranlaßte, er sei durch Rammstoß versenkt worden. Der Kommandant der *Snowberry*, der endlich auch einmal mit dem Feind handgemein geworden war, gab später, wen wird das wundern, lebendige und sensationelle Erzählungen an die Presse:[32]

»Der erste Schuß aus dem 10,2-cm-Geschütz war ein Volltreffer auf den Kommandoturm. Das Maschinengewehr mähte über das Ubootdeck und fällte die Nazis, sobald sie versuchten, ihr großes Geschütz zu besetzen.« (...) »Taumelnd kam die Ubootbesatzung aus dem Luk und versuchte, ihr Oberdecksgeschütz zu erreichen, um uns zu vernichten, doch unsere Maschinenkanonen fegten das Deck frei ... Es war wie in einem Film – die Deutschen warfen ihre Arme hoch, als seien sie getroffen, und stürzten einer nach dem anderen in die See.«

Zu diesem Zeitpunkt hatten sowohl HMS *Nene* als auch HMCS *Calgary* herangeschlossen und eröffneten das Feuer. HMCS *Snowberry* erhellte mit einer Leuchtgranate die Szene und ging, als das Feuer eingestellt wurde, bei *U 536* längsseits, um das Boot und die streng geheime Radarantenne zu untersuchen. *U 536* lag hecklastig, das Oberdeck bis zum zusammengeschossenen Turm unter Wasser, der Druckkörper von Kugeln durchlöchert; doch die Maschinen liefen noch. *Snowberry* schrammte von der See längsseits und kam damit dem von Schauenburg berichteten Rammen am nächsten. Siebzehn der fünfundfünfzig Mann starken Besatzung überlebten. Die meisten trugen ihre Tauchretter-Schwimmwesten. »Keiner von ihnen«, so bemerkte der Kommandant der *Snowberry*, »wirkte auf uns wie ein Mitglied der ›Herrenrasse‹. Es war eine sanftmütige und dankbare Ansammlung von Überlebenden.«

Die deutsche Uboottaktik und -technik war von den ersten Tagen des Ubootkrieges an auf Neuerungen aus. Das Gleiche galt für den Minenkrieg und die Minenabwehr. Die deutschen Seestreitkräfte zogen aus ihren großen Erfahrungen im Minenkrieg des Ersten Weltkrieges Nutzen; zehn Prozent aller versenkten Tonnage schrieben sie diesen Erfahrungen zu, während die Kanadier – ohne von ihrer eigenen Marinegeschichte gelernt zu haben – völlig überrascht wurden.[33] Kluge Marineführungsstäbe rechnen immer mit einer Minenbedrohung. Vom Gesichtspunkt des Feindes aus sind diese Waffen – um Churchills Beschreibung von Korvetten zu benutzen – sowohl »billig wie ärgerlich«. Minenlegen zielt darauf ab, die Geographie zu ändern, indem man die Küstengebiete für den Feind sperrt und zum eigenen Nutzen einen Zugang unter Kontrolle hält. Der Feind kann natürlich ein Minenfeld durch Flugzeuge oder Überwasserschiffe legen; der Uboot-Minenleger hat jedoch einen wesentlichen Vorteil: Er kann das Feld heimlich legen, nachdem er reichlich Zeit gehabt hat, die Verkehrswege und Zeitpläne des Gegners zu beobachten. Er benutzt daher die allerneuesten Feindnachrichten. Der bloße Verdacht feindlicher Minen zwingt den Verteidiger, Abwehrmaßnahmen zu ergreifen. Hinsichtlich Menschen- und Materialeinsatz kann das sehr aufwendig sein, Zeit kosten und auf den ersten Blick unproduktiv sein. Und doch kann der Verteidiger nur durch Errichtung und Überwachung »geräumter« Kanäle zwischen Häfen und Geleitzug-Sammelpunkten die sichere und ungehinderte Schiffahrt durch seine eigenen Gewässer garantieren.

Deutschlands erster Versuch, die Zufahrtswege nach Halifax und die südöstliche Küste von Nova Scotia, von Cape Breton bis Cape Sable zu verminen, wurde von dem früheren Handels-Uboot *U 155* (ex *Deutschland*) im September 1918 unternommen.[34] Obwohl sich die Minen vom Ankertau losrissen und für eine wirksame Blockade auf jeden Fall zu weiträumig gestreut waren, zeigte diese Aktion, daß mit leichten technischen Verbesserungen ein europäischer Gegner die nordamerikanischen Häfen abriegeln konnte. Uboote der *Deutschland*-Klasse konnten 42 Minen tragen, die Minenleger vom Typ XB des Zweiten Weltkrieges führten 66 Minen mit sich.[35] Eine Hafenverteidigung war daher zwingend. In den Jahren 1918 bis 1938 überlegte sich die aufstrebende kanadische Marine, Kabelschleifen vorzusehen, um das Eindringen feindlicher Streitkräfte zu verhindern. Sie dachte auch an die Möglichkeit, Minensucher für die Räumung feindlicher Minen in den eigenen Gewässern bereitzuhalten. Obwohl die RCN von 1912 an gelegentlich Minenräumübungen vor Halifax (und auch vor Esquimalt an der pazifischen Küste) durchführte, konnten weder die Ostküstensicherung des Ersten Weltkrieges noch die schlecht ausgerüsteten Küstenminensuchboote, die 1938 in Dienst kamen, der Bedrohung begegnen. Es war typisch für die reaktive Verteidigungspolitik Kanadas, daß die von *U 119* und *U 220* im Mai und Juni 1943 vor Halifax und St. John's gelegten Minen zu dem letzten Kriegsschiffbauprogramm zwangen. Als direkte Folge der Verminung genehmigten Marineleitung und Regierung Aufträge für zwölf 42-Meter-Holzminensucher für die Ostküste und vier für die Westküste.[36] Die Aufträge für diese Schiffe erteilte die RCN jedoch erst im Dezember 1943, sechs Monate, nachdem die Deutschen die Minen gelegt hatten. Der Grund für diese Verzögerung ist im Widerstreit der Prioritäten zu suchen. Bis 1941 hatte sich die Politik der Marine natürlich schwerpunktmäßig auf Küstenverteidigung gegen Handelsstörer, Uboote und Minen gerichtet.[37] Praktisch jedoch führte Kanadas immer stärker werdende Beteiligung an den Atlantikgeleitzügen dazu, daß die Minensucher für Hochseegeleitdienst hergerichtet wurden, für den sie nicht gebaut waren. So konnte die Marine selbst im Januar 1940 nur acht Minensucher vom Fischdampfertyp in Halifax und drei ähnliche

Fahrzeuge in Esquimalt stolz ihr eigen nennen; fünf Motorfahrzeuge wurden als Minensucher umgerüstet.[38] Die ersten Forderungen der Admiralität in London nach kanadischen Minensuchern für den europäischen Kriegsschauplatz verstärkten das Problem weiterhin. Trotz Kanadas angespannter Ressourcen für die Heimatverteidigung stimmte es im Juli 1941 der Forderung der Admiralität nach zwei Minensuchflottillen von je acht Schiffen zum Einsatz in britischen Gewässern zu.[39] Zu Lasten der eigenen Gewässer trugen so kanadische Schiffe wesentlich zur Minenabwehr in Übersee bei.[40]

Bereits am 30. November 1939 hatte der BdU die Zustimmung der deutschen Seekriegsleitung zur Verminung des Hafens von Halifax erreicht.[41] Gegen eine sofortige Ausführung des Plans sprachen nur drei militärische Gründe: Dönitz' Befürchtung vor einer Aufsplitterung seiner knappen Uboot-Streitkräfte; die Notwendigkeit, ein Versorgungsschiff südlich von Grönland zu stationieren, um den Minenleger auf seiner langen Reise zu unterstützen; und der strenge Winter, der nun über der atlantischen Küste lag. Die politischen Auswirkungen eines solchen Angriffs erforderten Hitlers Zustimmung. »Unternehmen Halifax« lag ihm am 2. Februar 1940 vor und wurde zur weiteren Prüfung in der Schwebe gehalten. Obwohl der deutsche Außenminister von Ribbentrop keine grundsätzlichen Einwände gegen den Plan erhoben hatte, hob Hitler ihn aus Sorge über die Auswirkungen auf die neutralen Vereinigten Staaten, die er so lange wie möglich aus dem Konflikt heraushalten wollte, durch direkten Befehl vom 6. Februar 1940 auf.[42] Es scheint, daß die Deutschen weitere Überlegungen über die Verminung nordamerikanischer Gewässer bis 1942 hinausgezögert haben, obwohl sie natürlich Uboote, Flugzeuge und vor allem Zerstörer einsetzten, um während des »Scheinfriedens« zwischen September 1939 und Mai 1940 neuartige Magnetminen vor britischen Häfen und Flußmündungen zu legen.[43] Für diese Verzögerung gab es verschiedene Gründe: die langsame Produktion von Seeminen, eine ungenügende Anzahl minenlegender Uboote, unzureichende Lieferung von TBM-Grundminen (die von normalen Ubooten aus Torpedorohren ausgestoßen werden konnten) sowie die Hauptsorge um die Entwicklung zuverlässiger Torpedos. Im Mai 1942 protokollierte die deutsche Seekriegsleitung jedoch, Uboote könnten zu Minenaufgaben in den Gebieten eingesetzt werden, die den Überwasserstreitkräften und Flugzeugen aus operativen Gründen verwehrt waren. Mit einer Tragfähigkeit von 66 Minen erlaubte ihre große Fahrstrecke die Verbringung in zuvor unerreichbare Gebiete.[44] Auf lange Sicht gehörte die Ostküste der Vereinigten Staaten und Mittelamerikas zu den vielversprechenden Zielgebieten. Die Seekriegsleitung ermächtigte den BdU, die Verminung mit seinen Torpedoeinsätzen zu koordinieren und damit zu beginnen, sobald die SMA, eine magnetische Ankertaumine, einsatzbereit war. Der BdU zögerte nicht. Am 19. Mai 1942 waren drei Typ-VII-Uboote, die aber nur TMB-Minen legen konnten, auf dem Marsch zur US-Küste: U 87 sollte die Einfahrt nach New York, U 373 die Einfahrt in die Delaware Bay und U 701 die Einfahrt in die Chesapeake Bay verminen.[45]

Die Gedankengänge des BdU für die Zeitplanung des Unternehmens galten ebenso für die folgende Auswahl kanadischer Ziele: schwache Minenabwehr in nordamerikanischen Gewässern und die Gelegenheit, die alliierten Ressourcen zu zersplittern. Deutsche Minenoperationen, so überlegte er, würden die späteren Torpedoangriffe nicht behindern, da seine Uboote die Minen in flachen Gewässern legen würden, die für die Torpedokriegführung nicht geeignet waren. Länger als zwei Monate würden die Minen auch nicht scharf bleiben. Im September 1942 entschied der BdU, kanadische Ziele für die SMA-Minen zu benutzen: das Gebiet zwischen Boston und Cape Sable, vor Halifax und Sydney und von Cape Race bis St. John's. In diesen weiten Gebieten würden Minenverseuchungen die Torpedoeinsätze der Uboote nicht stören. Der BdU schlug vor, die Cabot Strait, den St. Lawrence-Golf und die Belle Isle Straße »so lange es dort noch Möglichkeiten gibt« ausschließlich für Torpedoeinsätze freizuhalten.[46] Obgleich der UBOOT-ATLAS, Begleitband für das UBOOT-HANDBUCH FÜR DIE OSTKÜSTE KANADAS, die beide im Juni 1942 erschienen, die Bay of Fundy peinlich genau als Minenziel beschrieb, machten die Uboote keine Versuche, in diesem Gebiet Minen zu legen.

Die kanadischen Erfahrungen mit Minen in ihren Küstengewässern beschränkten sich vor Eintreffen der deutschen Minen-Uboote auf Treibminen britischer Herkunft. Da man bis zum Beweis des Gegenteils davon ausgehen mußte, daß sie vom Gegner stammten, war der Umgang mit ihnen in jedem Fall höchst gefährlich. Oft waren Fischer, die RCMP (berittene Polizei) oder der Flugmeldedienst und »Rangers« die ersten, die Minen entdeckten; sie behandelten sie gelegentlich mit einer Unbefangenheit, die die wenigen erfahrenen Fachleute verblüffte. So nahm im Juli 1941 ein gewisser Llewellyn Curtis beim Fischen nordöstlich von Horse Island, einem öden Fels vor der Nordküste Newfoundlands, eine Treibmine auf. Fasziniert von dem seltsam im Wasser tanzenden Gegenstand und begehrlich auf die langen Ankertaue schauend, die er zu bergen beabsichtigte, um daran sein Motorboot zu verankern, schleppte er die Mine in seinen Heimathafen La Scie Harbour, Cape St. John. Der Ranger, der zwei Wochen später den Vorfall untersuchte, erzählte: »Curtis wuchtete mit Hilfe mehrerer Männer den Gegenstand auf die Pier und rollte ihn dann über eine beträchtliche Distanz in seinen Schuppen.«[47] Curtis zeigte dem Ranger den großartigen Gegenstand, den er in See gefunden hatte, und öffnete ihn ganz nonchalant, um seine Geheimnisse zu zeigen. Der Ranger berichtete:

»Ich sprach sofort mit Curtis und bat ihn, mir zu zeigen, was er aufgefischt hatte. Ich betrachtete den Gegenstand aus einer gewissen Entfernung. Irgendwie ähnelte er einer Glockentonne. Außen stachen acht spitze stählerne Auswüchse von 15 Zentimeter Länge und einem Zentimeter Durchmesser hervor, die Curtis abnahm. An beiden Enden waren Stahlplatten an den Körper der Mine geschraubt... Curtis nahm eine der Schrauben in der Mitte der Platte ab und öffnete damit eine kleine Falltür. Durch diese kleine Öffnung sah ich Drähte und Batterien, alles offensichtlich in gutem Zustand.«

Die Tatsache, daß das Ankertau nicht unter Spannung stand, hat sie wahrscheinlich alle vor einer Detonation bewahrt. Trotz der Gefahr bot den Fischern die Bergung von Minen die Gelegenheit, etwas Geld zu verdienen. Denn wie im Ersten Weltkrieg, so bot auch im Oktober 1942 die kanadische Regierung für die Bergung irgendwelcher Minen innerhalb zwei Meilen vor der kanadischen Küste zehn Dollar Belohnung.[48]

Das erste Minenfeld des Zweiten Weltkriegs in kanadischen Gewässern legte Horst Jessen von Kameke mit *U 119* am 1. Juni 1943. Gemäß Dönitz' früherer Verminungsanweisung, saubere geometrische Muster zu vermeiden, da sie leicht geräumt werden können, legte von Kameke seine 66 SMA-Minen in einem weiten Bogen um den Hafen Halifax, um ihn am äußersten Rand der Ansteuerungswege abzuriegeln.[49] Später entdeckten Minensuchfahrten der Kanadier bei einer Erkundungssuche rund um Sambro Feuerschiff einen Minenring von sechs bis sieben Meilen Radius in nordöstlicher Richtung auf Ost Halifax Feuerschiff zu.[50] Das Feld umfaßte ein Gebiet von etwa 18 zu 25 Meilen und erstreckte sich ungefähr von Shutin Island bis 15 Meilen südlich von Sambro Feuerschiff.[51] Theoretisch stellte es eine wirkungsvolle Sperre dar. Doch genau an dem Tag, an dem *U 119* dieses Feld auslegte, sichteten die Sicherungsstreitkräfte des Geleitzuges ONS-8/XB-56 drei Minen an der Wasseroberfläche sechs bis sieben Meilen südlich und südöstlich von Sambro Feuerschiff. Sobald diese Minen als deutsche identifiziert waren, verbreiteten kanadische Dienststellen über Funk eine Minenwarnung und schlossen als Vorsichtsmaßnahme den Hafen von Halifax. *Bangors,* von den westlichen Geleitstreitkräften entsandt, halfen den örtlichen Minensuchstreitkräften beim Räumen eines sehr engen, 15 Meilen langen Kanals durch das verseuchte Gebiet und öffneten den Hafen trotz weiter bestehender Bedrohung erneut nach 22 Stunden.

Unzureichende Ausrüstung, mangelnde Erfahrung und nicht ausreichende Vorbereitung erschwerten das Räumen. Das traf auch auf die sechs BYMS (britische Minensucher der YMS-Klasse) zu, die zu der Zeit in Halifax Abnahmefahrten unternahmen; im Vorgriff auf ihre Überführung nach Großbritannien hatten sie ihr Gerät bereits verstaut. Seit September 1942 waren ihre Besatzungen nicht mehr im Einsatz gewesen, keines der Schiffe besaß magnetisches Räumgerät an Bord und keines hatte, sei es als Einzelschiff oder im Verband, Gelegenheit zum Einfahren gehabt.[52] Nach acht Tagen ständiger Räumtätigkeit traten Schäden an Räumgerät und Maschinenanlage auf; die Besatzungen waren überlastet und die Vormänner, von denen jeweils nur einer an Bord war, schliefen auf ihren Stationen stehend ein. Die Bedrohung durch weiteres Minenlegen hielt die BYMS ein weiteres Jahr in Halifax fest.[53] Fünfzig der Minen hatte die Marine am 25. Juni vernichtet; sie war der Ansicht, zwei andere hätten sich selbst versenkt, drei Minen wurden geborgen.
Die gefährliche Aufgabe der Minenbergung fiel ein paar Kanadiern des erst im

Jahr 1942 gebildeten Minen-Bergungskommando zu. Obwohl eine große Anzahl Kanadier auf allen Kriegsschauplätzen auf diesem Gebiet gearbeitet hatte, dienten nur eine Handvoll von diesen in Halifax.[54] Der Minenbergungs-Offizier von Halifax nahm zusammen mit einem einfachen Seemann die erste Mine auseinander, nachdem man sie mit einer »Fairmile« nach Ketch Harbour geschleppt hatte.[55] Es war die erste der magnetischen Ankertauminen, die im Krieg geborgen wurde. Am 10. Juli erstreckte sich der freigesuchte Kanal 30 Meilen seewärts; ein Geleitzug von 50 Schiffen brauchte acht Stunden für die Durchfahrt.

Selbst wenn sie die genaue Lage des Feldes kannten, standen Minenabwehr-Fahrzeuge oft vor verzwickten Problemen der Minenortung. So zerstörte das unzuverlässige Ankern von HMCS *Brockville* in der Nähe der ferngesteuerten Minenschleife vor Halifax am 4. Januar 1943 den Zündstromkreis und riß Minen los. Obwohl Minensucher elf der 16 Minen innerhalb eines Monats bargen, dauerte die Suche nach den fehlenden fünf Minen — soweit Wetter und Vorhandensein von Tauchern und Booten dies zuließ — ohne Unterbrechung vom 5. Februar bis zum 9. April. Insgesamt dauerte die Suche 22 Arbeitstage, und doch wurden die Minen nie gefunden.[56] Die Aufgabe der Minenortung wurde dadurch erschwert, daß das Ortungsgerät zwischen Minen und der verhältnismäßig großen Menge von Schrottmaterial, das im Verlauf vieler Jahre von durchreisenden Schiffen verstreut war, nicht unterscheiden konnte.[57] Sobald Schleppnetze, Grundleinen oder Räumgerät an einem Gegenstand hakten, der zu schwer oder zu fest verankert zum Anheben war, mußte man Taucher zur Untersuchung hinabschicken. Heute besagt ein Grundsatz der Minenabwehr, daß Häfen und Ansteuerungswege in Friedenszeiten einer Bodenuntersuchung unterzogen werden sollen, um Material, das während kriegsmäßiger Räumarbeiten als feindlich betrachtet werden könnte, zu orten und zu identifizieren. Nach so einer Überprüfung ist es leichter, alle neuen Materialien wie Minen, die man später entdeckt, zu identifizieren. Die RCN hatte diesen Grundsatz nicht beachtet und erhielt nun die Quittung. Auch heute wird dieser Grundsatz weiterhin nicht befolgt.

Das einzige Opfer des Einsatzes von *U 119* vor Halifax scheint der 2937 Tonnen große panamesische Frachter SS *Halma* gewesen zu sein, der am 1. Juni 1943 auf eine Mine lief, als er sich vor dem Boston-Halifax-Geleitzug BX-56 herumtrieb. Das Schiff stand vier Meilen in einem Bereich, den die Marine für gefährdet hielt und sank ohne Menschenverluste sechs Meilen südlich von Sambro Feuerschiff. Der amerikanische Frachter *John A. Poor* lief vor Halifax auf eine treibende Mine, die sich möglicherweise aus dem Feld von *U 119* losgerissen hatte. Am 7. Juni fing der deutsche Funk-Beobachtungsdienst (B-Dienst) Funksprüche des britischen Schiffes SS *Alva* und am 10. Juni von SS *Highland Court* auf, die von vor Halifax aufgetretenen Minentreffern berichteten. In alliierten Berichten ist von diesen Schiffen nicht die Rede. Obwohl sie nur ein Opfer gefordert hatte, beeinflußte die Minenbedrohung den Verkehrsfluß des Hafens einen ganzen

Monat lang. Selbst als Aus- und Einlaufzeiten auf die Tagesstunden beschränkt wurden, behinderten die begrenzten Gewässer des freigeräumten Kanals die Geleitzugbewegungen und führten gelegentlich zu Kollisionen. Der Dampfer SS *Reigh Count* sank am 6. Juni beim Manövrieren im langsamen Geleitzug SC-133 im freigesuchten Kanal nach einer Kollision innerhalb von 20 Minuten.

Alles in allem verursachte die Verminung ein großes Durcheinander. Unter anderem verlängerte sie die Fahrtzeit der SG- und HS-Geleitzüge zwischen Sydney und Halifax um weitere sechs Stunden, legte Geleitfahrzeuge zwanzig Tage lang still, zwang die Marine, die Pläne für die Verlegung der BYMS-Minensucher nach Großbritannien neu zu ordnen und komplizierte und verzögerte Abfahrt und Ankunft von Überseegeleitzügen. Zwischen dem 1. und 3. Juni waren im Durchschnitt für die Minenabwehr der Kanadier täglich 7,7 Schiffe zum Räumen minenfreier Wege beschäftigt; vom 4. bis 21. Juni 18,1 Schiffe sowie zwei Bojenboote für Minensuch- und Minenräumoperationen und vom 22. bis 27. Juni 14,5 Schiffe für die Rest- und Aufräumarbeiten tätig.[58]

Der 1600-Tonnen-Minenleger *U 220,* geführt von Oberleutnant Barber, verließ am 8. September 1943 die heimischen Gewässer mit dem streng geheimen »Operationsbefehl St. John's«, datiert vom 11. Mai 1943, der erst für *U 219* vorgesehen war. Ursprünglich hatte der BdU anscheinend vorgesehen, die Operation mit der von *U 119* vor Halifax zu verbinden. Nun aber sollte *U 220* zuerst als U-Tanker tätig werden, ehe er die zweite Phase seiner Doppelaufgabe, Minen in den dunklen Neumondnächten zu legen, anpackte. Der Befehl wies Barber an, »eine weite Verseuchung der Geleitzugwege vor St. John's durch Minen durchzuführen«.[59] Die Feindlagebeurteilung des BdU stützte sich auf zwei Quellen: den deutschen Entzifferungsdienst (xB-Dienst) und die Beobachtung von Ubooten, besonders *U 513,* Rüggeberg. Diese Quellen versprachen Barber reiche Beute: regelmäßiger Küsten- und Hochsee-Geleitzugverkehr sowie Kriegsschiffbewegungen. Richtigerweise beschrieben sie St. John's als Heimathafen der ablösenden Geleitstreitkräfte und Hilfsflugzeugträger für die Transatlantikgeleitzüge; es stand zu erwarten, daß diese Geleitzüge ihre Sicherungsstreitkräfte an einem Treffpunkt 200 Meilen südöstlich des Hafens wechselten (*U 548* konnte 1944 HMCS *Valleyfield* in der Nähe dieses Treffpunktes versenken). Die Befehle des BdU unterrichteten Barber, er könne monatlich mit etwa vier heranschließenden oder abzweigenden Geleitzugteilen wie auch mit Küstenverkehr nach und von Halifax rechnen.

U 220 führte eine volle Ladung von 66 magnetischen Ankertauminen (SMA) mit sich, ausgerüstet mit einem Flutventil, das die Minen nach 80 Tagen neutralisieren würde. Sie sollten mit 400 Meter Zwischenraum auf tiefem Wasser zwischen 50 und 350 Meter gelegt werden. Obwohl der BdU die geographischen Grenzen der Verseuchung festlegte (47° 26′ N bis 47° 40′ N und 52° 21′ W bis zur Küste), stellte er es Barber frei, von diesen Richtlinien abzuweichen, wenn örtliche Bedingungen und Verkehrsplanung dies notwendig machten. Die spätere warnende Unterrichtung des BdU an Schrewe, *U 537,* der, wie wir gesehen haben, kurze Zeit später nach Aufstellung der Wetterstation in Labrador zur Newfoundlandküste marschierte, zeigt, daß Barber von diesen Richtlinien kaum abgewichen ist.[60] Barber stand es also frei, die Zeit der Operation zu wählen. Nach Erledigung sollte er den Einsatz so bald wie möglich melden, aber keinesfalls innerhalb 100 Meilen von dem Minenfeld. Das Kurzsignal der vier verschlüsselten Buchstaben AFKP, das den Erfolg des Unternehmens anzeigte, würde zu kurz sein, um den kanadischen Peilstationen eine Standortbestimmung zu ermöglichen. Diese Befehle lassen erkennen, daß der BdU vorhatte, *U 220* an anderer Stelle für eine dritte Phase einzusetzen, wenn der »Operationsbefehl St. John's« ausgeführt worden war.

Die Minenverseuchung Barbers wurde am 11. Oktober 1943 entdeckt, als der britische Minensucher der Y-Klasse *BYMS-50* eine treibende Mine im Küstenvorfeld von St. John's versenkte[61]; weitere acht wurden am nächsten Tag vor dem Hafen versenkt.[62] Diese Vorfälle hatten unmittelbare Auswirkungen: Schließung des Hafens, Verlegung von Minensuchern und Minenbergungspersonal aus Halifax sowie Umleitung der bereits in See befindlichen Geleitzüge ONS-20 und HX-260, um die vermutete Gefahrenzone zu umgehen. Die einzigen Opfer dieser Minen waren das britische 3721 Tonnen große Schiff SS *Penolver* und der amerikanische 3478 Tonnen große Dampfer *Delisle* aus dem Erz-Geleitzug Wabana-Sydney WB-65, die am 19. Oktober etwa 15 Meilen südlich von Cape Spear und annähernd 10 Meilen südlich des erklärten Gefahrengebietes sanken. Die Besatzung der *Penolver* überlebte; von der 41köpfigen Besatzung der *Delisle* kamen 27 um.[63] Obwohl die Minensucher den minenfreien Weg bei St. John's am 29. Oktober ausgebojt hatten, verhinderten widrige Wetterbedingungen weitere vorsorgliche Minensuchfahrten für mehrere Tage und verzögerten den Geleitzug JH-75 von St. John's nach Halifax bis zum 1. November. Zu diesem Zeitpunkt hatten Flugzeuge von USS *Block Island U 220* mit der gesamten Besatzung im Mittelatlantik versenkt.[64] Ende November hatte die kanadische Marine nur 34 Minen geräumt. Der Rest sollte niemals gefunden werden; am 16. Dezember wurden die Räumarbeiten einfach eingestellt.

Als zwei Torpedos von *U 845,* Weber, zwei Monate später am 9. Februar 1944, etwa 7,5 Meilen von Fort Amsherst entfernt, die SS *Celmscott* trafen, vermuteten die kanadischen Marinedienststellen verständlicherweise eine Mine. Der Vorfall führte zur Schließung des Hafens von St. John's, zur Umleitung des Halifax-St. John's Geleitzugs JH-81 nach Argentia und zur Umleitung von vier britischen Fregatten der *Castle*-Klasse sowie des Zerstörers HMCS *Annapolis*.[65]
Der letzte deutsche Versuch, kanadische Gewässer zu verminen, begann mit dem Auslaufen des 1600-Tonnen-Minenlegers und Versorgungsbootes *U 233* unter

dem Kommando von Kapitänleutnant Hans Steen aus Kiel am 27. Mai 1944. Es war Steens erste Feindfahrt. Der 1937 zum Offizier beförderte Steen war bei seiner Besatzung sehr beliebt; sie hielt ihn für einen tüchtigen Offizier. Nach der Meinung der US-Befrager dagegen hatte Steen eine »schlechte Besatzung«. Die meisten »hatten überhaupt keine Ubooterfahrung«. Eine große Anzahl sei vor dem Eintritt in die Marine noch nicht zur See gefahren. (Genau wie bei der kanadischen Marine war das aber 1944 bis 1945 nicht unüblich, und beide Marinen setzten sich von je her und bis heute zum überwiegenden Teil aus Binnenländern zusammen, die vorher noch nie zur See gefahren waren.) »Insgesamt«, so faßt die Befragung zusammen, »hatte man den Eindruck, sie seien von Landstationen in der Ostsee der Bodensatz der deutschen Besatzungsreserven mit nur ganz vereinzelten erfahrenen Unteroffizieren als Stütze«.[66]

Steen hatte damit gerechnet, nach Erledigung seiner Kanadaunternehmung in Bordeaux einzulaufen. Wie wir später sehen werden, nahm die Entsendung von Ubooten in ferne Gewässer wenige Tage vor der Landung in der Normandie den deutschen Streitkräften die wichtige Marineunterstützung, die sie näher den heimischen Gewässern besser angesetzt hätte. Der BdU blieb jedoch bei seiner Linie, Druck auf die kritischen Stellen in Übersee auszuüben, um die Alliierten daran zu hindern, Verstärkungen nach Europa zu schicken. Dies allein erklärt, warum Steen 66 magnetische Ankertauminen vor Halifax legen sollte. Jede war mit einem 400 Meter langen Ankertau versehen, einem nach 80 Tagen wirksamen Flutventil zur Selbstversenkung, einem 24stündigen Zeitverzögerer sowie einem Schiffszähl-Mechanismus, der es erlaubte, die Zahl der Schiffe einzustellen, die sicher über die Minen laufen konnten, ehe diese scharf wurden. Das erhöhte das Risiko für den Feind und komplizierte die Minenräumung ungeheuer. Dieser neue Typ der »Druckunterschiedsmine« konnte unabhängig von der Tide eine vorher eingestellte Tiefe von vier bis sechs Meter unter der Wasseroberfläche halten. Wechselnde Tiden führten zu einer Änderung des Wasserdrucks, der wiederum auf einen Regler im Anker wirkte, dadurch wurde das Ankertau entweder verlängert oder entsprechend verkürzt. Steen berechnete ein bis anderthalb Tage für die Verlegung der Minen vor Halifax; bei Übungen in der Ostsee vor Hela hatte er 132 ähnliche Minen innerhalb von drei Tagen gelegt.

Auf seiner durch Flugzeuge hart bedrängten Fahrt erlebte *U 233* (auf 30 bis 50 Meter Tiefe fahrend) am Morgen des 5. Juli 1944, hundert Meilen ostwärts von Sable Island, den letzten Angriff. Ohne jede Vorwarnung drang ein laut jaulendes Geräusch durch den Druckkörper, gefolgt von Schraubengeräuschen eines schnell fahrenden Fahrzeuges. USS *Baker* der US Task Group 22.10, zu diesem Zeitpunkt unter kanadischer operativer Führung, warf eine Serie von Wasserbomben, die das Uboot heftig auf eine Tiefe von 120 Meter warf. Eine zweite Serie zwang Steen, alle Tanks anzublasen zu einem letzten Versuch, aus dem todgeweihten Uboot herauszukommen. Sobald *U 233* die Oberfläche durchbrach und die Luken frei waren, begann die Besatzung aus dem Boot auszusteigen. Diejenigen, die durch das Turmluk zu entkommen suchten, wurden entweder sofort durch die Geschütze der Zerstörer *Baker* und *Thomas* getötet oder schwer verwundet. Nur die, die aus dem vorderen Luk krochen, kamen frei. Neun Minuten nach Angriffsbeginn rammte USS *Thomas* U 233 hinter dem Kommandoturm und schloß damit alle Männer, die in dem achteren Torpedoraum sowie im Diesel- und E-Maschinenraum tätig waren, ein. Unter dem Kiel des Amerikaners sank das Boot. Die Zerstörer nahmen 33 der 60 Mann starken Besatzung auf; Steen selbst erlag seiner schweren Verwundung und wurde in See beigesetzt.

Der BdU schickte nun keine weiteren Minenleger mehr nach Kanada. Doch die kanadischen Marinedienststellen spekulierten weiterhin über mögliche deutsche Absichten, weitere Minen verbesserter Ausführung in kanadischen Gewässern zu legen. Ergebnislos dachten sie nach über »die Wahrscheinlichkeit eines Minen-Ubootes, das vor jedem kanadischen Hafen operieren konnte, wo die Wassertiefen 30 Meter oder weniger betrugen«.[67] Tatsächlich vollbrachten die Deutschen ein solches Kunststück, indem sie aufgetaucht bei Nacht Minen in der Chesapeake Bay legten. Inzwischen riet die Operational Research Gruppe in Ottawa dem Chef des Marinestabes höchst klug, dafür zu sorgen, daß »unsere Minensuchausrüstung auf dem höchsten Leistungsstand gehalten wird«. Es würde jedoch niemals wieder notwendig werden, sie gegen wirkliche Minen einzusetzen. Am 25. Juni 1945, etwa 50 Tage nach Beendigung des europäischen Krieges, erklärte der Marinestab die kanadische Küste frei von Minen.

Aber was wußte die kanadische Öffentlichkeit von diesen Ereignissen? Bis zur Torpedierung des Küstenschiffs SS *Watuka* im Geleitzug SH-125 am 22. März 1944 vor Halifax durch *U 802,* Schmoeckel, unterdrückte die Zensur alle Nachrichten über Minenlegen.[68] Eine kanadische Presseverlautbarung von Mitte Juli mit der Überschrift »Seekrieg kam nahe − Schiffe vor der Landzunge Halifax' versenkt« beschrieb den Angriff auf die *Watuka* als einen »Einzelfall, der nur deswegen bemerkenswert sei, daß sich ein Uboot 1944 so dicht unter Kanadas Küste wagte«. Sie zerstreute die Sorgen der Öffentlichkeit, indem sie versicherte, daß das einzige Mal, daß Uboote »nach 1942 wagten, irgendwo näher an die Küste zu kommen, ein Uboot war, das Minen legte, um die Einfahrt des Hafens Halifax zu sperren«. Die Minen, so wurde bemerkt, seien ohne wesentliche Schwierigkeiten geräumt worden. Der HALIFAX HERALD vom 15. Juli 1944 gab nun kund, daß »Marinestellen ... zuversichtlich erklärten, ein Uboot würde niemals wieder seine Beute in Sichtweite der Küstenbewohner dieser Stadt angreifen«. Dies war reines Wunschdenken. Zu dieser Zeit liefen U 802 und U 541 bereits zu ihren Golfeinsätzen an, und im Winter und Frühjahr 1944/45 würden HMCS *Clayoquot* und *Esquimalt* von U 806 und U 190 direkt vor Halifax in Sichtweite von Chebucto Head versenkt werden.

Das als Handels-Uboot begonnene und 1917 nach der amerikanischen Kriegserklärung als U-Kreuzer fertiggestellte *U 156* operierte im August 1918 vor Neufundland. Als Bewaffnung hatte es im Oberdeck drei schwenkbare Doppel-Torpedoabgangsrohre sowie 2-15-cm-Kanonen erhalten.

Foto: Archiv Bibliothek für Zeitgeschichte

Als letztes Uboot operierte im Ersten Weltkrieg das große Minen-Uboot *U 117* vor Neufundland, nachdem es zuvor seine Minen in U.S.-amerikanischen Gewässern gelegt hatte. Es war mit 4 Bug-Torpedorohren und Minenschächten achtern sowie einer 15-cm und einer 8,8-cm-Kanone bewaffnet.

Foto: Archiv Bibliothek für Zeitgeschichte

I

Die kanadische Korvette *Collingwood* gehörte zu einem großen Programm von 70 Einheiten der »Flower«-Klasse, die von 1940 bis 1942 auf kanadischen Werften gebaut wurden und den Hauptanteil der kanadischen Escort-Groups auf der Nordatlantik-Konvoi-Route und bei den Local Escort Groups in kanadischen Gewässern stellten. So wie hier waren die Schiffe im Jahr 1941 ausgerüstet: Auf der Back eine 10,2-cm-Kanone, auf dem erhöhten achteren Stand eine 2-cm-Flak (fehlt noch) und vor allem Wasserbomben. *Foto: Archiv Bibliothek für Zeitgeschichte*

Der Dienst auf den Geleitfahrzeugen im Nordatlantik und vor den kanadischen Küsten war besonders im Winter schwer. Besatzungsangehörige der Korvette *Kamsack* befreien ihr Schiff im November 1941 von Vereisungen. *Foto: PAC, PA 125852*

Im Januar 1942 operierte eine erste Welle von 12 Ubooten vom Typ VIIC vor Neufundland, während gleichzeitig 5 Boote vom Typ IXB die Operation »Paukenschlag« vor der U.S.-Ostküste durchführten. Zur ersteren Gruppe gehörte *U 552*, dessen Kommandant, Kapitänleutnant Erich Topp, hier während dieser Operation ein Ziel durch das Sehrohr beobachtet. *Foto: Sammlung Karl Böhm*

Überlebende des ersten durch das »Paukenschlag«-Boot *U 123* unter Kapitänleutnant Reinhard Hardegen am 12. Januar 1942 versenkten Dampfers *Cyclops* werden durch den kanadischen Minensucher der »Bangor«-Klasse *Red Deer* gerettet. *Foto: PAC, C-54474*

Die erfolgreichsten Operationen im St. Lorenz-Golf führten im September 1942 die Typ IXC-Boote *U 165* und *U 517* durch. Der Kommandant von *U 517*, Kapitänleutnant Paul Hartwig, wurde in den 70er Jahren als Vizeadmiral Befehlshaber der Flotte der Bundesmarine.

Foto: Sammlung Michael Hadley

Die Operationen vor der U.S.-Ostküste und in den kanadischen Gewässern wurden vor allem von Ubooten der Typen IXB und IXC durchgeführt, wie dem hier abgebildeten *U 109,* das an dem »Pauken-schlag« teilnahm.

Foto: Archiv Bibliothek für Zeitgeschichte

Eines der Opfer von *U 517* im St. Lorenz-Golf war die Korvette *Charlottetown,* die am 11. September 1942 bei der Sicherung eines Konvois versenkt wurde.

Foto: Archiv Bibliothek für Zeitgeschichte

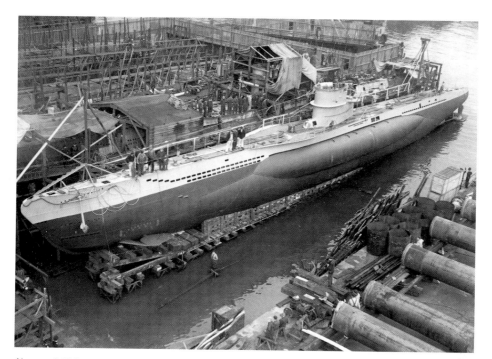

Aber auch U-Boote des Typs VIIC gelangten bis in den St. Lorenz-Golf, wie *U 69,* das hier kurz vor dem Stapellauf auf der Kieler Germania-Werft besonders gut die Form des Rumpfes erkennen läßt. Bewaffnet mit 4 Bug- und einem Heck-Torpedorohr besaßen die Boote bis 1942/43 vor dem Turm eine 8,8-cm-Kanone, die hier noch fehlt.

Foto: Archiv Bibliothek für Zeitgeschichte

Das zwischen Sydney in Neu-Schottland und Pointe Aux Basques auf Neufundland verkehrende Fährschiff *Caribou* wurde am 14. Oktober 1942 durch *U 69* versenkt.

Foto: Maritime Museum of the Atlantic, Halifax: MP 18.180.2

V

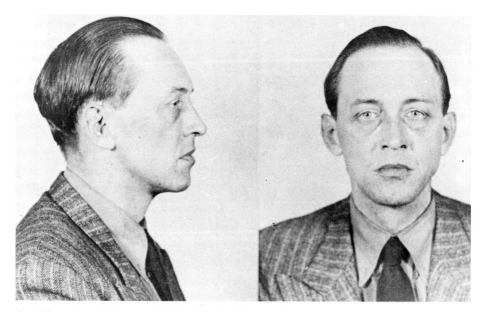

Am 9. November 1942 landete *U 518* bei New Carlisle in der Provinz Quebec den Agenten Leutnant von Janowski. Er wurde gefaßt und »umgedreht« und wirkte eine Zeit lang als Doppelagent.

Foto: RCPM Museum, Regina

Die Ausrüstung von Leutnant von Janowski im Museum von Regina.   *Foto: RCMP Museum, Regina*

Eine »Enigma«-Maschine in der Version des bei der Ubootwaffe im Atlantik seit dem 1. Februar 1942 verwendeten »Funkschlüssel-M-4« mit 3 Schlüsselwalzen und einer zusätzlichen »Griechenwalze« in der linken Position.

Foto: Marine-Nachrichtenschule, Flensburg-Mürwik

Kapitänleutnant Peter Schrewe, der Kommandant von *U 537*. Beachten Sie links die UZO (Zieloptik), mit der beim Überwasserangriff die Zieldaten ermittelt und an den Vorhaltrechner weitergegeben wurden.

Foto: Sammlung Franz Selinger

Die automatische Wetterstation, die von *U 537* am 22. Oktober 1943 an der Nordostküste von Labrador aufgestellt wurde und die man 35 Jahre später bei einer Suchaktion der kanadischen Küstenwache vorfand. *Foto: Sammlung Franz Selinger*

Die kanadische »Flower«-Class Korvette *Trillium,* die bei einer Geleitzugschlacht 160 Überlebende geborgen hatte, übernimmt von dem U.S.-Coast Guard Cutter *Spencer* einen Arzt und Medikamente.

Foto: Archiv Bibliothek für Zeitgeschichte

Eines der großen Minen-Uboote vom Typ XB, von denen *U 119* am 1. Juni 1943 vor Halifax 66 Ankertauminen legte, worauf ein Schiff sank und ein weiteres beschädigt wurde. Eine zweite Minenoperation führte *U 220* am 9. Oktober 1943 vor St. John's auf Neufundland aus, der zwei Schiffe zum Opfer fielen.

Foto: Archiv Bibliothek für Zeitgeschichte

Der Chef der 10. U-Flottille in Lorient, Korvettenkapitän Günter Kuhnke, begrüßt den Kommandanten von *U 541*, Kapitänleutnant Kurt Petersen, bei seiner Rückkehr von einer Unternehmung in den St. Lorenz-Strom im Oktober 1944.

Foto: Sammlung Kurt Petersen

Die Besatzung von *U 548* unter Kapitänleutnant Eberhard Zimmermann (Mitte mit der weißen Mütze), die am 7. Mai 1944 die kanadische Fregatte *Valleyfield* versenkte.

Foto: Archiv Bibliothek für Zeitgeschichte

Der kanadische »Bangor«-Minensucher *Cowichan,* der wie seine Schwesterschiffe häufig zur Sicherung der Konvois im kanadischen Küstenvorfeld eingesetzt war. Im Masttopp ist die Antenne des kanadischen Radargerätes SW-2 zu erkennen. *Foto: Archiv Bibliothek für Zeitgeschichte*

Am 14. Oktober 1944 verlor die kanadische Fregatte *Magog* etwa 20 Meter ihres Achterschiffes nach einem Treffer eines »Zaunkönig«-Zielsuchtorpedos von *U 1223.* *Foto: RCN, PAC, CN-4008*

Leutnant Roland Taylor RNVR in den Trümmern des Hecks der beschädigten
Fregatte *Magog*.   *Foto: Sammlung Roland Taylor*

Die Kommandanten des britischen Zerstörers *Forester,* Lt.CDr.J.A. Burnett RN, des kanadischen Zerstörers *St. Laurent,* Cdr.C.A. King RCNR, der kanadischen Korvette *Owensound,* Lt.Cdr. J.E. Harrington RCNVR, und der kanadischen Fregatte *Swansea,* Lt.Cdr. G.H. Stephen, RCNR (v.r.n.l.), die am 10. März 1944 im Nordatlantik *U 845* versenkt hatten.   *Foto: PAC, PA 137695*

Ein Überlebender von *U 845* wird von Bord des kanadischen Zerstörers *St. Laurent* in Großbritannien an Land gebracht.   *Foto: PAC, PA-137693*

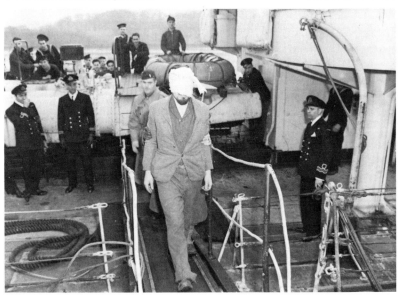

Eine der zahlreichen in Kanada gebauten »River«-Class Fregatten war die 1943 fertiggestellte *Chebogue,* die am 4. Oktober 1944 bei der Sicherung des Konvois ONS.33 durch *U 1227* mit einem »Zaunkönig«-Torpedo getroffen wurde. Obgleich mit abgerissenem Heck (s. Bild) eingeschleppt, wurde sie als Totalverlust abgebucht. *Foto: Archiv Bibliothek für Zeitgeschichte*

Eines der in der zweiten Hälfte 1944 an die kanadische Küste entsandten Typ IXC/40 Uboote war *U 1229,* das auf dem Wege dorthin von einem Flugzeug des amerikanischen Geleitträgers *Bogue* angegriffen (s. Bild) und versenkt wurde. Beachten Sie den aufgerichteten Schnorchelmast am Turm rechts vorn. *Foto: Archiv Bibliothek für Zeitgeschichte*

Kapitänleutnant Klaus Hornbostel, Kommandant von *U 806,* nach der Rückkehr von seiner Feindfahrt vor Halifax im Dezember 1944/Januar 1945.
Foto: Sammlung Klaus Hornbostel

Der kanadische »Bangor«-Minensucher *Clayoquot,* mit dem SW1C Radar am Masttopp, der von *U 806* vor Halifax am 24. Dezember 1944 versenkt wurde.
Foto: Archiv Bibliothek für Zeitgeschichte

Die sinkende *Clayoquot,* deren Heck durch einen »Zaunkönig«-Zielsuchtorpedo zerstört wurde. Die Aufnahme wurde von der Korvette *Fennel* aufgenommen.
Foto: RCN-Defence HQ

Überlebende der *Clayoquot* werden von der Korvette *Fennel* aufgenommen. Links mit Blick auf die Kamera der Kommandant, Lt.Cdr. Craig Campbell, der sich als Direktor des Marine-Museums in Victoria, British Columbia, in den 80er Jahren mit seinem ehemaligen Gegner Hornbostel traf. *Foto: RCN, Defence HQ*

Im RCN-Hospital von Halifax besuchen der Marineminister, Hon. Angus L. MacDonald, und der Befehlshaber des kanadischen Abschnittes im Nordwestatlantik, Rear Admiral L.W. Murray, einen der Überlebenden der *Clayoquot*, William Smith. *Foto: PAC, A-1150*

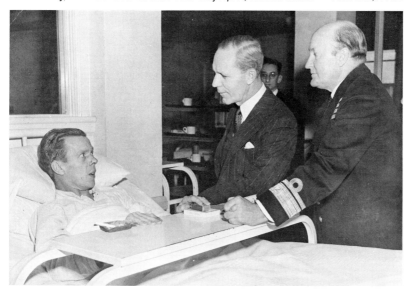

Eine Anzeige für »Victory Bonds« in der kanadischen Zeitung »Montreal Daily Star« vom 2. November 1942. Die Abzeichen und Nummern am Uboot waren eine Propaganda-Fiktion. Foto: PAC, NL 12595

Am 19. April 1944 veröffentlichte der »Halifax Herald« diese Karikatur.

Foto: PAC, NL 12598

Kapitän zur See Kurt Dobratz bei seiner Rückkehr von der erfolgreichsten Fahrt eines Typ IXC/40 Ubootes in kanadischen Küstengewässern im letzten Kriegsjahr. Er trägt das ihm verliehene Ritterkreuz in der vom L.I. unterwegs gefertigten Fassung.

Foto: Sammlung Kurt Dobratz

U 1232 unter Kapitän Dobratz bei der Rückkehr von seiner Unternehmung vor Halifax am 15. Februar 1945 in Kiel. Am Sehrohr die 5 Wimpel für die versenkten Schiffe.

Foto: Sammlung Kurt Dobratz

Die kanadische Fregatte *Ettrick,* wie sie Kapitän Dobratz bei seinem Angriff vor Halifax im Januar 1945 durch das Sehrohr gesehen haben mag.

Foto: PAC, 2881

Die kanadische Korvette *Arvida,* wie sie nach dem Umbau und Einbau neuer Geräte in der letzten Kriegsphase aussah: Auf der Brücke das 10-cm-Radar Typ 271, die Back zur Erhöhung der Seefähigkeit verlängert und der Mast hinter die Brücke versetzt, um dem Radargerät keinen toten Winkel nach voraus zu bieten.

Foto: Archiv Bibliothek für Zeitgeschichte

Der kanadische Minensucher *Esquimalt* mit der SW2C Radar Antenne im Masttopp. Das Schiff war der letzte Kriegsschiffsverlust in kanadischen Küstengewässern; es wurde am 16. April 1945 durch *U 190* versenkt. *Foto: PAC, S-426*

Überlebende der *Esquimalt* vor ihrer Rettung auf einem Floß. *Foto: PAC, A-1379*

U 190 auf seiner letzten Feindfahrt. Die Typ IXC/40 Boote erhielten im Vorschiff ein stark eingezogenes Oberdeck, um die Schnelltaucheigenschaften zu verbessern. *Foto: Archiv Bibliothek für Zeitgeschichte*

Die Lebensbedingungen auf den deutschen Ubooten waren sehr beengt. Der vordere Mannschaftsraum auf *U 190* im Mai 1945 nach der Übergabe des Bootes an die kanadische Marine.
Foto: PAC, PL-36527

U 858, eines der »Seewolf«-Boote, das im Mai 1945 vor der U.S.-Küste operierte, nach der Übernahme durch die U.S.-Navy am 14. Mai.   *Foto: Archiv Bibliothek für Zeitgeschichte*

U 889 war am 4. Mai auf dem Wege zur amerikanischen Küste und ergab sich kanadischen Streitkräften. Auf dem achteren Wintergarten kann man die 3,7-cm-Flak und auf dem oberen Wintergarten die beiden 2-cm-Zwillinge erkennen. Am Turm das Verbindungsrohr vom (nicht aufgerichteten) Schnorchel zum Dieselzuluftschacht.   *Foto: Archiv Bibliothek für Zeitgeschichte*

Der Turm von *U 889* mit dem aufgerichteten Schnorchelmast.
Foto: Archiv Bibliothek für Zeitgeschichte

Das »Tunis«-Funkmeßbeobachtungsgerät
im Zentimeterbereich auf *U 889* und der
Funkpeilrahmen.   *Foto: PAC, PA-137700*

Die Brücke von *U 889* nach achtern. Vorn rechts die UZO (Ubootzieloptik), rechts der
Schacht für das ausfahrbare »Hohentwiel«-Funkmeß-(Radar)Gerät. In der Mitte vorn der
Sehrohrschacht. Auf dem Wintergarten die beiden 2-cm-Flak-Zwillinge.
Foto: PAC, PA-134166

Plakat des Direktors für Öffentlichkeitsarbeit in Ottawa »He Talked« ... »This
Happened«. *Foto: Sammlung R. J. Henderson*

7. Kapitel

Unruhiges Zwischenspiel Januar bis Juni 1944

Wie das Kriegstagebuch des Befehlshabers der Newfoundlandstreitkräfte berichtet, war der Januar 1944 »durch eine fast völlige Abwesenheit des Gegners gekennzeichnet«. Doch was an Gewalttätigkeit von seiten des Gegners fehlte, wurde »angemessen ausgeglichen durch die Gefahren der See«.[1] Im Westatlantik herrschte schweres Wetter und behinderte die notwendigerweise dicht aufgeschlossenen Bewegungen der Geleitstreitkräfte und der Geleitzüge und gefährdete die heranschließenden oder sich abzweigenden Schiffe bei den Geleitzugtreff- und Entlassungspunkten. Schwere Weststürme im Mittelatlantik verursachten im ganzen Monat sowie im Vorfrühling Verspätungen der westwärts laufenden Geleitzüge; zudem traten bei den schnell gebauten Liberty-Schiffen gelegentlich größere Mängel auf. Unter großer Beanspruchung zum Beispiel zeigten sich Risse in der Beplankung. Häufig führten Geleitzugfahrten bei schwerer See von Nova Scotia bis in die Mitte des Atlantiks zu Kollisionen, Untergang und Menschenverlusten, von denen auch Marineschiffe nicht ausgenommen waren.[2] Dies beanspruchte die alliierten Reserven ebenso wie die Versenkung von Schiffen durch den Feind. Unfälle und kurze Instandhaltungs-Liegezeiten der Atlantik-Geleitstreitkräfte in St. John's, Newfoundland, »belasteten die Instandsetzungsmöglichkeiten ebenso wie das seefahrende Personal«. Zusätzlich schwächten Umgruppierungen die Verteidigung der heimischen Gewässer. Auf Anforderung der Admiralität in London hatte Kanadas Marinehauptquartier in Ottawa im Dezember 1943 die sechs britischen Ubootjagd-Trawler zurückgegeben, die bis dahin von Sydney, Nova Scotia, aus operiert hatten. Dazu kam eine weitere Forderung der Admiralität nach 16 *Bangor*-Minensuchern, die die Kanadier als Sicherungsstreitkräfte und für U-Jagdeinsätze benötigten. Diese wurden von der westlichen Sicherungsgruppe in Halifax und von den Newfoundland-Streitkräften abgezogen. Zwei Fregatten und vier Korvetten der 9. kanadischen Sicherungsgruppe wurden Ende Februar 1944 entsandt, um die Streitkräfte des Befehlshabers der Western Approaches vor Großbritannien zu verstärken. Zwei dieser Schiffe, HMCS *Swansea* und *Owen Sound,* sollten dann südlich Irland U 845 bei seiner Rückkehr aus kanadischen Gewässern vernichten.

Um zumindest den Anschein von Ausgewogenheit aufrecht zu erhalten, tauschte der kanadische Befehlshaber Nordwestatlantik drei unmoderne Korvetten in Halifax gegen modernisierte Schiffe von der kanadischen Westküste aus. Ein ähnliches Tauschgeschäft spielte sich zwischen der Royal Navy und der Royal Canadian Navy ab. HMS *Ettrick,* die erste von zehn in England gebauten britischen Fregatten, die von der kanadischen Marine besetzt werden sollten, traf in Halifax ein und wurde am 29. Januar als HMCS *Ettrick* wieder in Dienst gestellt. Sie war eine etwas fragwürdige Gabe. Die Marinewerft in Halifax »befand sie in verwahrlostem Zustand und ohne Überholung vor der Überfahrt«.[3] Um es wenigstens seetüchtig zu machen, war eine Überholung von drei Wochen Dauer für dieses Schiff erforderlich. Diesen desolaten Zustand hielt das Marinehauptquartier in Ottawa für ernst genug, um sowohl den kanadischen Marineminister als auch die Admiralität zu unterrichten.[4] Die Ruhe im Dezember 1943 hielt auch im Januar und Februar 1944 noch an. Im Nordatlantik ging aus Geleitzügen kein Schiff durch Feindeinwirkung verloren; in den kanadischen Gewässern hielt dieser Zustand bis in den Frühling hinein an. Feindnachrichten- und Gefechtsberichte zeigten, daß die Deutschen nun in den Western Approaches und auf dem europäischen Kriegsschauplatz in Schach gehalten wurden. Aber selbst hier bestand nach der Beurteilung von Rodger Winn im »Operational Intelligence Centre« in London aufgrund der Ereignisse seit November 1943 die deutsche Seestrategie aus »schlecht koordinierten und lahmen Reaktionen bis zu jähen Änderungen in Technik und Kräfteverteilung« durch die deutsche Seekriegsleitung.[5]

Mittlerweile machten sich der BdU sowie die deutsche Seekriegsleitung Gedanken über die starke Konzentration ihrer Uboote in heimischen Gewässern. Im Dezember 1943 waren zum Beispiel nur 67 der Atlantik-Uboote in See. Davon waren nur 31 tatsächlich im Einsatz; die anderen waren entweder auf dem Marsch ins Operationsgebiet oder auf dem Rückmarsch. An diesem Verhältnis änderte sich Anfang 1944 wenig. Versenkungen und Beschädigungen durch die immer stärker werdende technische und taktische Überlegenheit der Alliierten trugen erheblich zur eingeschränkten Bewegungsmöglichkeit bei. Doch vielleicht noch mehr litten die deutschen Seestreitkräfte unter den Brennstoffbeschränkungen sowie den sehr starken Forderungen nach Ausbildung und Frontbereitschaft. Nur 168 von 436 Ubooten, die am 1. Januar 1944 als »im Dienst befindlich« gemeldet wurden, waren wirklich einsatzbereit oder auf Feindfahrt. Von dem Rest wurden 181 eingefahren oder waren in der Gefechtsausbildung. 87 oder rund 20 Prozent der Ubootwaffe wurden als Schulboote oder Ausbildungsfahrzeuge ausgewiesen; diesen Anteil mußte der BdU später noch erhöhen. Sechs Uboote wurden ins Schwarze Meer detachiert, 13 ins Mittelmeer und 19 im Nordmeer und zur Verteidigung Norwegens; nur 130 standen Admiral Dönitz für den Atlantikeinsatz zur Verfügung. Das waren 18 weniger als der Durchschnitt des vorherigen Monats. Weniger als die Hälfte dieser »einsatzbereiten Boote« waren in See.

Die hohen, wenn auch zwangsläufig zu akzeptierenden Verluste an Ubooten und erfahrenem Personal waren in der deutschen Planung immer ein kritischer Faktor gewesen. Nun aber wurde dieser Faktor entscheidend wichtig. Die Erfolgs-

chancen waren ungewöhnlich niedrig; die Aussichten, daß ein Uboot von Feindfahrt nicht zurückkehrte, dagegen ungewöhnlich hoch. Nach Schätzungen des
BdU kehrten in den vergangenen Monaten im Durchschnitt »nur 70 Prozent der
Boote« zurück. Dieser Verlustfaktor von 30 Prozent sollte sich noch erhöhen. Mit
einem Gefühl der Machtlosigkeit und Frustration beobachtete der BdU-Stab, wie
gut die Alliierten über die Ubootlage im Bilde waren. Im KTB des BdU heißt es:
»Es muß hierbei als wahrscheinlich unterstellt werden, daß der Gegner zumindest
über die Zahl und die Zeiten der auslaufenden Uboote aus Westfrankreich durch
Agenten unterrichtet ist und besonders auf diese Boote seine Angriffe ansetzt.
Beweise hierfür liegen nicht vor.« Die Wirklichkeit war aber anders. Die britische
»Government Code and Cypher School« in Bletchley Park (britische Entziffe-
rungsstelle) hatte bis zum September 1943 Schwierigkeiten gehabt, die deutschen
Funksprüche nach der Einführung einer zweiten »Griechenwalze« für die
Enigma-Maschine »M 4« im Juli 1943 schnell zu entziffern. Nur langsam wurden
die »high speed bombs« in England ausgeliefert. Aber im Herbst 1943 kamen die
in den USA im Jahr zuvor in Auftrag gegebenen 100 amerikanischen »high speed
bombs« in schneller Folge zum Einsatz, und man entschloß sich, die Entzifferung
des Ubootfunkverkehrs ab November 1943 von OP 20 G, der US-Marine-Entzif-
ferungszentrale, durchführen zu lassen. Über Fernschreiber gingen die Ergebnisse sofort nach London. Man konnte die verschlüsselten Funksprüche jetzt so
schnell entziffern, daß U-Jagdkräfte zu präzisen Angriffen eingesetzt werden
konnten. Aus der Aufstellung des BdU aus dem Jahr 1944 über die Verluste von
Besatzungen und Kommandanten ergibt sich die dringende Notwendigkeit, Per-
sonalnachschub für die Ubootwaffe zu beschaffen und Ausbildungsboote abzustellen. Angesichts von Dönitz' Auftrag, unbegrenzt Ubootkrieg zu führen, ist es
erklärlich, warum er jetzt so viele unerfahrene Besatzungen in See schickte.
(Siehe Tafel 7 auf der nächsten Seite)

Bemerkenswert war zudem, daß nur zehn Prozent der Überlebenden heimische
Gewässer erreichten, um weiter zu kämpfen. Der BdU führte die steigenden
Besatzungsverluste (73,4 % in der Periode I, bis zu 89,6 % in der Periode II)[6] auf
den Anstieg der Luftbedrohung und die Fähigkeit, Uboote zu orten, zurück.

Vor der Ausrüstung der Uboote mit Flugzeugabwehr (wie die Vierlings-
Geschütze Achterkante Turm) spielte ebenfalls eine große Rolle, daß viele
Uboote während des Tauchmanövers, mit dem sie den alliierten Flugzeugen zu
entkommen suchten, angegriffen wurden. Im Tauchmanöver waren die Uboote
gegenüber einem Flugzeug am verletzlichsten. Diese Tatsache und die Ausrüstung der Boote mit Luftabwehrkanonen führte allmählich zu der Defensivtaktik,
Flugzeuge aufgetaucht abzuwehren.

Während der Periode III stieg die Überlebensrate an: im Fall der Besatzungen von
10,4 auf 16,4 Prozent, bei den Kommandanten von 8,9 auf 22,23 Prozent. Für

diese Wende fand der BdU-Stab besondere Gründe. Der entscheidendste war, daß nach der Einführung erhöhter Luftabwehrtätigkeit weniger Uboote beim Tauchen oder getaucht versenkt wurden als beim Überwassergefecht. Beim Überwassergefecht konnten mehr Soldaten aussteigen, die dann »bei günstigen Verhältnissen von feindlichen Seestreitkräften aufgenommen wurden«. Da die Kommandanten sich während des Überwassergefechts auf der Brücke aufhielten, war ihre Überlebensrate allgemein höher als die der Besatzung. Es gab natürlich Fälle — und das in kanadischen Gewässern operierende *U 845* war einer von ihnen —, bei denen das Brückenpersonal die allerersten Verluste hatte. Wiederum im Gegensatz zur ersten Hälfte des Jahres 1943 waren Trägermaschinen an einer größeren Zahl der Versenkungen beteiligt. Das bedeutete, daß Zerstörer und andere Geleitstreitkräfte in der Nähe waren, um Überlebende aufzunehmen. Verluste durch Wasserbombenangriffe von Geleitstreitkräften und Ujagdgruppen, so betonte der BdU-Stab, waren mit der Einführung des neuen T 5 »Zaunkönig«-Horchtorpedos im Herbst 1943 zurückgegangen.

Trotz der erschreckenden Aussichten, nicht wiederzukommen, ließen die Ubootbesatzungen den Mut nicht sinken. Der BdU berichtete im Juni 1944 voll Stolz:

»Mehr als bei jeder anderen Waffe ist der Erfolg das persönliche Verdienst einer gesamten Ubootbesatzung und gibt ihr den besonderen Angriffsschwung und die Zähigkeit und die Härte gegenüber der feindlichen Abwehr. Erfolgsaussichten sind nur in geringem Maße vorhanden; die Aussichten, nicht von Feindfahrt zurückzukommen, demgegenüber sehr groß, sind doch in den letzten Monaten durchschnittlich nur 70 Prozent der monatlich auslaufenden Uboote zurückgekehrt. Daß die Truppe überhaupt dieses letzte Jahr stärkster Verluste und geringster Erfolge in ihrer inneren Haltung im Einsatzwillen und Angriffsdrang im

Tafel 7

Personalverluste

Periode	Boote	Besatz.	Verluste	%-Verluste	gefangen oder gerettet	%-gefangen oder gerettet
			A. Besatzungen			
I	148	6356	4665	73,4	1691	26,6
II	112	5534	4956	89,6	578	10,4
III	85	4376	3659	83,6	717	16,4
Total	345	16266	13280	81,7	2986	18,3
			B. Kommandanten			
I	148		106	71,6	42	28,4
II	112		102	91,1	10	8,9
III	85		61	71,8	24	28,2
Total	345		269	78,0	76	22,0

Periode I   = bis Ende 1942
Periode II = Januar 1943 bis Juni 1943
Periode III = Juli 1943 bis Oktober 1943

wesentlichen unangetastet überstanden hat, ist ein bewundernswerter Beweis soldatischen Geistes und ein Beweis für die Güte des Menschenmaterials und ein Lohn gründlicher Ausbildung, ein Ergebnis der Geschlossenheit der Ubootwaffe.«

Solche gewaltigen Worte sind schwer in Einklang zu bringen mit dem nüchternen Urteil vieler Ubootleute an der Front. Die schrillen »Peitschenknall«-Schlachtrufe standen im Gegensatz zu den dräuenden Warnungen, die zwischen den Zeilen des Kriegstagebuches der Seekriegsleitung herauszulesen sind. Im Juni 1944 erklärt das KTB des BdU: »Dem Gegner an der Klinge zu bleiben ist – obwohl ein Schlagwort – eine taktisch-technische, vor allem aber eine psychologische Notwendigkeit.« Weder die deutsche Seekriegsleitung noch der BdU konnten eine Pause im Ubootkrieg befehlen, obwohl dies höchst logisch gewesen wäre. Ihr Argument lautete, daß sie, wenn sie jetzt nachließen, nicht mehr in der Lage wären, erneut zu beginnen, wenn die Uboote des neuen Typs XXI einsatzbereit seien. Der BdU-Stab konnte sich jedoch der schrecklichen Tatsache nicht entziehen, daß dies kaum die derzeitigen Verluste in der Schlacht im Atlantik rechtfertige. »Die augenblicklichen und mit den alten Uboottypen in Zukunft erreichbaren Erfolge rechtfertigen allein den zur Zeit in die Ubootwaffe hineingesteckten hohen Aufwand an Arbeitskraft, Rüstungskapazität und Material in der Heimat und insbesondere den hohen Blutzoll im Kampf auf dem Atlantik nicht.« Paradoxerweise beharrte der BdU auf der Feststellung, daß »Verluste, die zu den augenblicklichen Erfolgen nicht im Verhältnis stehen, in Kauf genommen werden müssen, so bitter sie auch zu tragen sind«.[7]

Innerhalb dieses sehr strapazierten Rahmens – schwache kanadische Abwehr und überforderte eigene Ressourcen – setzte Dönitz seine Politik fort, seine schwachen Kräfte gegen den Ausgangspunkt des Nachschubs für Europa in Nordamerika zu werfen. Sechs Uboote vor den kanadischen Küsten sollten versuchen, das unruhige Zwischenspiel zu nutzen, ehe die drohende Invasion in Frankreich begann.[8] Angesichts der auch nach Einschätzung des BdU überwältigenden alliierten Überlegenheit in allen Bereichen war es hart, ohne Gefechtsberührung mit angreifbaren Zielen im Operationsgebiet bestehen zu können.[9] Besorgt um die physische und psychologische Beanspruchung, der die Besatzungen der Atlantikboote vom Typ VIIC während ihrer langen und weitestgehend erfolglosen Einsätze unterworfen war, verringerte der BdU die Zeit im Operationsgebiet auf acht Wochen. Größere Erfolge konnten seine Uboote im Nordatlantik nicht verzeichnen: sieben Handelsschiffe (13 000 Tonnen); ein Bewacher und sieben Zerstörer im April; ein Zerstörer – in Wirklichkeit die Fregatte HMCS *Valleyfield* vor St. John's – im Mai. Vorbei waren die »glücklichen Tage«, in denen die Rudel das Feld beherrschten.

Der Zwang, ständig Druck auf die Nachschublinien der Alliierten ausüben zu müssen, veranlaßte den BdU, seine zusammengeschrumpften Ubootreserven auf den neuesten Stand zu bringen und sie zur nordamerikanischen Küste zu schicken. Die längeren Überholungszeiten verringerten seine Schlagkraft zusätzlich. Seine Hoffnung lag mangels der erhofften neuen Hochgeschwindigkeits-Uboote langfristig darin, die alten Typen zum Ausgleich für die geringere Geschwindigkeit so auszustatten, daß sie in den von den alliierten Streitkräften beherrschten Zonen mit größerer Aussicht auf Erfolg operieren konnten. Besonders wichtig war die Ausrüstung mit dem Schnorchel. Aufgrund seiner ersten kanadischen Unternehmung im Juni 1944 beschrieb Simmermacher auf *U 107* das Gerät zum Beispiel als »sehr brauchbares Mittel, das Uboot in seinen Aktionen erheblich zu unterstützen und manchen Einsatz erst zu ermöglichen«.[10] Er dachte dabei an Operationen unter der Küste unter schwerer Luftüberwachung und vielleicht sogar an Geheimunternehmen. Seltsamerweise schickte der BdU den unglückseligen U-Minenleger *U 233* ohne dieses Gerät Ende Juni 1944 nach Halifax, was das Boot nicht überlebte.[11]

Hellriegels *U 543,* das erste von sechs Ubooten, das während des Zwischenspiels dort auftrat, löste, nachdem es am 24. Dezember 1943 durch Kurzwellenpeilung 300 Meilen ostwärts von St. John's geortet war, die weiträumige »Operation Salmon« (Lachs) aus, eine kombinierte Luft/See-Suche. *U 543* patrouillierte erfolglos zwischen dem Hochseeriff Flemish Cap und der Nova Scotia vorgelagerten Sable Island bis zum 10. Januar, verfolgt durch eine geschwächte Geleitgruppe aus St. John's, die nun auf die drei alten Vier-Schornstein-Zerstörer *Columbia, Niagara* und *Annapolis* verringert worden war. So geschwächt war diese Hochsee-Geleitgruppe (früher die »Newfoundland Escort Force« genannt), daß die Entdeckung von *U 543* den Oberbefehlshaber im Marinehauptquartier veranlaßte, die vier Fregatten HMCS *Swansea, Stormont, Matane* und *Montreal* zum ersten Treffpunkt der Ubootjagdstreitkräfte zu senden, 900 Meilen von ihrem Heimatstützpunkt Halifax entfernt. Das Naxos-Radarwarngerät von *U 543* verriet während seines Einsatzes das Vorhandensein von 10-cm-Radar in Flugzeugen, so daß das Uboot getaucht blieb.[12] Vom 25. Januar bis Ende Februar operierte Weber mit *U 845* dicht vor Newfoundland; im März und April und wieder im Herbst 1944 patrouillierte Schmoeckel mit *U 802* ohne Erfolg vor Halifax. Zimmermann mit *U 548* stand vom 25. April bis Ende Mai dicht vor Newfoundland und Nova Scotia, während Bielfelds *U 1222* und Simmermachers *U 107* sich im Juni auf die Küste von Nova Scotia bis Chebucto Head konzentrierten. *U 845* und *U 1222* wurden auf dem Rückmarsch versenkt.

Der einzige Erfolg von *U 107* war ein verheerender Artillerieangriff auf den amerikanischen Fischereischoner *Lark,* nachdem zwei Torpedos anscheinend versagt hatten. Das 3,7-cm-Geschütz versagte nach 15 Schuß für immer. Kanadische Marinedienststellen beschrieben den Angriff als »höchst unnötigen Akt von Frustration«, nachdem sich das Uboot, »ohne Schaden anzurichten, längere Zeit in unseren Gewässern aufgehalten hatte«.[13] Die Schonerbesatzung kehrte zu ihrem zerschossenen Schiff zurück und brachte es, laut kanadischen Dokumenten, nach einer 300-Meilen-Reise nach Boston. Laut KTB/BdU aber fing der B-Dienst an diesem Tag eine Meldung des amerikanischen Senders Annapolis auf, demzufolge ein teilweise untergetauchter verlassener Schoner in etwa CB 2854 treibe. Unter Berücksichtigung des herrschenden Labradorstromes hätte es sich durchaus um die *Lark* handeln können. Wie dem auch sei, der Angriff und die darauffolgenden Kurzwellenpeilungen führten zu langen und intensiven Suchoperationen nach dem Uboot durch die amerikanische Task Group 22.6, dem Träger USS *Wake Island* und fünf Geleitzerstörern, die Geleitbootgruppe aus Halifax sowie die RCAF. Schmoeckels taktisch unwichtiger erster kanadischer Einsatz liefert jedoch eine unerwartete Dokumentation technischer und chirurgischer Fähigkeiten von ärztlicher Hilfe im Gefecht. Der BdU hatte versucht, in jedem Operationsgebiet nach Möglichkeit einen Sanitätsoffizier auf ein Uboot zu setzen, so daß auch in angrenzenden Zonen Uboote in schwerer ärztlicher Notlage relativ schnell Hilfe finden konnten. Vielleicht war wegen der großen Entfernung für den ersten kanadischen Einsatz ein Arzt auf *U 802* eingeschifft worden. Uboote führten medizinische Grundausstattung mit, aber nichts für schwere Operationen. So geschah es, wie Schmoeckel sich erinnert, daß *U 802* der Schauplatz von »sicherlich einem der schwierigsten ärztlichen Eingriffe in der Ubootgeschichte« werden sollte[14] beim Versuch des Arztes, das verletzte Auge eines Besatzungsangehörigen herauszuoperieren. Die Operation erfolgte mit an Bord gefertigten Spezialgeräten auf dem Tisch der winzigen Offiziersmesse, während das Boot auf 100 Meter Wassertiefe vor Halifax auf Grund lag.

Nach Ansicht des Operational Intelligence Center vom März 1944 zeigte »Ultra«, daß »ein größerer Prozentsatz der Ubootunternehmungen« als in den Vormonaten »auf das kanadische Gebiet gerichtet« werden sollte. Dies entspreche durchaus »den deutschen Sorgen über Stärke und Können der alliierten Jagdstreitkräfte« in Europa und in nordatlantischen Gewässern.[15] Viele Uboote mit relativ unerfahrenen Besatzungen und fehlerhaften Torpedos gingen auf weite Unternehmungen; bei den knappen Arbeitskräften in der Rüstungsindustrie war schlechte Arbeitsqualität in dieser Zeit nichts Ungewöhnliches. Technische Versager trugen, wie im Fall *U 845* in kanadischen Gewässern oder bei *U 550* (Hänert), der den 11017 BRT großen amerikanischen Tanker *Pan Pennsylvania* am 16. April südöstlich von Nantucket Island versenkte und selbst am gleichen Tag durch Überwasserstreitkräfte versenkt wurde, zur Vernichtung von Ubooten bei. Die Boote hatten in steigendem Maße Schwierigkeiten, sich selbst zu verteidigen. Wie häufig menschliche Faktoren, Taktik und Technologie den Seekrieg beeinflußten, zeigen als besonders kennzeichnende Beispiele die Einsätze von *U 845* und *U 548* im Laufe des Vor-Normandie-Zwischenspiels.

Den 35 Jahre alten Korvettenkapitän Werner Weber von *U 845* hätte man in diesem Stadium des Krieges, in dem das Durchschnittsalter eines Ubootkommandanten 24 Jahre betrug, als alten Mann bezeichnet. 1932 zum Offizier befördert, tat er eine Zeit auf Überwasserschiffen Dienst, bevor er Kommandant des Stabsquartiers beim BdU in Lorient wurde. Soweit feststellbar, hatte er nur eine geringe Seefahrtszeit. Anscheinend hielt ihn seine Besatzung als Ubootkommandant für zu temperamentvoll und unerfahren; den Verlust ihres Bootes schrieben sie seiner Fahrlässigkeit zu, aufgetaucht die Batterien geladen zu haben. Das Wappen des Bootes, eine Giraffe mit der Unterschrift »Kopf immer über Wasser«, scheint ein überzeugender Talisman gewesen zu sein. Vielleicht hat ihn seine Besatzung zu streng beurteilt; die Vorgänge vor St. John's zeigten allerdings, daß er zu Überreaktionen neigte.[16] Die meisten der 54 Köpfe starken Besatzung kamen kurz vor dem Auslaufen in Kiel an Bord. Der älteste und erfahrenste Ubootmann, der 37 Jahre alte Ingenieuroffizier, Oberleutnant (Ing.) Otto Strunk, aus dem Mannschaftsstand aufgestiegen, war auf *U 47* unter Prien bei Scapa Flow dabei gewesen und später Ausbilder auf der Ubootschule in Danzig-Gotenhafen. Ein 31jähriger Sanitätsoffizier, ein 30 Jahre alter Oberheizer sowie ein Funkmaat, das waren die erfahrenen Leute. Der Rest der relativ unerfahrenen Besatzung hatte ein Durchschnittsalter von 22 Jahren. Der Erste Wachoffizier und damit Vertreter des Kommandanten war ein 21jähriger Reserveleutnant. Vor diesen Personal- und Ausbildungsproblemen standen die Kanadier ebenfalls. Kanadische Marinedienststellen beklagten sich zur gleichen Zeit, daß »das Niveau der Offiziere, die zum Kommandantenkurs gemeldet wurden, absank«, und daß das Radar-Ausbildungszentrum in Halifax, das gerade zu dieser Zeit voll in Betrieb genommen wurde, erst jetzt daran gehen konnte, die »Unwissenheit« und »Unfähigkeit« unter dem seefahrenden Personal zu korrigieren.[17]

Nach einer ungewöhnlichen Reihe technischer Versager begann *U 845,* ein 1120-t-Boot vom Typ IXC/40, seine Unternehmung vor Newfoundland am 25. Januar 1944. Der Leitende Ingenieur war der Ansicht, daß das Boot weitere acht Wochen zur Reparatur im Hafen hätte bleiben müssen. Die Besatzung litt unter dem gleichen schweren Wetter und den aufgewühlten Seen, denen auch die alliierten Geleitzüge ausgesetzt waren. Sie litten ebenfalls unter der außergewöhnlichen Kälte, für die sie nicht angemessen bekleidet waren. Innerhalb des Druckkörpers im Bugraum bildete sich Eis. Nach den später erbeuteten persönlichen Tagebüchern, die in Mißachtung ständiger Befehle geschrieben wurden, war die Stimmung auf dem Tiefpunkt. Weber wollte Schiffe im Hafen von St. John's angreifen. In den Hafen selbst — wie es *U 518* in Wabana getan hatte — konnte er nicht hineinlaufen, denn St. John's lag am Ende eines langen, engen Fahrwassers, das durch Balkensperren abgeriegelt war. Bei der Ansteuerung von Osten — das hätte Weber der deutschen Ausgabe der Segelanweisungen entnehmen können — ist der Boden uneben. Diese unregelmäßigen Tiefen zwangen die Uboote zur Vorsicht. Cape Spear, auf dem sich im Krieg die Signalstation erhob, stieg steil zu einer Höhe von 88 Meter an und diente den von Süden oder Südosten kommenden Schiffen als hervorragende Landmarke. Weber, besonders mißtrauisch wegen möglichen Minenfeldern, entschied sich, auf Sehrohrtiefe zu warten, bis er einem alliierten Schiff durch die vermuteten Gefahren folgen konnte. Immer noch getaucht, versuchte er am 1. Februar der Korvette HMCS *Hadleigh Castle* zu folgen – und geriet auf Old Harry schmählich auf Grund. Das war ein bekannter Felsen auf einer Tiefe von neun Metern, 0,6 Meilen nordöstlich von Cape Spear. *U 845* mußte wohl hart aufgelaufen sein. Seine Ruder klemmten mittschiffs, und er konnte erst nach beträchtlicher Zeit und entsprechenden Sorgen durch äußerste Kraft zurück freikommen. Die Schäden – ein Ruder unbrauchbar, zwei aufgerissene Tauchtanks, die Mündungsklappen von zwei vorderen Torpedorohren verbogen, Netzabweiser zerrissen – hielt Weber für schwer genug, das Schiff aufzugeben und zu versenken. Er tauchte auf und ging nach einer patriotischen Ansprache an seine Männer mit einer großen deutschen Flagge auf die Brücke. Der Leitende Ingenieur redete ihm aus, das Boot aufzugeben, während die Besatzung die Ruderanlage behelfsmäßig wieder reparierte. Bei hellem Tageslicht zog sich *U 845* aufgetaucht mit einer Ölspur von der Küste zurück. Webers weitere Kommandoführung muß äußerst gespannt und problematisch gewesen sein. Der kurze Bericht des BdU über Webers Feindfahrt stellt lakonisch fest, daß Weber »Grundberührung hatte« und »sich zur Reparatur seewärts absetzte«. Das muß die wesentliche Zusammenfassung von Webers Lagemeldung gewesen sein. Er wurde während der Feindfahrt befördert.

Befragungsberichte, die den kanadischen Marinenachrichtendienst fünf Monate später im Juli 1944 erreichten (vier Monate, nachdem *U 845* vor Irland verloren gegangen war), riefen Bestürzung und Erstaunen hervor. Old Harry Rock, auf dem die Grundberührung und das »Übergabe-Scenario« stattgefunden hatte, lag nur 800 bis 900 Meter von der Cape Spear Batterie entfernt. Es war daher »von taktischer Bedeutung«, wie die kanadischen Heeresdienststellen bemerkten, das Radar-Tagebuch zu überprüfen.[18] Das Marinehauptquartier forderte die Radareintragungen der Batterie vom 1., 5. und 9. Februar an, den Tagen, von denen man wußte, daß ein Uboot in der Nähe tätig gewesen war. Das Heer stimmte ein Klagelied an. Ein Feuer im Dieselschuppen hatte das Radar am 1. Februar außer Betrieb gesetzt. Obwohl die Stromversorgung am 5. Februar wieder funktionierte, entdeckte das Radar nur ein einziges sich entfernendes Ziel auf 20 Meilen. Ein weiteres Ziel wurde in der Morgendämmerung des 9. Februar auf einer Entfernung von 2,5 Meilen aufgefaßt, »das Radar gab aber keine weiteren Zeichen und fiel in diesem Moment aus«. Das kann nur bedeutet haben, daß der Radar-Mann die Vorschrift völlig unbefangen buchstabengetreu befolgte: Betrieb nur während der Dunkelheit oder an Tagen, an denen die Sicht unter 5000 Meter sank. Die Tatsache, daß er einen Kontakt hatte, war für ihn unwichtig. Es liegt kein Bericht vor, ob das Radar von Cape Spear die Marine oder die Luftwaffe über seine Kontakte unterrichtete. Während *U 845* aufgetaucht vor Old Harry lag, war die Sicht nach der meteorologischen Abteilung der RCAF unbegrenzt; fünf Monate später boten Heeressoldaten ungewöhnliche Erinnerungen an

Schneegestöber und erheblich eingeschränkter Sicht an. Die von den Ubootkommandanten häufig berichtete friedensmäßige Mentalität muß auch auf Cape Spear geherrscht haben. *U 845* boten sich alle taktischen Vorteile, die die kanadische Küste zu bieten hatte.

Vormittags am 9. Februar schoß *U 845* zehn Meilen ostwärts von Cape Spear insgesamt fünf Torpedos in zwei Fächern auf den 7039-BRT-Frachter SS *Kelmscott,* der von HMS *Gentian* geleitet von St. John's ausgelaufen war, um zum Geleitzug HX-278 zu stoßen. Ein Torpedo der ersten Salve traf die *Kelmscott* und einer der zweiten Salve fast anderthalb Stunden später. Alle anderen waren Fehlschüsse. In der irrtümlichen Annahme, sein Opfer sei gesunken, lief *U 845* nun ab. Zusammen mit zwei Motorbarkassen erhielt der *Bangor* HMCS *Sarnia* Befehl, eine Ubootjagd anzusetzen, während der Schlepper *Samsonia* die beschädigte *Kelmscott* zum Hafen zurück schleppte. Da die Möglichkeit deutscher Minen nicht ausgeschlossen werden konnte, löste der erfolglose Angriff die unmittelbare Schließung des Hafens von St. John's und den Ansatz von Minensuch-Stichfahrten aus, die erst drei Tage später, am 12. Februar, auf Befehl des Marinehauptquartiers aufgehoben wurden.

Während sich *U 845* in die sicheren Gewässer des Hochseeriffs Flemish Cap zurückzog, setzten zehn kanadische Kriegsschffe und fünf Flugzeuge der RCAF eine konzentrierte Ubootsuche an. Am 14. Februar um 2030 GMT wurde *U 845* durch eine »Liberator« der RCAF aufgetaucht gesichtet, die sofort aus einer Entfernung von vier Meilen zum Angriff ansetzte. Entsprechend dem geltenden Flugzeugabwehrverfahren setzte sich Weber mit dem stärksten ihm möglichen Luftabwehrfeuer zur Wehr. Die »Liberator« meldete starkes Flakfeuer und antwortete mit Bug- und Turmfeuer, tötete eine der deutschen Geschützbedienungen und verwundete zwei andere schwer. Außerhalb bedrohlicher Reichweite und ohne das Boot zu beschädigen, detonierten sechs Wasserbomben. Weber wird wohl die Kieler Werft verflucht haben, weil sie seine Vierlingsflak durch eine einzelne 3,7-cm-Kanone mit geringerer Feuerkraft ersetzt hatte. Die Werft hatte jedoch ihre Gründe. Die deutschen Dienststellen hielten die kanadischen Gewässer noch für relativ ruhig; Uboote, die in den stärker luftbedrohten Gewässern im Englischen Kanal und in der Biskaya operierten, hatten in jedem Fall größere Priorität in der Bewaffnung. Nun jedoch setzte die »Liberator« zum zweiten Angriff an; die 3,7-cm-Kanone versagte und ließ *U 845* praktisch ohne Verteidigung. Die beiden letzten Wasserbomben des Flugzeugs detonierten direkt neben dem Kommandoturm. Ein großer Ölfleck bildete sich, beim Schnelltauchen geriet *U 845* außer Kontrolle und erreichte nach Ansicht der Überlebenden eine »große Tiefe«, ehe es wieder in die richtige Lage kam. Die »Liberator« überflog das Gebiet eine Stunde oder länger ohne weiteren Kontakt.

Bei seinem dritten Anlauf dicht unter die Küste folgte Weber dem 6090 BRT großen SS *Pachesham,* der St. John's als Einzelfahrer am 15. Februar mit dem Ziel

Bay Bulls verlassen hatte. Er schoß mehrere Torpedos, die ohne Schaden anzurichten an den Felsen vor der Küste detonierten; das Opfer entkam. Nun verdrängte das Wetter die Ziele aus Webers Gebiet. Ungewöhnliche Eisbedingungen im Hafen von St. John's und auf den Ansteuerungswegen hatten Schiffahrt und Marineunternehmungen vom 26. Februar ab fast völlig unmöglich gemacht; sie zwangen alle Marineschiffe, sich bis zur Wiedereröffnung des Hafens von St. John's auf den in Südwest-Newfoundland gelegenen amerikanischen Hafen Argentia zu stützen. Mißgelaunt berichtete der Operationsoffizier des FONF: »Diese Bedingungen frustrieren auch das Air Defence Corps (zivile Küstenwächter), die nun in den totalen Winterschlaf verfallen sind.«[19] Nun war es wirklich Zeit für *U 845,* in seinen Stützpunkt Lorient zurückzulaufen. Doch als es den Kurs auf die Biskaya absetzte, lenkte der BdU das Boot zur Jagd auf den 40 Schiffe starken, nach Osten laufenden Geleitzug SC 154 um. Das sollte die letzte Aufgabe sein, denn durch eine Fügung des Schicksals fand sich das Fühlung haltende Boot zwischen dem Konvoi und einer erfahrenen kanadischen Task-Gruppe.

Am Nachmittag des 1. März 1944 brachte HMS *Forester* den Hauptteil der Geleitgruppe C-1 aus dem Reservehafen Argentia zum Treffen mit SC-154 heraus.[20] Die Gruppe bestand aus dem Zerstörer HMCS *St. Laurent* und den Korvetten HMCS *Giffard, Regina* und *Fredericton.* Am Tag danach stieß der Gruppenchef, Commander J. Byron, RNR, auf dem Zerstörer HMCS *Assiniboine* hinzu. Liebevoll »Bones« genannt, hatte die *Assiniboine* ein gewisses Ansehen erlangt, weil sie *U 210* am 6. August 1942 als Sicherung des Geleitzuges SC-94 gerammt und versenkt hatte.[21] Die Geleitgruppe C-1 (EG C-1) führte ihre Schutzbefohlenen durch den immer stärker werdenden Sturm des 3. und 4. März, der die Geleitstreitkräfte bei ihrem ständigen Zusammentreiben von Nachzüglern schwer behinderte. Die Geleitgruppe war mittlerweile durch die Fregatte HMCS *Valleyfield* und die Korvette HMCS *Halifax* ergänzt worden. (Zwei dieser Schiffe sollten den Krieg nicht überleben. *Valleyfield* fiel am 6. Mai 1944 südlich von Cape Race bei der Rückkehr aus Großbritannien dem Angriff von *U 548* zum Opfer; *Regina* wurde am 8. August vor Trevose Head, Cornwall, von *U 667* versenkt.)

Fast auf dem ganzen Weg rüttelte schweres Wetter den Geleitzug heftig durcheinander und drohte, die Schiffe zu zerstreuen. Bei einer Brennstoffergänzung, die HMCS *Regina* manövrierunfähig machte, gingen dem Geleitzug ebenfalls drei Geleitfahrzeuge verloren. Durch eine Pechsträhne geriet die Festmacherleine der *Regina* in den widerwärtigen von achtern auflaufenden Seen in die Schraube. Das Schiff wurde unter dem Geleit von *Valleyfield* zuerst durch das Rettungsschiff *Dundee* und schließlich durch den Bergungsschlepper *Salvonia* nach Horta, Azoren, geschleppt.[22] HMCS *St. Laurent* fing, als sie nach Bergungarbeiten weit hinter dem Geleitzug wieder heranschloß, unklare Raumwellensignale auf, die auf Uboot-Funkverkehr in größerer Entfernung schließen ließen. Aufgrund von

Feindnachrichten durch die Entzifferung deutscher verschlüsselter Funksprüche durch OP 20G oder Bletchley Park hatte der Oberbefehlshaber Western Approaches inzwischen SC-154 umgeleitet, um vermutete Ubootaufstellungen zu umgehen. Diese Ubootgefahr war auch der Anlaß für die Umleitung der neugebildeten EG-9 mit dem Geleitzug HX-280 auf der Fahrt von Halifax nach Londonderry. Wie das Schicksal so spielte, zog ein starker Brand an Bord des Nachzüglers, des 7700 Tonnen großen schwedischen Motorschiffes *San Francisco* die Geleitstreitkräfte HMCS *Halifax, St. Laurent* und *Owen Sound* zur Hilfeleistung vom Geleit ab. Das brachte sie später in eine günstige Position, aus der heraus sie *U 845* überholen konnten, welches am Gros des Geleitzuges Fühlung hielt.

Die Suchfahrt von *U 845* hatte das Boot am Morgen des 10. März 1944 weit hinter den Geleitzug SC-154 gebracht. Bei dem Versuch, Fühlung zu gewinnen, fuhr es mehrere Stunden getaucht mit großer Fahrt, die seine Batteriereserven weitgehend erschöpften. Weber wäre besser wie üblich verfahren, den Geleitzug aufgetaucht mit Dieseln zu jagen, aber er fürchtete zweifellos die Luftüberwachung. Um 1400 Uhr unterrichtete er seine Besatzung, daß der Geleitzug voraus sei. Zu dieser Zeit hatten die zwei zurückgebliebenen Geleitboote *St. Laurent* und *Owen Sound* den größten Teil der Entfernung, die sie durch Hilfeleistung bei der *San Francisco* eingebüßt hatten, wieder aufgeholt und waren etwa 30 Meilen Backbord achteraus zum Geleitzug herangekommen.[23] *St. Laurent's* Huff-Duff-Peilung von Uboot-Funkverkehr plazierte *U 845* recht voraus. Nach Bestätigung der Kurzwellenpeilung der an der Spitze des Geleitzuges fahrenden kanadischen Kriegsschiffe *Assiniboine* und *Swansea* setzte der Führer der Geleitstreitkräfte auf der *Assiniboine* das routinemäßige »Cataract« (d. h. Aufpack) Jagdverfahren an, bei dem ein Geleitboot auf dem Peilstrahl bis zu einer Entfernung von 20 Meilen losjagte. Der Kontakt ging jedoch verloren.

Der Versuch von *U 845,* so hastig an den Geleitzug heranzuschließen, gefährdete seine taktische Lage erheblich. Als der Leitende Ingenieur meldete, daß die Batterien zu 60 Prozent entladen seien, ging Weber auf Sehrohrtiefe und tauchte, als er nichts sah, auf, um seine Batterien zu laden. Um 1624 Uhr sichtete ein Signalmaat der *St. Laurent* ein nicht identifiziertes Objekt etwa acht Meilen voraus, gerade zwei Meilen von der Huff-Duff-Ortung entfernt. Sechs Minuten später gab *St. Laurent* eine Sichtmeldung ab. *U 845* war nur 15 Minuten an der Oberfläche gewesen – zu kurz, um daraufhin länger getaucht zu fahren, als auch er etwas sichtete: mit hoher Fahrt aufkommende Zerstörer. Ohne die Batterien geladen zu haben, tauchte *U 845,* nachdem ihn die herankommenden Schiffe nur knapp eine Minute gesichtet hatten. *St. Laurent*, dessen Mißtrauen nun geweckt war, stürmte mit 23 Knoten voran; die langsame *Owen Sound* folgte mit ihrer frustrierenden Höchstgeschwindigkeit von 12 bis 15 Knoten. Kein Schiff hatte das »Cat Gear« gegen die neuen Horchtorpedos ausgeschifft, die Weber hätte schießen können, wäre er nicht völlig mit seinem Entkommen beschäftigt gewesen.

Das »Cat Gear« war ein Schleppgerät kanadischer Fertigung, ähnlich wie der von den Engländern benutzte »Foxer«, um die Uboote »auszutricksen«[24] (englisch: »out-fox«). Dieses neue, entwaffnend einfache Gerät war die Antwort der Alliierten auf den deutschen Horchtorpedo T 5 »Zaunkönig«. Es bestand aus einem metallischen Gerät in Form einer großen Armbrust, das von jedem Geleitboot bei einem befürchteten Angriff nachgeschleppt wurde. Mit Fahrt durch das Wasser gezogen, begannen zwei Querstangen heftig zu vibrieren oder zu klappern. Das rief einen schrillen Ton hervor, der die niederfrequenten Geräusche der Schiffsmaschinen und Schrauben übertönte und so den deutschen Torpedo auf ein falsches Ziel lenkte. Auf die Ubootbesatzungen hatte das »Cat Gear« eine enervierende Wirkung. Der Hauptnachteil lag darin, daß das starke Geräusch auch die vom Feind stammenden Geräusche übertönte. Aus diesem Grund, so vermuteten die deutschen Kommandanten, wurde die »kreischende Kreissäge«, wie sie sie beschrieben, während der Ubootjagd an- und abgeschaltet. Die angreifenden Schiffe brauchen ruhige Augenblicke, um horchen zu können, doch diese Ruhe machte sie verwundbar.

Während der Jagd nach *U 845* waren die Asdic-Bedingungen bei ruhiger See ideal. Fünfzehn Minuten nach *U 845s* Tauchmanöver bemerkte die *St. Laurent* in 300 Meter Entfernung den verräterischen Tauchstrudel des Ubootes und erhielt einen eindeutig klaren Asdic-Kontakt. Da sich das Boot für einen Angriff zu dicht am Objekt befand, lief es 1000 Meter weiter, um *Owen Sound* über den Kontakt zu führen. Um zehn Minuten später warf *Owen Sound* eine Reihe von zehn Wasserbomben – die erste einer Reihe von Wasserbomben- und Hedgehog-Angriffen, die *U 845* in den nächsten fünfeinhalb Stunden quälen sollten. Der Hedgehog war eine entscheidende Wendung in der Entwicklung der Ubootabwehr. Ein Mörser mit einer Vielzahl von Zapfen konnte einen Ring von 24 mit Sprengstoff gefüllten Ubootjagd-Kontaktbomben weit vor das Schiff werfen und ihm dadurch die Möglichkeit geben, ein getauchtes Uboot mit hoher Geschwindigkeit anzulaufen und anzugreifen, ohne den Asdic-Kontakt zu verlieren. Obwohl dieser jetzige Angriff nicht mehr an die Oberfläche förderte als einen betäubten Wal, brachten spätere Angriffe Trümmer und schweres Dieselöl an die Oberfläche. *U 845* war zu dieser Zeit auf eine sichere Tiefe von etwa 180 Meter gekommen. Um 1730 Uhr schätzten die Angreifer, das Boot habe eine ungewöhnliche Tiefe von über 200 Meter erreicht. Seit der ersten Wasserbombenserie waren auch die folgenden dicht an *U 845* gefallen, hatten es beträchtlich durchgeschüttelt und mehrmals in Tiefen weit über 200 Meter gedrückt. Es entstanden mehrere Lecks, die schwersten im Dieselraum. Während dieser ganzen Zeit konnte die Besatzung die gespenstischen Laute des Asdic hören. Bei dem Versuch, den Verfolger abzuschütteln, versuchte *U 845* einmal, ein Asdic-Täuschungsmittel, den sogenannten »Bold« auszustoßen. Dieser erzeugte eine Bläschenwolke, die im Asdic ein ähnliches Echo gab wie ein Uboot. Der äußere Wasserdruck war jedoch so groß, daß der »Bold« nicht aus der Boldschleuse ausgestoßen werden konnte.

Um den Eindruck zu erwecken, es sei schwer beschädigt, stieß *U 845* während der Verfolgung eine große Menge Öl aus. »Wir fütterten die Heinis mit Wasserbomben ab«, bemerkte der Kommandant der *St. Laurent* später, »und die Nazis in dem Uboot da unten müssen eine höchst ungemütliche Zeit durchgemacht haben.[25] In der Tat, es muß der reine Horror gewesen sein.«

Nach der Erkenntnis, daß das Uboot auf großer Tiefe war, beschloß man mit dem »Verfahren Observant« zu beginnen, um das Feld abzustecken und, nach Zielerfassung, in einen Schleichangriff überzugehen. Das war ein langsamer Angriff gegen ein Ziel auf großer Tiefe, der den Vorteil des ständigen Kontaktes mit dem Uboot hatte, ohne die Anwesenheit oder die Position der tatsächlichen Angreifer zu verraten – eine Art Bockspringen, ausgeführt von zwei angreifenden Fahrzeugen. Das leitende Schiff hielt Kontakt mit dem Ziel, während das geleitete Fahrzeug eine Position achteraus mit ausgeschaltetem Asdic einnahm. Das nahm dem Uboot die Möglichkeit, die Zahl seiner Gegner oder die Entfernung des Angreifers abzuschätzen. Sobald das leitende Schiff sich auf den gleichen Kurs wie das Uboot eingependelt hatte, dampfte das angreifende Schiff dicht zu ihm auf. Das leitende Schiff steuerte dann den Angreifer genau über das ahnungslose Uboot und wies ihn an, eine Reihe von Wasserbomben zu werfen, bevor die Schiffe ihre Rollen tauschten und das leitende Schiff zum Angreifer wurde.

Wenn in diesem Fall ein Schleichangriff überhaupt gefahren werden sollte, müsse das nach Ansicht der *St. Laurent* schnell geschehen, denn um 2030 Uhr würde es dunkel. Ein Nachtangriff könnte eine riskante Sache sein. »Die Schiffe mußten Lichter zeigen, um die Entferung zueinander feststellen zu können, ganz abgesehen davon, daß das Uboot während der Dunkelheit den Jägern entwischen und aufgetaucht entkommen könnte.« *Forester* führte seinen Schleichangriff um 1922 Uhr durch; *St. Laurent* warf 22 Wasserbomben. Eine Reihe von Blasen und Unterwasserexplosionen, die man im Maschinenraum der *St. Laurent* hören konnte, ließen auf einen erfolgreichen Angriff schließen. Bald darauf verloren die Schiffe den Kontakt und begannen mit einem weiteren »Verfahren Observant«.

Gerade hatte die *St. Laurent* nach 20minütiger Suche Kontakt bekommen, als *Forester* den Ausfall seines Asdic meldete. Nun lag es allein bei *St. Laurent,* den Kontakt aufrecht zu erhalten. Um 2130 Uhr war ein heller Mond über den Wolken aufgestiegen. Obwohl ein weiterer Schleichangriff möglich gewesen wäre, hielten die Jäger es für klüger, »herumzuflanieren« und das Eintreffen von HMCS *Swansea* ruhig auf der Stelle abzuwarten. Unter dem Kommando von Commander Clarence A. King, RCNR, stieß die *Swansea* um 2205 Uhr zum »Verfahren Observant«, während *St. Laurent* hinter dem Uboot stehend Kontakt hielt. Es war bezeichnend für die Beziehungen zwischen Kanada und Großbritannien, daß ein Kommandant der Royal Navy, obwohl dienstjünger gegenüber seinem kanadischen Kameraden, in einem gemeinsamen Marineverband dennoch die Führung hatte. So blieb trotz des Eintreffens von Commander King auf der *Swansea* der Befehl bei HMS *Forester*.

Ihren Entschluß, einen weiteren Schleichangriff anzusetzen, vereitelte eine plötzliche Änderung der Umstände. Nach vielem Drehen und Wenden, mit dem *U 845* sechs qualvolle Stunden lang seinen Verfolgern zu entkommen versucht hatte, brach das Boot plötzlich 1400 Meter vor *St. Laurent* und Steuerbord voraus von *Forester* an die Oberfläche.[26] Die *Swansea* war zu dieser Zeit eine Meile achteraus. Die Batterien des Ubootes waren plötzlich ohne Strom, es gab nun keine andere Möglichkeit, als alle Tanks anzublasen und zu versuchen, aufgetaucht zu entkommen. Mit dreimal äußerste Kraft voraus und Aufladegebläse auf seinen beiden Neunzylinder-MAN-Dieseln davonrennend, vergrößerte es schnell die Entfernung. *U 845* gelang es bei wildem Zick-Zack-Fahren auf fast 21 Knoten zu kommen. *St. Laurent* eröffnete das Feuer mit seinem vorderen 12-cm-Geschütz und allen Oerlikons, die das Ziel auffassen konnten. Überraschenderweise setzte er sein Anti-Gnat-Gerät erst 17 Minuten nach dem Auftauchen des Ubootes aus; *Swansea* setzte das Gerät überhaupt nicht aus. *Forester,* der kein solches Gerät an Bord hatte, hielt sich 15 Minuten lang zurück, ehe er mit einer vermutlich »sicheren« Geschwindigkeit von 28 Knoten vorpreschte.

Sobald sie heran waren, beschossen alle Schiffe das Uboot. In dem Durcheinander der Geschosse war es fast unmöglich, die Aufschläge zu beurteilen. Nach Meinung des Zerstörerführers Western Approaches waren sowohl *St. Laurent* wie *Swansea* 45 Minuten ideale Ziele für den Zaunkönig. *Forester* war übervorsichtig gewesen; er hätte ganz hastig eine Position querab von dem Uboot einnehmen sollen. Weber auf *U 845* hatte tatsächlich zwei Torpedos geschossen, jedoch ohne Erfolg. Ein dritter kam nicht mehr aus dem Rohr. Das eine 3,7-cm-Geschütz auf dem unteren Wintergarten, das ihn bei dem Luftangriff vor Newfoundland im Stich gelassen hatte, versagte erneut, der Geschützbedienung blieb nur noch übrig, kurze zwei Minuten die 20-mm-Doppellafette zu besetzen. »Ich wußte, er war mir ausgeliefert«, bemerkte der Kommandant der *St. Laurent,* »und dieses Mal sollte er nicht davonkommen.« Peilungen und Entfernungen wurden vom Radar der *St. Laurent* nun mit solcher Genauigkeit zur Richtsäule des Geschützes weitergegeben, daß die erste Salve drei Treffer erzielte, die den Kommandanten des Ubootes, seinen Ersten Wachoffizier und die gesamte Brückenwache töteten. Die kanadischen Radarbedienungen schätzten, daß das 12-cm-Geschütz zehn bis vierzehn wahrscheinliche Treffer auf Entfernungen von 2000 bis 3000 Meter erzielt hatte. Der Geschützführer des 12-cm-Geschützes der *St. Laurent* sagte aus: »Der erste Schuß detonierte direkt auf dem Turm des Ubootes. Unsere Geschützbedienung lag genau richtig. Der Richtschütze war damals auf HMCS *Ottawa,* als sie von *U 91* im September 1942 torpediert und versenkt wurde, und ich vermute, er wollte sich rächen. Wenn es so war, dann hat er es erreicht.« Mittlerweile hatte die *St. Laurent* die *Swansea* überholt, um *U 845* zu rammen, als der Gruppenführer auf der *Forester* diese Idee verwarf, da das Gefecht anscheinend mit der Artillerie entschieden werden konnte. *St. Laurent* ergriff erneut die Initiative, lief im Abstand von etwa 1000 Meter an der Backbordseite des Ubootes vorbei, schoß mit allen Geschützen und warf eine flach eingestellte Reihe von zehn Wasserbomben vor das Boot. Das Boot schien am Fuß des Turms zu brennen, das 3,7-cm-Geschütz hing über der Bordwand. Später berichtete der Kommandant der *St. Laurent:* »Wir passierten es sehr dicht und feuerten mit allen Geschützen. Selbst die Jungs auf dem Achterdeck feuerten mit Revolvern und leichten Maschinengewehren und warfen mehrere Geschoßhülsen auf den Gegner. Als sich die Gelegenheit bot, fuhr ich vor dem Boot vorbei und warf eine Reihe von Wasserbomben; das Boot lief direkt in die Explosionen und wurde völlig aus dem Wasser gehoben. Dann begannen die Nazis das Boot zu verlassen.«

Ehe die letzte Detonation erfolgte, war die Ubootbesatzung, jetzt praktisch unter dem Kommando des Leitenden Ingenieurs, bereits dabei, ihr Boot zu verlassen. Sobald die Diesel sich überhitzten, erkannte der Offizier die Sinnlosigkeit weiteren Kampfes und gab Befehl auszusteigen. Er selbst blieb unten, um das Uboot zu versenken; ehe es sank, gelang es ihm, durch das Kombüsenluk zu entkommen. Inzwischen hatte die *St. Laurent* die Entfernung vergrößert, um »Verfahren Observant« zu unternehmen, während *Forester* und *Swansea* die Beiboote zur Rettung der Überlebenden aussetzten. Der Erste Wachoffizier der *Swansea*, zu dieser Zeit Führer einer der Rettungskutter, beschrieb den desolaten Zustand. »Als wir uns dem Uboot näherten, sahen wir, daß die Hälfte des Kommandoturms weggeschossen war, er sah aus wie ein Sieb. Der Kommandant und zwei andere lagen tot da. Niemand auf dem Turm konnte das Gefecht überlebt haben. Die Überlebenden, die wir aufnahmen, waren alle in gutem Zustand, strampelten jedoch im Wasser mit beträchtlicher Panik ringsumher.« *U 845* sank auf 48° 47' N, 21° 02' W. 45 Mann seiner 54 Mann starken Besatzung überlebten. 23 waren auf der *Swansea. Forester* hatte 17 und *St. Laurent* fünf. Als die Schiffe am nächsten Tag wieder an den Geleitzug SC 154 heranschlossen, gab der Signalmaat der *St. Laurent* dem Führer der Geleitsicherung mit dem Handscheinwerfer einen Gesamtbericht von 250 Worten über den Angriff. Die letzten Sätze lauteten: »*St. Laurent* stieß auf Befehl von *Forester* mit 23 Knoten auf ihn zu, um ihn zu erledigen, dann passierte er an Steuerbordseite mit allen Waffen feuernd, brachte ihn zum Stoppen und das Gefecht war vorbei. Ich habe fünf Gefangene. Das Asdic arbeitete très bon.« Allein *St. Laurent* hatte 119 Schuß 12-cm-Granaten, 1440 Schuß der Oerlikon und 1410 Schuß Handwaffenmunition verschossen. Für die Überlebenden von *U 845* waren die Spannungen des Ubootkrieges und die Ängste dieses fehlgeschlagenen Unternehmens nun vorbei. Die Vernichtung des Ubootes, das versucht hatte, »seinen Kopf immer über Wasser zu halten«, war nach den Worten des Ersten Wachoffiziers der *St. Laurent* »wie ein Piratengefecht aus alten Zeiten, und wir haben es sehr genossen!« Trotz seiner Kritik an dem Angriff bemerkte der Führer der Zerstörer in den Western Approaches, daß nichts »uns ablenken sollte von dem Angriffsgeist, den die alliierten Schiffe zeigten und von der Wirksamkeit der Waffen«. In der Tat, »dieses seit langer Zeit erste Gefecht gegen ein Uboot durch Schiffe einer Gruppe, die nur in der Nahsicherung tätig waren, die sorgfältige Ausführung der Jagd und das geduldige Herangehen vor den Angriffen auf ein tiefliegendes Ziel waren höchst befriedigend«. Alle Besatzungen hatten prompt im Einklang miteinander und mit Genauigkeit reagiert. Dieser kanadische Sieg sollte bald gerächt werden.

U 548 (Oblt. z. See Zimmermann) lief zur ersten Feindfahrt des Kommandanten zusammen mit *U 993* (Kurt Hilbig) unter Minensuchgeleit am 23. März 1944 aus dem deutschen Stützpunkt Christiansand in Norwegen aus. Das Boot sollte zuerst als Wetterboot südlich von Island operieren und sich dann Ziele auf den Newfoundland Banks suchen. Zimermann wußte, daß *U 845,* Weber, von Januar bis in den März hinein vor Newfoundland operiert hatte, von seinem Verlust hatte er aber möglicherweise noch nichts erfahren. Meldungen von *U 539* (Lauterbach-Emden), der in den darauffolgenden Wochen in dieses Gebiet gekommen war, und *U 802* (Schmoeckel), der während des ganzen Monats vor Halifax gestanden hatte, waren ermutigend gewesen. Die drei Monate lange Reise von *U 548* sollte sich über eine Länge von 8000 Meilen erstrecken und nur ein einziges Opfer einbringen. Bezeichnenderweise verbrachte er 3167 Meilen, das sind 40 Prozent der Unternehmung, getaucht; das bestätigte nicht nur die Verbesserungen in der Uboottechnik seit 1942, sondern auch die Bedrohung durch Luftaufklärung, Überwasserstreitkräfte und Kurzwellen-Peilstationen. Luftangriffe waren häufig die Folge der Wettermeldungen von Zimmermann; sie bewiesen zur Genüge die Wirksamkeit des alliierten Kurzwellen-Peilsystems. Zimmermann wußte, daß er von den gegnerischen Kreuzpeilungen erfaßt worden war, und fühlte sich zweifellos durch einen Funkspruch des BdU erleichtert, der Hosenfelder auf *U 342* befahl, diese Aufgabe zu übernehmen. Zimmermanns lange Wetterfunksprüche glichen einem immer stärker werdenden Selbstverrat, denn als er seine zehnte Wettermeldung absetzte, war sein Gebiet buchstäblich kreuz und quer von alliierten Peilstrahlen bedeckt. Am 17. April versenkten Flugzeuge der RCAF-Staffel 10 Hosenfelder auf Zimmermanns Position, einen Tag, nachdem er zum erstenmal gemeldet hatte, was praktisch der elfte Bericht aus diesem Gebiet war.[27]

Als *U 548* die kanadische Zone − nach der deutschen Quadratkarte das Großquadrat Bruno-Bruno − erreicht hatte, gab ihm der BdU freies Manöver entsprechend der Eislage. Aufgrund früherer Feindnachrichten, die die Bedeutung von St. John's als Ablösestützpunkt für Hochsee-Geleitstreitkräfte und Küstengeleitzüge bezeichnet hatten, entschied sich Zimmermann am 24. April, »zunächst St. Francis anzusteuern, um von dort mit Strom und Eis auf Sehrohrtiefe an der Küste entlang zu laufen, so daß Boot am Tage vor St. John's steht« (KTB). Bei erheblich eingeschränkter Sicht und schwerer See war *U 548* von der GHG-

Horchanlage abhängig, die ihm ermöglichte, weiter zu hören, als er selbst bei klarem Wetter hätte sehen können. Nach der ersten zuverlässigen Standortbestimmung Zimmermanns – Kreuzpeilungen der Feuer von Cape St. Francis und Baccalieu Head – stand er am 1. Mai acht Meilen vor der Küste. Von hier lief er in weiten Zick-Zack-Schlägen vom nordöstlichsten Gebiet der Conception Bay bis Ferryland Head zwei bis 16 Meilen vor der Küste. Sein »Naxos«- und »Borkum«-Warngerät gaben ständig warnende Töne ab, und von Zeit zu Zeit war die See voller Asdic-Impulse und Geräusche im Horchgerät. Ubootmeldungen durch Flugzeuge, von denen sich keine, wie sich später herausstellte, auf *U 548* bezog, lösten die kombinierte Luft/See-Suche »Unternehmung Salmon« aus, die Fahrzeuge der Newfoundland Geleitstreitkräfte und der Geleitgruppe C-5, die gerade den Konvoi ONS-233 begleiteten, abzog.[28] St. Lawrence-Golf-Streitkräfte jagten hinter falschen Fährten her, die RCAF auch im St. Lawrence gemeldet hatte.

Flugzeugmeldungen waren eine sehr wichtige Quelle für die Nachrichten über den Feind, denen nachgegangen werden mußte, wie aufwendig die Suche in bezug auf Personal, Schiffe und Flugzeuge auch war. Kanadische Streitkräfte konnten es sich nicht erlauben, sich ohne zu reagieren in falscher Sicherheit zu wiegen. Die Reaktion auf diese Alarme bestätigten jedoch die Richtigkeit der Doktrin von Admiral Dönitz, die Anwesenheit von Ubooten binde Streitkräfte der Alliierten, die sonst anderswo eingesetzt werden könnten. Auf der anderen Seite reduzierte eine so intensive Überwachung die Erfolgschancen der Uboote erheblich, und im Fall von *U 548* behinderte sie das Boot ebenso sehr wie die dicken Eisschollen und Eisberge in der Nähe der Küste. Zimmermanns erfolgloser Überwasserangriff mit Horchtorpedo gegen die beschädigte SS *Baltrover* unter Geleit eines Vier-Schornstein-Zerstörers am 3. Mai 1944 führte zu einem scharfen Maschinenkanonen-Duell mit einer »Liberator« und einer quälenden Ubootabwehraktion, während der *U 548* vor Cape Broyle, etwa vier Meilen nordostwärts von Ferryland Head Feuer, auf Grund lag.

Einen Angriff auf dem Grund liegend auszusitzen, war eine spannungsgeladene Angelegenheit. Nur eine ganz geringe Wache blieb auf Station, die gesamte Beleuchtung, Hilfsmaschinen und Anlagen wurden ausgeschaltet, um Batterien zu sparen. Alle nicht unmittelbar zum Dienst benötigten Leute zogen sich in ihre Kojen zurück, lagen ganz ruhig, atmeten langsam, um Sauerstoff zu sparen. Selbst die eine Toilette für die 57köpfige Besatzung durfte nicht gespült werden, die Pumpen würden zu viel Krach machen; gegen den starken Wasserdruck von außen konnten sie in mehr als 90 Meter Tiefe auch gar nicht funktionieren. Das war die Situation, als *U 548* horchte, wie das beabsichtigte Opfer über ihnen nun zum Jäger wurde. Das Geräusch des die Ubootposition mit hoher Fahrt umkreisenden Zerstörers war im ganzen Boot deutlich zu hören. Und dann kam ein neues Geräusch hinzu, eines, das die Besatzung bisher noch nicht erlebt hatte: KTB/*U 548* beschreibt den Ton so: »Heller an- und abschwellender lauter Turbinenton. Vermute Geräuschboje.« Was er hörte, war das kanadische »Cat Gear«. Umgeben von allen Geräuschen einer konzentrierten Suche wartete die Besatzung von U 548 auf den Wasserbombenangriff, der folgen mußte, aber unerklärlicherweise ausblieb. Ihr Möchtegern-Angreifer, das britische Schiff HMS Hargood, mit einer vollständig unerfahrenen Besatzung, entschwand nach Norden, ohne angegriffen oder Schreckbomben geworfen, noch auch nur das Asdic eingeschaltet zu haben. Während einiger Stunden nahm Zimmermanns Horchgerät zwei entfernte schwache Kontakte auf, die er als Zerstörer mit ausgebrachtem Torpedo-Täuschungsgerät identifizierte. Wenn wir nach den oft unregelmäßigen Kursen der nächsten Tage gehen, so scheint Zimmermann nicht die leiseste Vorstellung gehabt zu haben, wo die besten Jagdgründe seien. Auch konnte er nicht genau navigieren; der Nebel verdeckte die Küste, und die Funkbaken, auf die sich seine Vorgänger 1942 verlassen konnten, hatten nun Frequenzen und Kennungen geändert. Deshalb setzte er den Kurs auf die ausgeprägten Bodenkonturen eines Punktes südlich von Cape Race ab, um wieder einen Standort zu haben und dann mit Echolot zu navigieren. Seine gekoppelten Streifzüge südostwärts von Newfoundland führten ihn so durch Zufall auf den Weg der Geleitgruppe C-1.

Diese Gruppe bestand aus sechs kanadischen Kriegsschiffen: der Fregatte HMCS Valleyfield und den Korvetten HMCS Halifax, Frontenac, Giffard, Edmundston und Fredericton. Unter der Führung des dienstältesten Offiziers, Commander J. Byron, RNR, auf HMCS Valleyfield war sie am 27. April 1944 mit den 75 Schiffen des nach Westen gehenden Geleitzuges ONM-234 aus Londonderry ausgelaufen. Der Geleitzug überquerte den Atlantik ohne Zwischenfälle. HMCS Fredericton nahm den einzigen Nachzügler am 3. Mai auf und fuhr mit ihm unabhängig nach Newfoundland. Die ereignislose Überfahrt nach Halifax setzte sich bis zum »Western Ocean Meeting Point« (Westatlantik-Treffpunkt), etwa 200 Meilen südlich von Cape Race, Newfoundland, fort. Dort wurde der Geleitzug spät nachmittags am 6. Mai an die »Western Local Escort Force« unter Führung von HMCS St. Boniface übergeben. Die Geleitgruppe C-1 fuhr nun im Zick-Zack-Kurs und Dwarslinie mit 4000 Meter Zwischenraum nach Norden auf St. John's zu, in der Reihenfolge von links nach rechts: Halifax, Frontenac, Valleyfield, Giffard und Edmundston. Nach den letzten Meldungen über die gegnerischen Dislozierungen stand das nächststehende feindliche Uboot etwa 150 Meilen »ostwärts und südlich von Cape Race«. Da C-1 nun die Verantwortung für seinen Geleitzug abgegeben hatte, wie ein überlebender Offizier bemerkte, »waren alle Gedanken ganz typisch darauf gerichtet, schnellstens nach ›Newfy John‹ für eine kleine Verschnaufpause zu kommen«.[29] Um 2000 Uhr Ortszeit (2300 GMT) übernahm Lt. Ian Tate auf der Valleyfield die Wache, »die alle Aussicht bot, eine ruhige Wache zu werden, wobei man sich nur über das Eis als unmittelbare Gefahr Gedanken machen mußte«. Der Kommandant sowie der Gruppenführer »sahen sehr abgespannt aus, vor allem der Kommandant, der wegen des Nebels fast ununterbrochen 48 Stunden auf den Beinen gewesen war, ehe er den Geleitzug übergab«. Nun aber war das Wetter bei strahlendem Mondschein und leichter See klar.

Der letzte Befehl des Gruppenführers eine halbe Stunde später, das Zick-Zack-Fahren zu beenden, führte die Mitglieder der einige Tage später einberufenen Untersuchungskommission dazu, ein gewisses Maß an Laschheit zu unterstellen, die jedoch in Wirklichkeit nicht existierte. Der spätere Untersuchungsausschuß – in diesem Fall eine weit zwanglosere und informellere Untersuchung, als die schriftlichen Berichte vermuten lassen – hätte wahrscheinlich anders geurteilt, wenn Leutnant Tate den Inhalt einer Unterhaltung zwischen dem Gruppenführer und dem Kommandanten auf der Brücke erwähnt hätte, die er mitgehört hatte. Ein Blick in die Wellentäler zeigte gefährliche Eisblöcke, die nicht sichtbar waren, wenn man nach vorn gegen den Wind und in die Dunkelheit schaute. Dabei, so überlegten sie, könnte das plötzliche Auftreten eines Eisblocks inmitten der Zick-Zack fahrenden Schiffe zwangsläufig zu einem plötzlichen und unabhängigen ausweichenden »Zick« in dem Augenblick führen, wenn das Manövrierschema in Wirklichkeit ein »Zack« erforderte, und dadurch eine Kollisionsgefahr hervorrufen. Jedenfalls schienen die Berichte über die feindliche Dislozierung zu vage, um zu Sorgen Anlaß zu geben. Zweifellos war der Gruppenführer ebenso besorgt durch etwas, was anfänglich gemeldet, unerklärlicherweise aber in späteren Berichten an höhere Dienststellen ausgelassen worden war: Die Radar-Ausrüstungen sowohl von HMCS *Valleyfield* als auch von *Frontenac*, die querab stand, waren schon während der ganzen Reise unzuverlässig gewesen und nun völlig ausgefallen.[30]

In jener Nacht stellte Leutnant Tate fest, daß das kanadische RXIC-Radargerät der *Valleyfield* unzuverlässig war wie eh und je. Theoretisch war es ein ausgezeichneter Typ eines Radargerätes, in Praxis aber eine »faule Zitrone«. Das Gerät hatte nicht einmal einen großen Eisberg in einer bekannten Peilung und einer Entfernung von drei Meilen verzeichnet, und die Peilung der nächsten querabstehenden Korvette war um 30 Grad falsch. Obwohl es die Aufgabe der anderen war, sich zum Positionhalten nach dem führenden Schiff zu richten, gelang es Leutnant Tate jedoch, das am weitesten entfernt stehende Schiff auf jeder Seite der Formation durch das bekanntermaßen schlechte SW1C-Radar im Auge zu behalten. Praktisch verfügte das Schiff also über kein taktisches Radar. Der Radarschirm war mit so vielen Echos übersät, daß nur auf geradem Kurs die Wirksamkeit des Gerätes verbessert werden konnte. Zudem war die See voller Eisberge und -blöcke, eine brauchbare Tarnung für Schnorchel und Sehrohre.

Die Schiffe hatten jedoch einen taktischen Vorteil, von dem sie nichts ahnten: Die defekte »Wanze« (Wellenzeiger) des Ubootes, das frequenzabsuchende Radarwarngerät, sprach auf ihre Radarfrequenzen nicht an. So fuhren diese fünf Schiffe der Gruppe C-1 direkt auf den Weg von *U 548,* ohne Zick-Zack zu fahren, teilweise blind und ohne das »Cat Gear« ausgebracht zu haben. Wenn sie vor dem Kontakt mit dem Uboot die Geräuschboje gegen den Horchtorpedo entsprechend der normalen Praxis tatsächlich ausgefahren hätten, wäre durch das Geräusch dieser Boje die Asdic-Suche erheblich behindert worden. Die Blindstelle, in die *U 548* zufällig hineinkam, lag genau in den sich überschneidenden Bereichen, die sonst von *Valleyfield* und *Frontenac* abgedeckt worden wären. Wie auch immer, nach Tates Worten »schien zu dieser Zeit alles in Ordnung ... die Schiffe hielten offenbar ganz gut ihre Position und alles sah nach einer ungestörten Fahrt ins Krähennest (Offiziersclub in St. John's) am folgenden Abend aus«. Auch Zimmermann war während Tates Wache glücklich. Aus der Heimat hatte er gerade per Funkspruch Gratulationen zur Geburt einer Tochter erhalten.

U 548 marschierte aufgetaucht »bei mittlerer Sicht und hellem Mondlicht«, als Zimmermann um 2300 Uhr einen schnell laufenden Schatten direkt vor dem Bug sichtete. In Unkenntnis einer Geleitbootformation stürmte er voraus in die klassische vorliche Position, bis er sein Ziel als »USA-Geleitzerstörer« ausmachte. Obwohl Zimmermann Höchstgeschwindigkeit lief, kam HMCS *Valleyfield* näher und zwang *U 548* dadurch, etwas früher als vorgesehen anzugreifen. Des Mondlichtes wegen ging Zimmermann spiralförmig auf Sehrohrtiefe zum Unterwasserangriff und lief auf sein Ziel zu. Erst jetzt meldete seine Horchanlage die Geräusche von anderen Geleitbooten. Eine halbe Stunde nach der Sichtung feuerte Zimmermann bei äußerst spitzem Lagewinkel von fünf Grad einen der neuen T 5 »Zaunkönig« Horchtorpedos auf den jetzt 1500 Meter entfernten Bug der *Valleyfield*. Unmittelbar darauf tauchte er tiefer und drehte nach Steuerbord ab. Das war ein Routine-Ausweichmanöver, um sich selbst gegen den eigenen Torpedo zu schützen, der sich, wenn Tiefe und Geräuschpegel denen des Zieles glichen, gegen ihn wenden konnte. Auch auf der *Valleyfield* hatte eine disziplinierte Routine eingesetzt, die Asdic-Bedienung führte ihre vorsorgliche Suche bis 80 Grad beiderseits des Bugs aus, und der Asdic-Lautsprecher sandte beruhigende »Pings« auf die abgedunkelte Brücke. Plötzlich bemerkte Leutnant Tate, daß der Zeiger auf dem Peilanzeiger des Kommandanten auf »Rot 65« drehte. Das zeigte an, daß der Mann am Geräuschempfang unter Deck anscheinend etwas Ungewöhnliches in 65 Grad an Backbord gehört hatte und deshalb den Schwinger zur genaueren Untersuchung in die Richtung des Geräusches drehte. Sofort begann der Lautsprecher auf der offenen Kommandobrücke ein schnelles, tickendes Geräusch, fast wie ein ständiges Brummen, von sich zu geben. All dies dauerte nur wenige Sekunden. Ehe der Bedienungsmann am Horchgerät den Kontakt melden oder der wachhabende Offizier auf den Peilanzeiger reagieren konnte, bohrte sich Zimmermanns Torpedo nach einem Lauf von drei Minuten und zwölf Sekunden in den Kesselraum der *Valleyfield*, genau um 2335 Uhr Ortszeit, am 6. Mai 1944. In Tates Worten:

»Eine schreckliche Explosion erschütterte die ruhige Nacht. Der Treffer lag mittschiffs an Backbordseite und stoppte unsere Fahrt. Ich sah achteraus auf Stücke verbogenen Metalls, die nach allen Richtungen hin hochflogen. Der Krach war fürchterlich – das Dröhnen ausströmenden Dampfes, reißendes Metall, aufgewirbeltes Wasser und zusammenbrechende Aufbauten. Der Artillerieoffizier löste Gefechtsalarm aus, um die hochzureißen, die im Augenblick völlig benommen waren; ich rief den Maschinenraum an, um ihnen zu sagen, daß sie herauskommen sollten. Zu spät, wie ich später herausfand ... Ich blickte wieder nach achtern und sah, wie der Großmast hin und her schwankte, während die hintere Hälfte des Schiffes sich herumdrehte. Durch die Gewalt der Explosion war das Schiff in zwei Teile zerbrochen. Glücklicherweise gingen die Kessel nicht hoch. Über den Lärm hinweg konnte man entfernt Schreie und Rufe hören, während der hintere Teil des Schiffes langsam vorne tiefer sackte. Alles dies geschah in Bruchteilen einer Sekunde.«

Sekunden nach der Detonation begannen die beiden Hälften des Schiffes in verschiedene Richtungen in die See zu drehen. Tate hielt sich an dem nun fast horizontalen Kompaßhaus, um zu verhindern, über Bord geworfen zu werden, als der Kommandant und hinter ihm der Navigationsoffizier aus dem Kartenraum heraustraten und der Kommandant befahl, die Besatzung solle das Schiff verlassen. Der Navigationsoffizier erinnert sich:

»Das Schiff rollte so stark, daß man einfach mit einem Schritt in das Wasser treten konnte. Alles lief in guter Ordnung ab, ohne jede Panik. Es dauerte nur anderthalb Minuten, bis die erste Hälfte sank. Sie bäumte sich steil auf, fast senkrecht, wie ein Pferd, das vor einer Schlange scheut, und schwankte einigemale hin und her. Einige Sekunden dachten wir, es werde über uns fallen, und schwammen weg so schnell wir konnten.«

Unter Wasser gezogen, brach Leutnant Tate dann wieder an die Oberfläche und beobachtete die letzten Sekunden der Bug-Abteilung. Reporter bauschten diese nüchternen Überlegungen später zu einem keineswegs charakteristischen Ausbruch von Draufgängertum auf. Der glatte, professionelle journalistische Bericht lautete: »Es war eine Szene wie aus einem Horrorfilm oder wie ein böser Alptraum. Ich spurtete wie Johnny Weismüller und schwamm so schnell wie noch nie in meinem Leben. Ich kam frei, aber verlor die Besinnung. Die Schwimmweste rettete mir das Leben.«[31] Andere Überlebende aber erwähnten Bilder aus Filmen zum Vergleich der Unwirklichkeit ihrer Erlebnisse.

Nach dem schnellen, etwa 90 Sekunden dauernden Auseinanderbrechen und Sinken der vorderen Sektion der *Valleyfield* hatten die Überlebenden der verheerenden Detonation nur ein Ziel, die zerschlagenen Überreste des Schiffes zu verlassen und in der kalten See zu überleben. Der achtere Teil hielt sich noch etwa fünf bis sechs Minuten länger. Während dieser letzten gefährlichen Augenblicke rannten drei Matrosen nach achtern, um die Zünder aus den Wasserbomben zu nehmen. Ob man aus dem Schicksal der torpedierten HMCS *Charlottetown* gelernt hatte, die von den Explosionen ihrer eigenen Wasserbomben zerrissen wurde und dabei viele Besatzungangehörige im Wasser getötet hatte, oder ob es eine spontane Initiative war, ist nicht bekannt. Wie es auch gewesen sein mag, diese drei Mann opferten sich bei einem kühnen, aber nutzlosen Versuch. Sie wußten nicht, daß die Wasserbomben der *Valleyfield* mit den neuen Mark VII und Mark IX Zündern versehen waren, die nur auf Tiefen über 100 Meter detonieren würden und somit praktisch harmlos waren. Solchen Widersinn gibt es im Krieg. Die tapferen Männer wurden posthum geehrt.

Unter Deck müssen die Zustände chaotisch gewesen sein. Kein einziger entkam aus dem Wohndeck der Maschinenmaate oder der Heizer. Nur ein einziger Seemann kam von unten heraus; Commander Byron gelang es nicht, aus seiner Kammer im vorderen Teil des Schiffes herauszukommen. Mehrere Seeleute verloren auf den steilen schrägen Decks den Halt und stürzten in die Tiefe, die einer Hölle glich. Einigen gelang es, dem sich windenden Schiff zu entkommen, um dann in die eiskalte See zu fallen. So landete ein Steward, der im achteren Wohnraum geschlafen hatte, als ihn die Detonation aus der Hängematte warf, auf dem Laufsteg über dem Maschinenraum und schwamm später auf einer festgezurrten Hängematte davon. Ein Funker wurde aus einem Luk der gefluteten Bugabteilung buchstäblich hinausgespült, und ein Signalmaat stürzte in seinem wetterfesten »Zoot suit«-Overall, der sein Leben trotz starker Kälte rettete, aus dem Notluk und marschierte von dort über den Schiffsboden hinweg ins Wasser.

Als das Heck versank, stimmte die Besatzung eines Floßes in den Gesang ein »For She's a Jolly Good Fellow«. Einige der Sänger waren nach einer halben Stunde tot. Die verbissene Fröhlichkeit, eine Mischung von Stolz und Härte, von Galgenhumor und Verzweiflung, band die Männer aneinander: Weniger als einem Drittel der Besatzung war es gelungen, das Schiff zu verlassen. Die eisige See war dick mit Öl, Wrackstücken, Hängematten, Rettungsringen und vieler Art Trümmer bedeckt. Die Männer kauerten auf überfüllten Flößen, drängten sich, bis zum Bauch im Wasser, auf Kletternetzen, die zwischen Flößen hingen, oder klammerten sich verzweifelt an die Seiten. Andere schwammen besinnungslos davon; viele erlagen.

Während dieser ganzen Zeit konnte die Besatzung von *U 548* die Geräusche von dem Sterben der *Valleyfield* hören. Zuerst verließ der Torpedo mit lautem Zischen das Rohr, wurde gemeldet mit einer »sehr lauten, dumpfen Detonation«, gefolgt vom abrupten Schweigen der Maschinenanlage des Opfers und der Schraubengeräusche. »Starkes Bersten und Rauschen, Zischen und Knacken von Schotten und Aufschlagen großer Schiffsteile bei 70 Meter Tiefe auf den Grund. Es entstand der Eindruck, als wenn der Zerstörer aufs Boot fiele«. (KTB).
Die übrigen Schiffe der Gruppe C-1 reagierten nur langsam. Tate erinnert sich, daß der Gruppenführer vermutlich vorhatte, etwa zu dieser Zeit einige Übungen

anzusetzen. Dies mag zum Teil dazu beigetragen haben. Dennoch hatte im Augenblick der Versenkung der wachhabende Offizier auf HMCS *Edmundston,* vier Meilen entfernt, Steuerbord querab von der *Valleyfield* am Flügel der Formation, eine Explosion gehört, die sein Asdic-Mann gemeldet hatte. Das war der Augenblick, zu dem nach offiziellen Angaben die Versenkung geschah. Da die Explosion jedoch nicht besonders heftig erschien, hatte er ihr kaum Beachtung geschenkt. Der wachhabende Offizier auf der *Frontenac,* das nächste Schiff Backbord querab, bemerkte eine schwarze Rauchwolke über der *Valleyfield,* war darüber aber »nicht überrascht«, da nach seinen Erfahrungen »nach dem Werfen von Wasserbomben der Kesselraum üblicherweise Rauch ausstößt«. Im Glauben, die *Valleyfield* habe einen Kontakt angegriffen, »kam ihm zu dieser Zeit nicht der Gedanke, sie sei torpediert worden«. Fünf Minuten später jedoch, als der Radar-Mann der *Edmundston* meldete, die *Valleyfield* sei offensichtlich aus ihrer Position ausgeschoren und schwer zu orten, unterliefen dem wachhabenden Offizier der *Edmundston* zwei Fehlschlüsse: daß das Schiff seine Position verlassen habe, um einen späterhin zweifelhaften Kontakt weit achteraus zu untersuchen; daß sie eine Wasserbombe geworfen habe und zu gegebener Zeit zweifellos ihre Position wieder einnehmen werde.[32] Wäre das tatsächlich der Fall gewesen, dann hätte die *Valleyfield* ihren Sonar-Kontakt und ihre Absichten gewiß gemeldet, schloß der spätere Untersuchungsausschuß. Jedenfalls hätte der wachhabende Offizier der *Edmundston* davon ausgehen sollen, daß, wenn kein Gegenbeweis dafür vorläge, eine Explosion immer Ärger bedeutete. Dieser Sache hätte *Edmundston* sofort nachgehen müssen. Mit dem Verlust der *Valleyfield* wurde der Kommandant von HMCS *Edmundston* automatisch dienstältester Offizier und damit Führer der Geleitgruppe C-1. Da jedoch HMCS *Giffard* – unmittelbar Steuerbord querab der *Valleyfield* – als erster zur Stelle war und als erster ein vollständiges Bild des Geschehens bekam, übernahm er vorübergehend die Führung, reagierte jedoch keineswegs unverzüglich.

HMCS *Giffard* hatte die Sprengsäule, die sich zur doppelten Höhe der Brücke erhob, gesehen, machte sich jedoch erst Sorgen, nachdem es ihm einige Minuten nicht gelungen war, durch optisches Signal oder Funkspruch mit der *Valleyfield* Kontakt aufzunehmen. Erst als *Giffard* die letzte bekannte Position der Fregatte wirklich überprüfte, sichtete man die Calzium-Lichter der Überlebenden, unterrichtete die Gruppe über die Versenkung und setzte »Verfahren Observant« an. Als die Schiffe auf Position gingen, hörte die Besatzung von Zimmermann auf *U 548* beim langsamen Entkommen ihres Bootes dicht über Grund nach Südwesten »drei schnell laufende Zerstörergeräusche« über sich, sowie »den sehr lauten, gleichbleibenden, kreissägenartigen schrillen Ton« (KTB) der Geräuschboje, die die Kanadier aus Abwehr gegen weitere Horchtorpedos ausgebracht hatten. Zimmermann unterschied Suche und die Torpedo-Abwehrtaktik in jeder Phase und bemerkte besonders, wie die Geleitstreitkräfte »zeitweise die Bojen ausschalten, anscheinend zum Horchen« (KTB). *Edmundston* näherte sich der

Zielposition und feuerte eine Hedgehog-Salve, Ubootabwehrbomben, die voraus geschossen wurden, obwohl Überlebende im Wasser in der Nähe waren. Der für Taktik zuständige Offizier in Ottawa hielt diesen Angriff unter den gegebenen Umständen für eine ausgezeichnete Reaktion; es war wichtig, das eine Uboot, das sich nach den Unterlagen der kanadischen Dienststelle in der Gegend befand, zu vernichten. (Kurzwellenpeiler sollten es nach dem Geschehen tatsächlich drei Wochen lang mitkoppeln.) Die erste Wabo-Serie fiel auf »mittlere Entfernung«. *U 548* berührte derweil auf 83 Meter Grund, lag dort fast drei Stunden ganz ruhig und hörte während der ganzen Zeit kein Asdic. Zweimal jedoch liefen »Zerstörer mit Kreissägen« direkt über das Boot, während »an Steuerbord in tiefem Wasser mehrere Wabo-Serien hochgingen. Ich entschließe mich, auf der Bank zu bleiben.« Um 0318 Ortszeit löste sich *U 548* vom Grund und steuerte ganz langsam in Richtung Halifax. »Planlose Fliegerbomben« und »Zerstörergeräusche« schwinden in der Entfernung; um 1100 Uhr tauchte *U 548* auf und fand die See weithin leer.

Sobald *Giffard* die *Edmunston,* jetzt Gruppenführer, über die Lage in Kenntnis gesetzt hatte, löste sie sich von der Ubootjagd und wendete mit hoher Fahrt, um Überlebende aufzunehmen. Ihr Näherkommen machte den Männern der *Valleyfield* Mut, ließ sie aber erneut verzweifeln, als sie wieder abdrehte, um auf der Position des Wracks zu suchen. »Ich fürchte«, erinnert sich Leutnant Tate, »daß, als sie aus Sicht kam, einige der Jungs, die schon ziemlich erschöpft waren, nun aufgaben.« Überzeugt von der Dringlichkeit der Rettungsaufgabe dreht der Kommandant der *Giffard* jedoch wieder in das Treibgut hinein. Die Lage der *Giffard* war »wenig beneidenswert«, wie der Untersuchungsausschuß später erkannte. Einerseits war sie »das einzige Schiff, das verhindern konnte, daß das Uboot entkam«; zur gleichen Zeit aber war sie das einzig verfügbare, »das Überlebende aufnehmen konnte, von denen nicht zu erwarten war, daß sie bei diesen Wassertemperaturen noch viel länger überleben konnten«. Unter Gefahr für sein Schiff stoppte der Kommandant der *Giffard* die Maschinen und ließ Kletternetze, Taue und Seefallreeps an der Bordwand ausbringen. Viele der betäubten, durch Öl geblendeten Überlebenden wurden dadurch gerettet, daß sich Besatzungsangehörige selbst in das Wasser hinunterließen, um die Überlebenden an Leinen zu binden. Diese waren so mit Öl verschmiert, daß es fast unmöglich war, sie festzuhalten, besonders die, die keine Schwimmweste hatten. Einige waren so voller Öl, daß man sie nicht einmal an den Haaren festhalten konnte.

Es gab kaum ärztliche Hilfe. Der einzige Sanitätsoffizier der Gruppe war kurz vor der Versenkung mit einem Boot auf die *Valleyfield* gebracht worden, um eine vermutete Blinddarmentzündung zu behandeln. Er ging mit unter. Der 21jährige Sanitäter der *Giffard* war offensichtlich der einzige mit gewissen Kenntnissen über Erste Hilfe, eine Tatsache, die der Untersuchungsausschuß mit ernster Sorge feststellte. Er regte an, das gesamte seefahrende Personal solle eine Ausbildung in

Erster Hilfe erhalten. In seinem Bericht über seine Tätigkeit in dem abgeblendeten Schiff erinnert sich der Sanitäter der Schwierigkeiten, Überlebende mit seinen vier Tragbahren zur Behandlung unter Deck zu bringen und sie mit Morphium und Sulfonamiden zu versorgen, denn das Oberdeck der *Giffard* war nun auch mit Öl und Ruß bedeckt. Der Sanitäter fuhr fort:

»Die meisten waren benommen und litten unter der Kälte und dem Schock; andere hatten einen Kollaps, einige waren bewußtlos und hatten innere Verletzungen durch die Explosion. Von den fünf Toten, die ›Giffard‹ in den Hafen brachte, starben zwei 4 bis 5 Minuten, nachdem sie an Bord genommen worden waren. Die anderen starben vor Erschöpfung. Durch das Öl war die Identifizierung sehr schwierig. Manchmal konnte man kaum feststellen, ob ein Mann tot war oder lebte. Eine Zeitlang dachten wir, der Navigationsoffizier sei tot.«

Insgesamt hatten die Überlebenden 40 bis 90 Minuten im Wasser verbracht. Auf der Suche nach Überlebenden pullte *Giffards* kleines Beiboot durch Öl und Trümmer, rettete acht und half weiteren an die Kletternetze. »Obwohl die meisten der Überlebenden kalt und halb bewußtlos waren, wenn wir sie an Bord holten, so murmelten doch ein paar ganz deutlich ›danke, Jungs‹ oder ›gut gemacht, Jungs‹«. Als die Beibootcrew nach mehr als einer Stunde harter Anstrengung zurückkehrte, waren sie physisch so erschöpft und von schwarzem Dieselöl so durchtränkt, daß sie kaum noch ihre Riemen halten konnten. Um 0330 GMT, etwa eine Stunde, nachdem die *Valleyfield* 50 Meilen südostwärts von Cape Race untergegangen war, setzte *Giffard* einen dringenden verschlüsselten Funkspruch ab: »*Valleyfield* torpediert und auf 46° 03' N, 52° 24' W gesunken.« Drei Stunden später meldete sie, sie habe 38 Überlebende und fünf Tote aufgenommen und käme nun nach St. John's zurück. Eine Erklärung für die Verzögerung dieses Funkspruchs erfolgte nicht. Als HMCS *New Glasgow* hinzustieß, um die Führung zu übernehmen, hatte *U 548* seit langem das Gebiet verlassen. Die *Valleyfield* war ein glückhaftes Schiff gewesen. Ein Funker erinnerte sich im Krankenhaus: »Wir hatten einen großartigen Haufen an Bord, Offiziere und Mannschaften . . . wenn ich auf ein anderes Schiff komme, ist es hoffentlich so gut wie die *Valleyfield*.« Vor dem Untersuchungsausschuß sagten Lt. Tate und Lt. Warren mit leiser Stimme: »Wir bedauern tief den Verlust unseres Kommandanten . . . unseres Gruppenführers, all unserer Offiziere und Männer. Sie waren großartige Führer und gute Kameraden.«

Von der 163 Kopf starken Besatzung der *Valleyfield* überlebten nur 38. Die Mehrzahl war jünger als 25 Jahre und weniger als ein Jahr zur See gefahren. Keiner war bisher torpediert worden, und nur wenige hatten ein Gefecht erlebt. Trotz körperlichen und physischen Schocks wurden sie von Ärzten an Land als eine »ungewöhnlich stabile« Gruppe angesehen. Eine gemeinsame Trauerfeier fand für die fünf Opfer, deren Leichen geborgen worden waren, am 10. Mai 1944 in der

Kapelle der Marinekaserne in St. John's statt. Nach alter Newfoundland-Tradition trugen mit Pferden bespannte Leichenwagen und mit Zylindern versehene Fahrer die in Flaggen gehüllten Särge zum Militärfriedhof. Ein großes Gefolge von Marineangehörigen folgte den Särgen, eine Marinekapelle spielte die bewegenden Weisen von Chopins Trauermarsch.

Alles in allem war in den heimischen Gewässern der Mai 1944 für die kanadische Marine ein ruhiger Monat. Nach dem monatlichen Einsatzbericht war »die unglückliche Versenkung von HMCS *Valleyfield* die Folge eines kühnen Angriffs durch einen offensichtlich erfahrenen Ubootkommandanten der einzige Verlust kanadischer Schiffe bei der Ubootabwehr«.[33] In der Tat war es die einzige Fregatte, die versenkt wurde, und das erste kanadische Geleitboot seit der Versenkung von HMCS *St. Croix* im Nordatlantik am 23. September 1943 durch einen »Zaunkönig«-Horchtorpedo von *U 303* (Bahr).

Der Untersuchungsausschuß für die Versenkung von HMCS *Valleyfield* äußerte die Ansicht, die erste Pflicht einer nicht durch einen Geleitzug behinderten Geleitgruppe sei, Uboote auf sich zu ziehen, zu suchen und zu vernichten. Die Geleitgruppe C-1 schiene in ihrer Wachsamkeit nachgelassen zu haben, bemerkte er, eine Gefahr, denen übermüdete Schiffsbesatzungen, die ihrer Geleitzugpflichten entbunden und den Heimathafen ansteuerten, leicht anheimfielen. Obwohl er keinen Beweis für Fahrlässigkeit auf der HMCS *Valleyfield* fand, behauptete die Untersuchungskommission, das »Channel-Fiever« habe das Verhalten auf Wache in der Gruppe als Ganzes ungünstig beeinflußt. (Das heißt, die Besatzung hatte »Heimatluft gewittert« und wurde dadurch unachtsam.) Langsame Reaktionen gegenüber der Notlage der *Valleyfield* waren der Kernpunkt dieser Betrachtung. Die Entscheidung des Gruppenführers, mit Zick-Zack-Fahrt aufzuhören, wurde als unklug beurteilt, besonders da bekannt war, daß ein Uboot in diesem Gebiet stand (wenn auch etwa 150 Meilen südlich oder östlich von Cape Race) und die Wetterbedingungen für einen Angriff ungewöhnlich günstig erschienen. Wie wir gesehen haben, hatte der Gruppenführer jedoch vernünftige Gründe für seine Entscheidung, die der Untersuchungsausschuß aber nicht in Betracht zog. Ein Punkt, den der Untersuchungsausschuß nicht ansprach, der aber auf höheren Ebenen stark diskutiert und anschließend in der vertraulichen RCN-RCAF Monthly Operational Review Juli 1944 veröffentlicht wurde, betraf die Funksprechverbindung. Die Funkkladde von HMCS *Giffard* wies auf die anscheinend weitverbreitete Praxis der Kommandanten hin, ihre Kurzwellen- oder Ultrakurzwellen-Funksprechverbindungen wie ein normales Telefon zu benutzen. Die Überprüfung der Funkkladde von *Giffard* zeigte, daß nur zwei Signale auf der allgemeinen taktischen Welle der Marine wirklich nötig waren. Der Oberbefehlshaber der kanadischen Marine bemerkte denn auch grollend, daß »in der Schlacht im Atlantik auf britischen und kanadischen Schiffen die Vorstellung herrscht, die Grundsätze der Funkstille beträfen keinesfalls den Einsatz von Funksprechverbindungen«. Es sei daher äußerst wichtig, die Kommandanten daran zu erinnern, wie er das bereits in der Vergangenheit häufig getan hatte, »daß der Feind aus diesen anscheinend ungefährlichen Sendungen zweifellos Nutzen zieht«. Admiral Murray schloß, »daß in diesem besonderen Fall das Uboot aus den Signalen eine sehr gute Vorstellung vom Kurs der C-1-Gruppe gewinnen konnte und dies zusammen mit der Tatsache, daß die Schiffe nicht Zick-Zack liefen, durchaus zum bedauerlichen Verlust von HMCS *Valleyfield* geführt haben könnte«.[34] Es gibt von deutscher Seite in der Tat reichlich Beweismaterial, das Admiral Murrays Behauptung unterstützt, die deutschen Uboote peilten die sogenannten »Palaverwellen« oder »Quasselschaltungen« ein. Doch nichts in dem eingehenden KTB von *U 548* läßt vermuten, Kapitänleutnant Zimmermann habe auch nur die leiseste Ahnung von der Gegenwart der *Valleyfield* oder der Geleitgruppe gehabt, bevor er einen Schatten im Sehrohr erfaßte. Es war ein völlig zufälliges Zusammentreffen, das nicht anders verlaufen wäre, wenn die Gruppe C-1 genau nach Vorschrift verfahren hätte.

Dichter Nebel behinderte die weitere Fahrt von *U 548* nach Halifax, die ständigen Luftangriffe der RCAF wurden dadurch allerdings nicht behindert. Die beste Verteidigung war unter diesen Umständen die Unterwasserfahrt, wenn diese Entscheidung auch zu einem der unheimlichsten Vorfälle der Unternehmung führte, als nämlich ein schneller Geleitzug und seine Sicherung das Boot direkt überliefen und in der Horchanlage vorher kaum bemerkt wurden. *U 548* war nun seit 47 Tagen im Einsatz und hatte seit dem letzten Wetterbericht am 16. April vor 23 Tagen keine Verbindung mehr mit dem BdU gehabt. Zimmermanns 65 Worte langer, verschlüsselter Funkspruch brachte nun knappe Einzelheiten: seinen Fehlschuß mit einem Horchtorpedo, die Versenkung eines »Zerstörers« (tatsächlich die *Valleyfield*), das Ausbleiben von Verkehr vor St. John's, starke Überwachung durch Zerstörergruppen, lebhafte Luftüberwachung bei Tag und in der Dämmerung, ständiger Nebel und Eis. Verständlicherweise unterließ er es zu erwähnen, daß er von dem schnellen Geleitzug überrascht worden war. Sein Funkspruch war jedenfalls ohnehin lang genug. Küstenpeilstationen hatten ihn geortet und die kanadische Marineführung hatte begonnen, See- und Luftstreitkräfte auf ihn anzusetzen. Auch Zimmermanns Kriegstagebuch vermerkt »die Einpeilung des FT's war gut«, denn knapp zweieinhalb Stunden nach der Sendung schüttelten »zwölf Fliegerbomben dicht achteraus« das getauchte Uboot, das 205 Meilen süd-südwestlich von Cape Pine, Newfoundland, fuhr. Das war eine recht ungewöhnliche Leistung, denn das Uboot hatte sich in dichtem Nebel nunmehr 15 Meilen von der Sendeposition entfernt. Seltsamerweise erwähnen kanadische Unterlagen keinen dieser Vorgänge, allerdings könnten Streitkräfte der US Navy von Argentia aus die Luftangriffe geführt haben.

Vom 10. bis 17. Mai 1944 durchlief Zimmermann die Quadrate CB 27–28, 215 Meilen rechtweisend Süd von Halifax und 300 Meilen ostwärts von Cape Cod.

Seine Absicht war, »auf den Dampferwegen New York – Bermudas, Halifax – Cape Race zu operieren, um dann in den Neumondnächten vor Halifax zu stehen«. Die Gründe des BdU, *U 548* und *U 107* südlich von Halifax aufzustellen, waren klar. Seit geraumer Zeit waren in diesem wichtigsten Gebiet der US-Atlantik-Küste keine Uboote mehr gewesen, so daß die deutsche Feindlagebeurteilung vor Ort überholt war. Beim Eintritt in die kanadischen Gewässer mußte Zimmermann eine Reihe Einzelangriffe über sich ergehen lassen; er blieb überzeugt, kanadische Streitkräfte hätten ihn mit unheimlicher Genauigkeit angeflogen, ohne daß er sich bloßgestellt oder sie offen herausgefordert habe. Wahrscheinlich war er in eine Reihe von Koordinaten hineingekommen, die die laufende Ortung seines Kameraden Heinz Bielfeld auf dem Typ IXC-40-Boot *U 1222* geliefert hatte. Bielfeld war am 13. März aus Kiel zum Einsatz in kanadische Gewässer ausgelaufen und sollte von April bis Juni südlich von Nova Scotia operieren. Wie *U 107* gelang ihm kaum mehr, als erfolglose Angriffe auf Geleitstreitkräfte und Geleitzüge zu führen. Abgesehen von einzelnen Berichten über Uboottätigkeit vor der Südostküste von Newfoundland wiesen nützliche Sichtmeldungen der RCAF richtigerweise darauf hin, daß *U 548* und *U 1222* in Richtung auf Sable Island und südwestlich von George's Banks sondierten. Als Zimmermann am 19. Mai 1944 etwa 14 Meilen südostwärts von East Halifax Feuerschiff auftauchte, sah er, daß »sehr heller Schein den ganzen Horizont überleuchtet« (KTB); er vermutete »Halifax oder eine Scheinwerfersperre« (KTB). Seit ihrem ersten Auftreten 1942 waren die Lichter von dem 30 Meilen entfernten Halifax eine verläßliche Navigationshilfe für die deutschen Uboote gewesen. Bielfeld unterrichtete den BdU über Luftüberwachung am Tag im Gebiet von Halifax, den Einsatz von Scheinwerfer-Flugzeugen bei Nacht und allgemein unerfahrene Bewachungsfahrzeuge.[35] *U 548* war der gleichen Ansicht.

Erst am 22. Mai hörte *U 548* das Kampfgetöse, nachdem ein Doppelfächer von *U 1222* hinter dem einzelfahrenden Tanker SS *Bulkoil* detoniert war, ohne Schaden anzurichten, und einen Gegenangriff durch HMCS *Agassiz* aus der Sicherung des Geleitzuges HHX-292 auslöste: An dem Gegenangriff beteiligten sich Flugzeuge sowie die Korvette HMCS *Norsyd*. Nachdem Zimmermann die Funksprechmeldung des Tankers aufgefangen hatte, er habe ein aufgetauchtes Uboot mit Artillerie 65 Meilen südlich von Halifax angegriffen, schrieb er in seinem KTB: »Das kann nur Bielfeld gewesen sein, daher dieser Bombensegen in der Gegend.« Bielfeld überlebte die anschließende Suche durch die kanadischen Schiffe, verstärkt durch HMCS *Burlington* der Geleitgruppe W-1, kam jedoch nie zurück. Am 11. Juli 1944 wurde *U 1222* durch die Royal Air Force bei La Rochelle in der Biskaya mit der gesamten Besatzung versenkt.

Kanadische Dienststellen wußten aus verschiedenen Quellen, daß Uboote in ihrem Gebiet operierten. Am 4. Juni hatten sie *U 548* geortet und richtig gefolgert, er sei nach Operationen vor der Südostküste von Newfoundland auf dem

Rückmarsch, vermuteten jedoch, daß zwei Uboote in der zweiten Juniwoche vor Halifax gestanden hatten. *U 107* hatte natürlich seine Anwesenheit durch den *Lark*-Zwischenfall verraten. Kanadische Kurzwellen-Peilstationen spielten auch weiterhin eine Schlüsselrolle, als sie zum Beispiel Ubootfunkverkehr in der Nähe von Sable Island Bank orteten, wo *U 107* operierte. Die Ortung löste gemeinsame Ubootsuche durch kanadische und US-Streitkräfte aus. Die Kampfgruppe TG-22.6 vom Träger USS *Wake Island* sowie fünf Zerstörer wurden in dieses Gebiet abgeordnet; dort stießen die *Bangors* HMCA *Truro* und *Brockville* aus Sydney zu ihnen. HMCS *Amherst,* auf dem Weg von Halifax nach St. John's, wurde umgeleitet, um sich der neuen Kampfgruppe, jetzt W-13 genannt, anzuschließen. Schlechtes Wetter verhinderte den größten Teil der Zeit den Einsatz der Flugzeuge von *Wake Island*. Bis zum 21. Juni wurde die ergebnislose Suche fortgesetzt, dann lief W-13 nach St. John's. Solche schnellen Reaktionen waren typisch für diese Zeit und zeigen das starke Engagement der Abwehrkräfte selbst bei ganz geringer Uboottätigkeit. Am 1. Juli orteten kanadische Kurzwellen-Peilstationen *U 1222* nach einem, wie Beobachter schätzten, »kürzeren Aufenthalt (als *U 107*), vielleicht nicht länger als zwei Wochen«. Sie orteten ebenfalls *U 233* (Kapitänleutnant Steen), der vor Halifax Minen legen sollte, und schlossen daraus richtigerweise auf das Zielgebiet seines taktischen Einsatzes.

Am 13. Juni 1944, eine Woche nach der Invasion in der Normandie, auf die wir in Kürze zurückkommen werden, stand *U 107* bei der Baccaro-Bank, etwa 50 Meilen südostwärts von Cape Roseway, Nova Scotia. Das war nahe der Stelle, an der *U 754* am 31. Juli 1942 versenkt worden war. Hier empfing es eine besonders verschlüsselte Nachricht vom BdU, die nur von den Kommandanten der genannten Boote entziffert werden sollte: Lauterbach *(U 539)*, Krankenhagen *(U 549)*, Wermuth *(U 530)*, Tillessen *(U 516)*, Hellriegel *(U 543)*, Niemayer *(U 547)*, Simmermacher (U 107) und Bielfeld *(U 1222)*. Die Nachricht befahl diesen in Lorient beheimateten Ubooten, ihren Rückmarsch aus den Operationsgebieten so zu kalkulieren, daß sie genügend Brennstoff nicht nur für den Rückmarsch nach Lorient hatten, sondern auch, wenn notwendig, den norwegischen Stützpunkt Bergen erreichen könnten. Der BdU unterstellte demnach, daß die Biskayahäfen geschlossen werden müßten und er gezwungen werde, die Boote umzuleiten. Statt des kürzeren Weges auf der südlichen Großkreisroute nach Frankreich über die Azoren mußten die Uboote nun in Rechnung stellen, auf dem härteren und längeren nördlichen Weg nach Norwegen und Deutschland zurückkehren zu müssen. Das führte sie durch die nördlicheren Regionen des Nordatlantik, durch die Island-Faroer-Enge in das Nordmeer und dann nach Süden, an den Shetlands vorbei zur norwegischen Küste. Dieser Funkspruch verkündete den Anfang vom Ende.

Die Vorbereitungen der deutschen Marine auf die lang erwartete alliierte Invasion der Festung Europa übersteigen den Rahmen dieses Berichtes ebenso wie eine Überprüfung der gegensätzlichen Ansichten von Feldmarschall v. Rundstedt und die scharfsinnigeren (aber dennoch nicht berücksichtigten) Ansichten von Feldmarschall Rommel. Ein Vergleich zwischen den deutschen Lagebeurteilungen und dem Bericht über die alliierten Täuschungsmaßnahmen würde zeigen, daß alle deutschen Kommandostellen mehr oder weniger in die Irre geführt worden waren. Von Rundstedt blieb überzeugt, ein Angriff werde im Pas de Calais erfolgen, während Rommel immer mehr die Überzeugung gewann, das eigentliche Ziel sei die Normandie, sobald die Invasion ernsthaft angelaufen sei. Es genügt zu sagen, daß die Landung am 6. Juni 1944 auch die deutsche Marine völlig überraschte. Die deutschen Seestreitkräfte im Invasionssektor bestanden nur aus einem kleinen Sturmboot, einigen Schnellbooten und sechs mit Schnorchel ausgerüsteten Ubooten.[36] Obwohl unvorbereitet, behauptete die deutsche Seekriegsleitung, »die Kriegsmarine hat auf See alles getan, was in ihren schwachen Kräften lag, um den anmarschierenden Landungsverbänden Abbruch zu tun« (KTB/SKL).[37] Innerhalb 24 Stunden nach der Landung gelang es 36 Ubooten, ihre Stützpunkte zu verlassen, 18 bildeten eine Biskaya-Überwachungsgruppe. Die Unternehmung war kurz. In der Sorge, daß der äußerst starke feindliche Lufteinsatz zu gegebener Zeit zu schweren Beschädigungen und Verlusten führen werde, befahl der BdU am 12. Juni allen Nicht-Schnorchel-Booten, in die Sicherheit der Bunker zurückzukehren. Admiral Dönitz hielt eine weitere Austellung von Bewachungsgruppen in jedem Fall von geringem Nutzen, da er keine Feindlandungen in der Biskaya erwartete. Zur gleichen Zeit jedoch stellte er sich und Hitler auf die Möglichkeit ein, alle westlichen Uboote nach Norwegen zurückzuziehen.[38]

U 548 kehrte Ende Juni und U 107 Ende Juli unter der starken alliierten Luftüberlegenheit in der Biskaya, die U 548 schwer beschädigte, nach Lorient zurück. Wie Zimmermann berichtete auch Simmermacher persönlich dem BdU, der seit Januar nach Berlin verlegt hatte; seine Besatzung ging auf Urlaub.[39] Während ihrer Abwesenheit brachen die Alliierten bei Avranches durch, schnitten damit die ganze Bretagne vom Hinterland ab und hinderten die Besatzung daran, zu ihren Booten zurückzukehren. Sie musterten schließlich in Norddeutschland auf einem Uboot des neuen Typs XXI, U 3013, an, das jedoch nie einen einzigen Kampfeinsatz unternahm. Am 7. August vermerkte der BdU-Stab die Tatsache, daß der Vormarsch der Amerikaner in die Bretagne den schnellsten Umbau aller in französischen Stützpunkten liegenden Uboote in Schnorchelboote erforderte. Besatzungen der nicht einsatzfähigen Uboote sollten über See nach Deutschland zurückkehren und für den neuen Uboottyp zur Verfügung stehen, auf den die deutsche Marine weiterhin ihre unbeirrbaren Hoffnungen setzte.[40]

Im Monat August zogen sich die Uboote aus den französischen Stützpunkten zurück, die dann zerstört wurden. U 107 ging am 16. August 1944 verloren. Es war eines von zehn Ubooten, die auf der Ausreise durch die zweite und dritte Geleitgruppe und die 201. Staffel der RAF versenkt wurden.[41] Am 31. August hatten Bomberangriffe die nördlichen Stützpunkte, die von den Ubooten aus dem Westen angesteuert wurden, angegriffen und auf den wichtigsten Werften in Kiel, Howaldt, Germania und Deutsche Werke schwere Schäden angerichtet. Dieser Verlust war kritischer, als es auf den ersten Blick erscheinen mag, da der neue Uboottyp XXI in vorgefertigten Sektionen in einer Reihe verschiedener Orte gebaut wurde. Er war nicht ungewöhnlich, daß 30 oder 40 gleiche Sektionen nebeneinander an einem Ort lagen und auf Zusammenbau oder Abtransport warteten. So konnte, wie der BdU feststellte, ein einziger Bombenteppich tatsächlich 30 bis 40 Uboote vernichten.[42] Außerdem bedurfte die Reserveflottille selbst dringend der Modernisierung und Instandsetzung. Die Werften Howaldt, Germania und Deutsche Werke bauten jedoch weitere Uboote und waren auch an dem neuen Bauprogramm für den Typ XXIII beteiligt.

Trotz vieler Anzeichen zerbröckelnder Fronten und der offensichtlichen Bedeutung seiner eigenen Befehle, die Uboote sofort ins Gefecht zu senden oder in die norwegischen Stützpunkte zu verlegen, bot Admiral Dönitz seiner Marine weiterhin das Versprechen des Endsieges. Dieses Versprechen hing ab von der unbeirrbaren Erwartung an fortgeschrittene Technologie und dem unerschütterlichen Kampfeswillen. Am 26. August 1944 gab er an die Ubootwaffe: »Der Ubootkrieg wird im alten Geist und mit neuen Mitteln weitergehen. Ich habe daher befohlen, daß möglichst viele Ubootfahrer einschließlich FdU West zu Land oder See in die Heimat zurückkehren, um für die Weiterführung des Ubootkrieges eingesetzt zu werden.«[43] Aber der alte Geist schwand dahin, und die neuen Mittel kamen viel zu spät, um den Kriegsverlauf zu beeinflussen.

8. Kapitel

Nach der Invasion

Die ersten im Juni und Juli 1944 in den Häfen Westfrankreichs nach und nach einsatzfähigen, mit Schnorchel ausgerüsteten Uboote vom Typ IXC verfügten über eine bis dahin nicht gekannte Überlebensfähigkeit gegen die überwältigende alliierte Luftherrschaft. Die Operational Intelligence in London hatte sehr schnell erkannt, daß der Schnorchel tiefgreifende Auswirkungen auf das Kräfteverhältnis zwischen Jäger und Gejagten habe, denn jetzt konnte »das Uboot bis zu zehn Tagen getaucht bleiben, ohne ein durch Radar oder Sicht ortbares Ziel zu bieten, allenfalls auf ganze nahe Entfernung«.[1] Tatsächlich betrug die Unterwasser-Ausdauer des Ubootes mehrere Wochen. Der BdU beabsichtigte, die Boote in möglichst vielen entfernt gelegenen Gebieten einzusetzen: in den kanadisch-amerikanischen Küstengebieten, in der Karibik und vor der westafrikanischen Küste bis Guinea. Das Ziel blieb unverändert seit den ersten Tagen der Schlacht im Atlantik: die alliierten Seestreitkräfte in Gebieten möglichst weit vom europäischen Kriegsschauplatz entfernt zu binden.[2] Am 15. November 1944 verkündete der VÖLKISCHE BEOBACHTER, diese Strategie habe Erfolg. Er berief sich auf alliierte Quellen und zählte auf, was die Alliierten gegen die Ubootgefahr aufbieten mußten: Eine Viertelmillion Menschen war unmittelbar im anglo-amerikanischen Geleitzugdienst beschäftigt, 50 Flugzeugträger, 110 Zerstörer, 400 Geleitboote, 150 große und 250 kleine Ubootjäger. Nach dem Wortlaut dieser Zeitung: »Würden die Unterseeboote von den Weltmeeren zurückgezogen, dann könnte der Feind zahlreiche neue Divisionen mit Hunderten von Geschützen für die Front im Westen freimachen. Er könnte dann die Zahl seiner Terrorbomber erheblich verstärken und zahlreiche Facharbeiter für die Land- und Luftrüstung freimachen.« Das alleine rechtfertigte die schweren Ubootverluste.[3]

Gegen Ende Juli waren die Alliierten aus dem Normandie-Brückenkopf ausgebrochen und setzten den BdU unter Druck. Der Verlust seiner französischen Stützpunkte verkürzte die Reichweite seiner Uboote wesentlich; der einzige Zugang zu seinen bevorzugten Zielgebieten ging nun über die längere Nordroute. Jetzt mußten die Boote aus den norddeutschen Häfen und aus Norwegen durch den Rosengarten und die Island-Faroer-Enge laufen. Unter normalen Bedingungen hatten die Uboote genügend Brennstoff und Proviant für begrenzte Aufenthalte von vier bis fünf Wochen in den zugewiesenen Einsatzgebieten. Die starke alliierte Luftüberwachung im Nord- und Mittelatlantik machte nunmehr Versorgungseinsätze nahezu unmöglich und begrenzte Fernunternehmungen praktisch auf das Gebiet zwischen Newfoundland und Cape Hatteras. Einer nach dem anderen schlüpften die Boote durch die Ubootabwehrketten. Schmoeckels *U 802* und Petersens *U 541* durchstreiften den St. Lawrence, ohne Genaues voneinander zu wissen. Steens Minenleger *U 233* entkam der Norwegen-Blockade der RAF, wurde dann aber südlich von Sable Island von Schiffen der US-Kampfgruppe 22.10 unter Führung des Trägers USS *Card* versenkt.[4] *U 1229*, Zinke, der einen Agenten in den Gulf of Maine bringen sollte, wurde südlich Newfoundland durch Flugzeuge des USS-Trägers *Bogue* versenkt. Die nächsten beiden für das kanadische Operationsgebiet bestimmten Uboote, *U 865,* Stellmacher, und *U 1226,* Clausen, gingen wahrscheinlich in der Island-Faroer-Enge durch Schnorchelversager verloren.

Der Schnorchel war, wie Operational Intelligence in London bei Entzifferung des deutschen Funksprechverkehrs mit einiger Befriedigung vermerkte, eine zweischneidige Sache. In den ersten Wochen gingen einige Uboote durch unkontrollierten Wassereinbruch verloren; nicht ungewöhnlich waren Kohlenmonoxyd-Vergiftungen, die manchmal zum Tod von Besatzungsangehörigen führten, wie bei Marienfeld auf *U 1228* vor seinem Kanadaeinsatz. Auf lange Sicht jedoch, das bewies der Enigma-Funkverkehr, blieb die deutsche Marine überzeugt, daß diese Einrichtung »den Ubooten die Möglichkeit gab, in engen Fahrwassern und Buchten erfolgreich und verhältnismäßig ungefährdet zu operieren, in denen sie früher nicht hoffen konnten zu überleben«.[5] Für den St. Lawrence und in gewisser Weise auch für die Küste von Nova Scotia traf das zum Beispiel zu. Ackermann mit *U 1221* beendete seinen Einsatz vor Nova Scotia, wurde dann aber am 3. April 1945 bei einem Luftangriff auf den Kieler Hafen versenkt. Auch Kneip mit *U 1223* kehrte vom St. Lawrence zurück und fiel dann aber am 22. April 1945 vor Wesermünde einem Luftangriff zum Opfer. Die anderen acht Boote dieses Typs, *U 1228* (Marienfeld), *U 1230* (Hilbig), *U 1231* (Lessing), *U 806* (Hornbostel), *U 1232* (Dobratz), *U 1233* (Kühn), *U 190* (Reith) und *U 889* (Braeucker), beendeten ihre Unternehmungen und überlebten den Krieg. Obwohl die Entzifferung deutscher Marschbefehle die Alliierten besonders vor dem Eintreffen von *U 1221* und *U 1223* vor Halifax und der Cabot Strait alarmiert hatte, entkamen die Uboote dem US-Geleitträger *Core* sowie landgestützten, mit MAD (magnetic anomaly detector) ausgerüsteten Flugzeugen.

Im Sommer und Herbst 1944 blieben die deutschen Erfolge in der kanadischen Zone gering. Dennoch hielt eine Reihe von Ubootwarnungen die kanadischen Streitkräfte unter Spannung: Entzifferung von Kurzwellenpeilungen, falsche Sichtungen und Kontakte sowie Befürchtungen des alliierten Feindnachrichtendienstes, daß Dönitz' Uboote sich sammelten. Ständig schlechter werdendes Wetter über Newfoundland und den Küstengebieten vom September bis in den Dezember hinein machte die Luftüberwachung immer uneffektiver. Nur zwei bestätigte Sichtungen und einen einzigen Angriff konnte das »Eastern Air Command« während dieser Zeit melden.[6] Hätten die Uboote ihre Einsätze koordinieren und sich in größerer Zahl auf Verkehrsknotenpunkte konzentrieren können, wäre ihre Beute wesentlich höher gewesen als HMCS *Magog* und *Shawinigan* sowie die versenkten Handelsschiffe. Verglichen mit den Bedingungen in den europäischen Operationsgebieten waren die Uboote jedoch mit der weitestgehend friedlichen Szene, die sich ihnen in Kanada bot, nicht unzufrieden. Je länger sie in kanadischen Gewässern blieben, um so besser waren ihre Chancen, den Krieg zu überleben. Lange Fahrten in feindlichen Gewässern, weit von Versorgungsstützpunkten und der Heimat entfernt, führten jedoch manchmal zu psychischen Schwierigkeiten. In einem Fall führte dieser Druck zur Fahnenflucht auf hoher See.

Vor diesem Hintergrund und nach völliger Einschließung der Uboothäfen in der Biskaya vom Land her lief Kurt Petersen mit *U 541* am 6. August 1944 aus Lorient aus. Fünf Tage später erhielt er ergänzende Befehle, die nordamerikanische Küste anzusteuern. Petersen erinnert sich: »Wir waren froh, als wir in See waren, denn Lorient war bereits von alliierten Truppen eingeschlossen, und vom Landkrieg verstanden wir nichts. Den Seekrieg hingegen kannten wir.«[7] Petersen hatte sich schon früh als fähiger, harter Ubootkommandant gezeigt, nachdem er sein *U 541* am 24. März 1943 in Hamburg-Finkenwerder in Dienst gestellt hatte. Erst in späteren Jahren lösten sich die Spannungen, die seine disziplinierte Haltung während seiner jungen Jahre als Kommandant unter Kontrolle gehalten hatten. *U-Klapperstorch,* wie seine Besatzung ihr Boot bei der Geburt des ersten Sohnes ihres Kommandanten taufte, trug einen fliegenden Storch als Abzeichen am Kommandoturm. Das erinnerte sie an Familienbindungen an Land und kameradschaftliche Bande in See. Nach Probefahrten, Ausbildung der Besatzung in der Ostsee und Ausrüstung des Bootes im Hafen unternahm Petersen seine erste Feindfahrt. Er hatte zu dieser Zeit, wie er sich erinnert, eine hervorragende Besatzung. Der Leitende Ingenieur und die Unteroffiziere waren alles erfahrene Leute. Er selbst hatte mehrere Einsätze auf einem VIIC-Boot im Nordatlantik und Mittelmeer hinter sich, und bei der Uboot-Lehrdivision in Pillau hatte er 1942 Uboot-Wachoffiziere ausgebildet. Bei seiner ersten Feindfahrt als Kommandant bis zum 9. Januar 1944 hatte er, wie die Stellungnahme des BdU lautet, »mit beispielhaft überlegener Kaltblütigkeit den Kampf mit der U-Jagdgruppe aufgenommen und sie vernichtet« und vier Zerstörer versenkt.[8] Seine zweite Unternehmung vom 24. Februar bis 22. Juni 1944 brachte ihm trotz hartnäckiger Suche und Angriffsbemühungen im Mai gegen den Geleitzug DC-5125 keine Erfolge. Es gab nur geringen feindlichen Verkehr. Der Vorgang mit der *Serpa Pinta*, bei dem er den portugiesischen Passagierdampfer, der Flüchtlinge in die Vereinigten Staaten und nach Kanada brachte, im Stil eines Hilfskreuzers stoppte, zwei amerikanische Bürger übernahm und einen Kanadier frei ließ, trug zwar nichts zu seinem Tonnage-Ergebnis bei. Er zeigte jedoch, wie gefahrlos die Uboote mit unbewaffneten neutralen Handelsschiffen umgehen zu können glaubten, wenn sie auf hoher See nach Völkerrecht vorgingen.[9]

Am 24. August 1944 funkte der BdU an Petersen das genaue Operationsgebiet: den Golf von St. Lawrence mit Schwerpunkt auf der Flußmündung, zwischen Pointe des Monts und Cap à la Baleine, von den Deutschen »Der Schlauch« genannt. Zu dieser Zeit stand Schmoeckel mit *U 802* etwa 220 Meilen südlich der Halbinsel Burin, Newfoundland, und würde noch vor Petersen in den Golf einlaufen. Ein ungewöhnlich langer Funkspruch des BdU über die Feindlage erinnerte die beiden Ubootkommandanten daran, daß seit 1942 keine deutschen Uboote mehr in diesem Gebiet gewesen waren und sie daher in diesen stark befahrenen Gewässern mit vielen Möglichkeiten für Überraschungsangriffe rechnen konnten. Die geheimen Winterexkurse von *U 536* und *U 262* im Jahr 1943 erwähnte er nicht. Er warnte aber eindringlich zur Vorsicht, denn die verbesserte Technik der Flugzeuge mit den neuen Ortungsgeräten könnte die Uboote jetzt leichter aus dem Golf vertreiben als vor zwei Jahren. So stellte Schmoeckel auch fest, daß die starke Luftüberwachung südlich von Newfoundland »absolut Biskaya-Verhältnisse« darstelle. Der BdU faßte dann die im großen und ganzen zutreffenden Informationen aus deutschen Geheimdienstquellen zusammen. So unterrichtete er die Uboote, daß monatlich vier Teilgeleitzüge aus von England kommenden Geleitzügen zu erwarten seien, die bis zum Auflösungspunkt eben nördlich der Cabot Strait in BB 5165 gesichert waren. Von hier würden die Schiffe nach Westen nach Cornerbrook und Sydney abdrehen. Vier Teilgeleitzüge nach England liefen monatlich die umgekehrte Route. Seine Kommandanten könnten damit rechnen, auf St. Lawrence-Belle Isle Geleitzüge zu stoßen, ebenso auf kleinere Gruppen von Küstenverkehr zwischen den Häfen im St. Lawrence und Halifax beziehungsweise New York. Besonders wichtig sei der starke Verkehr in ausnahmslos kleinen, schwach gesicherten Geleitzügen. Seeabwehr sei relativ gering und ungeübt. Er wies gleichfalls auf die für den Gegner ungünstigen Ortungsbedingungen durch sehr starke Unterwasserschichtungen im Golf hin.

Bemerkenswert ist dagegen, daß die Uboote die Situation nicht ausnutzen konnten, zumal der Handelsschiffsverkehr erheblich schwächer war, als der BdU angenommen hatte. Die Kanadier konnten die Ubootaufstellungen aufgrund von entschlüsselten Enigma-Funksprüchen nicht mitkoppeln, da − wie das Operational Intelligence Centre herausfand − die Deutschen in steigendem Maße »Einwegschlüssel zur Übermittlung der wichtigsten Einsatzbefehle an die Uboote benutzten«. Das führte zu »entsprechendem Rückgang abgefangener Nachrichten durch Special Intelligence«.[10] Der Funkverkehr wurde ganz allgemein eingeschränkt, was dazu führte, daß *U 802* und *U 541* keine Verbindung miteinander hatten, auch dann nicht, als sie sich gegenseitig hätten unterstützen können.

Die technischen Aspekte des Einsatzes im St. Lawrence stellten für Petersen und Schmoeckel eine neue Erfahrung dar. Petersen schildert das folgendermaßen:
»Die Wasserverhältnisse im St. Lawrence kannten wir nicht, stellten aber sehr schnell fest, daß hier Bedingungen vorlagen, die unseren Aufenthalt in diesem Seegebiet sehr begün-

stigten . . . Die Wasserdichte nahm von der Oberfläche bis auf größere Tiefe stark zu. Oben war das Süßwasser des Stromes, und unten hatte sich wahrscheinlich durch die Gezeiten das salzhaltige Atlantikwasser darunter geschoben . . . Zum gestoppten Liegen in irgendeiner Wassertiefe brauchten wir hier nicht unser sogenanntes Schwebegerät einzusetzen, das uns durch automatisches Fluten und Lenzen jeweils einiger Liter Wasser auf einer eingestellten Wassertiefe hielt. Benutzt wurde dieses Gerät im Operationsgebiet sozusagen auf Lauerstellung, um Energie zu sparen und möglichst wenig Geräusche zu machen. Hier trug uns die Wasserschichtung, die außerdem den großen Vorteil hatte, daß Ujagdfahrzeuge uns nicht oder nur sehr schwer einigermaßen genau orten konnten, weil die Asdic-Schallstrahlen durch die hier vorliegenden großen Dichteunterschiede in den verschiedenen Wassertiefen abgelenkt wurden. Wir fühlten uns also sicher wie in Abrahams Schoß.«

Schmoeckel, der als erster seit 1942 mit seinem Uboot zum Angriff in den Golf vordringen sollte, beabsichtigte, den Schnorchel in großem Maße einzusetzen, um jede Überraschungsmöglichkeit zu nutzen. Nach kurzem Auftauchen für eine flüchtige Wetterbeobachtung am 27. August, etwa 175 Meilen ostwärts von Sable Island, tauchte er unmittelbar darauf für eine lange, sechs Wochen dauernde Unterwasserunternehmung. Er rundete die Inseln St. Pierre und Miquelon und lief auf der Newfoundlandseite in die Cabot Strait ein. Dabei beobachtete er den beeindruckenden Hintergrund der »Berge«, den Table Mountain, der sich steil bis zu einer Höhe von fast 650 Metern erhob, und den etwas kleineren Sugar Loaf. Im Vergleich zur Überwachung in der freien See schien die zur Einfahrt in den Golf »außerordentlich gering« (KTB). Es war eine Ironie des Schicksals, daß falsche Ubootsichtungen und Asdic-Meldungen von Cap Chat bis Ste-Anne-des Monts und Newfoundland die Bewachungsstreitkräfte aus dem Kurs von *U 802* hinweggelockt hatten.[11]

Auf dem Weg zur Cabot Strait verriet Petersen seine erste Ansteuerung in kanadische Gewässer durch sein Auftauchen in der Nacht vom 28. auf den 29. August, etwa 60 Meilen ostwärts von Sable Island. Als ein nicht identifiziertes, tieffliegendes Flugzeug harmlos hinter seinem Heck vorbeiflog, tauchte Petersen »unbemerkt«; gab aber das seltsame Kurzsignal ab, er sei »von Flugzeug angegriffen worden« (KTB). Das war der Beginn einer Reihe von Hinweisen an die Küstenpeilstationen, daß die Immunität des Golfs erneut verletzt wurde. Am 1. und 3. September lösten andere Flugzeuge sein »Flieger«-Radarwarngerät aus und wiesen auf die Tatsache hin, daß anscheinend mit ASV (ASV = Air-to-Surface-Vessel/Luft-See-Radar) ausgerüstete Flugzeuge ihm auf der Spur waren. Kanadische Marinedienststellen waren sich zu diesem Zeitpunkt sicher, zwei Uboote hätten Operationen im kanadischen Bereich begonnen: »das eine im Golf von St. Lawrence und das andere auf der Breite von 44° mit Westkurs«. Obwohl Radar und Kurzwellenpeilung tatsächlich *U 541* geortet hatten, stammte die vermutete Anwesenheit von *U 802* aus völlig falschen Informationen. Die Kanadier nahmen an, ein drittes Uboot, möglicherweise *U 1223*, Kneip, sei am 13. September in den kanadischen Bereich eingelaufen und habe am 26. September sein Operationsgebiet vor Halifax erreicht. Von einem vierten Boot, wahrscheinlich *U 1221*, Ackermann, vermuteten sie, es sei am 22. September nordöstlich von Flemish Cap in das Gebiet eingedrungen. Ende des Monats wurde dieses Uboot in der Nähe der Cabot Strait mit Kurs Nordwest vermutet. Der angenommene Kurs ließ auf Ziele im Golf schließen. So kam es, daß sich die dünn verteilten Abwehrkräfte für einen anscheinend neuen Angriff in großer Stärke rüsteten.

U 541, Petersen, erreichte am 3. September die Grenze seines zugewiesenen Operationsgebietes, 60 Meilen südwestlich von Tête de Calantry, St. Pierre Island, vor der Südküste von Newfoundland. »Da das Überraschungsmoment wie bei Schmoeckel nicht mehr besteht, ab sofort alle Chancen wahrgenommen«, heißt es in seinem Kriegstagebuch. Bei einem erbarmungslosen und tödlichen Katz-und-Maus-Spiel mit dem einzelfahrenden Dampfer SS *Livingston* auf der Fahrt von Halifax nach St. John's schoß er Versagertorpedos und jagte dann das aufgeschreckte Schiff entlang seiner starken Ausweichkurse bis auf eine Entfernung von 1200 Meter. Dann bohrte sich sein 40 Knoten laufender Horchtorpedo in den Maschinenraum des Schiffes und brach es 66 Meilen ostwärts von Scatarie Island Feuer auseinander. Eine massive kanadische Suche blieb ergebnislos. HMCS *Shawinigan* fischte vierzehn Überlebende in dem einzigen Rettungsboot, das davon kam, auf. Der Kapitän der *Livingston* berichtete später, er habe nur ein einziges Uboot gesehen, während die anderen Besatzungsmitglieder behaupteten, drei Uboote gesichtet zu haben.

Am Nachmittag des 3. September begannen Flugzeuge der RCAF mit einer Sperrüberwachung, die vom Nordrand der Cabot Strait zwischen St. Paul Island und Cape Ray, Newfoundland, in einem 80 Meilen breiten Streifen in südöstlicher Richtung, 200 Meilen seewärts, verlief. Vom Tagesanbruch des 4. September an suchte HMCS *Rivière du Loup* im Gebiet der Versenkung, doch ohne Erfolg. Erst dann liefen drei »Fairmiles« aus ihrem Stützpunkt in Sydney aus, um den westlichen Zugang in den Golf abzuriegeln. 26 Stunden nach der Versenkung der SS *Livingston* begann die Geleitgruppe C-6 mit einer Suche in südöstlicher Richtung, 20 Meilen südlich der Angriffsposition. Die Gruppe bestand aus HMCS *Eastview, Ste. Therèse, Thetford Mines, St. Lambert, Peterborough* und *Cobourg*. Am 6. September stieß noch HMCS *Tillsonburg* hinzu. *U 541* aber hatte den Schauplatz gleich nach dem Sinken der SS *Livingston* in nordwestlicher Richtung verlassen; als die Kanadier reagierten, stand es weit innerhalb des Golfs, etwa 22 Meilen nordostwärts von Bird Rocks. Zur Zeit des Gegenangriffs steuerte Schmoeckel mit *U 802* nach Passieren nordwestlich von Bagot Bluff, auf der mitten im Golf gelegenen Insel Anticosti, den Fluß an und hörte »mehrere heftige Wabo-Serien, alle zehn Minuten, mehr als drei Stunden lang« (KTB). Warum die Kanadier so spät reagierten, ist unklar. Ebenso unklar ist, warum sie von der falschen Annahme ausgingen, *U 541* werde sich seewärts zurückziehen, statt in den St. Lawrence einzudringen.

Schmoeckel beabsichtigte, dicht an der Mündung des St. Lawrence Posten zu beziehen. Hier hoffte er »jeden Verkehr, der den Strom herauf- oder herabkommt, kontrollieren zu können« (KTB). Aus dem Dunst tauchte tagelang kaum etwas von Interesse auf. Vom 6. bis 15. September beschränkte sich *U 802* auf die Flußmündung, auf Sehrohrtiefe auf einer dichten Wasserschichtung liegend. In Lauerstellung, mit gestoppten Maschinen, hatte er durch das Sehrohr einen klaren Blick über seinen Einsatzbereich, ohne feindlichen Horchgeräten seine Anwesenheit zu verraten. Doch auch Schmoeckels eigene Horchanlage war ausgefallen und machte ihn somit abhängig von optischer Sicht. Der Abschluß des Sommerfahrplans der Geleitzüge HX-ON führte im September nun zu völlig unregelmäßigem Verkehr. Die ostwärts laufenden HX-Geleitzüge endeten am 21. September mit dem Auslaufen des HXF-310 aus New York; die nach Westen laufenden ON-Geleitzüge endeten mit dem Auslaufen des ONF-255 am 22. September aus Liverpool. Ein neuer Plan für langsame Geleitzüge aus Halifax wurde am 3. Oktober eingeführt. Der Winterfahrplan für Nordatlantikgeleitzüge trat am 26. Oktober in Kraft, mit HX- und ON-Abfahrten alle fünf Tage und SC- sowie ONS-Abfahrten alle 15 Tage. Im Gegensatz dazu wurden die Küstengeleitzüge je nach Einschätzung der Ubootlage im kanadischen Küstenbereich durch das Marinehauptquartier in Ottawa zusammengestellt und in Marsch gesetzt.[12] Hätten die Uboote, wie ursprünglich geplant, Halifax blockiert, wäre es ihnen vielleicht gelungen, zumindest die schnellen, unabhängig geführten Sondergeleitzüge wie die SS *Queen Mary,* Geleitzug TA-144, und die *Ile de France,* Geleitzug TA-149, zu erwischen, die ganz typisch während des Krieges unbehindert den Atlantik überquerten.

Petersens Ruhe wurde fast unmittelbar nach dem Auftauchen 28 Meilen südlich von South Point, Anticosti, in der Nacht vom 7. auf den 8. September gestört. »Die brüllende Lautstärke« seiner Radarwarngeräte, Mücke und Fliege, sagten ihm, daß *U 541* mit Radarstrahlungen bombardiert wurde, die von einem schattenhaften »Hilfsflugzeugträger« in drei Meilen Abstand zu stammen schienen. Trotz der unzweifelhaften Bedrohung stieß Petersen dennoch mit Höchstfahrt zum Angriff vor. Die trübe Dunkelheit unter niedriger Wolkendecke verbarg den Gegner: die bis dahin nicht gesichtete Korvette HMCS *Norsyd,* die auf einer Radarpeilung mit hoher Fahrt auf ihn zulief. Ihre Vierzylinder-Dreifach-Expansionsmaschine konnte das Schiff mit 2760 PS auf 16 Knoten bringen. Die Bewaffnung bestand aus einer 10,2-cm-Kanone, einem 4-cm-Vierling, zwei 20-mm-Oerlikon-Einzelgeschützen, Wasserbomben und Hedgehog. Diesmal aber geschah das Zusammentreffen so plötzlich und die Entfernung war zu gering, um den starken vorausschießenden Hedgehog-Mörser ins Spiel zu bringen.[13]

Gerade als Petersen auf *U 541* sich anschickte, einen Horchtorpedo auf das sehr große Schiff zu schießen (von dem er annahm, es sei das einzige Ziel in Sichtweite), eröffnete die *Norsyd* mit ihrem vorderen Deckgeschütz unvermutet das

Feuer. Plötzlich konnten Petersen und seine Brückenwache das Mündungsfeuer sehen und die Abschüsse hören. Hinter dem Boot gingen fünf Leuchtgranaten hoch

»und beleuchteten die Wasseroberfläche taghell. Unterdessen kommt der Zerstörer von Steuerbord vorn mit hoher Fahrt von ungefähr 20 Seemeilen, auf fast parallelem Kurs, auf das Boot zu, 300 Meter an Steuerbord querab fängt der Zerstörer an, mit 2-cm zu schießen.« (KTB)

U 541 drehte sofort nach Backbord, tauchte und schoß den Horchtorpedo. Erst beim späteren Auftauchen entdeckte Petersen die Einschläge, die das Feuer der *Norsyd*-Geschütze auf seinem Turm verursacht hatten, glücklicherweise erst als alle Männer eingestiegen waren.

Das ganze Geschehen, von *Norsyds* Radarkontakt bis zum Schuß von *U 541*, hatte nur vier Minuten gedauert. Die Horchgeräte der *Norsyd* verfolgten den Torpedo auf seinem elf Minuten langen Lauf, bis er in der Ferne wirkungslos detonierte. Die »heftige Detonation mit anschließenden Sinkgeräuschen« (KTB) führten Petersen dazu, sich eine Versenkung gutzuschreiben. Die Besatzung von *U 541* fühlte sich während der nächsten Stunden in arger Bedrängnis – nicht so sehr durch die wiederholten Wasserbombenserien in erfreulichem Abstand, sondern durch den quälenden Krach der Geräuschboje des suchenden Schiffes. Petersen erinnert sich dieses traumatischen Erlebnisses mit gekonntem Understatement: »Wir hörten ein unangenehmes, kreissägenartiges, lautes Geräusch, das uns stark auf die Nerven ging. Man konnte das Gefühl haben, als ob das Boot durchgesägt werde. Ich munterte meine Besatzung auf, indem ich erklärte, daß die da oben damit nur Angriffe von unseren akustischen Torpedos verhindern wollten. Nach ein bis zwei Stunden entfernten sich die Geräusche und wurden leiser« (KTB). Kanadische Führungsstellen weiteten die Jagd aus, indem sie den norwegischen U-Jäger *King Haakon VI* und vier Fregatten der EG-16 aus der Cabot Strait umleiteten und die RCAF alarmierten. Die vier Fregatten der Gruppe W-13 patrouillierten im Gebiet zwischen St. Paul Island und Cape Ray, um das vermutete seewärtige Entkommen von *U 541* zu verhindern. Zur gleichen Zeit überwachte eine Minensucherflottille aus Sydney und eine aus Gaspé eine Linie von Cape des Rosier, Gaspé, bis South Point, Anticosti, um die Gaspé-Passage zu sperren und *U 541* daran zu hindern, in den Fluß einzudringen. Aus Halifax stieß später HMCS *Magog* zur W-13. Die ergebnislose Suche dauerte bis zum Vormittag des 10. September. Petersen schlüpfte, dicht unter Bagot Bluff geklemmt, durch die Sperrkette und verbrachte die nächsten beiden Nächte auf Grund, ehe er weiter in den St. Lawrence eindrang.

In Unkenntnis der Anwesenheit von Petersen konnte Schmoeckel auf *U 802* aus der verstärkten Luftüberwachung über der Flußmündung nur schließen, er selbst sei entdeckt: »Ein anderes Boot ist seit zwei Jahren nicht mehr in diesem Gebiet gewesen; vielleicht hat der Gegner meinen Schnorchel mit an Land aufgestellten Geräten erfaßt« (KTB). Erst als er auf der Heimfahrt seinen Einsatz zusammenfaßte, äußerte er den Verdacht, ein anderes Boot sei vor ihm in den St. Lawrence eingedrungen. Am 13. September war Petersen mit *U 541* schnorchelnd bis auf neun Meilen an die Ile du Grand Caouis vorgestoßen, eine kahle Granitinsel, die sich 45 Meter aus dem Fluß vor der Quebec-Küste zwischen der Mündung des Rivière Pentecôte und Rivière Rochers erhob. Nach Standortbestimmung durch Peilung des Caouis Feuers und des Feuers auf der Ile aux Œufs, der schmalen, niedrigen Granitinsel, 14 Meilen südwestlich, begann er seine Suche unter der Küste. Sie führte ihn nach Pointe des Monts, vor der Flußmündung an der Nordseite des »Schlauches« gelegen, und vorbei an dem sandigen »hell erleuchteten Strand von Trinity« (KTB). Petersen hatte wohl erwartet, ein paar Küstenschiffe auf dem geruhsamen Ankerplatz der Baie de la Trinité anzutreffen. Die überwiegend niedrige, bewaldete Küste von Rivière Pentecôte bis Pointe des Monts, abgedeckt durch 300 bis 400 Meter hohe Berge im Hintergrund, bot keinerlei navigatorische Risiken. Praktisch konnte er auf der 20-Faden-Linie laufen und alle Gefahren 1,5 Meilen von der Küste völlig sicher umgehen. Nur gelegentliche Horchgerätkontakte unterbrachen die geruhsame Fahrt. In der Absicht, sich auf Rat des Stromatlasses und der navigatorischen Anweisungen nach Südosten treiben zu lassen, legte sich *U 541* »gestoppt auf Wasserschichtungen in 30 Meter Tiefe, um Strom zu sparen und besser horchen zu können« (KTB). Petersen stand eine Überraschung bevor; als er Stunden später auftauchte, fand er sich 20 Meilen stromaufwärts, sieben Meilen Nordnordost von Matane Feuer; dort war *U 132* vor über zwei Jahren im Juli 1942 gewesen. Wie er mit einiger Bestürzung feststellte, war *U 541* nicht wie beabsichtigt mit aus Karten und Büchern ersichtlichem südöstlichem Oberflächenstrom, sondern entgegengesetzt durch den überwiegenden Gezeitenstrom in den »Schlauch« hineingetrieben worden.

Die Fregatten von W-13 hatten indessen am 14. September eine Routinefahrt in die Gaspé-Passage unternommen, als sie, ohne es zu ahnen, in Torpedoreichweite von *U 802* gerieten. In der Annahme, ein Geleitzug folge hinter der Suchgruppe, versuchte *U 802* durch die Sicherung zu schlüpfen. Als die Formation im Zick-Zack um ihren Grundkurs durch Schmoeckels Sehrohr zog, umgaben ihn Asdic-Geräusche. »Ein Zerstörer dreht plötzlich an auf Lage Null und geht mit der Fahrt hoch (Schornsteinqualm)« (KTB). Wenn seine Annahme auch falsch war, so konnte Schmoeckel in diesem Bruchteil einer Sekunde nur schließen, HMCS *Stettler* habe Asdic-Kontakt bekommen und setze zum Angriff an. Bedrängt durch die offensichtlich drohende Fregatte, die durch eine »absolut glatte, bleierne See mit 20 Knoten schnitt«, feuerte Schmoeckel in aller Hast auf 500 Meter Entfernung einen T-5 Horchtorpedo. Nach den Worten des kanadischen Berichtes »ereignete sich eine Explosion, wahrscheinlich eines Torpedos, 40 Meter hinter HMCS *Stettler* im Kielwasser des Schiffes«.[14] Die Besatzung von *U 802* hörte die Detonation ihres Torpedos, gefolgt von Sinkgeräuschen, und glaubte an eine Versenkung. Unter schützenden Wasserschichtungen lag es acht Minuten nach dem Angriff in einer Tiefe von 170 Meter auf Grund und horchte in Sicherheit auf die Gegenangriffe der über ihm kreuzenden Zerstörer. Am Spätnachmittag des 15. September rundete U 802 das Cap de la Madeleine und ließ sich »mit dem hier beständig setzenden Gaspé-Strom nach Osten treiben«.

In den Tagen nach seinem ungewollten Eindringen in die Enge von Matane am 13. September zog sich U 541 (Petersen) langsam an der Halbinsel Gaspé vorbei zurück. Wie U 802 passierte es Cap de la Madeleine und Cap des Rosiers und erreichte eine Position halbwegs zwischen Heath Point, Anticosti und Bird Rocks. Hier versagten Kreisel- und Magnetkompaß. Mit Ausnahme einiger einwärts laufender Zerstörer − es waren höchstwahrscheinlich Fregatten − sah und hörte er kaum irgendwelchen Verkehr. »Infolge starker Wasserschichtung ist Reichweite des Horchgerätes nicht groß genug, um von 30 Meter rechtzeitig auf schnell fahrendes Ziel auf Sehrohrtiefe zu kommen und noch schießen zu können. Infolge Wasserschichtung Sicht größer als Horchreichweite.« Das waren genau auch Schmoeckels Erfahrungen.

Am 20. September 1944 standen Schmoeckel mit U 802 und Petersen mit U 541 südlich von Bagott Bluff, Anticosti, nur etwa 54 Meilen getrennt voneinander. Man könnte darüber spekulieren, was taktisch hätte geschehen können, wenn sie sich in der Enge gegenseitig unterstützt hätten, oder was sich auch privat hätte ereignen können, hätten sie sich in diesem ruhigen Golf-Sektor so weit von zu Hause getroffen. Petersen feierte seinen 28. Geburtstag »sicher wie in Abrahams Schoß«, wie er den Golf beschrieben hatte, getaucht in Lauerstellung auf einer dichten Wasserschichtung. Zur Feier des Tages hatte der Ubootarzt, Dr. E. Messmer, später Professor der Medizin an der Universität Heidelberg, ihre Erlebnisse mit Knittelversen unter dem Titel »Der Schnorchel« nach der Melodie von »Lilli Marlen« geschrieben.[15] Seltsamerweise war diese sentimentale Weise in deutschen und alliierten Soldatenlagern beliebt. »Underneath the lamp-light, by the barrack gate« hatte man ja auch im alliierten Lager gesungen. Notenblätter für Klavier und Gitarre mit englischem und deutschem Text waren in kanadischen Heimen nicht ungewöhnlich. Die schwermütige Melodie zeigte eine romantische Nostalgie für natürliche menschliche Bindungen und deutete einen Hauch von Weltschmerz an, der den Kämpfern auf beiden Seiten zu eigen war. Dr. Messmers Übertragung jedoch verbarg die zärtlichen Gefühle und die tiefe Angst hinter absichtlich trivialisierten Emotionen und gelegentlich derber Jugendlichkeit. Der Galgenhumor der Seeleute in feindlicher Umgebung zog durch die tagtäglichen Erlebnisse. So verrät »Der Schnorchel« eine eigenartige Bewunderung für die entwaffnend naiven »hiesigen Strategen« in Kanada, die anscheinend noch nicht begriffen hatten, daß Krieg war. Er äußert Verlangen nach weiteren Einsätzen im friedlichen St. Lawrence, in dem die Navigation einfach war und die Uboote eine gute Überlebenschance hatten. Er beklagt die Vergänglichkeit der Jugend und die verpaßten Gelegenheiten. In selbstbewußter Kraftmeierei lobt er die eintönige Ernährung, die klaustrophobischen Lebensbedingungen in schlechter Luft und Diesel-Abgasen, ohne über Wochen Tageslicht zu sehen. Er rühmt die Gerüche von Müll, ungewaschenen Körpern, Fett und Kombüsenduft, die das Boot durchziehen. Ein Vers zeichnet die Schwierigkeit auf, den sorgsam gesammelten Müll aus dem Torpedorohr zu schießen. Zwei andere parodieren die Wirkungen der Schnorchelfahrt. Das war ein Problem, von dem viele Ubootfahrer berichteten. Wenn der Schnorchel bei leichten Tiefenänderungen kurz unter Wasser kam, verursachte er einen plötzlichen, starken und oft schmerzhaften Sog durch das Boot. Vorübergehend ohne Zugluft und Auspuff, saugten die Diesel gewaltig aus dem Innern des Bootes und stießen Abgase nach innen aus. Wenn man den ausgelassenen Versen glauben soll, machte der Sog die Ubootfahrer kahl. Bordpoeten auf *U 1232* behaupteten sogar, er zöge ihnen die Füllungen aus den Zähnen. Der Zusammenhang der Ubootfamilie ließ die Stimmung nie erlahmen. Der Ubootadmiral, »Papa« Dönitz selbst, verkörperte ihre tief verwurzelte Kameradschaft. Der letzte Vers zeigt die Verehrung für einen der charismatischsten Führer in der deutschen Marinegeschichte:

Lieber Papa Dönitz
erbarm Dich unsrer Not,
hör' gnädig unser Flehen
gibt uns ein neues Boot.
Dann können wir auf Touren dreh'n
darauf die dicken Dampfer geh'n
mit Dir Lilli Marleen.

Es ist höchst unwahrscheinlich, daß die Bitte der kriegsmüden Ubootfahrer um ein neues Boot wirklich den Wunsch widerspiegelt, den Kampf fortzusetzen, sei es mit, sei es ohne den neuen Typ XXI.

Am 21. September verließ *U 541* den Golf und lief mitten durch die Cabot Strait zehn Meilen nordostwärts von Bird Rock auf Cape Anguille, Newfoundland, zu. Während der nächsten beiden Tage stand es auf einer Nord-Süd-Linie 65 Meilen ostwärts von Scatarie Island auf und ab. Der Verlust der französischen Stützpunkte hatte Schmoeckel veranlaßt, seine Tage im St. Lawrence-Golf auf zehn zu verringern. Er stand nun vor einer langen Heimfahrt über die Island-Passage und Norwegen. Er schnorchelte nach Süden in die Cabot Strait, passierte am 23. September St. Paul Island in sieben Meilen Abstand und lief weiter in südöstlicher Richtung durch den tiefen Laurentian Channel zwischen den Tiefsee-Bänken von Banquereau im Westen und St. Pierre Bank im Osten. Daß es Petersen nicht gelang, »einen großen Passagierfrachter, ungefähr 12 000 Tonnen, abzufangen, zeigt die dringende Notwendigkeit von neuen Hochgeschwindigkeits-Ubooten, auf die Dönitz all seine Hoffnungen setzte. Fünf von Petersens Torpedos gegen zwei Ziele trafen trotz guter Schußunterlagen nicht.

U 541 und *U 802* waren aus technischen Gründen ohne Verbindung mit dem besorgten BdU geblieben, der wiederholt Lageberichte anforderte. Information »vor Ort« war höchst wichtig für seine Pläne, neue Boote in die nordamerikanische Zone zu entsenden. Angst, eingepeilt zu werden, hinderte die Boote daran zu funken, während sie die Newfoundland Banks auf dem Heimweg kreuzten. Dort mußten sie zur Antennenreparatur auftauchen. Nach Schmoeckels Bericht war es gleichbedeutend mit Selbstmord, in einem Gebiet aufzutauchen, »wo kein Boot ohne Flugzeugangriff durchkommt«. Zudem fürchtete er, seine Flugabwehrwaffen könnten nach sechswöchiger Tauchfahrt nicht funktionieren. Schmoeckels Schweigen machte dem BdU besonders schwere Sorgen, denn *U 802* hatte zuletzt am 13. August auf der Ausreise Standort gemeldet. Der Stab koppelte die Fahrt von *U 802* weiter und rechnete sich aus, daß nach den angenommenen Brennstoffreserven er jetzt Norwegen erreicht haben müsse. Wenn er dort nicht in Kürze eintreffe, müsse man *U 802* als vermißt erklären.[16] Nach dreimonatigem Schweigen hoffte der BdU ebenfalls auf die Rückkehr von *U 1229;* in diesem Fall wartete er vergebens.[17]

Das Eindringen von *U 1221* in die kanadische Kampfzone, der ersten Feindfahrt für das Boot und den größten Teil der Besatzung, war an Bord sicher ein intensiv besprochenes Ereignis. Die Besatzung schloß zweifellos auf unmittelbare Nähe der Küste, obwohl sie gerade erst die Südspitze der Newfoundland Banks, weit draußen in See, kreuzten. Es gibt keine andere Erklärung für den einzigen Fall, daß ein Ubootmann auf hoher See desertierte, indem er über Bord sprang. Ackermanns Kriegstagebuch berichtet, daß am 25. September Matrosen-Gefreiter Emil-Heinz Motyl wegen wiederholten Schlafens als Ausguckposten gerügt worden war. Dafür wurde er »mit scharfem Arbeitsdienst bestraft« (KTB). Was auch immer die Gründe für seine Müdigkeit waren, die nun eine ganze Reihe von Ereignissen auslösten, die Besatzung hat ihn offenbar nie gemocht. Der Kommandant bezeichnete ihn als »Charakterschwächling und Außenseiter«. Das Leben an Bord eines Ubootes verlangt ja ein ungewöhnliches Maß an Zusammenhalt, Geschlossenheit, gegenseitiger Hilfe und eine gewisse psychologische Vertrautheit, die man auf anderen Schiffen oder gar an Land nicht kennt. Auch wenn man ideologische Differenzen beiseite läßt, war das Leben eines Außenseiters die Hölle. Das Kriegstagebuch beschreibt den Vorfall so:

»Am zweiten Tag erschien er frisch gewaschen und angezogen mit einer Zigarette auf der Brücke zum Austreten. Da an diesem Tag der achtere Wintergarten von der Fla-Wache nicht besetzt war, wurde er an seinem Vorhaben von niemand gehindert und erst beim Inswasserspringen vom Steuerbord-achteren Ausguck bemerkt. Sofort eingeleitete Suche brachte in der Dunkelheit und bei Seegang drei keinen Erfolg.[18] Mit anbrechender Dämmerung wurde weitere Suche aufgegeben.«

Wie die ganze Besatzung, hatte auch der Deserteur eine Schwimmweste umgehabt. »Ob wegen vermuteter Küstennähe Fahnenflucht beabsichtigt war, ist ungewiß«, heißt es im KTB weiter, »jedoch nicht anzunehmen«, da seine Papiere zerrissen in der Abfallpütz aufgefunden wurden. Da er in Luv außenbords sprang, ist er möglicherweise in die eigenen Schrauben geraten. In einer späteren Eintragung beurteilte der Kommandant: »Nach einer erneuten Untersuchung des Falles besteht starker Verdacht der Fahnenflucht.« Der seltsame Fall bleibt ungeklärt.

Mittlerweile hatten falsche Ubootsichtungen sowie tatsächliche Begegnungen in der Cabot Strait und im Golfgebiet die Kanadier im ganzen Bereich argwöhnisch gemacht. Jedem Hinweis auf Uboote mußte nachgegangen werden. Das zwang zur Umleitung von Küstengeleitzügen und weiträumigen Suchfahrten von Carroll Point, Labrador, durch die Belle Isle Straße bis in den Golf. Diese Suchfahrten bestätigten wiederum Dönitz' Grundsatz, daß selbst die vermutete Anwesenheit von Ubooten dem Gegner die Initiative aus der Hand nahm, indem sie ihn zwang, seine Kräfte für die Abwehr einzusetzen. In diesem Fall belastete sie die Marinedienststelle Sydney, der alle Geleitstreitkräfte im Golf taktisch unterstanden, erheblich. Petersen hatte sich inzwischen entschieden geweigert, dem BdU zu antworten, ehe er weit außerhalb der kanadischen Küstengewässer war. Als er schließlich die Funkstille auf den Newfoundland Banks brach, reagierten die kanadischen Küstenpeilstationen und die Ubootabwehr sehr viel schneller, als er erwartet hatte:

»Schon nach gut zwei Stunden hörten wir in unseren Funkmeß-Beobachtungsgeräten schwache Signale, woraufhin ich sofort befahl: ›schnell auf große Tiefe gehen‹. Sekunden nachdem wir getaucht waren, detonierten in unserer Nähe Bomben. Das Boot wurde etwas geschüttelt und am Sehrohr war ein kleines Leck. Die kanadische Abwehr hatte aus meiner Sicht hervorragend reagiert und operiert. Schnelles Erfassen des Funkspruchs, gute Auswertung mit genauer Ortsbestimmung, guter Angriff der Flugzeuge mit sparsamem und rationellem Radareinsatz. Wären wir nur einige Sekunden später getaucht, hätten uns die Bomben eventuell bei Beginn des Tauchmanövers treffen können.«

Zu U 541 geleitete Überwasserstreitkräfte hatten sich in der schweren, oft gewaltigen See inzwischen so festgestampft, daß C-in-C CNA gezwungen war, die Jagd aufzugeben, ehe seine Schiffe die Suchposition erreicht hatten. Durchgeschüttelt durch Windstärke acht, einen brüllenden Sturm, der eine lange, starke Dünung mit Wellen bis 14 Meter Höhe auftürmte, hatte HMCS *Restigouche* sich seinen Weg durch den Sturm gebahnt. Kurz vor Tagesanbruch riß am 4. Oktober 1944 eine über die Decks brechende See die Wasserbomben aus ihren Halterungen und spülte einen Mann über Bord. Nach dreistündiger zäher Suche kehrte das Schiff ohne Hoffnung, ihn jemals zu finden, nach Halifax zurück.[19]

U 1221, Ackermann, und *U 1223*, Kneip, hatten seit Ende September in ihren zugewiesenen Operationsgebieten vor Halifax und im St. Lawrence-Golf operiert. Während *U 1221* nur Fehlschüsse auf Truppentransporter und einen Kreuzer aufzuweisen hatte, torpedierte *U 1223* die Fregatte HMCS *Magog* von der »River«-Klasse. Um Mitte Oktober herum hatte der kanadische Feindnachrichtendienst ein 740-t-Boot entdeckt, das dem kanadischen Gebiet zustrebte, gemäß der vermuteten deutschen Linie, »zwei oder drei Uboote ständig dort zu halten, mit dem Ziel, Ubootabwehrkräfte aus dem Nordatlantik und dem europäischen Kampfbereich abzuziehen«.[20] Kanadas Verpflichtungen im Mittelatlantik und im Vorfeld des Englischen Kanals schlossen eine weitere Verstärkung der Abwehr im eigenen Küstengebiet aus.

Ob durch Fehlkalkulation oder Geräteversager, Ackermanns Feindfahrt verlief glücklos. Vom Beginn seines Einsatzes in Bergen, Norwegen, an machten ihm eine Reihe von Versagern das Leben schwer − Kreiselkompaß, Horchgerät, Schnorchel, Radarwarngerät und Echolot. Die Unzuverlässigkeit seiner wichtigsten Werkzeuge veranlaßten ihn zu äußerster Vorsicht. Er entwickelte deshalb weder den Angriffsgeist noch den Schwung, die der Chef der Operationsabteilung, Admiral Godt, von seinen Kommandanten erwartete.[21] In die Zeit seiner Operation vor Halifax fielen neben dem üblichen Küstenverkehr auch die Sonderabfahrten der »Monster«, SS *Ile de France* (Geleitzug AT-156) und SS *Mauretania* (Geleitzug TA-151) sowie des Kreuzers HMCS *Uganda*. Eben vor Halifax sichtete er auf kurze Entfernung den freifranzösischen Hilfskreuzer FFS *Toulonnaire*. Der deutsche B-Dienst überwachte die feindlichen Funksendungen und gab alliierte Sichtmeldungen über den BdU an *U 1221*. Solche Berichte veranlaßten Ackermann zur Vorsicht, auch wenn sie darauf schließen ließen, daß er selbst weitgehend unentdeckt geblieben war. Eine deutsche Entzifferung hatte die Meldung einer »englischen Einheit« erbracht, die »ein aufgetauchtes Uboot im Halifax-Bereich« gesichtet hatte. Das war wohl Kneips *U 1223* gewesen. Ackermanns Angriff gegen den Truppentransporter SS *Lady Rodney* (Geleitzug JHF-36), geleitet von HMCS *Burlington* und *Westmount,* ging daneben, seine FAT (Schleifenläufer) Torpedos verfehlten das Ziel. Ackermann berichtete getreulich: »Im Eifer des Gefechts vergesse ich auf genauen Angriffskurs zu gehen.« Auch die Zielgeschwindigkeit hatte er unterschätzt. Ohne zu ahnen, daß Ackermann in 1000 Meter Entfernung von der *Lady Rodney* war, meldeten die Geleitstreitkräfte, sie hätten, als sie Sambro Feuerschiff 48 Meilen südöstlich passierten, drei Unterwasserexplosionen achteraus gehört. In der Sorge vor Treibminen führten HMCS *Thunder, Canso* und *Bayfield* bis zum 24. Oktober letztlich erfolglose Stichfahrten durch. Da das britische Uboot-Lagezimmer zu dieser Zeit trotz Kurzwellenpeilungen und Entzifferungsberichten keine feindlichen Uboote in diesem Bereich vermutete, gaben die kanadischen Marinedienststellen als Grund für die Explosionen »unbestimmt« an.[22]

Ackermanns Lagebericht vom 30. Oktober, wegen schlechter Empfangsverhältnisse in Deutschland mindestens noch zweimal gesendet und schließlich am 5. Dezember nach Einlaufen in Flensburg durch Fernschreiben übermittelt, enthielt für die Unternehmungen von *U 806* und *U 1232* vielversprechende Einzelheiten. Zwischen Cape Roseway und Le Have Bank seien »Kleingeleite aus Süden alle vier Tage« zu erwarten; »geübte« Geleitstreitkräfte bei Tage, wenn die Geleitzüge passieren, sonst schwache Abwehr und leichte Navigation. »Nach den gesammelten Erfahrungen scheint mir das Op-Gebiet auch zum Ansatz mehrerer Boote erfolgversprechend« (KTB). Doch Dönitz hatte keine Rudel übrig; selbst einzelne Boote wurden knapp und standen unter erheblichem Druck. Admiral Godts Kritik zu Ackermanns Einsatz: »Das energische Streben und die unbedingte Notwendigkeit, unter allen Umständen zum Erfolg zu kommen, wird noch vermißt. Es genügt nicht, auf der langen Unternehmung in verschiedenen Fällen wohl Verkehr festzustellen, aber nicht alle Maßnahmen zu ergreifen, um zum Angriff zu kommen.« Derweil hatte Kneip, *U 1223,* die wenigen Chancen, die sich ihm boten, genutzt. Die kanadische Fregatte HMCS *Magog* fiel ihm zum Opfer.

Die fünf Monate alte HMCS *Magog* war am 13. Oktober zusammen mit der Fregatte HMCS *Stettler* in Sydney ausgelaufen, um sich mit dem Geleitzug GONS-33 zu treffen. Dies war der Golf-Anteil von zwölf Schiffen eines langsamen Geleitzugs aus Großbritannien. Zusammen mit einer »Catalina« der RCAF bildete die Fregatte HMCS *Toronto* von der EG-16 die Nahsicherung.[23] Das Geleit war angewiesen, den Geleitzug in den St. Lawrence-Strom bis 68 Grad westlicher Länge bei Pointe Mitis Feuer hinein zu geleiten. Hier sollten sie entlassen werden und sich mit dem Geleitzug QS-97 Quebec-Sydney für die Rückreise flußabwärts treffen. Am 14. Oktober beobachtete Kneip auf *U 1223* fünf Meilen vor Pointe des Monts Feuer in der Flußmündung einen »Zerstörer« – tatsächlich war es die Fregatte *Magog* –, der ihm mit einer unglaublich langsamen Geleitgeschwindigkeit von sieben Knoten quer vor dem Bug auf 6000 Meter in Sicht kam. Trotz bedeckten Himmels war die Sicht gut; doch die geleitende »Catalina« konnte keinen Hinweis auf einen bevorstehenden Angriff wahrnehmen. Um 1325 GMT – die *Magog* fuhr im Zick-Zack an der Steuerbordseite des westgehenden Geleitzuges – traf sie einer von Kneips Horchtorpedo-Zweierfächern nach einer Laufzeit von zwei Minuten und 15 Sekunden ins Heck und riß ihr 20 Meter des Achterschiffes ab. Ein zweiter Horchtorpedo detonierte achteraus.

Drei Männer der *Magog* wurden durch die Wucht der Detonation sofort getötet, einige andere über Bord gefegt. Einige junge Seeleute überlebten unter Umständen, die sie fast als ein Wunder bezeichneten. Ein 19 Jahre alter Maschinenraumheizer erinnert sich, daß er im Augenblick des Treffers auf der Geschützplattform stand, als das ganze Achterdeck angehoben wurde, über seinem Kopf zusammenklappte und dann auf dem Geschütz auflag, das ihm das Leben rettete. Neben ihm lag der übel zugerichtete Leichnam eines Unteroffiziers, den die Druckwelle in zwei Hälften gerissen hatte. Ein 20jähriger Elektromechaniker war gerade dabei, das Lager für elektrisches Zubehör, ein Raum, der unter der Wasserlinie lag, zu verlassen, als der Torpedo traf: »Ich wurde direkt durch das Stahlschott geschleudert und landete im Wasser. Über mir war ein Stahldeck, unter mir ebenso und Stahlwände rund um mich herum. Obwohl ich verletzt war, hatte ich Glück, dort zu sein.« Ein 23 Jahre alter Obermaschinist war unter Deck in seiner Werkstatt gegenüber der Elektrowerkstatt:

»Die Explosion verklemmte die Tür meiner Werkstatt, aber sie hob das Deck über mir an, ich war unter der Wasserlinie, im Nu befand ich mich in einer Menge von Wasser und Öl. Es gelang mir, hoch- und rauszuklettern und ich war plötzlich rücklings auf dem, was früher der Schiffsboden gewesen war ... Ich war so mit Öl bedeckt, daß mich meine eigene Mutter nicht erkannt hätte.«

Wenige Minuten nach der ersten Explosion detonierte ein zweiter Torpedo 50 Meter Backbord achteraus der *Magog.* HMCS *Toronto,* die eine Meile vor der *Magog* fuhr, sichtete etwas, was wie ein Sehrohr aussah, eröffnete sofort das Feuer mit ihrem 10,2-cm-Geschütz sowie den Oerlikon-Maschinenkanonen und drehte zum Angriff mit Wasserbomben auf. Unten hörte Kneip die Explosionen und das Kreischen der »Kreissägen«, da die Kanadier ihre Geräuschbojen zur Abwehr von Horchtorpedos ausgebracht hatten. Keines der Schiffe bekam Sonar-Kontakt. Trotz der unmittelbaren Gefahr weiterer Angriffe und der schweren Schäden an ihrem Schiff bemühten sich die Lecksicherungsgruppen (Damage Control Party) der *Magog* kühl und selbstsicher, ihr Schiff zu retten. Sie hatten alle eine harte Lecksicherungs-Ausbildung während ihrer Einfahrtzeit in dem kanadischen Allwetter-Ausbildungsstützpunkt HMCS Somes Isles in Bermuda hinter sich. Es war deshalb eine reine Routineangelegenheit, daß ein Oberheizer das Atemgerät anlegte, um mit dem Brandschutzgerät den brennenden Kessel-raum zu betreten und den Brand zu löschen. Oder wenn die Leckstützgruppe darum rang zu verhindern, daß das Maschinenraumschott brach.

Die *Magog* wurde am 20. Dezember 1944 zur »Obhut und Wartung« abgestellt. Das hieß kaum mehr, als daß man damit verhindern wollte, daß sie verkam, bis eine Entscheidung über ihre weitere Verwendung getroffen sei. Der Bedarf an Geleitstreitkräften für den Krieg gegen Japan und Deutschland ließ es als not-wendig erscheinen, sowohl die *Magog* als auch die ähnlich beschädigte Fregatte HMCS *Chebogue* in Großbritannien wiederherzustellen. Die Admiralität in London widersprach jedoch der Reparatur; sie kamen nie wieder in Dienst. Ein Untersuchungsausschuß beurteilte den Verlust der *Magog* als »das Ergebnis der Risiken, die man zwangsläufig im Geleitdienst auf sich nehmen muß«. 1945 wurde sie zur Verschrottung verkauft.

Lange Perioden erzwungener Funkstille zwangen den BdU, sich aus einer Viel-zahl von Quellen über den Fortgang des Seekrieges zu unterrichten, auch wenn es manchmal Quellen aus dritter und vierter Hand waren. Das war die Lage, als der BdU auf Lageberichte von Petersen, Schmoeckel und Kneip wartete. Am

21. Oktober 1944 meldete der deutsche Marineattaché im neutralen Schweden über Darstellungen, die schwedische Zeitungen am Tag zuvor über London erreicht hatten. Trotz der darin enthaltenen falschen taktischen Angaben schienen sie doch die kanadische Einstellung zu den Ubooteinsätzen wiederzugeben. Nach diesen Pressemitteilungen war der Ubootkrieg an der kanadischen Küste wieder aufgelebt, nachdem seit September nicht ein einziges Schiff angegriffen worden war. Anscheinend hatten die Kanadier die kürzlichen Angriffe irgendwelchen »Kamikaze-Ubooten« zugeschrieben. Diese Uboote, so lautete der Bericht, seien durch die Invasion in der Normandie aus ihren französischen Stützpunkten vertrieben worden. Mangels Versorgungs- und Reparaturmöglichkeiten begnügten sie sich nunmehr damit, verzweifelte »Pirateneinsätze« zu unternehmen, bis sie entweder versenkt oder gefangen genommen würden. Zuvor hatte der BdU einen alliierten Pressebericht über einen viertägigen Ubootangriff auf einen Geleitzug vor der kanadischen Küste erhalten, der behauptete, ein Schiff sei versenkt worden. Wie genau die Einzelheiten dieser Angriffe auch sein mochten, er konnte nun mit Sicherheit annehmen, daß seine drei Uboote (U 1221, U 1223 und U 1229) immer noch auf ihrer Position tätig waren,[24] und weigerte sich auch, U 1229 als Verlust aufzugeben. Der Erfolg des Schnorchels hatte das Vertrauen des BdU in die erhöhte Widerstandsfähigkeit seiner Boote im Einsatz erhöht; im Oktober hatte er nur sechs Uboote durch Feindeinwirkung verloren.[25]

Kneip hätte mit U 1223 unmittelbar nach dem Angriff auf die Magog durchaus noch tiefer stromauf eindringen können. Dadurch hätte er sich hervortun können, tiefer in den St. Lawrence-Strom einzudringen als irgendein anderer. Damit hätte er den Rekord von U 69 aus dem Jahr 1942 um etwa 15 Meilen übertroffen. Wie auch immer, obwohl die kanadischen Dienststellen noch immer über das Vorhandensein eines Ubootes im unklaren waren, schlug Kneip am 2. November erneut zu. Die 10 000 Tonnen große SS Fort Thompson stand als Einzelfahrer von Quebec nach Sydney mit einer Ladung Getreide für Nordafrika etwa 6 Meilen vor Matane, als zwei Explosionen den Laderaum aufrissen. Keiner an Bord konnte sagen, ob sie das Opfer einer Feindeinwirkung oder explodierender Kessel waren. Überzeugt, das letzte Uboot haben den St. Lawrence nach dem Vorfall mit der Magog verlassen, schrieben die operationellen Dienststellen die Beschädigung der Fort Thompson zuerst einer Mine zu und schickten deshalb einen Minensucher. Ihre Gründe stammten aus Folgerungen des Marinenachrichtendienstes; als Küstenpeilstationen den Bericht von U 1221 ostwärts Newfoundland aufnahmen, schrieben sie ihn Kneips U 1223 zu. Auf diesen Rat hin verlegte die Operationsabteilung die Golf-Geleitstreitkräfte außerhalb des nun vermutlich freien Gebietes und ließen den St. Lawrence praktisch ohne Abwehr. In der Folge entdeckte Marinepersonal Metallstücke in der Luke der Fort Thompson, die sie als Teile eines deutschen Torpedos identifizierten. Doch die Explosion muß sehr schwer (oder die Disziplin an Bord sehr lasch) gewesen sein, denn 17 Besatzungsmitglieder setzten sofort ein Rettungsboot aus. Als sie feststellten, daß das Boot keine Riemen hatte, ließen sie sich am Strand von Matane auf die Küste zu treiben. Diese führte zu dem seltsamen Gerücht unter den örtlichen Bewohnern, ein Schiff sei mit alle Mann gesunken. Tatsächlich jedoch waren 45 Offiziere und Besatzungsmitglieder an Bord geblieben, um das Schiff schwimmend zu halten, bis Hilfe eintraf.[26] Erst 58 Tage später, am 30. Dezember 1944, verbreiteten Zeitungsberichte die Mär, dies sei »der erste bekannte Torpedoangriff auf dem Strom seit 1942« gewesen.[27]

Es lag durchaus in den Absichten der kanadischen Marine, daß die Öffentlichkeit (wenn auch verspätet) erfuhr, SS *Fort Thompson* sei das erste Torpedoopfer auf dem St. Lawrence gewesen. Über den *Magog*-Vorfall gab der Marine-Informationsdienst erst sechs Monate nach dem Geschehen Nachrichten heraus, obwohl die Gründe für das Zurückhalten solcher Nachrichten auf so lange Zeit ihren Sinn verloren hatten. Ein Bericht auf der ersten Seite des HALIFAX HERALD vom 18. April 1945 verkündete, daß ein »Hunnen-Uboot weit aufwärts im Golf von St. Lawrence zugeschlagen habe« und gab indirekt zu verstehen, mehr als eines habe »eine Wiederbelebung der Kriegführung gegen die kanadische Flußschifffahrt« erstrebt.[28] Im Gegensatz zum OTTAWA JOURNAL, das den politischen Aspekt der Beleuchtung Quebecs vermied, deutete der HALIFAX HERALD an, der fortgesetzte Druck durch Uboote rechtfertige die am 7. April entlang des St. Lawrence in Kraft getretenen Verdunklungsbestimmungen.

Alle rückkehrenden Boote mußten nun durch die alliierten Jagd- und Kampfgruppen Spießrutenlaufen. Die französischen Häfen und der Englische Kanal waren geschlossen. Der Shetland-Bereich zeigte sich immer mehr als undurchdringlich, und die alliierte Luftüberwachung über der Island-Farøer-Enge war Anlaß für ständig wachsende deutsche Sorgen. Weiter nördlich auszuholen verbot sich entweder wegen Brennstoffmangel oder sogar wegen Gefährdung unter dem Eis. Als ihn die deutsche Seekriegsleitung Anfang Oktober über starke Konzentration von Ubootabwehrstreitkräften in der Island-Farøer-Enge mit verstärkter Luftüberwachung unterrichtete, wählte Petersen mit *U 541* einen anderen Weg. Aufgrund von Informationen des Segelhandbuches entschied er sich für eine Durchfahrt der Dänemarkstraße zwischen Grönland und Island. Er hoffte, Island auf der Breite 67° Nord zu umrunden, dann weiter nach Norwegen und, wenn alles gut ging, einen geschützten Hafen anzusteuern. Seehandbücher behaupteten, diese Route sei zu dieser Jahreszeit leicht befahrbar. Wie es sich herausstellte, war dieser Rat falsch:

»Beim Kurs Nordost Richtung Kap Nord an Islands Nordwestecke kamen wir schnell in winterliches Wetter. Das Schneetreiben wurde stärker, die Zahl der Eisschollen stieg und sie wurden größer. Es kam der Zeitpunkt, an dem wir nicht mehr über Wasser weiterfahren konnten, denn ein Uboot ist ja kein Eisbrecher. Die Batterien waren voll, und immer noch vertrauend auf die Aussagen in den Seehandbüchern, daß in diesem Seegebiet in dieser

Jahreszeit seit 100 Jahren kein Eisberg gesichtet und auch keine geschlossene Treibeisdecke beobachtet worden wäre, fuhren wir nun unter dem Eis weiter und waren voll guter Hoffnung, zumal wir bald nach dem Tauchen auf Kurs Ost (nach Hause) gehen konnten. Ich ließ ständig die Wassertemperatur messen, sie fiel weiter unter minus 1,5 Grad. Im Boot war das Kondenswasser gefroren, die elektrische Heizung durfte nicht angestellt werden, um Strom zu sparen. Es war eiskalt im Boot und absolute Stille. Der größte Teil der Besatzung schlief, sie merkten nichts von der Situation, in der wir uns befanden; sie waren voller Vertrauen und dachten wohl, ›der Alte wird's wohl machen‹. (Der Alte war ich mit meinen 28 Jahren.) Wenn die Temperatur des Wassers merklich unter null Grad fällt, ist das ein Zeichen für eine geschlossene Treibeisdecke, oder ein Eisberg könnte in der Nähe sein. Beides könnte uns natürlich zum Verhängnis werden, eine geschlossene Treibeisdecke machte ein Auftauchen unmöglich, und einen Eisberg konnten wir bei Unterwasserfahrt rammen. Wir waren der Gefahr durch die starke Ujagd ausgewichen, hatten uns dafür aber eine andere Gefahr eingehandelt. Ich kann nicht sagen, welche größer ist. Die Naturgewalten hatten es in sich und konnten furchtbar und unberechenbar sein. Auf einer früheren Reise hatte ich in einem Orkan, in dem man sich nur fest angeschnallt auf dem Turm halten konnte, durch einen Brecher ein 2-cm-Vierlingsgeschütz verloren. Die entfesselten Gewalten sind unbeschreiblich. Hier war es die Kälte, das Eis, die Stille, das unheimliche Bewußtsein, völlig machtlos unter dem Eis zu sitzen. Man hatte das Gefühl, von unsichtbaren Gewalten erdrückt zu werden. Ganz klein und hilflos kam man sich vor.«[29]

Als die Batterien auf halbe Ladung angekommen waren, entschied sich Petersen aufzutauchen, um die Lage zu prüfen. Mit gestoppten Maschinen hob sich *U 541* langsam Zentimeter um Zentimeter, besorgte Fragen zerrten an den Nerven des Kommandanten. In solchen Augenblicken ist er sehr einsam. Das Boot tauchte mitten in einer großen Eisfläche auf, meilenweit im einzigen eisfreien Loch. Es war kaum groß genug für das Uboot, aber sie waren in Sicherheit. Ein Gefühl der Euphorie erfaßte die Besatzung. Die Diesel sprangen an, die Männer gingen daran, Rein-Schiff zu machen, der Koch ging zur Kombüse, das Boot wurde durchgelüftet, die Bilgen gelenzt und die Batterien geladen. Die letzte Sicherheit gab ihnen ein astronomisches Besteck. Wieder tauchklar setzte *U 541* die Reise unter dem Eis fort und erreichte die Heimat.

Bereits Anfang des Monats begannen zwei weitere Uboote, *U 1228* und *U 1231*, ihre Fahrt über den Atlantik in das kanadische Einsatzgebiet. *U 1228*, ein 1140-t-Boot vom Typ IXC/40, stand unter dem Kommando von Oberleutnant zur See Friedrich-Wilhelm Marienfeld, Crew 38. Im April 1944 hatte es seine Erprobungs- und Einfahrtzeit abgeschlossen. Nach dem nicht immer zuverlässigen »Befragungsbericht der Besatzung von *U 1228,* die sich am 11. Mai 1945 einem US-Schiff ergab«, war Marienfeld ein hervorragender Torpedoschütze.[30] Während des Torpedoschießens in Pillau erhielt er angeblich die hohe Note »7«, das entsprach einer Trefferquote von etwa 98 Prozent. Nach Abschluß der taktischen Übungen kehrte *U 1228* von Gotenhafen aus für die Dauer eines Monats in die Howaldt-Werke Hamburg zur Überholung zurück. Zur Abwehr gegen vermutete Infrarot-

Ortungsgeräte der Alliierten wurde ein mit Gummi bezogener Schnorchel einge-baut. Tatsächlich war dies nutzlos, die Alliierten hatten den Deutschen nur vorge-täuscht, sie hätten Infrarot-Ortungsgeräte. Die roten Lichter, die die Deutschen an alliierten Flugzeugen sahen, hatten nur den Sinn, über den Einsatz alliierter Zentimeter-Radargeräte hinwegzutäuschen. Der Befragungsbericht der Überle-benden könnte uns glauben machen, *U 1228* sei von seiner sehr kurzen ersten Feindfahrt wegen des bombenbeschädigten Schnorchels zurückgekehrt. Das kürzlich entdeckte Kriegstagebuch des Ubootes gibt aber ein ganz anderes Bild: dringende Notlage durch Kohlendioxyd-Rückstrom im Schnorchel durch unsorg-fältige Arbeit in der Werft, verstärkt durch einen Bombenangriff einer »Sunder-land« der RAF.[31]

Am 12. Oktober 1944 lief *U 1228* zur zweiten Feindfahrt aus Bergen aus. Das Boot war vom Entwurf und Bau her eine sehr starke Waffe. Aus seinen sechs Torpedo-rohren (vier vorn und zwei achtern) konnte es insgesamt 14 Torpedos verschießen (sechs T-5 Horchtorpedos und acht T-3 LUT-Schleifenläufer). Zwei 20-mm-Zwil-lingsgeschütze auf Plattform 1 und ein 3,7-cm-Geschütz auf Plattform 2 dienten der See- und Luftabwehr. Es hatte das neueste »Hohentwiel«-Luft- und See-Radargerät mit Matratzenantennen. Schlechte Arbeitsqualität verhinderte jedoch den Einsatz seiner ganzen Möglichkeiten. Marienfelds technisches Bord-personal benötigte acht Tage der Atlantiküberquerung, um den Schnorchelkopf wieder instand zu setzen, der selbst dann nicht richtig funktionierte. Jede Mög-lichkeit der Überwasserfahrt mußte ausgenutzt werden, um auf der Brücke zu arbeiten, da die Teile zu groß waren, um durch das Luk zu passen. Durch eine Reihe anderer technischer Versager ständig in Bewegung gehalten – Kreisel-kompaß, Echolot, Ruder, 3,7-cm-Geschütz, Luft- und Seeziel-Radar – mußte ein Gerät ausgeschlachtet werden, um ein anderes in Ordnung zu bringen. Während der ganzen Zeit mußte das Uboot Wettermeldungen senden. Die Bedeutung dieser Meldungen für die militärische Planung in Deutschland mag man an einer bis dahin nicht dagewesenen Nachricht, gefunkt am 4. November an *U 1228,* nach einer längeren Periode der Funkstille ermessen: »Marienfeld heute nacht Wetter-meldung hergeben. Werden dringend für Reichsverteidigung benötigt.« Dies ist das erste bis heute bekannte Ersuchen dieser Art.

U 1231, ein Typ IXC/40-Boot unter dem Kommando von Kapitän zur See Lessing, war am 5. Oktober 1944 aus Kiel-Wik über das Skagerrak, Horten, Christiansand und Bergen zu einer glanzlosen Feindfahrt ausgelaufen, die es schließlich westlich von Pointe des Monts in die Mündung des St. Lawrence führte. Der Mangel an Erfolg, wie er bei seiner Rückkehr nach Flensburg am 5. Februar 1945 betrübt notierte, war in zwei frustrierenden Umständen begründet: geringer Schiffsver-kehr in den kanadischen Operationsgebieten sowie die Tatsache, daß Ziele, die er entweder tatsächlich sichtete oder im Horchgerät erfaßte, immer weit außer Reichweite waren. Diese erste Feindfahrt stand unter lähmenden Problemen –

man war mit dem neuen Gerät nicht vertraut und wurde durch eine Vielfalt technischer Versager behindert. Das Kriegstagebuch berichtet jedoch nur von einem Fall von Kohlenmonoxyd-Vergiftung, als »der E-Maschinist und zwei Heizer vorübergehend ausfielen«. Sonst aber hatte »die Besatzung großes Zutrauen zum Schnorchel und fühlt sich absolut sicher«. »Die auftretende Verqualmung wurde« stets mit Gelassenheit hingenommen.«Tatsächlich fühlte die Besatzung sich sogar noch sicherer als viele ihrer Vorgänger, da zum Schutz gegen vermutete Infrarot-Ortung *U 1231* eine sogenannte »Schornsteinfeger«-Beklebung des Schnorchelkopfes besaß. Doch insgesamt drückte die unbefriedigende Fahrt die Stimmung der Besatzung erheblich, besonders als sie hörten, *U 1232* habe beim Einsatz im gleichen Gebiet vor Halifax im Januar 1945 solche hervorragenden Erfolge erzielt. Lessing verglich sein offenbar hoffnungsloses taktisches Schicksal mit dem einer Treibmine, die darauf wartet, daß jemand auf sie aufläuft.

Als Marienfeld mit *U 1228* am 11. November das Quadrat BB 9641 südlich Newfoundland erreicht hatte, übermittelte ihm der BdU Petersens Lagebericht über die Aussichten im Golf. Marienfeld schien hocherfreut. »Ich folge meinem Pillauer-Lehrer-Vorgänger ins gleiche Gebiet«, bemerkt er in seinem Kriegstagebuch. Er wollte nun alle Vorsichtsmaßnahmen treffen, »um auf jeden Fall unbemerkt ins Op-Gebiet zu kommen«. Während der ersten Stunden des 13. November »ist das Meeresleuchten so stark, daß man das gesamte Vorschiff durch das Sehrohr sieht«. Da hatte *U 1228* seine erste Feindberührung vor der kanadischen Küste. Ohne vorherige Warnung meldeten der Mann am Horchgerät sowie der wachhabende Offizier am Luftzielsehrohr ein Ziel Backbord voraus, das sich sehr schnell zu einem »Schatten mit einem Schornstein und einem Mast in einer hohen Bugwelle« auf Südwestkurs entwickelte (KTB). Kanadische »Fairmiles« oder Vorpostenboote, wie die Deutschen sie nannten, waren bei den deutschen Ubootleuten dafür bekannt, daß sie auf Gegenkurs unbemerkt ganz dicht herankommen konnten. Dieses Vorpostenboot, wie Marienfeld es identifizierte (obwohl es vielleicht der amerikanische Coast-Guard-Cutter USCGC *Sassafras* hätte sein können), hatte diese Fähigkeit erneut dadurch bewiesen, daß es 50 bis 100 Meter an seinem Feind vorbeifuhr. Daß es nicht angriff, bestätigte erneut die Schwäche der Kanadier und ihre mangelnde Erfahrung, die auch frühere Meldungen behaupteten. Am 14. November besah sich Marienfeld erneut den Lagebericht von Petersen, *U 541*, und Schmoeckel, *U 802*, und kam zu der Entscheidung: »In dem von Petersen empfohlenen Quadrat BB 59 (Cabot Strait) bis zum ersten Erfolg zu operieren, und dann nach der zu erwartenden verstärkten Abwehr und Sicherung des Verkehrs im Küstenvorfeld in den Golf einzudringen« (KTB). Dem Rat seines früheren Lehrers folgend, fügte Marienfeld den Kanadiern den schwersten Verlust des Monats zu.

Die Sicherheit seines Bootes erforderte dringende und wahrscheinlich längere Reparaturen seines Schnorchels, ehe er sich mit dem Feind einließ. Er setzte des halb seinen Kurs so ab, daß er 15 Meilen vor Channel Head und Rose Blanche Feuer passierte, um »Connoire Bay anzusteuern, da die Küste nach Seehandbuch mir am unbewohntesten erscheint« (KTB). Dieses war auf jeden Fall der günstigste Platz, um bei Nacht ohne Echolot unter die Küste zu gehen. Vom 23. bis 24. November scheint Marienfeld die Szene, auf Sehrohrtiefe fahrend, sehr genossen zu haben. Die Küste strahlt »in schönster Sonnenpracht«. Er passierte vier Meilen von Bird Island, dann Cains Island Leuchtturm mit dem Baraswy Wasserfall unter wolkigem Himmel. Wegen Kreiselkompaßversager mußte er fünf Meilen südlich des kleinen Hafens von Connoire stoppen; sein technisches Personal erledigte die Reparatur in erstaunlich kurzer Zeit. Dann nahm Marienfeld in den dunklen Morgenstunden des 24. November 1944 seinen Weg getaucht durch eine kleine Fischerflotte, ging wieder auf Westkurs und steuerte die Cabot Strait an, wo er auf die kanadische Korvette HMCS *Shawinigan* stieß und sie versenkte.

Die kanadische Korvette HMCS *Shawinigan* war am 23. November zusammen mit USCGC *Sassafras* zu einer Routineüberwachung im Golf aus Sydney ausgelaufen. *Shawinigan* war ein erfahrenes Schiff. Sie hatte die erfolgreiche Jagdsaison der Uboote im St. Lawrence 1942 überlebt, hatte die Opfer von *U 517* und *U 541* gerettet und Monate auf der strapaziösen Dreiecksfahrt zwischen New York, St. John's und Halifax verbracht. Wie alle Korvetten ihrer Klasse verdrängte die etwa 70 Meter lange *Shawinigan* 950 Tonnen und war mäßig bewaffnet. Zwei Wasserbomben-Ablaufbühnen und vier Werfer, Asdic, ein 10,2-cm-Geschütz vorne und ein 40-mm-Pompom achtern. Ihre Maschinenkanonen waren durch sechs 20-mm-Oerlikons ersetzt. Beim Umbau hatte sie auch zwei Radargeräte erhalten; eines davon, das neueste und empfindlichste 10-cm-Typ 271 mit höherer Auflösung und vergrößerter Reichweite bis 20 Seemeilen. Nur wenige Schiffe in diesem Bereich hatten diesen Vorteil. Die zusätzliche Ausrüstung machte auch eine Vergrößerung der Besatzung auf sechs Offiziere und 29 Mann notwendig.

Während *U 1228* ihren Weg kreuzte, erhielten *Shawinigan* und *Sassafras* am 24. November, um 0830 GMT, den Befehl, ihre Überwachungsfahrt abzubrechen, um das Fährschiff SS *Burgeo* von Sydney über die Cabot Strait nach Port aux Basques, Newfoundland, zu geleiten. Das war ein fahrplanmäßiges Geleit, wie das, in dem das Fährschiff SS *Caribou* im Oktober 1942 durch *U 69* versenkt worden war. Die Schiffe stießen um 1015 GMT zur *Burgeo* und trafen um 1800 GMT in Port aux Basques ein. Noch am gleichen Tag wurde *Sassafras* entlassen, während *Shawinigan,* die sich mit *Burgeo* abgesprochen hatte, sie um 1015 GMT am nächsten Tag für die Rückfahrt bei Tag zu treffen, einen Einzelvorstoß in die Cabot Strait unternahm. Marienfeld war der letzte, der sie gesichtet hat. Er hatte sich entschlossen, »mit meinem durch Schnorchel, Echolot und Kreisel eingeschränkt klaren Boot außerhalb Golf zu bleiben, zumal nach Lage

Petersen und Schmoeckel Golfverkehr nach Bemerktsein gestoppt wird« (KTB). Am 25. November um 0145 Uhr beobachtete Marienfeld durch sein Sehrohr »hellster Mond, sehr gute Sicht, Küste im Mondschein prächtig zu sehen. Tafelberge Sugar Loaf, Cape Ray Feuer als Schein in der Kimm«. Fünf Minuten später wurden im Horchgerät von *U 1228* Schraubengeräusche aufgenommen.

Die Sichtung eines »Zerstörers mit Zacks um Grundkurs Nordost, Entfernung 30 hm«, störte die idyllische Szene im Quadrat BB 5512. Marienfeld brauchte kaum zehn Minuten, um sein Boot in die Schußposition für einen T-5-Horchtorpedo zu bringen, und schoß aus 2500 Meter Entfernung auf das Heck des Ziels. Zwei Minuten später vermischten sich die Schraubengeräusche des Torpedos mit denen der *Shawinigan*. »Treffer nach vier Minuten, 50 Meter hohe Sprengsäule mit starkem Funkenregen, nach Zusammenfall Sprengsäule nur noch 10 Meter hohe dünne Rauchwolke. Zerstörer verschwunden. Im Horchgerät mit Treffer Schraubengeräusch verschwunden, großes Rauschen und Prasseln« (KTB). Um 0235 Uhr detonierten sechs der entsicherten Wasserbomben der *Shawinigan*. Vielleicht, so fügt Marienfeld hinzu, waren es auch »Schreckbomben anderer in der Nähe stehender Bewacher« (KTB). Marienfeld lief auf einer Tiefe von 120 Meter ab, »um beim Abendschnorcheln außerhalb der Cabot Strait zu stehen« (KTB). Kanadische Berichte sind der Ansicht, daß *Shawinigan* zu dieser Zeit völlig allein in der Straße stand, und nehmen keine Notiz von USCGC *Sassafras*. Obwohl *U 1228* weder Wrackstücke noch Überlebende oder auch Bewacher sah, hörte es anderthalb Stunden nach der Versenkung verschiedene Schiffsgeräusche in wechselnden Peilungen. Der erste Geräuschkontakt schien sogar über ihm zu stoppen. Ob *Sassafras* angegriffen hat oder auch nur in der Nähe war, bleibt unklar.

Als *Shawinigan* am nächsten Morgen nicht aus dem Dunst und Nebel beim Treffpunkt auftauchte, hätte die *Burgeo* nach Port aux Basques zurücklaufen müssen. Vielleicht in der Annahme, der Bewacher sei nicht weit entfernt und müsse jeden Moment auftauchen, fuhr der Kapitän alleine und wider alle Geleitzuganweisungen weiter nach Sydney. Da er absolute Funkstille hielt, merkten die kanadischen Dienststellen erst nach seinem Eintreffen um 1757 Uhr, daß die Korvette fehlte. Zu dieser Zeit war ein Sturm aufgekommen, der die Flugzeuge der RCAF am Boden hielt und die Suche der Geleitgruppe EG-16 schwer behinderte. Die Marinedienststelle Sydney teilte dem C-in-C CNA mit, er müsse Wetterbesserung abwarten, ehe er die EG-16 mit allen verfügbaren »Fairmiles« verstärken könne, um südöstlich einer Linie von der Ansteuerung Sydney nach Port aux Basques nach Wrackteilen zu suchen. Als der Sturm nachließ, trieben Beweisstücke des Unglücks nach Süden. Am 26. November wurden 28 Meilen ostwärts von Cape North, Cape Breton Island, 42 Meilen südwestlich von Channel Head, die ersten Beweisstücke entdeckt: ein nicht bezeichnetes Rettungsfloß und kleine Stücke zerbrochener hölzerner Wrackteile; 16 Meilen weiter südlich von Channel Head, in der Nähe der Untergangsstelle der *Shawinigan,* drei Leichen. Insgesamt sechs Leichen und ein weiteres nicht gekennzeichnetes Floß wurden gefunden. Das war alles.

Am 30. November 1944 trat ein Untersuchungsausschuß in Sydney, Nova Scotia, zusammen und sammelte aus allen möglichen Quellen Beweise. Doch die einzigen wirklichen Beweisstücke waren die Fundsachen der EG-16 sowie die Überzeugung des Kapitäns der SS *Burgeo* und einiger Fischer von Newfoundland, sie hätten in See Explosionen gehört. Der Ausschuß hielt es für unwahrscheinlich, daß das Schiff durch explodierende Kessel, Magazine oder Wasserbomben zerstört worden sei, es sei denn als Folge einer Torpedierung. Eine Treibmine schloß er aus. Die traurigen Umstände vom Schicksal der *Shawinigan* erfuhren die kanadischen Dienststellen in großen Zügen erst, als Marienfeld und sein Leitender Ingenieur, Friedrich Asmussen, nach Übergabe von *U 1228* im Mai 1945 vor alliierten Befragern die Situation wieder in Erinnerung riefen. Für den Augenblick blieb die Angelegenheit ungewiß.

Die erste Presseverlautbarung des kanadischen Marineministers MacDonald am 7. Dezember 1944, dem Abend, an dem das House of Commons über die Wehrpflicht abstimmen sollte, zerstreute die Aura des Geheimnisvollen keineswegs. Die Schlagzeilen der letzten Ausgabe des OTTAWA JOURNAL verkündeten: »Kanadische Korvette mit gesamter Besatzung gesunken – fünf Tote, 85 Vermißte der *Shawinigan.*« Die Zeitung widersprach sich im Text über die Zahl der Vermißten und der aufgefundenen Leichen. Obwohl der Minister »keine Einzelheiten« aufdeckte (er hatte gar keine), gab der Vorfall Gelegenheit, die Erfolge des Schiffes gegen »Hitlers Untersee-Piraten« zu erwähnen, die sie zweifellos in ihrem »letzten Einsatz im Nordatlantik« versenkt hatten. Sie war »die neunte Korvette und das 19. kanadische Kriegsschiff, deren Verlust die RCN in diesem Krieg bekannt gegeben hatte«.

Daß Marienfeld nur wegen technischer Mängel am Kreisel und am Schnorchel nicht in den Golf vorstieß und deshalb frühzeitig den Rückmarsch antrat, obwohl er die Freiheit hatte, vor Halifax zu operieren, ärgerte den BdU. Wenn auch der Zorn des BdU unter diesen Umständen unfair erscheinen mag, so war er doch angesichts der ständig abnehmenden Wirksamkeit seiner Boote zweifellos symptomatisch. Im Operational Intelligence Centre in England las Rodger Winn wie immer die deutschen verschlüsselten Enigma-Funksprüche mit und notierte mit einem Anflug von Mitgefühl, daß Marienfeld »für seine angeblich übertriebene Vorsicht scharf zurechtgewiesen wurde«.[32] Dönitz sprach die Frage der Unbotmäßigkeit in seinem ständigen Befehl Nr. 199 am 14. Dezember 1944 an. Dieser eindeutige Funkspruch an alle Kommandanten – den Winn natürlich mitlas – erwähnte nochmal Marienfelds Erfahrungen und seine Gründe, außerhalb des Golfes zu bleiben, betonte jedoch, daß Vorsicht in diesem Fall falsch war. Alle

Entschuldigungen beiseite wischend, setzte er die Zeichen für die letzten Wochen und Monate des Ubootkrieges: »Ein Kommandant, der näher an die Verkehrs- knotenpunkte herangeht, hat immer recht, auch wenn nicht ausdrücklich im Op.- Gebiet angeordnet.« Wer einen Angriff auch unter Risiken durchführt, tut immer recht.

9. Kapitel

Uboot-Weihnacht

Das Ubootlage-Zimmer in der Marinebefehlsstelle in Ottawa hatte Anfang Dezember 1944 ein ziemlich klares Bild von den jüngsten Ubootoperationen in kanadischen Gewässern gewonnen. Informationen, die der kanadischen Befehlsstelle aus Ultra, aber auch durch Schiffe und Kommandostellen, durch Kurzwellenortungen, Sichtungen und Angriffe zuflossen, lieferten Beweise für das, was von offizieller Seite als »verstärkte feindliche Uboottätigkeit im kanadischen Küstenbereich« angesehen wurde.[1] Die Schätzungen hatten völlig korrekt vier Uboote in diesem Bereich am 1. Dezember festgestellt, der sich grob gesprochen mit dem der Operationsgebiete von *U 1228* (Cabot Strait), *U 1231* (Gaspé), *U 1230* (Gulf of Maine/Bay of Fundy) und *U 806* (das sich der östlichen Begrenzung einlaufend näherte) deckte. Am 4. Dezember koppelte die kanadische Befehlsstelle Ubootbewegungen gegen Halifax, den Abmarsch eines Ubootes *(U 1228)* aus dem Gebiet am 5. Dezember und umriß das Gebiet innerhalb von 60 bis 200 Meilen von der Küste als den Bereich der höchsten Gefährdung.

Während Marienfeld auf *U 1228* HMCS *Shawinigan* in der Cabot Strait jagte, war Lessings *U 1231* gegen Ende des Vormonats tief in den St. Lawrence-Golf vorgedrungen. Nach Einlaufen in die Flußmündung hatte *U 1231* kaum mehr als eine »Sägemühle in vollem Betrieb« sowie eine Funkstation auf der schneebedeckten Nordküste bei Pointe de Manicougan gesichtet und dann die Feuer von Matane und Ste. Félicité erfaßt. Lessing hatte die schändliche Erfahrung gemacht, daß drei FAT (Schleifenläufer) Torpedos am Rumpf eines völlig ahnungslosen Frachters abprallten, an den er sich in einer Nacht sechs Meilen vor Les Méchins herangepirscht hatte. Selbst sein sorgfältiger Angriff auf die kanadische Korvette HMCS *Matapedia*, die den Quebec-Sydney Geleitzug QS-107 vor Cap Chat geleitete, war fehlgeschlagen. Alle Torpedos waren Blindgänger. Die vermuteten Küstengeleitzüge wurden weniger. Der letzte Sydney-Quebec Geleitzug der Saison SQ-97A lief am 7. Dezember und der letzte Quebec-Sydney Geleitzug QS-109 am 13. Dezember aus. Deprimiert durch das nicht funktionierende Gerät und behindert durch einen ständig vereisten Schnorchel hatte Lessing schon seit längerem überlegt, aufgrund von Ackermanns verheißungsvollem Lagebericht nach Halifax zu gehen. Es war deshalb keine Enttäuschung, als der BdU ihn nach Halifax dirigierte. Aber sein Einsatz vor Nova Scotia erreichte kaum mehr, als die nach Hornbostels *U 806* suchenden Bewacher durcheinanderzubringen.

Hilbigs *U 1230* war es in diesen Tagen wesentlich besser gegangen. Aus dem Golf von Maine, wo *U 1230* zwei Agenten an Land gesetzt hatte, in das Operationsgebiet vor der Südostküste von Nova Scotia zurückkehrend, brachte das Boot das erste kanadische Opfer des Monats zur Strecke. Am 3. Dezember um 1000 GMT versenkte es zehn Meilen südwestlich von Mount Desert Rock im Golf von Maine SS *Cornwallis* (5458 BRT). Die *Cornwallis*, vollbeladen mit Zucker und Melasse, war als Einzelfahrer auf der Fahrt von Barbados nach St. John's, New Brunswick, unterwegs. Fünf Überlebende wurden danach in Rockland, Maine, angelandet. Die US-Dienststellen setzten mit zwei großen Kampfgruppen sofort eine intensive Luft- und Seeüberwachung in Gang. In der selbstironischen Formulierung des kanadischen Marineberichtes »gab es trotz mehrerer Kontakte und zweier Angriffe keinen Hinweis darauf, daß man dem Uboot Unannehmlichkeiten bereitet hatte«.[2] Die fast unmittelbar darauf erfolgte Festnahme von Hilbigs Spionen machte aber Schlagzeilen. Wie der HALIFAX HERALD und andere berichteten, hatten sowohl Roosevelt als auch Churchill Hilbigs Tat als »einen weiteren Hinweis betrachtet, daß die Gefahr der deutschen Unterseeflotte ungebrochen und stetig ist«.[3]

Die Wachsamkeit auf See stand jedoch in seltsamem Gegensatz zu einer Lockerung der militärischen Organisation an der Küste. Das Atlantik-Kommando des Heeres, das im August 1940 als Teil des Vereinigten US-Kanadischen Verteidigungsplanes geschaffen worden war (und Quebec, Nova Scotia, den St. Lawrence-Strom, New Brunswick und Labrador abdeckte), wurde nun aufgelöst. Wie im Frieden mußten nun regionale Kommandeure die Führung ihrer eigenen Bereiche übernehmen. Bis dahin war das Atlantik-Kommando in allen Fragen der Küstenverteidigung das Verbindungsglied zwischen RCAF und der kanadischen Marine gewesen. Ihm unterstanden alle Infanterieregimenter in den wichtigen Häfen wie auch die schweren Küstenartillerie-Batterien sowie die Luftabwehreinheiten. Nun aber schienen, nachdem die Alliierten immer tiefer nach Europa hinein vorstießen und man auch die Schlacht im Atlantik fest im Griff hatte, Feindanlandungen an der atlantischen Küste ziemlich unwahrscheinlich. Zur Errichtung eines von der Bevölkerung befürchteten Brückenkopfes auf kanadischem Boden durch deutsche Streitkräfte kam es nicht. In der Tat war die Anlandung der Agenten Langbein in der Bay of Fundy und von Janowski in der Baie des Chaleurs im Jahr 1942, der Aufbau einer deutschen Wetterstation in Labrador 1943 und die versuchte Aufnahme deutscher Kriegsgefangener durch *U 262* und *U 536* im gleichen Jahr die einzigen Ereignisse, die diesem Konzept nahekamen. Für den Krieg in den kanadischen Gewässern waren die Versenkungen von SS *Samtucky* am 21. Dezember und von HMCS *Clayoquot* unmittelbar vor Halifax am Heiligen Abend 1944 schmerzliche Mahnungen, daß ein Nachlassen der Wachsamkeit verfrüht war.

Kapitän zur See a. D. Klaus Hornbostel beschreibt heute die erste und einzige Feindfahrt seines Bootes *U 806* vom Typ IXC/40 als »wohl einigermaßen typisch für den letzten Abschnitt des Krieges«.[4] Auf der Seebeck-Werft in Bremerhaven-

Wesermünde gebaut und am 29. April 1944 in Dienst gestellt, war das Uboot in jeder Hinsicht auf dem neuesten Stand. Es hatte sowohl Schnorchel als auch das modernste »Hohentwiel«-Radar. Das »Hohentwiel« (Seetakt) war ursprünglich 1943 für die Luftwaffe als Suchradar gegen Schiffe entworfen und in fünf verschiedenen Versionen entwickelt worden, um verschiedensten Kampfbedingungen zu entsprechen. Hornbostels Modell sollte im wesentlichen Ubooten die Ortung von Überwasserschiffen und Flugzeugen ermöglichen und ihm bei jedem Wetter ihre Peilung und Entfernung geben. Es ortete Zerstörer auf vier bis fünf Kilometer Entfernung, aufgetauchte Uboote auf drei Kilometer; kleine 1500-t-Küstenschiffe wurden auf sechs Kilometer erfaßt, ein 6000-t-Schiff auf zehn Kilometer. Flugzeuge konnten je nach Größe, Flughöhe und Flugrichtung zwischen neun und 40 Kilometern geortet werden.[5] Das auf einigen wenigen kanadischen Kriegsschiffen gefahrene britische 10-cm-Radar von Typ 271 war in der Lage, einen Schnorchel auf Entfernungen von 4000 bis 5000 Meter bei Seegang drei oder vier zu orten.[6] Das auf kanadischen Schiffen eingebaute Radar vom Typ 271 ortete Schnorchel auf wesentlich kürzere Entfernung.

Theoretisch jedenfalls lag in kanadischen Gewässern der taktische Vorteil bei den deutschen Ubooten. Wie es sich jedoch herausstellte, war die Arbeitsqualität auf den deutschen Werften nicht mehr so gut wie früher. Schon vor dem Auslaufen fielen das »Hohentwiel« sowie der Funkpeiler aus. Ständig hatte man mit den Funkantennen und der Isolierung zu kämpfen, ein Faktor, der den Funkverkehr im Operationsgebiet kompliziert, wenn nicht gar unmöglich machte. So berichtet das Kriegstagebuch des BdU zwar von Funksprüchen an U 806, erwähnt jedoch nirgends Antworten des Bootes, bis dessen Aufgabe erfüllt war. Weder der BdU noch die deutsche Seekriegsleitung erfuhren vor dem 19. Januar 1945 von den Erfolgen Hornbostels vor Halifax. Das war sechs Wochen, nachdem U 806 das kanadische Operationsgebiet erreicht hatte. Bald zeigten sich andere Schäden und wurden im Lauf der Unternehmung immer häufiger. Gefährlich für das Boot wurde dann das Leckwerden der Stopfbuchse der Steuerbord-Welle. Ein Bruch im Sicherungsgestänge des Schnorchels zwang das Boot verfrüht zum Verlassen des Operationsgebietes. Solche technischen Probleme lastete Hornbostel der Unerfahrenheit des Personals an Land an.[7]

Hornbostel erinnert sich an diese Situation:

»Ungleich gravierender machten sich die Schwierigkeiten beim Einfahren der Besatzung bemerkbar. Zwar wurden die Soldaten wie in früheren Jahren in Sonderkursen für den Ubootdienst und weiter als geschlossene Einheit auf dem eigenen Boot ausgebildet. Es fehlte aber ganz außerordentlich an seemännisch nautischer Erfahrung und Ubootpraxis, und das besonders beim Führungspersonal von ›U 806‹«.

Der Kommandant, ursprünglich artillerietechnischer Spezialist, war erst kürzlich zum Seeoffizier umgeschult worden. Er hatte keine Fahrenszeit als Nautiker, sondern eine Ausbildung als Uboot-Wachoffizier, der unmittelbar ein Kommandantenkurs folgte. Er konnte nicht, wie früher für designierte Kommandanten üblich, als Kommandantenschüler bei einem erfahrenen Ubootkommandanten auf einer Feindfahrt Erfahrungen sammeln. Nach den erforderlichen Kursen fuhr er sein neues Boot und dessen Besatzung in heimischen Gewässern ein und lief dann zu seiner ersten selbständigen Feindfahrt aus, die über vier Monate dauern sollte.

Anderen erging es ähnlich. Der Erste Wachoffizier von *U 806,* Gerd Koppen zum Beispiel, war ein umgeschulter Sperrwaffenoffizier. Der Leitende Ingenieur hatte gerade seine erste Ausbildung hinter sich, und der Steuermann war nach Verwendung im Binnenland vom Signalmeister zum Steuermann umgeschult worden; keine Ubootpraxis. »Wenn all diese jungen Leute nicht so hervorragende Charaktere gewesen wären«, so sieht Hornbostel das heute, »und wenn die drei maßgebenden technischen Oberfeldwebel (nämlich Dieselmaschinist, E-Maschinist und der Funkmeister) nicht so große Erfahrungen bei der Ubootwaffe gehabt hätten, wäre die Reise von *U 806* nicht so glücklich ausgegangen.« Doch die Reserveoffiziere auf der Gegenseite beim Gefecht von Halifax waren wahrscheinlich kaum besser ausgebildet. Der Kommandant der unglücklichen HMCS *Clayoquot* ist ein Beispiel dafür. Früher Bankangestellter, übernahm er am 26. Juni 1944 das Kommando über das Schiff. Er ist ein Beispiel für die recht schnelle Ausbildung der Zivilisten, die die winzige kanadische Berufsmarine von 1819 Mann und dreizehn Schiffen im Jahre 1939 auf rund 90 000 Mann und vierhundert Kriegsschiffe im Jahre 1945 anwachsen ließ.[8] Schnelle Vergrößerung, dazu anstrengende Zeiten — oder in den Worten des Marinetrinkspruchs »a bloody war and sickly seasons« (auf Krieg und Seuche), die Hoffnung auf schnelle Beförderung mit sich brachten — machten aus einer Landratte in kurzer Zeit ein grobes Abbild eines Musterseemanns.

Am 14. Oktober 1944 verließ *U 806* Kiel zu seiner einzigen Feindfahrt, lief die üblichen norwegischen Zwischenstationen Horten und Christiansand an und durch den sogenannten Rosengarten in der Island-Farøer-Enge in den Nordatlantik aus. Überwiegend schwere Seen machten der unerfahrenen Besatzung erhebliche Schwierigkeiten. Hornbostels Befehle wiesen ihm nur ein vorläufiges Operationsgebiet im Atlantik zu; von dort sollte er Wetter melden. Der BdU hatte Hornbostel davon in Kenntnis gesetzt, die Beurteilung der Operationsabsichten des Feindes im Westraum erfordere unbedingte Klarheit über die Großwetterlage, daher seien »laufende Wettermeldungen von größter Wichtigkeit«. Der BdU hatte vier Boote so aufgestellt, daß durch sie die zumeist nach Osten wandernde Wetterlage erkennbar war: Heckler mit *U 870* auf 19° West auf dem Großkreis zwischen Biskaya und Cape Cod (BE 4545); Lange mit *U 1053* auf 24° West weit westlich von Irland (AL 4469); Dobratz mit *U 1232* auf 35° West ostwärts von Cape Farewell; und Hornbostel mit *U 806* auf 35° West im Mittelatlantik.[9] Regelmäßige Wetterfunksprüche von den relativ gleichen Positionen setzten die Uboote der

Entdeckung durch alliierte Peilstationen aus. Dönitz' Anweisungen betonten jedoch »die Wichtigkeit und der Ernst der Aufgabe erfordert die Anwendung aller Maßnahmen, um die Funksprüche durchzubekommen« (KTB). Hierzu sei »sorgfältige Auswahl der Sendewelle und Beobachtung der Lautstärke der Kontrollsender ausschlaggebend«.[10] Erst am 13. November leitete der BdU Hornbostel in das Gebiet vor Nova Scotia, und erst am 30. November präzisierte er dies mit Halifax. Am gleichen Tag wies er Dobratz auf *U 1232* und Marienfeld auf *U 1228* an, je nach den Umständen im gleichen Quadrat zu operieren. Marienfeld lehnte, wie wir gesehen haben, diese Weisung ab.

Am 13. Dezember um Mitternacht, Lessing lag mit *U 1231* vor Egg Island, 30 Meilen nordostwärts von Sambro Feuerschiff, hatte *U 806* ausreisend 4400 Seemeilen hinter sich und erreichte das Quadrat CB 2225 vor Halifax, eine Position 65 Meilen südostwärts von Sambro Island Feuer. So oft wie möglich schnorchelnd, begann *U 806* das Gebiet zu erkunden und sich mit den kanadischen Küstengewässern vertraut zu machen. Gelegentliche Kontakte im Horchgerät unterbrachen die ansonsten eintönige Routine. Am 15. Dezember um 0423 GMT bekam Hornbostel, von Nordosten kommend, zum erstenmal Land in Sicht, das Feuer von Egg Island. Während seines ganzen Aufenthaltes vor Halifax fuhr Hornbostel bei Tag und Nacht nur nach Küstennavigation mit Hilfe von Leuchtbaken. Ähnliche Beobachtungen erhielt der BdU von *U 1231* im St. Lawrence. Anderthalb Stunden bevor Egg Island in Sicht kam, hatte Hornbostel Halifax selbst als hellen Schein über der Kimm gesichtet. Er hatte erwartet, ein so wichtiger Marine- und Geleitzugstützpunkt sei zu Verdunklung oder zumindest Abblendung verpflichtet. Aber die »Haligonians« hatten sich in dieser Hinsicht etwas bockig gezeigt und wollten ihre Beleuchtung.

Der Schein von Halifax, den deutschen Ubootleuten seit ihren ersten Ansteuerungen 1942 vertraut, diente *U 806* während seines Einsatzes zur laufenden Orientierung. Ebenso nützlich war das berühmte Sambro Feuerschiff am äußersten südlichen Ende des für Geleitzüge nach Übersee oder Boston freigesuchten Fahrwassers. Sein leuchtend roter Rumpf hatte jahrelang in großen weißen Buchstaben den Namen Halifax getragen und alliierte wie Achsen-Seeleute über ihren Standort nicht im Zweifel gelassen. Das Ost Halifax Feuerschiff, von den Deutschen »Isolde« nach der Freundin von Gerd Koppen, dem IWO von *U 806*, getauft, lag in unmittelbarer Nähe, 7,8 Seemeilen nordostwärts vor Anker und konnte an diesem dunstigen Tag auf eine Entfernung von sechs Meilen gesichtet werden. Auch am »Klirren der Kette« konnte man es erkennen. Hornbostel vermutete, daß »Isolde« die Dampferroute für Nachtfahrten bezeichnete. Tatsächlich hatte er das östliche Ende des freigesuchten Fahrwassers für Newfoundland ansteuernde Geleitzüge ausgemacht.

Die kanadischen Behörden hatten an Punkten, wo der Schiffsverkehr bei der Ansteuerung nach Halifax zusammenlief, weitere Seezeichen ausgelegt. Hornbostel trug sie in seine Koppelkarte ein und benannte sie so, wie sie es beim Halifax Feuerschiff gemacht hatten. Die Leuchttonne »Klaus« (nach ihm selbst benannt) lag 11,5 Meilen südsüdwestlich von Sambro Feuerschiff; die Tonne »Karla« (nach seiner Frau benannt) 8,3 Meilen weiter einwärts; und die Tonne »Elfriede«, benannt nach der Freundin des Zweiten Wachoffiziers, 8,5 Meilen ostsüdöstlich von Ost Halifax Feuerschiff. Die Besatzung von Kapitän zur See Kurt Dobratz widerstand später der Versuchung, Bezeichnungen an diese Bojen zu hängen, um ihre scheinbar im Frieden lebenden Gegner voll Spott darauf hinzuweisen, wie es in der Bordzeitung lautet, daß die »grauen Wölfe« eingetroffen seien. Sie überlegten sogar, »diesen dicken Tonny von Leuchttonne als Siegestrophäe mit nach Hause zu nehmen«, hätte sie nur durch das Turmluk gepaßt.[11] Da sie derartige Navigationshilfen brauchten, ließen sie sie in Ruhe.

Die Marinesignalstelle auf Chebucto Head bot einen besonderen Bezugspunkt für Hornbostel und Dobratz. Sie identifizierten sie richtig als Signalstelle Camperdown und beobachteten, daß sie mit hellen Signalscheinwerfern mit Fahrzeugen verkehrte. Doch weder Dobratz noch Hornbostel erkannten, daß dort die Empfangsstelle einer Horchanlage war. Inzwischen hatte Kapitänleutnant Ackermann (U 1221) den BdU von seiner Position vor Halifax in einem Funkschlüsselgespräch informiert, die Uboote könnten nur direkt vor Halifax Erfolge erwarten. Diese »Funkschlüsselgespräche«, wie Dönitz sie nannte, waren eine schnelle Folge von verschlüsselten Funksignalen zwischen dem BdU und einem Ubootkommandanten, die unmittelbar vom Ort des Geschehens eine Mitteilung über die Bedingungen zur Zeit der Übermittlung ergaben. Das »Gespräch« mit Ackermann und die darauf folgende Lagebesprechung nach seinem Einlaufen überzeugten den BdU, daß dieser Bereich sicherer Jagdgrund war und sie »geringe, müde Bewachung ohne Asdic« erwarten konnten.[12] Ackermann behauptete, die Bedingungen für das Gruppenhorchgerät der Uboote seien günstig. Das bestätigte seinen früheren Funkspruch, der Lessing (U 1231) in dieses Gebiet gelockt hatte. Der BdU gab die Beobachtung von Ackermann am 10. Dezember durch Funkspruch an Hornbostel und wies darauf hin, daß Hornbostel bei jeder Auseinandersetzung mit den Kanadiern alle Vorteile in der Hand habe. Überzeugt vom Erfolg, befahl er Hornbostel, »sofort dicht ran an den Hafen«. Auf diese Weise erwartete der BdU gleichzeitige Operationen von vier Ubooten vor Halifax. Die Tatsache, generell von der Anwesenheit von Ubooten zu wissen, löste die Verteidigungsprobleme der Alliierten nicht. Zwar hatte es sich als möglich gezeigt, die Positionen der Uboote, die das Gebiet ansteuerten oder verließen, mit einem gewissen Grad von Genauigkeit zu koppeln; sobald sie auf Station waren, entzogen sie sich jedoch der Ortung. Der Chef der Operationsabteilung meldete dem Chef des kanadischen Marinestabes im November 1944: »Der Schnorchel hat die Wahrscheinlichkeit der Sichtung auf ein Mindestmaß reduziert, und der einzige Weg, durch den die Position eines Ubootes wahrscheinlich festgestellt werden kann, ist die Angriffshandlung von seiner Seite.«[13]

Bei guter Sicht fanden die Uboote die Navigation in kanadischen Gewässern unkompliziert, doch diese Bedingungen waren im Winter selten. Dunst, Bodennebel, Schnee, Regen und allgemein sehr schlechte Sicht überwogen. Unter solch einschränkenden Bedingungen verließen sich die Uboote auf kanadische Funk-Navigationshilfen sowie ihre Echolote und Horchgeräte. Dies Verfahren führte oft zu gefährlichen Situationen. So entdeckte *U 806* bei Tauchfahrt in wirbelndem arktischem Seenebel vor Sambro Feuerschiff plötzlich Schraubengeräusche, die schnell lauter wurden und direkt über ihm hinwegliefen. Im vom Turm zum Bug laufenden Netzabweiser des Ubootes hatte sich das Scherbrett eines vorbeifahrenden Minensuchers verfangen und ihn mit einem lauten Knall abgerissen. Durch sein Sehrohr beobachtete Hornbostel einen zweiten Minensucher stoppen, das ausgeschlippte Scherbrett bergen und unbekümmert seine Fahrt fortsetzen. »Um das Boot herum laufend Horchpeilungen von Dampfern mit Rasselbojen und Bewachern mit Asdic« (KTB). Die kanadischen, zur Horchtorpedoabwehr gebauten Geräuschbojen, die die Kriegsschiffe hinter sich herschleppten – von Hornbostel Rasselbojen genannt – verursachten schlechte Horchbedingungen. Im Gegensatz zu Ackermanns früherem Bericht vermutete Hornbostel ganz richtig, daß Asdic zur Standardausrüstung von Geleitfahrzeugen gehörte. Unrichtigerweise aber nahm er an, es bliebe einfach eingeschaltet und als Schreckmechanismus in Betrieb, auch wenn keine Uboote erwartet wurden. Diesen Eindruck der Passivität gewann Hornbostel aus der Tatsache, daß Angriffe häufig nicht zustande kamen, selbst wenn der Asdic-Strahl den Bootsrumpf getroffen hatte. Tatsächlich jedoch zeigten die Asdic-Geräusche eine vorbeugende Sicherheitsmaßnahme, auch wenn kein Angriff stattfand. Das Gerät war niemals unbesetzt. Allerdings geschah es nicht nur gelegentlich, daß der Bedienungsmann die Asdic-Anzeige nicht richtig interpretieren konnte. Doch auch bei guter Sicht drohte Gefahr, denn bei Fahrt auf Sehrohrtiefe hatte Hornbostel »wiederholt die Erfahrung gemacht, daß Bewacher (»Fairmiles«) in Lage Null erst auf ganz geringe Entfernung zu hören sind. Sie können daher unangenehm werden« (KTB).

Hornbostel scheint eher ein Draufgänger gewesen zu sein als der vorsichtige Lessing *(U 1231)*. Aus verständlichen technischen Gründen und vermuteter Brennstoffknappheit hielt Lessing sich im Gebiet Sable Island zurück. Wie sich herausstellte, hatte sich der Leitende Ingenieur mit den Brennstoffreserven verrechnet, was *U 1231* veranlaßte, sich auf den Rückmarsch zu machen. Als jedoch der Irrtum entdeckt wurde, lief Lessing nach Halifax zurück, hatte dabei aber sechs Einsatztage verloren. Angefeuert durch den Frontlagebericht vom 12. Dezember über die im Westen begonnene »Großoffensive westlich Aachen, die gut vorwärts kommt«, sammelten sich die Uboote zum Einsatz in den Küstengewässern. Diese Lagemeldungen waren von starker Wirkung auf die Stimmung der Besatzungen. Das Kriegstagebuch von Lessings *U 1231* vermeldet in diesem Fall »große Freude im Boot«.[14]
U 806 dagegen benötigte keine lange Zeit, um fast das ganze Operationsgebiet

Halifax, seine Verkehrswege und wichtigsten Punkte zu erkunden. Charakteristisch für dieses Gebiet waren die allgegenwärtigen »Rasselbojen«, so genannt nach der deutschen GBT (Geräuschboje Tiefton) als Abwehr gegen akustische Minen. Manchmal schienen diese Täuschungskörper von Bewachern geschleppt zu werden, zu anderen Zeiten schienen sie verankert. Noch verwirrender und enervierender waren die »kreischenden Kreissägen«. Hornbostel vermutete, daß diese von größeren Geleitfahrzeugen wie Korvetten, Fregatten und Zerstörern geschleppt wurden. Ob diese Töne von Täuschungsmitteln gegen Horchtorpedos oder von einem aktiven Ortungsgerät stammten, war dem Ubootkommandanten nie ganz klar. Soweit man das heute feststellen kann, stammten beide Geräusche von Täuschungsmitteln gegen Horchtorpedos: der 3-t-»Foxer« — ein geschlepptes Gerät, das von britischen und amerikanischen Schiffen benutzt wurde, sowie das sehr viel leichtere kanadische Gerät, das die Royal Navy ab Februar 1944 als »Unifoxer« einführte.

Am 20. Dezember 1944 stand *U 806* neun Meilen vor Chebucto Head. Sein »GHG«-Gruppenhorchgerät meldete verschiedene Maschinengeräusche (Schrauben und Kolben), die anscheinend nordostwärts von Cape Sambro in Richtung auf Portuguese Shoal verschwanden. Entmutigend frostiges Wetter überwog, zusammen mit dem vielleicht lähmendsten natürlichen Feind in der Schlacht im Atlantik: dichtem Nebel. Statistiken aus der Kriegszeit vermelden, welch schwere Verluste die alliierte Schiffahrt monatlich durch Kollisionen und Strandungen bei eingeschränkter Sicht in kanadischen Gewässern zu verzeichnen hatte. Der ständige widerliche Nebel komplizierte Angriff und Abwehr gleichermaßen. Im Verein mit den starken Strömungen in diesem Gebiet erschwerte er erheblich die Ubootnavigation. Die Gefechtslage in diesem unwirtlichen Einsatzgebiet glich sich immer: Die Vorteile des einen Gegners mußten gegen die Nachteile des anderen ausgespielt werden. Doch hier vor Halifax schien das Uboot über einen rein technischen Vorteil zu verfügen.

Am 20. Dezember stieß Hornbostels *U 806* auf die alte akustische Abnormität: Dicht unter der Küste vorbeiziehende Kolbengeräusche verschwanden nach und nach in den durchdringenden, andauernden Tönen einer »Rasselboje« vor Chedabucto Head. Auf Sehrohrtiefe fahrend sah *U 806* einen Bewacher aus dem Dunst auftauchen und wieder in dem rätselhaften Rattern unter der Küste verschwinden. In diesem Fall hatte es *U 806* mit kanadischen »Fairmiles« zu tun. Lessing hatte mit *U 1231* inzwischen ähnliche akustische Anomalien von Emerald Bank bis Cap Canso und Country Island erlebt. Sogar direkt in der Chedabucto Bay hatte er sie festgestellt, in die ihn ein Navigationsfehler während eines Schneesturms versetzt hatte.

Nach Mitternacht des 20. Dezember faßte *U 806* schnorchelnd die Schraubengeräusche eines Bewachers auf. Dann kam die unheimliche »Kreissäge«, deren nervenzerreißendes Kreischen bald von dem prägnanten »ping-ping« überdeckt wurde, mit dem das Asdic des Gegners das Uboot eindeckte. Ohne anzugreifen fuhr der Bewacher vorbei. So dicht war bisher kein anderes Fahrzeug an das Uboot herangekommen. *U 806* erspähte eine Anzahl einzelner Handels- und Kriegsschiffe, die sich ihren Weg durch den Bodennebel und die kabbelige See bahnten. Hornbostel hatte wenig Illusionen über den Stand der kanadischen Technik. Sein Aufklärungsvorstoß, der ihn zuerst nach Westen auf Chedabucto Head zu geführt hatte, bildete nun eine lange, flache Kurve nach Süden, bis er etwa vier Meilen von Sambro Feuerschiff entfernt stand. Hier sollte bald der Brennpunkt weiterer Aktionen sein.

Am Abend des 21. Dezember 1944 löste Hornbostels erster Schlag eine Reihe von Ereignissen aus, die ihren Höhepunkt in einer groß angelegten Ubootabwehraktion fanden. Auf Sehrohrtiefe beobachtete er am späten Nachmittag einen »zu einem Kleingeleit von vier Liberty-Schiffen gehörenden Dampfer. Geleit fährt in Doppelreihe« (KTB). Das war der Geleitzug HHX-327, der sich zur Abfahrt formierte. Die Besatzung von *U 806* ging unverzüglich auf Gefechtsstation, eine Minute später fiel ein Zweierfächer auf eine Entfernung von 1500 Meter. Er ging fehl. Hornbostel hatte zu spät erkannt, daß das Geleit von Südwesten kommend um Sambro Feuerschiff nach Norden drehte. Fünfzehn Minuten nach der Sichtung stieß er einen Horchtorpedo auf den Backbord achteren Dampfer aus. Es war der 7219-BRT-Frachter SS *Samtucky* in Leercharter von US Maritime Commission an British Ministry of Transport. Der Torpedo traf nach zwei Minuten 21 Sekunden Laufzeit. Angesichts des getroffenen, mit dem Heck tief im Wasser liegenden Liberty-Schiffes, begleitet von einer einzelnen Korvette, feuerte Hornbostel einen Fangschuß, der im Ziel detonierte. Wegen der Nähe zu Halifax erwartete Hornbostel nun eine schnelle, scharfe Reaktion und zog sich deshalb für eine Zeit nach Osten zurück.

Die kanadischen Erklärungen für dieses Ereignis scheinen anfangs etwas verwirrt gewesen zu sein. Der Merchant Casualty Report (Bericht über Handelsschiffs-Verluste) meldete die *Samtucky* als gesunken.[15] Die Monthly Operational Summary (monatliche Zusammenfassung) berichtete, daß »das Schiff, obwohl schwer beschädigt und in sinkendem Zustand, mit eigenen Maschinen und mit Hilfe von aus Halifax entsandten Schleppern in den Hafen zurückkehren und am 22. Dezember auf Strand gesetzt werden konnte«.[16] Die *Samtucky* wurde schließlich wieder schwimmfähig gemacht und blieb bis mindestens 1948 im Dienst.[17] Obwohl die Befragung des Kapitäns und die spätere Überprüfung des Schadens durch Taucher zu der Ansicht führte, »daß der Schaden durch einen feindlichen Torpedo verursacht worden sei«, behauptete das sofort einsetzende Gerücht im Hafen von Halifax, es sei von einer Treibmine getroffen worden. Die Marine stand nun vor der unerfreulichen Aufgabe, während der Feiertage einen Minensucher in Fahrt zu setzen.

Die kanadischen Marinedienststellen hatten anscheinend so vielen Männern wie möglich Weihnachtsurlaub genehmigt. Der Kommandant von HMCS *Clayoquot* erinnert sich heute noch, daß er am Tag des Vorfalls mit der *Samtucky* in Chester, Nova Scotia, einer kleinen Stadt 80 Kilometer von Halifax entfernt, gewesen sei. Er saß gemütlich mit einem Glas Rum vor dem Kamin, als er plötzlich nach Halifax gerufen wurde, um sein Schiff zum unmittelbaren Auslaufen bereit zu machen. Doch nur ein Drittel seiner Besatzung war dienstbereit an Bord. Die anderen Zweidrittel waren auf Urlaub und mußten entweder zurückgerufen oder vorübergehend ersetzt werden. Da die Zeit drängte, füllte der Kommandant seine Besatzung aus der Personalreserve auf und verlegte dann in einen anderen Teil der Werft, um das »Oropesa«-Minensuchgerät einzubauen. Das war ein Problem, denn bisher hatte der »Bangor«-Minensucher *Clayquot* ausschließlich als Geleitboot gedient. Niemand an Bord hatte irgendwelche Erfahrungen mit dem hastig eingebauten Gerät. Ohne erfahrenes Personal und ohne eingefahrene Besatzung ging der Kommandant in See, das Minensuch-Handbuch buchstäblich in der Hand.

Hornbostels Fluchtweg verlief unterdessen in allgemein südwestlicher Richtung, drehte dann auf Nordost, 25 Meilen südlich von Jeddore Head, und dann nach Egg Island. Hier stand er nur wenige Meilen von Lessings *U 1231* entfernt. Ohne voneinander zu wissen, folgten sie ihren eigenen Plänen. Lessing jagte erfolglos mit höchster Überwasserfahrt einen 3000-BRT-Frachter vor Sheet Harbour und gab schließlich wütend auf. *U 806* drehte in großem Bogen wieder auf Chedabucto Head zu, wo er im Horchgerät verschiedene entfernte Ziele erfaßte. Das war der »rege Verkehr vor Weihnachten«, den Lessing beobachtet hatte.[18] Für Hornbostel jedoch ergab sich am 22. Dezember eine andere Angriffschance. Sein Dreierfächer auf ein Handelsschiff und eine Zick-Zack laufende »Flower«-Klasse-Korvette vor Egg Island war ein Fehlschuß. Zwei der Torpedos erwiesen sich als Versager; einer lief sogar nicht in Schußrichtung sondern »direkt am Turm an Stb.-Seite nach achtern« vorbei (KTB). Der dritte Schuß fiel überhaupt nicht, da das Abzugsgestänge klemmte. Die Enddetonation eines der beiden Fehlschüsse verriet jedoch seine Anwesenheit.

Technische Versager während der ganzen Feindfahrt verstärkten das Gefühl des Alleinseins, das Dönitz während des ganzen Krieges zu überwinden trachtete. Seine persönliche Note stärkte die Kameradschaft an Bord und das Gemeinschaftsgefühl in der ganzen Ubootwaffe. Sein Führungsstil durchdrang seinen ganzen Befehlsbereich und äußerte sich oft in persönlichen Nachrichten an Einzelpersonen aller Dienstgrade. So gratulierte die 5. U-Flottille am 22. Dezember Hornbostel zur Geburt seines Sohnes.

Danach teilte ein kurzer Funkspruch *U 806* mit, daß Hilbig, *U 1230*, möglicherweise in der Nähe sei. Später, am 23. Dezember, nahm Hornbostel einen Funkspruch auf, der *U 1232* ein angrenzendes Einsatzgebiet zuwies. Er hielt Funkstille und wartete auf seine beiden erfahrenen Kameraden: Kapitänleutnant Hans Hilbig, *U 1230,* den der BdU nach seiner Geheimoperation in Maine am 20. Dezember vor Halifax erwartete, sowie Kapitän zur See Kurt Dobratz, *U 1232,* der auf dieser Unternehmung im Gebiet von Halifax fünf Schiffe aus drei Geleitzügen mit insgesamt 26904 Tonnen versenkte.[19] Während sich nun die Geschehnisse um den Geleitzug XB-139 entwickelten, vermutete der C-in-C CNA zwei Uboote vor Halifax. Dieser Verdacht beeinflußte die späteren taktischen Entscheidungen und wirft ein Licht auf die vielen offensichtlichen Ungereimtheiten bei Asdic-Ergebnissen und Angriffsverfahren gegen den ver- muteten einzelnen Angreifer, den die Geleitstreitkräfte zu jagen glaubten.

Seit seinem Angriff auf SS *Samtucky* am 21. Dezember hatte *U 806* das gesamte küstennahe Einsatzgebiet erkundet. Über 5000 Meilen Feindfahrt lagen hinter ihm, als er am Abend des 24. Dezember in der Nähe von Sambro Feuerschiff stand. Er hatte laufend Horchpeilungen von Bewachern und Dampfern, zudem machten ihm die verwirrenden »Kreissägen und Rasselbojen« das Leben schwer, deren Geräusche von weit außerhalb der Sichtweite zu kommen schienen. Les- sings *U 1231,* wie sein KTB notiert, verbrachte derweil »Weihnachten auf Feind- fahrt im sechsten Kriegsjahr« vor Egg Island und Jeddore Rock. Gerade hatte er einen Funkspruch aufgenommen, der Dobratz auf *U 1232* anwies, das Gebiet vor Halifax zu besetzen. Lessing entschied: »Bleibe trotzdem noch hier, da Platz genug vorhanden und ich sowieso bald weg muß.« *U 1230* ließ nichts von sich hören.

Am Morgen des 24. Dezember 1944 befahl C-in-C CNA einer Geleitgruppe, bestehend aus der Fregatte *Kirkland Lake* und den *Bangor* Minensuchbooten HMCS *Clayoquot* und *Transcona,* den Weg des Geleitzuges HJF-36 durch eine Ujagd-Stichfahrt zu »sanieren«. Die Codebezeichnung wies auf ein einzeln fah- rendes »Monster« hin, den 8194-BRT-Truppentransporter SS *Lady Rodney* auf der Fahrt von Halifax nach St. John's. Danach sollten die drei Geleitboote den Geleitzug XB-139 nach Boston geleiten. Gesichert durch die Korvette HMCS *Fennel* und den *Bangor* HMCS *Burlington* lief SS *Lady Rodney* um 1324 GMT durch die Hafensperre. *U 806* lauerte auf Sehrohrtiefe vor Sambro Feuerschiff und entdeckte die erste von »drei Korvetten der ›Flower‹-Klasse.« Tatsächlich waren das die Fregatte HMCS *Kirkland Lake* mit den zwei *Bangors Clayoquot* und *Transcona,* die von See her in Dwarslinie von dem »Monster-Einsatz« zurück- kehrten. Bald lagen die *Bangors* sichtbar quer zum Ubootkurs auf 3500 bezie- hungsweise 4000 Meter Entfernung. Um 1433 Uhr sichtete *U 806* »voraus Geleitzug von etwa acht Dampfern (tatsächlich waren es 12 Schiffe des Geleit- zuges XB-139) in breiter Formation aus Halifax auslaufend« (KTB). Hornbostel stand nun außerhalb der Sicherung an Backbordseite und stieß auf eine Entfer- nung von 400 Meter auf das Backbord führende Geleitboot. Eine Minute später sichtete *U 806* Backbord voraus auf 1800 Meter eine vierte Korvette, wahrscheinlich HMCS *Fennel.*

An diesem Punkt wird das sich schnell ändernde Gefechtsbild etwas unklar. Zwei Geleitbootgruppen und zwei Geleitzüge liefen auf konvergierenden Kursen auf den gleichen Treffpunkt zu. Widersprüche zwischen deutschen und kanadischen Zeitangaben verwischen das Bild weiterhin. Für Einzelheiten siehe Hadley, »Uboote vor Halifax im Winter 1944/45«, Marine-Rundschau 1982/3, 138 – 144, und MR April 1982/4, 202–208.

Um 1430 Uhr (1030 Ortszeit) am 24. Dezember 1944 passierte der Geleitzug XB-139 im freigesuchten Fahrwasser die Boje 1 vor Halifax. Als Sicherung fuhren in Dwarslinie mit 1000 Meter Zwischenraum HMCS *Kirkland Lake, Clayoquot* in der Mitte und dann *Transcona.* Etwa zwei Meilen von Sambro Feuerschiff entfernt befahl der Geleitkommandeur durch Flaggensignal die vorher zugewiesenen Positionen am Geleitzug einzunehmen. Nach Marinebrauch quittierten alle Schiffe den Empfang des Signals, indem sie das gleiche an ihren Signalrahen setzten. Das war manchmal eine zeitraubende Angelegenheit, besonders bei schlechter Sicht oder wenn der Wind ungünstig stand und die Flaggen schlapp hingen oder schräg auswehten. Sobald alle Schiffe ihre Flaggen gesetzt hatten, befahl der Kommandeur Ausführung, indem er seine Signalflagge niederholte. So konnten die Schiffe bei absoluter Funkstille manövrieren. Nach den »Atlantic Convoy Instructions« (ACI) liefen die Schiffe mit Höchstfahrt auf die zugewiesenen Positionen, gingen dort auf zwölf Knoten herunter und begannen sofort Zickzack zu steuern. Das alles sah Hornbostel, ohne zu begreifen, was beabsichtigt war.

Als das Signal ausgeführt wurde, hatte die *Clayoquot* vielleicht etwas schneller reagiert als die anderen; sie mußte auf die andere Seite des Geleitzuges, vielleicht reagierte sie auch zeitgerecht, während die anderen langsam waren. Jedenfalls gab das Hornbostel plötzlich den bestimmten Eindruck, *Clayoquot* habe ihn geortet und schere zum Angriff aus der Linie aus. Tatsächlich wußte die *Clayoquot* nichts von *U 806,* kreuzte jedoch seinen Kurs. *U 806* ging nun zum Selbstverteidigungsangriff über, feuerte einen T 5-Horchtorpedo und ging dann auf 50 Meter, um seinem eigenen Schuß auszuweichen. 69 Sekunden später hörte Hornbostel den Treffer und brachte *U 806* auf Sehrohrtiefe, um die Wirkung zu beobachten. Ein trostloses Bild zeigte sich ihm – ein zerbrochenes Schiff in grauer See. In seinem Kriegstagebuch berichtet Hornbostel: »Korvette sinkt schnell, nur Aufbauten des Hinterschiffs ragen noch aus dem Wasser ... Eine andere Korvette (tatsächlich war es der *Bangor Transcona)* hält auf den getroffenen Kameraden zu, die andere (HMCS *Fennel* vom Geleitzug HFJ-36) zeigt hohe Hecksee«, während sie mit äußerster Kraft davonfährt. Hornbostel erinnert sich noch heute an das Bild, das sich ihm im Sehrohr zeigte. Das Schiff war in der Mitte durchgebrochen, der Mast vorn und die Aufbauten hinten neigten sich zueinander. Die starke Explosion des T-5 hatte das Heck des *Bangor* senkrecht nach oben gesprengt.

Drunten »im Keller« war die Crew von *U 806* voller Erregung – so auch die Kanadier. Mangelnde Erfahrung und Spannung auf beiden Seiten führten in der Erinnerung oder bei der Berichterstattung über die Vorgänge zu Ungenauigkeiten. Den Kanadiern war zum Beispiel niemals klar, ob der *Bangor* an seiner Backbord- oder Steuerbordseite getroffen war, eine Tatsache, die sie in die Lage versetzt hätte, auf die Angriffsrichtung zu schließen.[20] Sie waren sich jedoch darüber einig, daß es sich um einen Horchtorpedo gehandelt habe. Zwei fast gleichzeitige Explosionen – die erste von dem Torpedo selbst und die zweite von den auf dem Achterschiff gestapelten Wasserbomben – sprengten den ganzen Heckteil senkrecht gegen das Luk der achteren Offizierskammern. Die Explosionen hatten das ganze Achterdeck wie den Deckel einer Blechdose aufgerollt und die Minensuchwinde über den Mast auf das Vorschiff geschleudert, zusammen mit Teilen der Wasserbomben, die auf der Brücke landeten. Gezackte Fragmente der Wasserbomben schlugen durch das Oberlicht auf den Herd, wo ein Unteroffizier gerade das Mittagessen für die Besatzung holte. Durch Zufall trug der Zeitpunkt des Angriffs zur Rettung vieler bei, der größte Teil der Besatzung war vorne versammelt, um vor dem Mittagessen ihre Grog-Ration zu empfangen.

Mit infernalischem Krach stieß die *Clayoquot* dichte Dampfwolken aus, vom Heck quoll Rauch, das Schiff krängte stark nach Steuerbord und mußte sofort aufgegeben werden. Als der Dampf nachließ, erblickte der Erste Offizier zwei andere Offiziere, die in der verbogenen achteren Kammer eingeschlossen waren. Abwechselnd steckten sie ihre blutigen Köpfe durch das Bulleye, durch das sie sich nicht hindurchquetschen konnten; verzweifelt schrien sie nach Äxten, um sich den Weg nach draußen zu hacken oder zu brechen, doch Rettungswerkzeug lag schon lange unter Wasser. Die jungen Männer mußten ihrem grauenhaften Schicksal überlassen werden. Anderen eingeschlossenen Männern gelang es, ganz knapp zu entkommen. Im achtersten Teil des Maschinenraumes brachte sich ein Heizer die letzten zwei Meter durch einen engen Luftschacht in Sicherheit. Zwei Seeleute retteten viele Leben, indem sie die Falle der Rettungsboote kappten. Überlebende der Explosion gingen schnell in aller Ordnung und diszipliniert von Bord. Außer vier Offizieren und vier Seeleuten kamen alle frei, ehe die *Clayoquot* um 1451 Uhr GMT, drei Meilen vor Sambro Feuerschiff, sank.

Der 27 Jahre alte Kommandant der *Clayoquot,* LtCdr Craig Campbell, war der letzte, der das Schiff verließ. Während seine Männer auf Flößen davonruderten, saß er auf dem Schlingerkiel, rutschte in die See und schwamm als tüchtiger Brustschwimmer in Sicherheit. Blitzartig kam ihm ein Vorgang in Erinnerung, der ihn wahrscheinlich vor schweren Verletzungen oder gar vor dem Tod rettete. Vor einiger Zeit hatte er mit »Deck« Gregory, einem Überlebenden der 1942 gesunkenen *Charlottetown,* bei einem Drink im Admiralitätshaus in Halifax gesessen. Beiläufig schilderte er ihm die Wirkung explodierender Wasserbomben auf Schwimmer an der Oberfläche. Gregory hatte ein »Ronson«-Feuerzeug herausgeholt, das er in der hinteren Hosentasche hatte, als er auf dem Rücken im St. Lawrence dahintrieb. Es war »dünn wie eine Münze« und nach der Form seiner Hüfte verbogen. Denen, die auf dem Bauch schwammen, hatte die Detonation schwere innere Verletzungen zugefügt. (Ein Heizer von der *Clayoquot* sollte auf diese Weise zu Tode kommen.) Campbell sah beim Davonschwimmen sein schwerbeschädigtes Schiff untergehen. Plötzlich erinnerte er sich an das »Ronson«-Feuerzeug und rollte sich auf den Rücken, um den kräftigen Stoß der scharfgemachten Wasserbomben der *Clayoquot* abzufangen. Er schwamm dann zu seinen Männern, die sich mittlerweile an Flöße und Trümmer geklammert hatten. Dennoch war die Stimmung gut. Ein unverwüstlicher Funker kennzeichnete die Stimmung, als er eine ausgedachte Nachrichtensendung von seinem Floß verkündete: »Eilnachricht! Kanadischer Minensucher zerstört deutschen Torpedo!« Das Ganze hatte neun Minuten gedauert.

HMCS *Transcona* war befehlsgemäß auf dem Weg, Überlebende aufzunehmen, als sie den Funkruf eines Frachters aufnahm, der behauptete, das aufgetauchte Uboot mit Maschinenwaffen angegriffen zu haben. Das Ganze klang völlig unglaubhaft und wurde durch den späteren Untersuchungsausschuß auch abgetan, obwohl Campbell sich erinnerte, Maschinengewehrfeuer gehört zu haben. Die *Transcona* warf ihre vier Gummiflöße über Bord, als sie mit hoher Fahrt an den Überlebenden vorbeikam. Wie auch in anderen, vorübergehend aufgegebenen Bergungsoperationen versetzte dieser offensichtlich unerklärliche Abbruch einer aussichtsreichen Rettungsaktion viele der Überlebenden der *Clayoquot* in einen Zustand banger Enttäuschung.

Das Kriegstagebuch von *U 806* beweist, daß *Transcona* die Priorität richtig gesehen hatte. Hornbostel berichtete im allgemeinen Durcheinander:
»1445 Bb vorderster Dampfer (Frachter von 6000 BRT) passiert auf Gegenkurs 300 Meter an Bb. Schuß nicht möglich.
1446 Vier Wabos (Fliebos?) heftiger MG-Beschuß (vorbeilaufender Dampfer oder Flugzeug)
1446 Schuß aus Rohr VI auf vordersten Dampfer der 2. Kolonne (4000 BRT). Detonation nach drei Minuten, 57 Sekunden. Sinkgeräusche usw. nicht zu hören, da Boot direkt unter Geleit steht.«
Hornbostel erinnert sich deutlich des Maschinengewehrfeuers, als sein Sehrohr unterschnitt, konnte er die Spritzer der Einschläge sehen; im Echolot zeigten sich ungewöhnliche »Echos«.

Der Wasserstrudel eines tauchenden Ubootes konnte die genaue Tauchstelle fünf Minuten lang verraten. Wäre die *Transcona* nicht abgelenkt gewesen, hätte sich die nachfolgende Aktion möglicherweise anders entwickelt. Unmittelbar nach der Explosion an Bord der *Clayoquot* begannen alle Sicherungsstreitkräfte sofort mit der Horchtorpedo-Abwehr durch Aussetzen des Störgerätes. Diese Schutzmaßnahme beeinflußte erheblich die Benutzung von Asdic und Horchgeräten, da das Störgerät stärkere Geräusche verursachte als die Maschinen von *U 806*. So geschah es, daß der von Hornbostel geschossene Torpedo nicht die Schraubengeräusche des anvisierten Handelsschiffes ansteuerte, sondern das klappernde Störgerät der *Transcona*. Die wirkungslose Explosion kurz hinter dem Störgerät erklärt, warum Hornbostel keine Sinkgeräusche hörte. Was der kanadische Untersuchungsausschuß nicht herausfinden konnte, war, daß das Störgerät der *Transcona* unbeabsichtigt einen Torpedo an sich gezogen hatte und dadurch ein Schiff des Geleitzuges rettete. Die Tatsache, daß die *Transcona* selbst den »Angriff« überlebte, bleibt − theoretisch jedenfalls − eine bedeutungslose Vermutung des Ausschusses.[21] Hornbostel hatte sie nämlich überhaupt nicht angegriffen.

Um 1447 Uhr tauchte das hartbedrängte *U 806* auf eine Tiefe von 60 Meter bei einer Wassertiefe von 75 Meter und steuerte der größeren Sicherheit wegen in flacheres Wasser auf die Küste zu, wo die Kanadier es nicht vermuten würden. Direkt unter dem Geleitzug laufend hörte das Boot ziemlich weit entfernt sechs Wasserbomben. Mit kleinster Fahrt laufend, um möglichst wenig Geräusch zu machen, mit so langsamem Gang der Elektromotoren, daß das Boot kaum auf Seiten- und Tiefenruder reagierte, legte sich das Boot auf 68 Meter Wassertiefe auf den Grund. Das war auf einem Punkt vier Meilen südöstlich der Boje HC, der heutigen Trennlinie zwischen ein- und auslaufendem Verkehr. Daß *U 806* dann so viele Bewachungsfahrzeuge in bedrohlicher Nähe hörte, hatte seine Ursache nicht in Abwehrmaßnahmen der ihn umgebenden kanadischen Fahrzeuge. Er lag unmittelbar unter dem hauptsächlichen Ein- und Auslaufweg der Geleitfahrzeuge in der Ansteuerung von Halifax. Die meisten Schiffe mußten über das Boot laufen, um das Suchgebiet zu erreichen. Eine Stunde später hörte Hornbostel im Horchgerät »etwa zwölf Bewacher (Turbinen- und Kolbenantrieb) aus Halifax auslaufen« (KTB). Im weiteren Verlauf stellte er den Wurf von 100 Wasserbomben in größerer Entfernung fest. Im Gegensatz zu Ackermanns früheren Versicherungen vermerkt Hornbostel bekümmert: »Alle Zerstörer bzw. Korvetten haben Asdic (teilweise Prasseln, teilweise Einzelimpuls), nur einzelne fahren Säge« (KTB).

HMCS *Fennel* hatte den Treffer auf die *Clayoquot* beobachtet, dann die Explosion achteraus der *Transcona* gehört und den beladenen Truppentransporter SS *Lady Rodney* (Geleitzug HJF-36) angewiesen, unter Geleit von HMCS *Burlington* nach Halifax zurückzugehen. Nach schneller Orientierung übernahm er die Rettungsaufgaben der *Transcona*. Da *Kirkland Lake* nun südlich der Untergangsstelle nach dem Uboot suchte und *Transcona* westlich davon, steuerte

Fennel nach Norden auf die Untergangsstelle zu. *Fennels* Kommandant sorgte sich um die Auswirkung der Wassertemperatur (2° C) auf die im Wasser schwimmenden Männer und beeilte sich sehr. Angespornt wurde er durch den lauten Gesang des Weihnachtsliedes »O Come All Ye Faithful« (Adeste Fideles), und das respektlose »Roll Along, Wavy Navy«. Als die *Fennel* Flöße aussetzte und ihren Rettungskutter schickte, sammelten sich die Überlebenden der *Clayoquot*. Ein verkrumpeltes Telegramm in Campbells öldurchtränktem Jakett war eine ironische Mahnung an die Vergänglichkeit im Krieg:»Glückwunsch zum neuen Kommando − Gott möge Dein Schiff und alle, die auf ihm fahren, segnen. Mutter und Vater.« *Fennel* brachte die 67 Überlebenden nach Halifax und nahm mit geringstmöglicher Zeitverzögerung die Suche nach *U 806* auf. Die kanadischen Dienststellen lobten später die Initiative, den Weitblick und den Elan des Kommandanten der *Fennel*.

Der Oberbefehlshaber des kanadischen Nordwest-Atlantik wurde über alle Phasen des Geschehens laufend informiert. Die zuständigen Kommandos standen über verschlüsselte Funksprüche miteinander in Verbindung: Halifax, Ottawa, der Befehlshaber der 10. Flotte der USN, der Führer der Geleitstreitkräfte, die Sicherungsgruppen der Geleitzüge XB-139 und HJF-36 und schließlich sogar die Geleitgruppe EG-27. Auf Befehl des C-in-C CNA übernahm die Fregatte *Kirkland Lake* die taktische Führung über die Sicherungsstreitkräfte des Geleitzuges HJF-36 (*Fennel* und *Burlington)* und XB-139 (*Transcona)*. Die Kampfgruppe wurde weiter vergrößert. Etwa 30 Minuten nach der Versenkung wurden zwei in Bereitschaft stehende »Fairmiles« (*ML 114* und *116)* zur Untergangsstelle beordert. Sieben Minuten danach erhielten zwei in Halifax liegende Minensuchboote, *Westmount* und *Nipigon,* sowie die Korvetten *Galt, Pictou* und *Kenogami* den Befehl, schleunigst auszulaufen. Es dauerte etwa eine Stunde, die ganze Besatzung zusammenzurufen. Das war bemerkenswert schnell. Zwei Minuten später wurden alle Schiffe der Geleitgruppe EG-27, die mit Geleitzug ON-271 einlaufend nordostwärts von Sable Island standen, durch verschlüsselten Funkspruch über die Lage informiert und zur Unterstützung der Ubootjagd abgeteilt. Je nach Bereitschaftszustand traten fünf weitere »Fairmiles« und die Korvetten *Arrowhead,* die Fregatte *Lasalle* sowie drei britische Trawler HMS *Anticosti, Manitoulin* und *Ironbound* hinzu.

Die unter der Bezeichnung W-112 rasch zusammengestellte Kampfgruppe bestand nun aus 21 Schiffen. Der erste »geheim-dringend« Funkspruch von C-in-C CNA befahl der *Kirkland Lake,* den Befehl über all diese Schiffe zu übernehmen. Der Kommandant hatte eine Stunde vorher diesen Befehl bereits vorweggenommen und war auf eigene Initiative tätig geworden. Der schwungvolle Befehl »Uboot bis zur Vernichtung jagen« definierte überflüssigerweise ein Ziel, das den führenden Offizier ganz offensichtlich seit Beginn der ganzen Affaire beschäftigt hatte. Unter höchst schwierigen und unbefriedigenden Asdic-Bedin-

gungen hatte der sehr erfahrene Kommandant der *Kirkland Lake* die zusammen-
strömenden Schiffe für Suche und Angriff angesetzt; keiner hätte unter den bestehenden Bedingungen besser handeln können. Trotz dieser wirksamen Kommandoführung sollten höhere Marinedienststellen ihn sehr bald kränken. Fast eine
Stunde, nachdem die Übernahme der taktischen Führung durch *Kirkland Lake*
bestätigt wurde, gab ein britischer höherer Offizier im kanadischen Stab, der
Kommandeur der Zerstörer in Halifax, ein irritierendes Beispiel der herrischen
Haltung gegenüber einer »kolonialen« Marine, ein Affront, mit dem Kanadier
häufig zu kämpfen hatten. Er signalisierte die Anordnung, der an Land sitzende
britische Stabsoffizier für Ubootabwehr-Ausbildung solle die taktische Führung
übernehmen. So geschah es, daß vier Stunden nach der Versenkung von HMCS
Clayoquot eine »Fairmile« den Commander Aubry, RN, an Bord der *Kirkland
Lake* brachte.[22] Die naheliegenden Gedanken des bis dahin führenden Commander Clar, RCNR, sind nicht überliefert.

Seit das Boot auf Grund aufgesetzt hatte, herrschte in *U 806* eine beklemmende
Stille, wie sich Hornbostel heute erinnert. Alle Geräuscherzeuger wurden abgestellt, der Stromverbrauch auf das Notwendigste beschränkt. Alle Freiwächter
lagen auf den Kojen und atmeten durch Kalipatronen. Das Benutzen der Toiletten
war ein besonderes Problem, weil die zugehörigen Pumpen wegen ihres Geräusches nicht bedient werden durften. Da das Boot direkt auf dem Weg zwischen
Schußposition und Halifax lag, wurde es häufig überlaufen. Während dieser Zeit
registrierte *U 806* 100 Wasserbombenexplosionen, abwechselnde Einzelimpulse
und das Prasseln der Asdic-Strahlen von Zerstörern und Korvetten. Auch die
»Kreissäge« kreischte gelegentlich durch das Wasser. Technisch gesehen hatten
die kanadischen Schiffe *U 806* seit langem geortet, denn die Asdic-Strahlen
klopften und pingten am Rumpf entlang.

Ob das Boot in einer Senke auf dem Meeresgrund lag, so daß das Asdic eine falsche Silhouette wiedergab, oder es eine so geringe Reflektion darbot, daß die
Ortungsstrahlen es kaum erkennen konnten, bleibt unklar. Jedenfalls waren falsche Echos − ungeachtet des Ausbildungsstandes des U-Jagdpersonals − in
diesem Gebiet bekanntermaßen schwierig zu erkennen. Beim Asdic-Einsatz auf
dem europäischen Kriegsschauplatz kam man in den operationellen Betrachtungen der Alliierten bereits zu der Ansicht, daß »das Uboot, das mit großer Vorsicht in küstennahen Gewässern operiert, für das Asdic schwierig zu finden ist«.[23]
Das traf in gleicher Weise auf das kanadische Küstengebiet zu, wo die »hohe Nach-
hallstärke zunimmt, wenn die Wassertiefe geringer wird«. Die Erfahrung bestätigte die Ansicht, daß Gezeitenwechsel und Wasserschichtungen zu den Schwierigkeiten, ein auf dem Grund liegendes Uboot zu identifizieren oder überhaupt zu
entdecken, erheblich beitragen. Ebenso wichtig ist vielleicht die Tatsache, daß die
Kanadier einfach nicht erwarteten, daß Uboote in so flachen Gewässern operierten. Ganz gewiß erwarteten sie ein Uboot nicht auf dem Grund der Ansteue-

rungswege nach Halifax. Die übliche Überzeugung der Alliierten war, Uboote setzten sich nach einem Angriff in tieferes Wasser ab. Aber gerade die Tatsache, daß *U 806* trotz des enervierenden Hin- und Herfahrens von Bewachungsfahrzeugen mit Asdic über dem Boot nicht entdeckt wurde, bewog Hornbostel, ruhig auf dem Grund liegen zu bleiben, bis der Tumult bei einbrechender Nacht verklang. Das Aussitzen dieser Nervenprobe in hilfloser Passivität, so erinnert sich Hornbostel, vereinte die Besatzung zu einer Gemeinschaft mit hoher Selbstdisziplin und starkem Zusammengehörigkeitsgefühl. Der Koch gab kalte Verpflegung aus, zum Teil von ihm vorbereitetes Weihnachtsgebäck.

Am 24. Dezember gab *Kirkland Lake* um 2040 GMT einen erklärenden Lagebericht: Aller Wahrscheinlichkeit nach hatte das Uboot nach der Versenkung der *Clayoquot* auf Grund gelegen, und es war zu erwarten, daß es in der Nacht vom 24. auf den 25. Dezember schnorchelnd aus dem Einsatzgebiet zu entkommen versuchte. Unter dieser Annahme sollte die Kampfgruppe ein Suchquadrat mit dem Bezugspunkt Sambro Feuerschiff und einer Flankenlänge von zehn Meilen und dem zu erwartenden Gegnerkurs Nord absuchen. *Kirkland Lake* rechnete damit, daß das Uboot nach sieben Stunden langer Tauchzeit durch schlechte Luft und geringe Batteriekapazität an die Oberfläche gezwungen werde, um die Batterien aufzuladen und das Boot durchzulüften. Tatsächlich war *U 806* bereits seit 14 Stunden unter Wasser. Am 25. Dezember hatten die Kanadier nicht ein einziges Schiff in Sofortbereitschaft. Die 21 Schiffe der Kampfgruppe W 112 schienen immer noch nicht ausreichend, denn unter allen verfügbaren Schiffen besaß allein die *Kirkland Lake* ein Asdic vom Typ 144 Q, mit dem man die Tiefe des Zieles feststellen konnte.[24] Außerdem entstanden, wie der Stabsoffizier Ubootabwehr berichtete, bei einer derart zusammengestellten Gruppe von Bewachern weitere Schwierigkeiten. »Bei der großen Zahl von Schiffen verschiedener Klassen, die alle verschiedene Funkschlüssel haben, mußte man auf den geringsten gemeinsamen Nenner kommen, und das war die offene Sprache.«[25] Reservisten der heutigen kanadischen Marine mit einiger Erfahrung auf Bewachern wird die Tatsache, daß sich in 40 Jahren nichts geändert hat, wenig trösten. Funksprechverkehr im Marinejargon mag den Gegner anfangs täuschen, aber er wird, wenn er die angewandte Taktik beobachtet, sehr bald die Bedeutung erkennen. Ein Beispiel für solche Signale:
From Literate to All Literates:
Stream Harmonicas.
From Literate to All Literates:
Our best method is by knacker particularly after the moon has set.

Übertragen bedeuteten diese Funksprech-Befehle, die vom führenden Offizier der Gruppe auf der *Kirkland Lake* (Literate) allen ihm unterstellten Schiffen (All Literates) befahl, das Horchtorpedo-Täuschungsgerät (Harmonicas) auszusetzen. Das nächste Signal besagte, es sei zweckmäßig, die Methode »knacker«, das heißt die Suche nur mit Horchgerät ohne Asdic-Einsatz anzuwenden, vor allem nach Monduntergang. Während der ganzen Nacht ließen nun die kanadischen Schiffe diesen Rat unbeachtet; der ständige Gebrauch von Asdic gab *U 806* klare Hinweise über seinen besten Fluchtweg. Kurz vor Mitternacht Ortszeit löste sich *U 806* daher vom Grund und lief mit kleinster Fahrt 10 bis 20 Meter über Grund in tieferes Wasser. Entgegen den Erwartungen der Gruppe W-112 steuerte er Südkurs. Wie *Kirkland Lake* richtig vermutet hatte, begann *U 806* sobald wie möglich zu schnorcheln, um die Luft zu erneuern und die Batterien zu laden. Der Kommandant der *Kirkland Lake* hatte jedoch nicht vorausgesehen, *U 806* werde trotz seiner Zwangslage das Schnorcheln unterlassen, bis es das Überwachungsgebiet verlassen hatte. 21 weitere Stunden sollten vergehen, ehe Hornbostel das Gefühl hatte, ungefährdet seinen Schnorchelmast ausfahren zu können. Der Stabsoffizier Ubootabwehr hatte weder mit dem Durchhaltevermögen noch mit der Ausdauer von Hornbostel gerechnet. Hornbostels Unterwasserfahrt erwies sich als ebenso wirksame Abwehrmaßnahme wie das Aufgrundliegen in der Ansteuerung von Halifax. Langsam und still durch die Nacht fahrend, hatte *U 806* keine andere Möglichkeit, als die kanadischen Such- und Angriffsaktionen aufgrund ihrer Geräuschabstrahlung und Asdic abzuschätzen. So interpretierte der kühle, überlegende und entscheidungsfreudige Hornbostel richtigerweise die Suchschemata um seine Schußposition; schnell erkannte er das von den Kanadiern angewandte Prinzip, die Suchkreise entsprechend einer recht gut mitgekoppelten Unterwassergeschwindigkeit ständig zu vergrößern. Die Bewacher drängten sich jedoch nach seiner Beobachtung so dicht zusammen, daß sich trotz Ausweichmanövern nicht verhindern ließ, daß das Boot überlaufen wurde. Zehn strapaziöse Stunden, von 0200 bis 1200 GMT, hörte *U 806* »rundherum Zerstörer und Korvetten, meist mit ›Säge‹, alle mit Asdic. Häufig fünf bis sieben Horchpeilungen gleichzeitig. Boot wird etwa sechsmal direkt überlaufen, zweimal stellt Zerstörer dabei Kreissäge direkt über ihm ab, so daß Asdic-Impulse laut zu hören sind« (KTB).

Während der langen Nacht notiert Hornbostel seine Beobachtungen über die kanadische Abwehr. Die geringfügige kanadische Reaktion auf seinen Angriff auf SS *Samtucky* zwang zu dem Schluß, daß die kanadischen Streitkräfte auf Uboote direkt vor dem Hafen offenbar nicht vorbereitet waren. Spätere Ereignisse bewiesen die Richtigkeit dieser Schlußfolgerung. Die aufgrund der Versenkung der *Clayoquot* herbeigerufenen Bewacher hatten beim Auslaufen die Asdic-Kontakte des auf dem Grund liegenden *U 806* einfach deshalb nicht erkannt, weil die Vorstellung, ein Uboot liege im freigesuchten Fahrwasser auf dem Grund, undenkbar erschien. Das ist ein klassisches Beispiel dafür, wie Kampfeinheiten ihren vorgefaßten Ansichten zum Opfer fallen. Die schnelle Reaktion auf den *Clayoquot*-Vorfall zeigte nach Hornbostels Beobachtung die Sofortbereitschaft der Schiffe; es hatte nur eineinviertel Stunden gedauert, bis das erste halbe Dutzend dampfangetriebener Bewacher das Überwachungsgebiet 15 Seemeilen vor

Halifax erreichten. Tatsächlich jedoch hatten ihm drei zufällig zusammenfallende Elemente den falschen Eindruck der Bereitschaft vermittelt: die zufällige Bereitschaft einiger »Fairmiles«, das überhastete Auslaufen größerer Schiffe mit kalten Maschinen sowie die Nähe von sich nähernden Geleitzügen und Aufklärungsgruppen. Zusammenfassend berichtet Hornbostel: »Die Abwehr war gut organisiert, Zerstörer und Korvetten jedoch ungeübt, denn das Boot wurde nicht ein einziges Mal erfaßt« (KTB). In seinem Lagebericht an den BdU vom 20. Januar 1945 berichtet er: »Vor und nach erstem Bemerktsein bedeutungslose Abwehr vor und bei Geleit und einzeln. Nach zweitem Bemerktsein etwa zwölf Zerstörer und Korvetten, jetzt alle Asdic und Schreckwabos, nie erfaßt.«[26]

Nachdem er jede Tag- und Nachtstunde die Wasserbomben der verstärkten Überwasserbewachung gehört hatte, steuerte Hornbostel am 25. Dezember 1944 um 1300 GMT das Quadrat BB 7765 an, »um dort die Weihnachtsfeier nachzuholen und anschließend in diesem etwas abgesetzten Gebiet zu versuchen, die von Ackermann mit 4tägigem Rhythmus gemeldeten Kleingeleite zu erwischen« (KTB). Als er zehn Stunden später nach insgesamt 40 Stunden ohne einen Hauch frischer Luft zu schnorcheln begann, waren die Temperaturen so niedrig, daß Sehrohr und Schnorchel vereisten. Die Kälte verbreitete sich schnell im ganzen Boot, die Horchbedingungen waren nicht annähernd so gut wie westlich von Sambro Feuerschiff; dort hatte *U 806* bis zu einer Entfernung von 15 Seemeilen horchen können. Es überrascht deshalb nicht, daß das Boot am 26. Dezember erneut auf Grund ging, um der Besatzung Ruhe zu gönnen und im Bugraum eine Weihnachtsfeier abzuhalten. Wir wissen nicht, woraus diese Feier bestand. Hornbostel erinnert sich nur an ein Zusammensein mit der gesamten Besatzung mit ruhigen Gesprächen. Gerade hatten sie eine nachdenklich stimmende Botschaft von Admiral Dönitz aufgenommen.[27] In schlimmster Übertreibung des nationalsozialistischen Jargons abgefaßt und im Bemühen, kompromißlose Standfestigkeit und Hingabe auszudrücken, erhob sie Banalitäten zur Parodie des Erhabenen: »Meine Ubootmänner! Front und Heimat feiern das sechste Kriegsweihnachten in entschlossener Härte, in bedingungsloser Hingabe und im fanatischen Glauben an unsern Führer. Am heutigen Tag verbinden mich meine Gedanken ganz besonders mit Euch, meine alten und jungen Ubootfahrer, die ihr fern der Heimat kämpfend das uralte deutsche Fest begeht. Dönitz.«

Die Besatzung von Lessings *U 1231* hatte mittlerweile in 30 Meter Wassertiefe ein ruhiges Weihnachten vor Egg Island gefeiert. Die Küstennavigation wurde etwas problematisch, als Lessing feststellte, daß die Befeuerung am 25. Dezember ausgeschaltet wurde. Der kürzliche Verlust der *Clayoquot* hatte das Department of Transport veranlaßt, die Verteidigungsmaßnahme »Anweisung für Leuchtturmwächter« auszulösen. Lessings Kriegstagebucheintragung ist die zweite, in der ein Uboot von einem solchen Vorgang berichtet. Dobratz, *U 1232,* sollte ein ähnliches Geschehen im Januar 1945 vor Halifax feststellen. *U 1231,* Lessing, nahm seine

Überwachung zwischen East Halifax und Sambro Feuerschiff in dichtem Schnee-treiben auf, so daß das Boot die Quelle der Geräusche der Ujagdangriffe gegen *U 806* nicht erkennen konnte. Am 27. Dezember geriet das Boot unbeabsichtigt in den kanadischen Suchbereich. Auf der Suche nach Zielen auf der Emerald Bank, wo die Geleitgruppe EG-27 nun jagte, hörte Lessing erneut Detonationen in der Ferne, erlebte aber keinen direkten Angriff. »Bisher war in der ganzen Zeit noch nicht so viel los wie vorgestern und gestern«, sinnierte er in seinem KTB.

Eine Woche nach dem Sinken der *Clayoquot* brachte der HALIFAX HERALD die Nachricht, daß »ein Kriegsschiff einem Uboot zum Opfer gefallen« sei.[28] Die Marinezeitung AVALON NEWS erklärte, die *Clayoquot* sei der dritte Minensu-cher und das zwanzigste im Krieg verlorene kanadische Kriegsschiff.[29] Die Ver-lautbarungen gaben keinen Hinweis auf kanadische Gegenmaßnahmen, die – wie das Kriegstagebuch von *U 806* besagt –, obwohl »gut organisiert«, aus zwei im Zusammenhang stehenden Gründen erfolglos blieben: ungewöhnlich schlechte Asdic-Bedingungen und mangelnde Erfahrung. Doch andere, ebenso wichtige Unwägbarkeiten spielten ebenfalls eine Rolle. Warum hatte sich W-112 zum Beispiel durch einige »unzweifelhafte« Kontakte ablenken lassen, die sie ent-deckt, überprüft und angegriffen zu haben behauptete? Und wie konnte die Sicht-meldung eines Flugzeuges, 30 Meilen von Hornbostels Grundposition in der Ansteuerung von Halifax entfernt, die W-12 nach Südosten locken, um ein vermu-tetes schnorchelndes Uboot abzufangen? Der Einsatz des Pillenwerfers (ein Täu-schungsmittel gegen das Asdic) konnte solche gründlich durchdachten taktischen Irrtümer nicht verursacht haben. Der C-in-C CNA ging zeitweise von dem Vor-handensein eines zweiten feindlichen Ubootes aus. *U 1231, U 1232* und *U 190* können wir dabei aufgrund ihrer eigenen navigatorischen und taktischen Angaben ausschließen.[30] Ob Hilbig mit *U 1230* versehentlich in den ersten Teil dieser Kampfhandlung eingriff und das »unschuldige« Opfer der W-12 geworden war, die glaubte, sie habe den langgesuchten Killer nun erwischt, bleibt eine offene Frage. Nach einer Kopplung des BdU stand *U 1230* (am 8. Dezember 1944) im Großquadrat CB südlich von Halifax und hätte am 24. Dezember in der Nähe sein können. Es unterrichtete den BdU am 3. Januar 1945, es habe von der[31] US-Küste den Rückmarsch angetreten. Ebensogut könnte es Kanada gemeint haben.

Es bleibt die Tatsache, daß am 25. Dezember, rund 24 Stunden nach der Versen-kung, eine RCAF »Liberator« auf einem Routineflug 30 bis 40 Meilen südöstlich von *U 806* ein schnorchelndes Uboot auf Westkurs mit vier Knoten überraschte, von dem es behauptete, es fotografiert und dann gebombt zu haben. Die »Libe-rator« meldete zwei Treffer und danach Ölfleck und Wrackteile. Während des ganzen Tages wurden die Schiffe der W-12 durch andere ersetzt, bis die Kampf-gruppe schließlich aufgelöst wurde. *Kirkland Lake* untersuchte den Schauplatz des Luftangriffs, fand jedoch gleich den Schiffen der Geleitgruppe EG-27, die ergebnislos Emerald Bank abgesucht hatten, keine Spur eines Ubootes oder einer

Vernichtung. Am 26. Dezember nahmen die Kanadier verschlüsselte deutsche Funksprüche auf, konnten aber wegen ungenügender Koordinaten keine Kreuzpeilungsortung erreichen. Nach beendetem Einsatz gingen die kanadischen Einheiten neuen Aufgaben nach; als Ergebnis blieb: ein torpediertes Handelsschiff auf Strand gesetzt, ein *Bangor* Minensucher versenkt, acht Mann Verlust, ein Uboot abgedrängt und unter Wasser gedrückt. Hilbig, *U 1230*, Lessing, *U 1231*, Dobratz, *U 1232* und Hornbostel, *U 806*, überlebten den Krieg.

»U-Dobratz« war an dem Halifax-Einsatz bis Neujahr nicht beteiligt. Es war unter Geleit am 12. November 1944 zusammen mit *U 870*, Hechler, für den Einsatz als Wetterboot aus Christiansand-Süd ausgelaufen und hatte nach starken Sturmschäden in schwerer See am Weihnachtsabend Flemish Cap passiert. Dieses auffällige Tiefseeriff eignete sich nach Dobratz' Meinung hervorragend zur Ansteuerung der Newfoundland Bank. Der markante Unterschied der Wassertemperatur ist der erste Hinweis auf Annäherung, bei weiterem Anmarsch wurde die Dünung flacher. Er notierte bei sehr hohem Luftdruck ruhiges Wetter, so daß vor Eintritt in das Operationsgebiet eventuelle Schäden über Wasser beseitigt werden konnten. Am 26. Dezember kreuzte er die Newfoundland Banks und steuerte mittags die Südostecke von Sable Island mit Hilfe kanadischer Funkbaken an. Für *U 1232* endete das Jahr 1944 nicht mit Knallen, sondern mit Klagen. Sein Unterwasserangriff, in hellem Mondschein auf große Entfernung, gegen einen gesicherten Geleitzug von vier Schiffen schlug fehl. Alle Torpedos waren Blindgänger.

Am 31. Dezember 1944, als *U 806* 20 Meilen südöstlich von Western Head (BB 7734), Lessings *U 1231* etwa 40 Meilen südlich von Sable Island (BB 8792) stand und Dobratz' *U 1232* sich einlaufend 75 Meilen ostwärts von Sambro Feuerschiff befand, funkte der Kommandierende Admiral Uboote seine Neujahrsbotschaft: »Zum neuen Jahr allen am Feind stehenden Ubootbesatzungen herzliche Wünsche. Ich bin in Gedanken unter Euch. Das Jahr wechselt, unsere Parole bleibt die gleiche: ›Angriff, ran, versenken!‹ Sieg Heil! Kommandierender Admiral Uboote.« Hornbostels Kriegstagebuch vermeldet die Botschaft ohne Kommentar.[32] Dobratz machte sich nicht mal die Mühe, sie im KTB aufzunehmen. Lessing, *U 1231*, feierte trotz 20 Wasserbomben, die er im Laufe des Tages gehört hatte, in Neujahrsstimmung: »Punschausgabe in allen Decks, gemütlicher Klöhn«; Lessing hielt »eine feierliche Neujahrsansprache mit abschließendem Treuebekenntnis« (KTB) und verlas dann die Neujahrsbotschaft des Kommandierenden Admirals. Dönitz' Neujahrsbotschaft ging am nächsten Tag bei den Ubooten ein.

»Uboot-Männer! Das vergangene Jahr hat uns gezeigt, daß wir mit den verbesserten Booten wieder kämpfen können. Im kommenden Jahr wird die Kampfkraft unserer Waffe durch neue Boote verstärkt werden. An uns liegt es, sie zur vollen Wirkung zu bringen. Zum Jahreswechsel geloben wir darum, uns weiterhin bedingungs- und rücksichtslos einzusetzen im Kampf um die Freiheit unseres Volkes. Heil unserm geliebten Führer! Ob. d. M. und BdU.«

Es ist bezeichnend, daß die Texte solcher Botschaften nur gelegentlich in die Kriegstagebücher aufgenommen wurden! Solche Phrasen wurden in den meisten Fällen nicht für berichtenswert erachtet.

Nachdenklich trug Lessing in sein KTB ein:

»Das Jahr 1945 ist angebrochen. Was wird es uns bringen?«

Deutschlands Zusammenbruch und die schließliche bedingungslose Kapitulation standen bevor. Angekündigt wurden sie bereits im Mai 1943 durch die entscheidende Wende in der Schlacht im Atlantik; unwiderruflich wurden sie durch den Verlust der französischen Stützpunkte nach der Landung in der Normandie; besiegelt wurden sie durch die schweren Tagangriffe der Bomber gegen die wichtigsten Marine-, Industrie- und zivilen Ziele daheim. So berichtet eine der letzten erhaltenen Kriegstagebucheintragungen des BdU zum Jahresende den Verlust weiterer Prototypen des Typs XXI durch schwere Tagangriffe auf Hamburger Werften.[33] Umstritten ist, ob nach dem 15. Januar 1945 der BdU-Stab überhaupt Kriegstagebuch führte.

Der ehemalige Operationschef beim BdU, Konteradmiral a. D. Eberhard Godt, äußerte in einem Gespräch mit dem Verfasser, man habe nach dem 15. Januar 1945 KTB nicht weitergeführt. Andere lehnen die Behauptung ab und meinen, die KTBs seien infolge der Umstände während der letzten Kriegsmonate nicht mehr in das nach Schloß Tambach bei Coburg ausgelagerte Marinearchiv gelangt und archiviert worden und leider verschollen.

10. Kapitel

Schwarze Flaggen

Die kämpferische Rhetorik der deutschen Marine täuschte mit dem Ausklingen des Jahres 1944 über die in steigendem Maße schwindende Zahl der Uboote und die nagende Furcht, die Alliierten würden die stark geschwächte Schlagkraft der Ubootwaffe bald bemerken, hinweg. Schon im Oktober 1944 war der BdU über die Tatsache besorgt, daß »mit dem Abmarsch der zur Zeit noch im Operationsgebiet stehenden Uboote eine seit drei Jahren nicht mehr erreichte Uboot-Leere im Atlantik eintritt«.[1] Anfang Oktober befanden sich 40 Uboote im Nordatlantik, vier auf dem Ausmarsch, 28 auf dem Rückmarsch und nur acht tatsächlich im Einsatz. Von diesen acht operierten vier im Englischen Kanal, eines vor North Minch, zwei vor Halifax und eins im St. Lawrence. Doch im Gegensatz zu der überkommenen Meinung spiegelte das seltene Eindringen von Ubooten in kanadische Gewässer nicht eine Abschwächung der deutschen Interessen in diesem Bereich wider. Ganz im Gegenteil, die Einsatzzahlen zeigen in der Tat, daß die kanadischen Küsten sehr hohe Priorität besaßen, fast die gleichen wie die Großbritanniens. Die deutschen Kräfte waren bis aufs äußerste beansprucht. Der BdU unterrichtete seine Stäbe, es sei nur eine Frage der Zeit, bis die Alliierten die Schwäche Deutschlands entdeckten. Sobald der Gegner dies festgestellt hätte, wäre damit zu rechnen, daß die Alliierten ihre Abwehrmaßnahmen entsprechend einschränkten und die freiwerdenden See- und Luftstreitkräfte zum aktiven Einsatz gegen die europäischen Ziele und die deutsche Schiffahrt einsetzten (KTB).

Die deutsche Seekriegsleitung unterrichtete Großadmiral Dönitz im Januar 1945, daß der durch seine Uboote ausgeübte Druck, ob real oder eingebildet, auf der Feindseite 560000 Menschen unmittelbar mit der Ubootbekämpfung, mit dem Geleitdienst und in den Häfen band.[2] Dieses Personal und seine Ausrüstung könne sonst anderswo eingesetzt werden. Um diesen Druck aufrecht zu erhalten, war es deshalb zwingend, die Zahl der verfügbaren Uboote so schnell wie möglich zu erhöhen. Bei den Forderungen anderer Kriegsschauplätze war die Verlegung vorhandener Einheiten keine mögliche Lösung. Die einzig sinnvolle Möglichkeit lag in erhöhter Ubootfertigung. Die Erfahrungen der Uboote vom Typ IXC wie *U 517*, *U 541*, *U 1221* und *U 1223* im Golf von St. Lawrence wiesen auf die Notwendigkeit nach schnellerer Fertigung des neuen Typs XXI, Dönitz' Allheilmittel, hin. Während sich die älteren Boote als ungeeignet erwiesen hatten, wichtige Ziele zu überholen und zu zerstören, entwickelten die neuen Entwürfe eine Unterwasserhöchstfahrt zwischen 16 und 17 Knoten.[3]

Das waren die »neuen Uboote«, die der BdU in seiner Neujahrsbotschaft versprochen hatte. Sie waren nach der Entwicklung der letzten beiden Jahre die perfekten Tauchboote, die ohne Rückgriff auf häufiges Auftauchen oder Schnorchelbenutzung getaucht operieren konnten. Sie boten vergrößerte Fahrstrecke, Schlagkraft und Manövrierfähigkeit. Für den Augenblick mag der BdU Erleichterung empfunden haben, als er, um für seine Uboot-Produktionspläne Zeit zu gewinnen, seinen scheinbar verstärkten Einsatz plante. Dem deutschen B-Dienst war es gelungen, Teile einer geheimen Direktive der alliierten »Commander Task Group« zu entziffern, der die alliierten Ubootabwehr-Einheiten darüber unterrichtete, daß während der kommenden Wintermonate verstärkte Uboottätigkeit erwartet werden könne.[4] Imaginäre Streitkräfte konnten, wie Dönitz wußte, den gleichen Druck auf die alliierte Abwehr ausüben wie ein wirklicher Angriff auf die alliierten Nachschublinien – vorausgesetzt natürlich, der Anschein konnte aufrechterhalten werden. Die Alliierten mußten ihren Verdacht bestätigt sehen. Die weitestgehend erfolgreiche deutsche List, starke Einsätze vorzutäuschen, stellte harte Anforderungen an die Ubootbesatzungen.

Die Befürchtungen der alliierten Strategen wurden bald weithin bekannt. Die Rede Roosevelts zur Lage der Nation am 6. Januar 1945 bestätigte eine stärkere Ubootaktivität. Zeitungen in Kanada, Großbritannien und in den Vereinigten Staaten nahmen die »Tatsache« mit einer gewissen unverhohlenen Faszination auf. Ein gemeinsames Kommuniqué von Churchill und Roosevelt, in London und Washington am 9. Januar veröffentlicht, sprach von erneuter Aktivität der Uboote, meldete steigende Verluste der Handelsschiffahrt und wies auf die verbesserte Uboottechnik des Gegners hin. In der Landung eines deutschen Agenten in Maine sah das Kommuniqué »einen weiteren Hinweis, daß die Drohung der deutschen Unterwasserflotte real und ungebrochen war«. Hilbig hatte mit *U 1230* einen bedeutenden Propagandaeffekt erzielt, obwohl seine Agenten versagten. Alliierte Pressekonferenzen wie die von Admiral Jonas H. Ingram, Oberbefehlshaber der US-Atlantikflotte, fachten Spekulationen über Ubootstärke und -taktiken erneut an, dieweil die Journalisten die Öffentlichkeit mit Schlußfolgerungen und Meinungen aufgrund einer Vielzahl »verläßlicher Quellen« versorgten. Ausgelöst durch Admiral Ingrams Pressekonferenz erwog der HALIFAX HERALD am 12. Januar 1945 sogar die mögliche Bedrohung der Städte an Nordamerikas Küste durch von Ubooten abgeschossene V-2-Raketen. Dem OTTAWA JOURNAL vom 9. Januar 1945 lag jedoch daran, seinen Lesern den schließlichen alliierten Sieg auf See zu versichern »trotz der unbestreitbaren Tatsache, daß neue und verbesserte Ausrüstung es uns erschweren, Abwehrmaßnahmen zu ergreifen«. Diese Ausrüstung – der Horchtorpedo, die Radar-Warngeräte und vor allem der Schnorchel – gaben der kanadischen Öffentlichkeit genug Stoff zum Phantasieren. So verkündete ein Artikel im OTTAWA JOURNAL, datiert London, England, am 15. Januar, daß »neue Hochsee-Nazi-Uboote bis zu 30 Tagen mit einer Geschwindigkeit von zehn Knoten unter Wasser fahren könnten«.

Wie wir gesehen haben, sind das bescheidene Schätzungen der Möglichkeiten, mit dem Schnorchel ausgedehnte Unterwasseroperationen durchzuführen, wenn auch die Unterwassergeschwindigkeit selten sieben Knoten überstieg. »Hohe Dienststellen in Großbritannien, Kanada und den Vereinigten Staaten«, so berichteten die Zeitungen irrigerweise, »erwarteten 200 bis 300 solcher Uboote im Einsatz im Atlantik in Rudeln zu 20 oder 25 Booten.«

Die Fertigung der neuen Uboote, die die aufrüttelnden Neujahrsbotschaften aus den deutschen Marinebefehlsstellen versprochen hatten, war auf die Dauer mit unüberwindlichen Schwierigkeiten belastet. Die Alliierten bombardierten nun in kühnen Tagesangriffen Werften und Häfen, schnitten die Versorgung mit Rohmaterial ab und zerstörten Schienenstränge und Fabriken. Die Kriegstagebücher des BdU und der Seekriegsleitung dokumentieren schmerzlich die erbarmungslose Vernichtung ihrer militärischen und industriellen Ressourcen. Die französischen Häfen waren seit langem für die Ubootoperationen geschlossen; nun waren sogar die nördlichen Stützpunkte in Deutschland und Norwegen den massiven Tages-Luftangriffen schutzlos ausgeliefert. Mitte November wurden durch Luftangriffe gegen das Ruhrgebiet fünf größere Kopfbahnhöfe vernichtet, der Transport von Rohstahl und Kohle verringerte sich dadurch auf ein untragbares Niveau. Luftangriffe hatten alle Stahlwalzwerke zerstört oder schwer beschädigt, die Benzinproduktion auf 40 Prozent der Kapazität reduziert und die Zuteilung von Kriegsmaterial und Treibstoff ernsthaft eingeschränkt.[5] Die letzteren waren bereits im vorangegangenen September um 25 Prozent gekürzt worden.[6] Obwohl an Land genügend Arbeitskräfte für das neue Bauprogramm zur Verfügung standen, konnten die Werften wegen ständiger Bombenangriffe und Materialmangel die Produktionsquote nicht erfüllen. Die deutsche Seekriegsleitung untertrieb die Lage Anfang Dezember ganz einfach als »schlecht«.[7] Selbst die Prototypen des neuen Typ-XXI-Ubootes, die trotz der überbeanspruchten Ressourcen fertiggestellt werden konnten, wurden zerstört, ehe sie in See gehen konnten. Im November beschädigte ein Tagangriff gegen die Werft Blohm & Voss in Hamburg das neue U 2527 durch direkten Treffer und blockierte U 2526 auf der gleichen Helling. Ein Tagangriff auf den Hamburger Hafen am 31. Dezember 1944 zerstörte U 2532 vollkommen und beschädigte U 2515 schwer.[8] Die Luftangriffe im Januar vernichteten U 2530 und U 2537 und versenkten U 2523, U 2524 und U 2534. Bemerkenswert war, daß die letzten drei geborgen und zwei von ihnen später in Dienst gestellt wurden. Es spricht für die deutsche Initiative und Energie, daß solche Uboote überhaupt gebaut wurden. Der Großadmiral schlug sich mit strategischen Problemen herum, die sich aus der »augenblicklichen Schrumpfung der ganzen Marine« durch Energieausfälle, Versenkungen auf See und Vernichtung von Schiffen im Hafen sowie Landanlagen ergaben. Derweil versuchten seine Stäbe, mit den unausweichlichen Zwängen zu verstärkter Rüstungsproduktion im Rahmen des nun geradezu hoffnungslosen Rüstungsnotprogramms fertig zu werden.

Ungeachtet solcher lähmenden Hindernisse unterrichtete Großadmiral Dönitz Hitler am 28. Februar 1945: »Das Uboot kann wieder in Räumen stärkster Überwachung kämpfen und zum Erfolg kommen, in denen es jahrelang nicht einmal leben konnte... Mit dem vollkommenen Unterwasserfahrzeug (Typ XXI) ist eine Wende im Seekrieg herbeigeführt.«[9] Obwohl Dönitz damit gerechnet hatte, die ersten neuen Typen kämen am 17. März 1945 zum Kriegseinsatz, lief das Uboot-As, Kapitänleutnant Addi Schnee, mit dem ersten Typ-XXI-Boot erst am 30. April, eine Woche vor Deutschlands Kapitulation, zum Einsatz aus.[10] Salewski bemerkt hierzu mit Recht: »Dies war die Krönung zweijähriger intensiver Anstrengungen der deutschen Marinerüstung, des Genies deutscher Ubootkonstrukteure, Auftakt zur Erneuerung der ›Schlacht im Atlantik‹.«[11] Er stellt dann eine beunruhigende Frage:

»*Was wäre gewesen, wenn dieses ungewöhnliche Uboot, gegen das die Alliierten keine Abwehr hatten, früher entwickelt worden wäre?*«

»Was wäre gewesen, wenn...« Selten dürfte diese dem Historiker an sich verpönte Frage berechtigter sein als im Hinblick auf das Phänomen »Neuer Ubootkrieg«. Berechtigt vor allem, weil in ihr auch die historisch legitime Frage nach Sinn und Unsinn der deutschen Uboot-Kriegführung nach dem Zusammenbruch im Mai 1943 enthalten ist.[12] Vor diesem Hintergrund hielt *U 1232* einsame Wache vor den Küsten von Nova Scotia.

Vier Meilen vor Sambro Feuerschiff auf Position, beobachtete Dobratz mit *U 1232* während der ersten beiden Tage des Januar 1945, nach welchen Plänen der Verkehr lief. Die Welt schien in tiefstem Frieden. Nach den Worten der aus einer Seite bestehenden Bordzeitung des Bootes, »Der Zirkus«, hätte es keiner für möglich gehalten, »daß wir direkt vor der Haustür von Halifax munter und fröhlich an Oberdeck umherkutschieren würden«.[13] Dobratz' erste Angriffsversuche lösten überhaupt keine kanadische Reaktion aus. Sein erster Horchtorpedo-Angriff gegen eines von fünf Fahrzeugen der Geleitgruppe EG-16 auf Routinefahrt 20 Meilen südöstlich von Sambro Feuerschiff schlug fehl, obwohl zwei aufeinander folgende Detonationen ihn zur Überzeugung brachten, er habe einen Zerstörer versenkt. Da sie überhaupt nicht mit Ubooten rechneten, schrieben die Kanadier die Explosion einer Bombe zu, die ein Flugzeug der RCAF zwei Minuten vorher ohne vorherige Warnung geworfen hatte.[14] Am nächsten Tag detonierte ein Dreierfächer wirkungslos hinter dem einzeln fahrenden Truppentransporter *Nieuw Amsterdam*, der 90 Minuten vorher aus Halifax ausgelaufen war. Das Schiff nahm kaum oder gar keine Notiz von den Detonationen und setzte seinen Kurs nach Großbritannien fort. Sowohl das Kreissägengeräusch als auch die Entfernung des Fehlschusses überzeugten Dobratz, daß das Schiff einen Geräuschkörper an einer 1000 Meter langen Leine im Schlepp hatte. Kanadische Berichte stützen diese Annahme nicht und lassen auch keinen Schluß darauf zu, ob irgend jemand die Gegenwart eines Ubootes vermutete. Mit der Versenkung dieses Schiffes hätte er einen großen politischen Aufruhr in Kanada verursacht, denn das Schiff brachte »Zombies«* (dt. »Halbtote«) des National Ressources Mobilisation Act nach England. Diese von ihren »patriotischeren« Landsleuten bösartig »wandernde Tote« Genannten hatten sich nur für die Heimatverteidigung gemeldet und wurden nun aufgrund einer Kabinettsorder vom 22. November 1944 für den Überseedienst aufgerufen. Viele waren gegen ihren Willen eingeschifft worden, viele desertierten lieber, als nach Übersee zu gehen, eine Tatsache, die die Nazi-Zeitung VÖLKISCHER BEOBACHTER höchst befriedigt feststellte. Die deutsche Seekriegsleitung sah in den Nachrichten von Desertionen in Kanada den Beweis, daß die Kanadier sich nicht länger dafür mißbrauchen lassen wollten, »einen britischen Krieg zu kämpfen«. Inzwischen erweiterte Dobratz sein Überwachungsgebiet rund um Ost Halifax Feuerschiff und kontrollierte seine Position durch die zuverlässigen Feuer von Egg Island und Jeddore Head. Am nächsten Tag erfuhren die Ereignisse eine drastische Wendung.

Am 4. Januar 1945, 1600 GMT, sichtete Dobratz den acht Knoten laufenden Sydney-Halifax-Geleitzug SH-194, der die Untiefen bei der heutigen Egg-Island-Glockentonne rundete. Er bestand aus dem Tanker *Nipiwan Park* und den beiden Handelsschiffen SS *Polarland* und *Perast,* geleitet von einem einzigen *Bangor* Minensucher HMCS *Kentville* und einem RCAF-Flugzeug. Die *Kentville* fuhr vor dem Geleitzug und bestrich mit ihrem Asdic in gewohnter Weise 80 Grad beiderseits der Kurslinie, während die drei Schiffe in Dwarslinie folgten. Um besser geschützt zu sein, fuhr der Tanker in der Mitte. Dobratz stand in der klassischen Angriffsposition vor dem anmarschierenden Geleitzug. Wie bei der Schulflottille gelehrt, ließ sich Dobratz von der *Kentville* überlaufen, ging dann weit hinter ihr wieder höher und griff die schutzlosen Ziele im Nahangriff und großer Lage an. Um 1657 Uhr traf Dobratz den 2373 BRT großen Tanker *Nipiwan Park* mit einem T-3-Torpedo aus dem Bugrohr. Obwohl er behauptete, gesehen zu haben, wie das Schiff in zwei Teile zerbrach und sank, wurde das Achterschiff schließlich in den Hafen geschleppt. Als Dobratz' nächster Schuß gegen das führende Schiff fehl ging, stieß er zwischen den beiden übrigen Schiffen und dem getroffenen Tanker durch und torpedierte zehn Minuten später die 1591 BRT große *Polarland*. Das Schiff sank nach 20 Sekunden, nachdem es, wie er beobachtete, »buchstäblich in die Luft flog und zerplatzte« (KTB). Die Explosion veranlaßte die übriggebliebene *Perast* zu starken Ausweichbewegungen. Tief unten im Boot hörte die Besatzung von *U 1232,* wie der Kommandant kühl über den Ablauf des Geschehens berichtete.[15]

---

* Anm. d. Übersetzers: Dieses im Juni 1941 als Folge der bestürzenden deutschen Siege erlassene Gesetz ermächtigte die kanadische Regierung, Eigentum und die Dienste von Kanadiern für die Heimatverteidigung in Anspruch zu nehmen. Der Premierminister versprach damals, daß er keine Verpflichtung für den Dienst in Übersee einführen würde.

Dobratz steuerte unmittelbar auf die gefährlichen Untiefen unter der Küste zu, während die *Kentville* mit Kreissäge um die Untergangsstelle kreiste und das Boot mehrfach überlief. Ein Kommentator der Bordzeitung von *U 1232* bemerkte spöttisch: »Eigentlich hätte ja nun ein Wabo-Segen kommen müssen, aber der Kumpel von Bewacher da oben sagte sich – und das nicht mit Unrecht: ›Wer lange sägt, lebt länger‹, hielt die Luft an und hütete sich, was ins Wasser plumpsen zu lassen. Auch das ganze Sägewerk mit vier Kreissägen, das nachher auf uns angesetzt wurde, hatte viel zu viel Respekt vor uns, als daß einer mal seine Radattel abzustellen gewagt hätte, um nach uns zu horchen.« Die Geleitbootgruppe EG-16 traf innerhalb von zwei Stunden auf dem Schauplatz ein; unterstützt von zwei Korvetten, *Bangors* und »Fairmiles« aus Halifax führte sie eine eingehende, wenn auch ergebnislose Suche durch. Dobratz beobachtete vier der Schiffe, die das Gebiet mit Sägen abharkten. Wie die *Kentville* fuhren auch sie direkt über sein Boot; HMCS *Burlington* und *ML 116* kollidierten bei diesen Manövern; das brachte dem Minensucher ein Loch in der Bordwand bei und beschädigte den Bug der »Fairmile« erheblich. Mit langsamster Fahrt kroch Dobratz auf 60 Meter, bei einer Wassertiefe von 80 Meter, parallel zur Küste nach Nordosten. Zwei Tage später stellten amerikanische Dienststellen die US-Kampfgruppen 22.9 und 22.10 aus je vier Zerstörern unter kanadische taktische Führung, um das Gebiet bis zum 8. Januar abzusuchen. Als Kampfgruppe 22.9 dann nach Boston und 22.10 nach Argentia gingen, überließen sie Dobratz »ein hervorragendes Operationsgebiet, das selten günstige Erfolgsaussichten bietet... unter friedensmäßigen Verkehrsbedingungen« (KTB). Sein Endziel war die Hafeneinfahrt von Halifax.

Vorerst jedoch folgte Dobratz der Küste nach Norden bis Cape Canso, bis Wassertemperaturen nahe dem Gefrierpunkt Sehrohr und Schnorchel vereisten und ihn zur Umkehr nach Süden zwangen. Nach Sichten einer Landmarke bemerkte er im KTB: »Sämtliche Leuchtfeuer an der Küste sind gelöscht, ich vermute, daß diese Maßnahme mit dem erkannten Auftreten des Bootes vor Halifax zusammenhängt.« Nach Ubootberichten war dies das dritte Mal, daß die Kanadier ihre navigatorische Gastfreundschaft unterbrachen und zu Lasten einer sicheren Navigation der befreundeten Schiffahrt ihre Küsten verdunkelten. (Das Department of Transport hatte eine Steuerung der Leuchtfeuer seit 1939 in seine Pläne aufgenommen.) Fünf Tage später brannten die Leuchtfeuer an der Küste erstmalig wieder; dieser Schritt signalisierte Dobratz, daß der Dampferverkehr für die Handelsschiffahrt wieder freigegeben war. Kanadischen Berichten sind Einzelheiten nicht zu entnehmen. Die flüchtigen Beobachtungen von *U 1232* auf Lauerstellung vor Sambro Feuerschiff stimmten völlig mit denen von *U 806* überein: Alliierte Geleitzüge und Einzelfahrer hielten beharrlich an den unveränderten Wegen über die beiden Feuerschiffe nach Chebucto Head fest. Hier war eine erstklassige Position für Ubootangriffe, denn an diesem Punkt liefen aus- und einlaufende Schiffe in Kiellinie. Handelsschiffskapitäne mußten sich daher auf das Manövrieren in dicht aufgeschlossenen Formationen konzentrieren, auf das Position-

Halten oder -Einnehmen und auf die optischen Signale. Kaum jemand konnte sich vordringlich mit Gedanken an Ubootangriffe befassen.

In Erwartung wertvolleren Wildes auf der Auslaufroute ließ Dobratz häufig Geleitboote passieren. Am 12. Januar wurde er Zeuge der Ausfahrt des 18000 Tonnen großen Lazarettschiffes *Llandovery Castle* auf dem Weg nach Neapel, dessen Druckwelle *U 1232,* das direkt unter dem Kiel lag, hin und her warf. Am 14. Januar legte er sich auf die beste Schußposition, zwei Meilen ostwärts von Sambro Feuerschiff, wo »der gebündelte Verkehrsstrom wegen Klippen und Sänden Zwangswege einhalten muß und mir nicht entkommen kann« (KTB). Auf Wassertiefen von 50 Meter fühlte er sich vor Asdic sicher. Bei Insichtkommen eines einlaufenden Geleitzuges, große Schiffe in Kiellinie, ging er zum Angriff über und vernichtete innerhalb von 13 Minuten drei größere Schiffe (22 940 BRT) aus dem Boston-Halifax-Geleitzug BX-141. Das trug ihm das Ritterkreuz ein.

Wie jeder Geleitzug während des ganzen Krieges war dieser Geleitzug aus 20 Schiffen, unter Führung eines Geleitzugkommodore auf SS *Athelviking,* das Ergebnis von umfangreicher Organisation und Sorgfalt. Schiffe mußten prompt entladen und beladen werden, Reparaturen und Versorgung mußten vorgesehen, Kapitäne und Fernmeldepersonal durch Marinestäbe auf die bevorstehende Reise vorbereitet, Geleit- und Unterstützungsgruppen zugeteilt und in jedem Fall eine Menge verschlüsselter, präziser Nachrichten ausgesandt werden. Die sichere und zeitgerechte Abfahrt und Ankunft eines jeden Geleitzuges hing von der genauen Beachtung ungleicher und sich manchmal widersprechender Umstände ab. Konnten Schiffe, die Melasse und Weizen luden, rechtzeitig mit denen bereit sein, die Kohle, Stückgut oder Gas an Bord nahmen? Wie lange konnte man Schiffe mit verderblichen Lebensmitteln zurückhalten, bis Geleitzug und Sicherungsstreitkräfte auslaufbereit waren, oder sollte man sie einzeln laufen lassen? Würden Bewegungen von Schiffen mit Sprengstoff und Munition im Hafen die Bereitstellung von Öltankern behindern? Konnten diese ungefügen Schiffe in Manövern auf engstem Raum bei begrenzter Sicht und in engem Seeraum während langer Perioden von Funkstille und mit Besatzungen verschiedener Sprachen überhaupt geführt werden? Welche Wege waren die sichersten, und wie genau war die Feindlage, auf der solche Entscheidungen beruhten? Während die Schiffe des Geleitzuges BX-141 sich auf die Reise vorbereiteten, setzte der NCSO Boston das Verfahren in Gang. Am 10. Januar um 1558 GMT hatte er sein »Advanced Sailing Telegram Part I« herausgegeben. Das unterrichtete die entsprechenden Dienststellen in den Vereinigten Staaten und Kanada über Name, Geschwindigkeit, Ladung und Bestimmungsort jedes Schiffes im Geleitzug. Einige Schiffe dieses Küstengeleitzuges waren für Halifax bestimmt. Für andere war der BX-141 ein Zubringer für andere Geleitzugsysteme im Golf und nach Europa. Deshalb gab New York einen Zusatz zu den Signalen des NCSO Boston heraus, daß die Geleittanker *British Honour, British Freedom, Glarona* und

British Commodore in Fahrt gesetzt würden, um zum Geleitzug SC-165 nach Großbritannien zu stoßen.

Am 11. Januar um 2043 GMT gab Boston das »Convoy Sailing Telegram Part I« an den Befehlshaber der 10. Flotte, an die britische Admiralität in London, an das Marinehauptquartier in Ottawa, an den C-in-C CNA in Halifax, an USN New York und den zuständigen Marineoffizier in St. John's, New Brunswick. Es bezeichnete die Geleitzugroute nach einer Reihe von Koordinaten, gab Marschgeschwindigkeit, vermutliche Auslaufzeit aus Boston und vermutliche Ankunftszeit bei Sambro Feuerschiff und benannte die Geleitboote. Am 12. Januar um 1756 GMT gab Boston das »Sailing Telegram Part II« heraus. Dies enthielt die endgültig berichtete Liste der Schiffe und ihren Bestimmungsort, Zahl der Schiffe und Kolonnen, den Namen des Geleitzugkommodore und auf welchem Schiff er sich befindet. Eine Stunde später brachte ein Zusatz zum »Advanced Sailing Telegram Part I« die letzten Ergänzungen für die Anforderungen der Schiffe bei der Ankunft in Halifax: Einige brauchten Wasser und Treibstoff, andere kleinere Reparaturen.

Der NCSO Boston mußte diese bunt gemischte Ansammlung von Handelsschiffen in Kolonnen ordnen, er mußte ein Schaubild entwerfen und die Position jedes Schiffes festlegen, ihnen ihre Position zuweisen und sie unterrichten, wie sie sich formieren sollten. Grundsatzrichtlinien legten fest, daß Schiffe, die hintereinander in engen Gewässern aus dem Hafen ausliefen, sich danach so schnell wie möglich unter angemessener Berücksichtigung ihrer Geschwindigkeit, Manövrierfähigkeit und Ladung formieren sollten. Feuerempfindliche Ladung wie Flugbenzin durfte nicht neben Schiffen mit Sprengstoff fahren. Höchst verletzliche Schiffe sollten nicht an den Flanken marschieren. Weniger flüchtige Ladungen, wie die Melasse der *Athelviking* und das Stückgut der *Empire Kingsley* konnten an den Flanken plaziert werden. Die Kolonnen sollten so aufgestellt sein, daß Schiffe schnellstens aus der Formation ausscheren konnten, wenn möglich kolonnenweise »abblättern«, um zu den vorgesehenen Liegeplätzen im Bestimmungshafen geführt zu werden oder, ohne andere Schiffe zu behindern, sauber auszuscheren, um sich einem anderen Geleitzug anzuschließen. In breiter Formation mit acht Kolonnen marschierte BX-141 nunmehr mit 7,5 Knoten durch eine unangenehm kabbelige See; zwei kanadische Geleitboote, HMCS *Westmount* und *Nipigon,* fuhren als Feger voraus. Diejenigen, die wie das Getreideschiff *Pacific Skipper* wegen Maschinenschadens nicht mithalten konnten, ließ man zurück, damit sie sich selber auf einer vorher festgelegten Nachzüglerroute durchschlugen. 19 Schiffe des BX-141 trafen am 14. Januar 1945 geschlossen vor Chebucto Head ein. Dort wartete *U 1232.*

Am 13. Januar um 2300 GMT waren drei Schiffe der Geleitgruppe EG-27 (HMCS *Meon, Coaticook* und *Ettrick*) zu BX-141 und seinen Geleitstreitkräften gestoßen.

296

HMCS *Levis* und *Lasalle* mußten mit Bodenschäden im Hafen bleiben, da sie am Tag vorher Grundberührung hatten. Nach 100 Meilen und 14 Stunden begann der Geleitzug sich langsam für die Durchfahrt durch das freigesuchte Fahrwasser auf Kurs 290 Grad an Chebucto Head vorbei zu einer einzigen Kolonne zu formieren. HMCS *Meon* besetzte die Position an der Spitze der Kolonne. Als die Aktion begann, signalisierte sie bereits optisch mit der Kriegssignalstation querab. HMCS *Ettrick* bezog Position auf der der Küste zugewandten Seite der Geleit-kolonne. *Coaticook* stand an Steuerbordseite der Kolonne, und *Westmount* bildete den Schluß. Die Schiffe in der Sicherung fuhren Zick-Zack und hatten das Störgerät gegen Horchtorpedos ausgebracht. HMCS *Nipigon* stand mit dem Nachzügler SS *Pacific Skipper* weit achteraus. Mit Schiffsabständen von 500 Meter bot der Geleitzug nun eine 4,5 Meilen lange ungeschützte Flanke.

Von Osten her auf Kurs 210 Grad anlaufend, peilte Dobratz auf *U 1232* die ersten Schiffe der mit acht Knoten laufenden Kolonne an.[16] Die Entfernung betrug 3500 Meter. Dobratz stand nun in der genau richtigen Schußposition und mußte nur noch die Entfernung verringern, indem er mit äußerster Kraft anlief. Nach kurzer Zeit stand er innerhalb der Sicherung und schoß um 1030 Uhr Ortszeit einen Torpedo aus 700 Meter Entfernung auf das dritte Schiff der Linie, den Geleittanker *British Freedom* (6985 BRT), der zu dieser Zeit Chebucto Head in 125 Grad, vier Meilen, peilte. Nach 48 Sekunden beobachtete er Treffer vor dem Maschinenraum: »Tanker bricht durch und sinkt über den Achtersteven« (KTB). SS *Martin van Buren,* direkt dahinter, erhöhte sofort seine Geschwindigkeit auf 10,5 Knoten und drehte nach Steuerbord ab. Dobratz beobachtete, wie sich das Schiff dem Wrack der *British Freedom* näherte und dann wieder nach Backbord drehte, um seine Position einzunehmen. Um 1441 Uhr schoß Dobratz einen T-5-Horchtorpedo von recht achteraus auf 900 Meter Entfernung, der nach 80 Sekunden Backbord achtern, etwa 25 Meter vor den Schrauben traf. »Schiff bekommt schnell Schlagseite nach Backbord bis an die Reling und sinkt« (KTB). Wie bei einem Verkehrsstau fuhren die Schiffe nach der Explosion dicht auf. Das siebte Schiff in der Kolonne, die 8779 BRT große *Athelviking,* hatte mittlerweile das unmittelbar vor ihm stehende Schiff an Steuerbord überholt. Der Kom-mandant der *Coaticook* beobachtete: »Beim ersten Angriff drehte die *Athelviking* hart nach Backbord, dann wieder nach Steuerbord und schließlich erneut nach Backbord und kreuzte die Marschrichtung des Geleitzuges bis zum westlichen Rand des Fahrwassers.« Als sie über 180 Grad hinaus weiter nach Backbord drehte, fast einen vollen Kreis zum ursprünglichen Kurs fuhr, schoß Dobratz aus 1500 Meter Entfernung einen Horchtorpedo.

Die Besatzung von *U 1232* hörte 27 Sekunden später die für einen Torpedo kenn-zeichnende Explosion, danach »anhaltende starke Berst- und Sinkgeräusche« (KTB). Obwohl die *Athelviking* noch weitere sieben Stunden schwamm, schrieb sich Dobratz unmittelbar danach die Versenkung des Tankers zu. Hier die Beob-achtungen des Kommandanten der *Coaticook:*

»*Die Torpedierung, so unschön und wirkungsvoll sie auch gewesen, war nicht spektakulär: Die übliche Rauchwolke aus dem Schornstein des Opfers und eine gedämpfte Explosion, die nur von den nächststehenden Schiffen gehört wurde. Zum Zeitpunkt des Angriffs stand das vordere Schiff in der Nähe von Tonne 1. Das Wetter war ziemlich kabbelig und unangenehm. Während dies alles geschah, verfolgte ich einen Asdic-Kontakt an Steuerbordseite des Geleitzuges und warf ein paar Wasserbomben. Die Nachricht von dem ersten Opfer wurde optisch und in offener Sprache auf der Notfrequenz an den führenden Offizier durchgegeben. »Meon« rief sofort »Ettrick« und mich, zu ihm zu stoßen. Wir nutzten die Tonne 2 als Treffpunkt, weil unglücklicherweise die Sicht in diesem Augenblick durch schweren Nebel stark zurückging.*«

Hätte Dobratz die Handelsschiffe *Joshua Slocum* und die *Mobile City* torpediert, wären die Versenkungen sehr viel spektakulärer gewesen, denn diese Schiffe hatten Sprengstoff und Munition an Bord. Nachdem er die *Athelviking* erledigt hatte, drehte Dobratz auf das nur 400 Meter entfernte Heck des nächsten Schiffes zu, dabei kamen die Wasserbomben der *Coaticook* immer näher. *Coaticook*, *Ettrick* und *Meon* hatten sich in die Geleitkolonne eingereiht, um eine Horchsuche von der Tonne 1 aus anzusetzen. Inzwischen begannen *Westmount* und *Nipigon* damit, die restlichen Schiffe in das östliche Fahrwasser umzuleiten.[17]

Plötzlich änderte sich die taktische Situation für Dobratz. In den letzten Sekunden seiner Schußberechnung beobachtete er HMCS *Ettrick* dicht neben seinem vorgesehenen Opfer, den Bug auf sich gerichtet. Veranlaßt durch die erste Explosion und die Torpedolaufbahn hatte HMCS *Ettrick* hinter den Schiffen an der Spitze der Kolonne eine Reihe von Wasserbomben mit Tiefeneinstellung 25 und 30 Meter geworfen. Die Wahl dieser Tiefeneinstellung war besonders schlau. *Ettrick* hatte gerade die dritte Reihe geworfen, als Dobratz das eindrucksvolle Bild des auf ihn gerichteten Buges sah, der nun das Gesichtsfeld des Sehrohrs völlig ausfüllte. In Erwartung, gerammt und mit Wasserbomben angegriffen zu werden, während zwei Fahrzeuge in Schußrichtung lagen, stand er sekundenlang im Kampf zwischen Disziplin und Instinkt: entweder seinen Horchtorpedo auf gefährlich kurze Entfernung zu schießen oder tiefer zu gehen und zu entkommen. Er schoß. Dicht genug, um die Einzelheiten der amerikanischen Flagge am Heck des Liberty-Schiffes zu erkennen. Dann drehte *U 1232* ab und ging tiefer. Gerade hatte er 13,5 Meter erreicht, als die *Ettrick* über seine Brücke fuhr. Der Kommandant der Fregatte hatte das Gefühl, sein Schiff sei über eine Schlickbank gelaufen und schrieb diese Bewegung einer Unterwasserexplosion zu.[18] Die Munitionsmanner unter Deck berichteten, sie hätten einen dumpfen Schlag gehört, als sei das Schiff auf eine Untiefe gelaufen. Beim Lärm der Maschinen hörte das Maschinenraumpersonal dagegen nichts. Spätere Lecks und ein beschädigter Propeller überzeugten die Führung, die Fregatte habe tatsächlich ein getauchtes Objekt in der Nähe der *Athelviking* berührt.[19]

Dobratz hatte keinerlei Zweifel, was geschehen war. Der Aufprall hatte das Angriffssehrohr verbogen, er selbst wurde auf dem Sehrohr-Sitz wild herumgerissen, Glas- und Anzeigeinstrumente zerschmettert. *U 1232* taumelte stark auf die Seite und wurde vorlastig, richtete sich aber sofort wieder auf. Die Besatzung duckte sich unter der vierten und fünften Wasserbombe der *Ettrick* und hörte das Kreischen des Torpedoabwehrgerätes, das 15 Sekunden nach dem Passieren im vorderen Netzabweiser einhakte; 100 Sekunden später war die Detonation des Torpedos »mit anschließendem Schottenbersten und klar erkannten Sinkgeräuschen im ganzen Boot laut zu hören« (KTB). *Meon* meldete, ein Torpedo habe von West nach Ost ihren Kurs gekreuzt. Ein Treffer auf ein Schiff wurde aber nicht gemeldet. Dieser letzte Schuß muß ein früheres Opfer getroffen haben, das schon im Auseinanderbrechen war. Sehr viel später prüfte Dobratz die Schäden an seinem Boot: eingerissene Brückenverkleidung, aufgeschlagene Backbordseite, vorderer Netzabweiser abgerissen und Angriffssehrohr, Brückentorpedozielgerät und FuMB-Radar-Warngerät zerschlagen.

U 1232 fuhr westlich des abgesuchten Fahrwassers nach Koppelnavigation dicht unter der Küste auf 30 Meter Tiefe. Seltsamerweise stimmen die Meinungen Überlebender, sie hätten das Uboot auf der Westseite gesehen, mit der unrichtigen Annahme der EG-27 überein, es hätte von der Küste her geschossen, was sie vom östlichen Sektor, in dem sie bis dahin gesucht hatten, abzog. Das zwang die Schiffe der EG-27 dazu, die Jagd erneut zu verlegen. Die Geleitboote fuhren deshalb nach Osten, während Dobratz im Westen Zuflucht suchte, indem er direkt unter den Handelsschiffen hindurch fuhr. Sobald er dicht unter Land war, fuhr er Richtung Süd auf 40 Meter Tiefe mit 20 Meter unter dem Kiel. Er und seine Besatzung zählten 66 Wasserbomben und hörten zahlreiche Asdic-»Pings« sowie das Kiesgeräusch, wenn der Asdic-Strahl über den Bootsrumpf strich. Fünfzig Stunden nach dem Angriff auf den Geleitzug rundete er die Outer Bank und erreichte die offene See. Nachdem 134 Wasserbomben und Fliegerbomben seine Ausfahrt begleitet hatten, setzte Dobratz am 15. Januar um Mitternacht Kurs auf den 41. Breitengrad ab, dem entlang sein Rückmarsch verlief.

Die Uboot-Jagdaktion gegen *U 1232* am 14. Januar stand vor der schwierigen Aufgabe, in engen Gewässern und inmitten durcheinandergebrachter und manövrierunfähiger Handelsschiffe einen Gegner zu suchen. Zudem erhob sich für die Geleitboote die Frage: wohin mit den torpedierten Schiffen? Aufgrund der ersten Schadensmeldungen der *Meon* an den C-in-C CNA könnten – wenn unverzüglich Schlepper kämen – alle drei Schiffe geborgen werden. In Wirklichkeit aber erwiesen sich die Schäden als zu groß; beide Tanker sanken schließlich. Die *Athelviking,* mit dem Heck auf Grund, dem Bug in steilem Winkel nach oben im Fahrwasser stehend, mußte durch Geschützfeuer der HMCS *Goderich* versenkt werden. Die EG-27, verstärkt durch die Fregatten *Strathadam* und *Buckingham,* unternahm starke Suchvorstöße, während das Wetter sich erheblich verschlechterte: Schneegestöber und Nebel erschwerten das Positionhalten und machten gemeinsame Aktionen gegen Kontakte recht gefährlich. HMCS *Buckingham* lief in tiefer Dunkelheit über die Schleppleine der verlassenen *Martin van Buren* und entging knapp einer Kollision. Widrige Wetterbedingungen hinderten den Schlepper *Foundation Security,* das hilflose »Liberty«-Schiff zu finden, das nun zwischen Ketch Harbour und Sambro Ledge auf Strand trieb. Die Geschütze an Bord der *Martin van Buren* konnten geborgen werden, ebenso die gesamte Deckladung und auch einiges unter Deck verstautes Gerät sowie die Reste der Stückgutladung. Das Schiff selbst war Totalverlust. Im Verlauf der Suche führte das schwere Wetter noch zu weiteren Verlusten. So strandete die griechische SS *Odysseus,* ein Nachzügler vom Geleit SC-165, bei schlechter Sicht auf Cape Sambro und wurde ebenfalls als Totalverlust aufgegeben.

Inzwischen beteiligten sich weitere Kriegsschiffe an der Jagd auf *U 1232:* HMCS *Border Cities, Oakville, Goderich* und *Westmont.* Sie führten von der Hafeneinfahrt dicht unter der Küste Suchfahrten und Angriffe in Richtung auf die freie See aus und kämmten ein Gebiet von 25 Quadratmeilen rund um die Tonne 1 ergebnislos ab. Am späten Abend des 14. Januar bildeten alle Schiffe eine breite Dwarslinie mit einer Meile Zwischenraum. Der Kommandant der *Coaticook* erinnert sich, daß die Suche mit acht Knoten Fahrt bei ekelhaftem Wetter und praktisch überhaupt keiner Sicht begann und die Unterstützungsgruppe C-4 auf entgegengesetztem Kurs von Egg Island aus suchte. Die Annäherung dieser beiden Gruppen verstärkte den Verkehr und die Verwirrung dieser höchst strapaziösen Nacht. Zu dieser Zeit geleitete die US-Kampfgruppe 22.10 eine besondere Schiffsbewegung von Argentia nach Norfolk; sie wurde durch die US-Dienststellen umgeleitet, um die EG-27 bis zum Morgen des 23. Januar zu unterstützen. Dobratz versuchte nun gut außerhalb des Angriffsgebietes eine Lagemeldung an den BdU abzusetzen. Während der vier Stunden lang immer wieder durch Funkschwierigkeiten und schlechten Empfang in Deutschland unterbrochenen Sendungen peilten ihn die Alliierten nordöstlich des Labradorbeckens ein und gaben daraufhin die nun sinnlos gewordene Suche auf.[20]

Im Wehrmachtsbericht vom 26. Januar 1945 hieß es: »Aus feindlichem Nachschubverkehr nach England und Frankreich versenkten unsere Unterseeboote trotz stärkster Abwehr drei Tanker und drei Frachter mit insgesamt 43 900 BRT sowie einen großen Zerstörer.« Dobratz meinte dazu: »Damit sind die von mir gemeldeten Versenkungen anerkannt worden.« Die Bordzeitung von *U 1232* machte die Verleihung des Ritterkreuzes an den Kommandanten gleich nach Eingang des entsprechenden FT vom BdU bekannt. »In Ermangelung einer Transozean-Unterwasserrohrpost« hat der LI die Kriegsauszeichnung für den Alten gefertigt. »Es ist schon ein eigenartiges Ding; gestern wußte noch kein Mensch auf der ganzen Welt etwas von uns, ob wir noch lebten und Erfolge hatten, und heute steht es in der Heimat in jeder Zeitung.« Aus irgendwelchen Gründen erwähnte der Wehrmachtsbericht nicht, daß *U 1232* die für England und Frankreich bestimmten Geleitzüge ausgerechnet am kanadischen Ausgangspunkt angegriffen hatte. Doch die Begeisterung der deutschen Öffentlichkeit im Jahr 1942 über die »glückhafte Jagd« war seit langem dem Realitätsbewußtsein eines Landes am Rand der Niederlage gewichen. Beim Ablaufen nach Osten schrieb Dobratz eine abschließende navigatorische Bemerkung über die kanadische Küste nieder. »Auf eine Entfernung von 1200 Seemeilen werden die Funkfeuer vom Feuerschiff Halifax und Sambro sowie auf Entfernung von 1050 Seemeilen das Funkfeuer von Sable Island mit Lautstärke 4 bis 5 über Netzabweiser gehört.« Sie hatten sich als ausgezeichnete Peilbaken für die Ubootwaffe erwiesen.

Was war nun das Ergebnis dieses Scharmützels in der Schlacht im Atlantik? Es bedeutete mehr als den Verlust von Schiffen. Die Begegnung von HMCS *Coaticook* drei Tage später zeigte die harte Wirklichkeit für Männer angesichts eines plötzlichen harten und anonymen Todes. Der kanadische Kommandant berichtet:

»Ich stoppte und nahm eine Leiche auf... die eines rothaarigen jungen Burschen in den Zwanzigern, wahrscheinlich ein Opfer von einem der drei am Sonntag, dem 24. Januar, torpedierten Schiffe; er war ausgezeichnet erhalten, obwohl die Schwimmweste schon Seebewuchs angesetzt hatte...
Als die Leiche an Deck gehievt war, kam ich von der Brücke aufs Achterdeck und befahl, die Leiche nach Identifikationsmerkmalen zu durchsuchen. Zahlreiche Besatzungsmitglieder hatten sich auf dem Achterdeck versammelt, alle waren bleich und durch dies unmittelbare Zusammentreffen mit dem Tod beeindruckt. Es gab ein allgemeines Zögern, den Leichnam zu berühren; um die Jungs zu beschämen, trat ich schnell zu der Leiche und begann den Reißverschluß des Overalls aufzuziehen. Sofort übernahmen der Erste Offizier und andere willige Hände diese Arbeit und ersparten mir so eine Aufgabe, an der ich ebenso wenig Gefallen hatte wie die anderen, ob sie das nun merkten oder nicht. Es gab keinerlei Hinweise über diesen armen Teufel.
... unter Ehrenbezeugungen meines Schiffes und der ganzen Gruppe, alle Flaggen halbmast, hielt ich den Trauergottesdienst und übergab seinen Leichnam der See. Ich las eine Stelle aus dem Alten Testament und beendete dies mit der römisch-katholischen Beisetzungsformel, weil ich nicht wußte, ob er Jude oder Nichtjude, Protestant oder Katholik war. Bei ersten Abenddämmern, mit den Seeleuten im Bordpäckchen, die anderen Schiffe zur Dwarslinie dicht herangeschlossen, war es eine beeindruckende Zeremonie. Es war die einfache Ehrung von Seeleuten gegenüber einem weiteren Opfer der See und des Krieges. Noch viele Stunden danach war es in meinem Schiff ruhiger als sonst, da sich die Gedanken der Männer auf ernstere Dinge richteten. Doch schon bald fanden die Gedanken der Seeleute wieder zurück in normales Fahrwasser.«

Am 15. Februar 1945 bekam *U 1232* die schneebedeckte norwegische Küste in Sicht. Berichte von den zusammenbrechenden Fronten hatten zu bohrenden Fragen geführt, ob sie wohl die immer dichter werdende Wand der Alliierten durchstoßen und die heimischen Gewässer in Norddeutschland erreichen könnten. Etwas ängstlich fuhr *U 1232* nun vor »Punkt Krista«, dem Decknamen für den Treffpunkt, hin und her, auf dem deutsche Wachboote heimkehrende Uboote für die kurze Überwasserfahrt durch die Minenfelder bis zum Hafen begleiten sollten. Nach ungewöhnlicher Verzögerung kam schließlich ein langsamer Bewacher heran, wechselte Erkennungssignale und winkte auf die Küste zu. Das unseemännische Verhalten und das ganze Verfahren wurmte. In früheren Tagen nahmen gut aussehende, von erfahrenen Besatzungen geführte Wachboote die Uboote auf, ein herzliches Willkommen durch die vorgesetzten Offiziere, Militärkapelle und Blumensträuße begrüßten sie beim Längsseitsgehen. Die Zeiten hatten sich geändert. Nun brachte sie ein heruntergekommenes, flachgehendes Fahrzeug hinein und führte sie direkt auf eine Untiefe. Nach 8000 Meilen lief U 1232 schmählich auf flachem Wasser auf, beschädigte das Ruder und mußte auf einen Schlepper warten. Dies war ein Zeichen der Zeit. Am Ende einer Schleppleine, weder mit Musik noch mit Blumen begrüßt, kehrte U 1232 heim, fuhr schließlich mit seinen fünf Wimpeln, die die Versenkungen kennzeichneten, und mit einem handgemalten »Halifax« quer über der Turmwand das letzte Stück mit eigener Kraft. Das war seine erste und letzte Reise. Dobratz war aber keineswegs entmutigt. Wie er im KTB notierte: »Diese Feindfahrt hat gezeigt, daß das Uboot mit Einführung des Schnorchels wieder voll Herr seiner Entschlüsse ist, der Kampf gegen die Ortung ist zur Zeit gewonnen... Das Vertrauen der Besatzung ist unbegrenzt.«

Die Nachrichten von den Tagangriffen Mitte Januar vor Halifax durch U 1232 erfuhr die kanadische Öffentlichkeit erst am 10. Februar 1945. In einem aus Halifax datierten Bericht unter dem Titel »Sechs Schiffe vor Nova Scotia durch Fernkampf-Uboote versenkt« erklärte das OTTAWA JOURNAL:

»Deutsche Fernkampf-Uboote unternahmen in diesem Winter den verzweifelten Versuch, die alliierten Zufuhrwege im Nordatlantik an ihrem westlichen Ende zu unterbrechen, indem sie Geleitzüge nach und aus kanadischen Häfen in wagemutigen Vorstößen angriffen und ein kanadisches Kriegsschiff sowie fünf Handelsschiffe innerhalb von 22 Tagen vor der Küste von Nova Scotia versenkten.«

Obwohl diese Nachrichten über die »räuberischen Überfälle« von U 806 und U 1232 der Öffentlichkeit über drei Wochen lang vorenthalten wurden, hatten die Angriffe selbst in amtlichen Kreisen Ottawas ernste Besorgnis ausgelöst, weil ein nationales Problem auf dem Spiel stand: der Transport von 16000 »Zombies« nach Übersee. Die politische Bedeutung eines Transports meist widerstrebender Männer hätte leicht zu einer unbedachten Bemerkung über den Ubootkrieg führen können, der wiederum weitere Rückwirkungen im In- und Ausland haben könnte.

Vom Februar bis in den April 1945 hinein ließ die Häufung tatsächlicher oder vermuteter Ubootsichtungen und -kontakte im ganzen kanadischen Einsatzgebiet weiterhin verstärkte Uboottätigkeit vermuten. Viele dieser Sichtungen wurden in offiziellen Verlautbarungen zusammengefaßt. Sie vermittelten den Eindruck, vom Gulf of Maine bis zur Bay of Fundy, an der Küste von Nova Scotia bis hinein in den Golf von St. Lawrence, trieben Uboote fast ungehindert ihr Unwesen. Während die kanadischen Dienststellen wußten, daß die Uboottätigkeit in erster Linie auf britische Gewässer gerichtet war, gab es anscheinend für die Deutschen keinen zwingenden Grund, nicht auch an allen weiteren Stellen ihrer Reichweite Druck auszuüben. Tatsächlich jedoch wurde der Druck an der atlantischen Küste von Nordamerika im Vergleich zum Anfang des Winters laufend geringer. *U 1233* durchfuhr den kanadischen Bereich; danach folgten Einsätze von *U 866, U 879* und − ganz zum Schluß − *U 190* und *U 889*. Es gab keine Handelsschiffsverluste. Viele Hinweise auf vermutete Ubooteinsätze führten zu groß angelegten Suchoperationen und zu Angriffen mit allen Anzeichen echter Erfolge. Der größte Teil dieser Operationen fand im Gebiet südlich von Sable Island, südlich und westlich von Cape Race, südlich von Nova Scotia bis zum Gulf of Maine und im Vorfeld von Halifax statt.[21] In den Seekarten nicht verzeichnete frühere Opfer von Ubooten, von Kollisionen und Witterung lagen überall längs der Hauptverkehrswege auf dem Meeresboden verstreut, so daß Ujagd-Angriffe auf vermutete neue Kontakte anscheinend bestätigende Ölreste und Trümmer an die Meeresoberfläche brachten.

Kontakte und Sichtungen, welchen Herkommens auch immer, vermittelten jeweils einen gefährlichen Anklang von Echtheit. Sie mußten deshalb alle überprüft werden, eine Aufgabe, die bis zum letzten Kriegstag höchste Anforderungen an die Ressourcen der kanadischen Marine und der RCAF stellte. Nicht alle Angriffe waren nutzlos. Die USS-Kampfgruppe 22.14, zu dieser Zeit unter der Führung des C-in-C CNA, war am 18. März 1945 auf dem Weg nach Halifax zur Brennstoffergänzung, als das Sonar von USS *Lowe*, 60 Meilen südwestlich von Sable Island, ostwärts von Emerald Bank, ein in 60 Meter Tiefe auf dem Grund liegendes Uboot entdeckte. »Hedgehog«-Angriffe brachten eine große Menge Öl und Wrackteile, amtliche Dokumente, Sanitätsmaterial und Decksplanken und Menschenfleisch an die Oberfläche. Sie hatten *U 866,* ein Typ-IXC-40-Boot unter Führung von Oberleutnant zur See Peter Rogowski vernichtet.[22] Es bestand daher für die Kanadier durchaus Grund zur Annahme, daß Uboote in der Nähe auf Beute aus waren, als HMCS *Esquimalt* aus Halifax auslief und das letzte kanadische Opfer des Ubootkrieges wurde.

Oberleutnant zur See Hans-Edwin Reith, nach dem Krieg erfolgreicher Reeder in seinem Familienunternehmen in Hamburg, war am 21. Februar 1945 mit dem Schnorchelboot vom Typ IXC-40, *U 190,* zum Handelskrieg vor Sable Island und im Vorfeld von Halifax ausgelaufen.[23] Am 29. September 1942 von Kapitänleutnant Wintermeyer in Dienst gestellt, verließ *U 190* nun seinen norwegischen Stützpunkt zur sechsten und letzten Fahrt. Außer der normalen Fla-Artilleriebewaffnung hatte es sechs T-3 LUT Torpedos mit Aufschlagzündung und acht T-5

Horchtorpedos an Bord. Zudem war es mit dem neuesten »Hohentwiel«-Radar und dem »Flieger«-Radarwarngerät mit Verstärker ausgerüstet. Das Radar war seit 1943 bei der Luftwaffe im Einsatz und konnte einen 3000-t-Frachter aus 13 Kilometer Entfernung, ein Flugzeug je nach Lage und Höhe zwischen 9 und 40 Kilometer orten. Der BdU gab Reith weitgehende Operationsfreiheit in dem in großen Zügen bezeichneten Gebiet. Er sollte aber nicht daran gehindert werden, auf nicht vorhersehbare Änderungen der taktischen Situation zu reagieren. Über den Einsatz von Reith gibt es kaum stichhaltige Berichte, da er alle offiziellen Dokumente vernichtete, ehe er am 12. Mai 1945 sein Boot an HMCS *Thorlock* und *Victoriaville* übergab. Es mag sein, daß zumindest einige von den Ende März und Anfang April in kanadischen Gewässern gemeldeten vermutlichen Ubootkontakten auf den Einsatz von *U 190* zurückzuführen sind, doch hat das Boot höchstwahrscheinlich seine Anwesenheit an der Küste nicht preisgegeben. Ein Uboot (wahrscheinlich *U 857*) torpedierte am 5. April den aus Boston auslaufenden Tanker SS *Atlantic States* (8537 BRT); das führte zu einer ergebnislosen Suche durch Schiffe und Flugzeuge der US-Kampfgruppe TG 22.15 (USS *Dionne*). Möglicherweise haben andere Einheiten eine Spur von *U 190* entdeckt, als es Kurs auf Halifax nahm. Mitte April hatte sich Reith vermutlich mit seinem Einsatzgebiet vertraut gemacht. Wie *U 806* und *U 1232* vor ihm zog er sich auf die bestmögliche taktische Position bei Sambro Feuerschiff zurück. Am 12. April 1945 erhielt er seinen letzten verschlüsselten Funkspruch vom BdU.

Reiths *U 190* stand nun völlig isoliert und auf sich gestellt. Am 20. März 1945 hatte Hitler nunmehr direkte Befehle zur Selbstvernichtung Deutschlands gegeben: die Zerstörung aller Verbindungswege und aller industriellen Schiffahrts- und Transportmöglichkeiten, die für die Alliierten möglicherweise von Nutzen sein konnten.

»Der Kampf um die Existenz unseres Volkes zwingt auch innerhalb des Reichsgebietes zur Ausnutzung aller Mittel, die die Kampfkraft unseres Feindes schwächen und sein weiteres Vordringen behindern.«[24]

Dönitz hatte die Marine angewiesen, alle verfügbaren Schiffe für den Transport der rückflutenden Armeen aus dem Ostraum bereitzustellen; die Heeresgruppe Nord war völlig zusammengebrochen und erschöpft.[25] Die Alliierten stießen über den Brückenkopf Remagen gegen den immer schwächer werdenden Widerstand vor. Schwere Ubootverluste rund um Großbritannien zwangen den BdU, seine Uboote »zeitweise und zum Teil von der englischen Küste zurückzuziehen«. Dies gab ihm die Möglichkeit, vier Uboote aus dem Nordmeer rund um Norwegen zum »vorübergehenden« Einsatz im Atlantik abzuteilen.[26] Hier waren sie wahrscheinlich in Sicherheit. Die März-Zuteilung von Treibstoff hatten die deutschen Streitkräfte bereits in der ersten Woche verbraucht. Anfang April schickte der unbeugsame BdU sechs Typ-IXC-Boote in nordamerikanische Gewässer, um »den Versuch zu machen, den England-Amerika-Geleitweg anzugreifen, da aus

V-Mann-Meldungen bekannt geworden ist, daß der Gegner die Sicherung im Atlantik erheblich geschwächt hat. Nach Durchführung dieser Absicht sollen die Boote einzeln in die amerikanischen Küstengewässer weitergehen«.[27] Dieser V-Mann könnte »Johnny« gewesen sein, der Deckname für den Doppelagenten Janowski, der 1942 in New Carlisle, Quebec, an Land gegangen und jetzt beim britischen Geheimdienst in England tätig war. Jedenfalls rief diese anscheinende Schwäche der alliierten Überwachung in den kanadischen und amerikanischen Gewässern in Dönitz die Befürchtung hervor, sein Versäumnis, Druck auf die nordamerikanischen Küstenverkehrswege auszuüben, könnte die Alliierten dazu verleitet haben, ihre Kriegsschiffe zu den europäischen Küsten umzugruppieren. Es war deshalb äußerst dringend, erneut Druck dort auszuüben, damit zumindest einige der alliierten Seestreitkräfte zum Schutz der atlantischen Geleitzüge an ihrem Ausgangspunkt eingesetzt würden. Ob *U 190* oder *U 889,* die letzten Uboote im kanadischen Einsatzgebiet, wußten, daß sie die Angelpunkte dieser Operation waren, ist nicht bekannt.

Die »erneuten« Ubootangriffe müssen doch einen gewissen Grad von Glaubwürdigkeit gehabt haben. Kanadische Zeitungsberichte, datiert vom 31. März 1945 aus Washington, zitierten alliierte Marinequellen, die darauf hinwiesen, daß »die Nazis anscheinend nun einen Versuch in elfter Stunde unternahmen, den Auswirkungen der alliierten Landsiege dadurch entgegenzuwirken, daß sie einen neuen, totalen Ubootkrieg eröffneten«.[28] Etwas, das lange Zeit als Maßstab für die Wirksamkeit der Deutschen auf See gedient hatte, schien diese Behauptung zu unterstützen: Britische Versicherer, so hieß es, hätten die Kriegsrisiko-Versicherungsraten auf Ladungen nach und von Häfen in Nordamerika erhöht. Der kanadische Marineminister MacDonald bestätigte die unmittelbare und weiterbestehende Bedrohung, als er am 13. April 1945 die irreführende Nachricht herausgab, daß HMCS *Annan* nach einem Überwassergefecht ein Uboot versenkt habe.

»Es gibt keinen Grund zu der Annahme, daß die kanadischen Küstengewässer frei von diesen Untersee-Räubern sind. Es könnte durchaus sein, daß wir noch in stärkerem Maße Ubootangriffe in kanadischen Gewässern erleben werden.«[29]

In der Tat hatte *Annan,* der 6. Unterstützungsgruppe angehörend, *U 1006* (Horst Voigt) versenkt. Das Gefecht aber hatte bereits vor über sechs Monaten am 16. Oktober 1944 südöstlich der Faröer-Inseln, fast 3000 Meilen von der kanadischen Küste entfernt, stattgefunden.[30] Was auch der Grund für diese Nachrichtenmanipulation gewesen sein mag, andere dagegen sprechende Berichte ließen kaum einen Zweifel daran, daß Deutschlands Ende eindeutig nur eine Frage der Zeit sei. Im April 1945 zerschlugen schwere Luftbombenangriffe bei Tag Städte in Mittel- und Ostdeutschland wie Gera, Plauen, Halberstadt, Stendal und Hof.[31] Die alliierte Presse sowie Politiker sprachen offen von der Schlußabrechnung mit Deutschland und der bedingungslosen Kapitulation. Die Schlagzeilen in den kanadischen Zeitungen deuteten im ganzen Frühjahr auf Sieg. Vielleicht war

HMCS *Esquimalt* auf ihrer letzten Reise von dieser euphorischen Stimmung mehr durchdrungen als von einer unklaren Bedrohung.

In den frühen Morgenstunden des 16. April verließ der *Bangor*-Minensucher HMCS *Esquimalt* Halifax allein, um weisungsgemäß im Küstenvorfeld nach Ubooten zu suchen und sich dann am frühen Nachmittag des gleichen Tages mit HMCS *Sarnia* zu treffen. Entgegen den Vorschriften fuhr *Esquimalt* weder Zick-Zack noch hatte sie eines der beiden Störgeräte gegen Horchtorpedos ausgebracht. Das war eine erstaunliche Unterlassung; nach dem Verlust von HMCS *Clayoquot* vor Halifax im vergangenen Dezember hatte der Untersuchungsausschuß die Ansicht geäußert, »daß die Gebiete in der Nähe freigesuchter Wege den Ubooten eine hervorragende Möglichkeit für den Einsatz von Horchtorpedos bieten«.[32] Außer dieser offensichtlichen Nachlässigkeit hatte die *Esquimalt* wegen des klaren Wetters ihr altmodisches Radar ausgeschaltet. Eine Sicht von zehn bis zwölf Meilen, steigendes Barometer und eine lange, flache Dünung versprachen eine gemütliche Fahrt. Der Bedienungsmann am Asdic suchte routinemäßig je 80 Grad beiderseits vom Bug ab und fand keine Kontakte. Auch im Horchgerät war nichts zu hören. Zweifellos hatte das veraltete 128A-Asdic *U 190* jedoch geortet. Die Schwierigkeit lag darin, die vom Gerät gelieferten Angaben zu deuten. Weder der Bedienungsmann des Asdic noch der wachhabende Offizier, der später vor Erschöpfung auf einem Rettungsboot starb, erkannten den Kontakt mit dem Uboot. Das »Ping« und das »prasselnde« Geräusch der Asdic-Ausstrahlungen strich über den Rumpf von *U 190* und warnte Reith und seine Besatzung vor der drohenden Gefahr:

»>*Esquimalt*‹ schien uns erwischt zu haben, drehte plötzlich auf uns zu und lief mir praktisch direkt ins Sehrohr. Ich konnte der ›Esquimalt‹ das Heck zudrehen und ihr mit Lage Null einen Zaunkönig entgegenschicken, von dem ich allerdings schon der Ansicht war, daß er die Sicherheitsstrecke nicht mehr durchlaufen würde.«[33]

Die Umstände zwangen Reith wie vor ihm schon Hornbostel auf *U 806*, zu seiner Verteidigung einen Torpedo auf kurze Entfernung zu schießen. Das war ein kühner und entschlossener Schritt.

Um 0635 Ortszeit bohrte sich der Torpedo in die Steuerbordseite der *Esquimalt* und schickte sie in weniger als vier Minuten auf den Meeresgrund. Das Schiff hatte keine Gelegenheit mehr, einen Notruf über Funk oder mit Raketen abzugeben. Reith legte *U 190* auf sehr flachem Wasser auf den Grund und entging so den Suchfahrzeugen, die später entlang der 200-Meter-Tiefenlinie jagten. Die nichtsahnende *Sarnia* patrouillierte zu dieser Zeit bei East Halifax Feuerschiff und erwartete die *Esquimalt* nicht vor den nächsten anderthalb Stunden. Diese Verzögerung war entscheidend, denn trotz ruhiger See und sonnigem Wetter sollten die meisten Überlebenden der Explosion auf der *Esquimalt* vor Erschöpfung sterben.

Im Monat zuvor, am 17. März, hatten die Kanadier etwas ähnliches in fernen Gewässern, 220 Meilen nördlich von Kap Finisterre erlebt. Dort versenkte *U 868* den alleinfahrenden Minensucher HMCS *Guysborough* auf der Fahrt von den Azoren nach Plymouth. Obwohl die Explosion der beiden Torpedos niemand tötete oder verletzte, starben 45 Seeleute in der Nacht auf Rettungsflößen; das Schicksal weiterer acht ist ungeklärt. Das Uboot wurde niemals entdeckt.[34]

Als der 30jährige Kommandant der *Esquimalt* auf die Brücke kam, lag das Boot so stark nach Steuerbord über, daß die Rettungskutter in den Davits voll Wasser liefen. Mangelnde Sorgfalt bei der Instandhaltung oder Mangel an regelmäßiger Überprüfung verhinderten, daß die Rettungsflöße auf beiden Seiten des Schiffes automatisch freigegeben wurden. Unter erheblichen Schwierigkeiten machten vier Seeleute vier der sechs Flöße frei und retteten damit vielen das Leben. Aus dem Maschinenraum überlebte nur ein Heizer, glücklicherweise hatte er 20 Minuten vor dem Angriff ein Luk in dem blinden Schornstein geöffnet, aus dem er sich dann, als der Maschinenraum sich mit Rauch füllte, retten konnte. Äußerst knapp entkam ein junger Offizier. In dem Stahlgewirr seiner Kammer eingeschlossen, durch das kaum ein Schimmer des Tageslichts hindurchdrang – das Wasser stand nur wenige Zentimeter vor den gezackten Löchern im Rumpf –, zwängte sich der stämmige Offizier durch dieses Loch. Durch den zackigen Stahl erlitt er am ganzen Körper Schnittwunden und stärkere Verletzungen, doch es gelang ihm, in die See und damit in Sicherheit zu kommen. Von den Offizieren überlebte außer ihm nur noch der Kommandant. Er wollte als Letzter das Schiff verlassen und blieb so lange an Bord, bis der aufgerichtete Bug in der See versank. Dann stieg er ins Wasser und schwamm zu einem Floß.[35] Den meisten Männern gelang es, dem sinkenden Schiff zu entkommen und sich in der Hoffnung auf baldige Rettung an die vier überfüllten Flöße zu klammern. Doch die Flugzeuge, die wenige Minuten nach der Versenkung über den Schauplatz flogen, hielten die Überlebenden auf den gelben Rettungsflößen für Fischer und schenkten ihnen keine Beachtung. Schwere Enttäuschung überfiel die immer geringer werdende Zahl der Überlebenden, als zweieinhalb Stunden später zwei Minensucher in einer Entfernung von zwei Meilen passierten, ohne ihr verzweifeltes Rufen und Winken zu bemerken. Solche knapp verfehlten Rettungen haben in der Schlacht im Atlantik häufig die letzte Phase der Erschöpfung, die zum Tod führte, ausgelöst.

Viele Männer starben in Agonie. Verletzt, wegen ihrer hastigen Flucht in die See nur spärlich bekleidet, viele ohne Schwimmweste, klammerten sie sich verzweifelt aneinander und an die Flöße. Auf zwei zusammengekoppelten Flößen brachte der Kommandant eine kleine Gruppe von Überlebenden dazu, in Hymnen und Gebete einzustimmen. Für viele schien das Überleben ein einsamer und hoffnungsloser Kampf. Ein Seemann berichtete später nach seiner Rettung: »Viele waren bis zuletzt entschlossen zu überleben, bis sie nicht mehr länger um ihr Leben kämpfen konnten. Dann verabschiedeten sie sich von uns im Bewußtsein des nahen Todes und ließen ihre Familien oder Freundinnen grüßen.[36] Andere erlagen stumm und schwer unterkühlt. Im wahnsinnigen Versuch, an Land zu schwimmen, sprang einer vom Floß, versuchte dann jedoch in einem kurzen lichten Moment das Floß wieder zu erreichen und ertrank«.

Aufgehalten durch ihre U-Jagdangriffe kam HMCS *Sarnia* fast sieben Stunden nach dem Untergang der *Esquimalt* zur Untergangsstelle und gab die erste Nachricht über das Unglück nach Halifax. EG-28 und HMCS *Boniface, Burlington, Drummondville* und *Kentville* suchten das Gebiet ab, doch ohne Erfolg. Reith, der das Ganze beobachtete, erinnerte sich später, daß »die kanadischen Suchgruppen ausgezeichnet arbeiten, doch nicht annehmen konnten, daß ich statt in tiefes Wasser zu gehen, mich auf 24 Meter auf Grund gelegt hatte«. Der zweite Funkspruch der *Sarnia* meldete, daß sie 24 Überlebende gefunden habe, weitere zwölf tot auf drei Rettungsflößen. Sie würde weitere Männer vom Feuerschiff Halifax abholen und in den Hafen zurückkehren. Schließlich zählte man 26 Überlebende und 24 Tote. In einer Botschaft, deren höfliche Form die Dringlichkeit verbarg, suchte der C-in-C CNA die Hilfe seines amerikanischen Partners: »Angesichts der Versenkung vor Halifax heute morgen wäre ich dankbar, wenn ich noch weitere zwei oder drei Tage über die Kampfgruppe TG 22.10 verfügen könnte.«[37] Nach ergebnisloser Suche nach *U 190* versenkten USS *Buckley* und *Reuben James II* 120 Meilen südwestlich von Sable Island durch »Hedgehog«-Angriff *U 879* (Manchen) mit der gesamten Besatzung. Trümmer deutschen Ursprungs bestätigten die Vernichtung.[38]

Die Lage vor Halifax blieb auch in den letzten Kriegstagen gespannt. Wegen der feindlichen Uboote vor Halifax leitete C-in-C CNA die beiden »Monster« SS *Britannic* und *Franconia* um.[39] Die Bedrohung wirkte sich auf alle Einsätze aus. Am 29. April versenkte *U 548* (Krempl), das im vorigen Frühjahr HMCS *Valleyfield* vor Newfoundland versenkt hatte, zwei Schiffe im Gulf of Maine und wurde mit der gesamten Besatzung durch die Fregatte USS *Natchez* vernichtet.[40] Den letzten Ubooterfolg vor der nordamerikanischen Küste erzielte *U 853*, Oberleutnant zur See Helmut Frömsdorf. In der Nacht vom 5. auf den 6. Mai, nur zwei Tage vor Deutschlands bedingungsloser Kapitulation, versenkte er den 5353 BRT großen US-Frachter *Black Point* vor Block Island und wurde dann mit der gesamten Besatzung durch den Zerstörer *Atherton* und die Fregatte *Moberley* vernichtet.[41]

Der kanadische Untersuchungsausschuß über den Verlust von HMCS *Esquimalt*, unter dem Vorsitz des damaligen Kommandanten des Zerstörers HMCS *Algonquin,* war für das Marinehauptquartier in Ottawa eine schwere Enttäuschung. Das NSHQ war nicht nur mit der Art und Weise, wie die Untersuchung geführt wurde, unzufrieden, sondern auch mit der Zuverlässigkeit der erbrachten

Beweise.[42] So unzulänglich der Ausschuß auch gewesen sein mag, es gelang ihm immerhin, eine Reihe von Nachlässigkeiten aufzudecken, deren Wurzeln, selbst noch im Jahr 1945, in hohem Maße von der mangelnden Vorbereitung Kanadas vor dem Krieg herrührten. Mängel in der Ausrüstung, in Taktik, Ausbildung und Führung auf der *Esquimalt,* obwohl in der Untersuchung noch nicht ganz erforscht, deuteten auf allgemeingültige Probleme in der ganzen Flotte hin. *Esquimalts* Asdic-Mann hatte *U 190,* dessen Anwesenheit er nicht im entferntesten vermutet hatte, nicht geortet. Aber nicht einmal die eingehende Bodensuche durch Schiffe der Halifax-Verteidigungsstreitkräfte mit Asdic und Echolot konnte den Rumpf der *Esquimalt* auf bekannter Position orten. Die Versicherungsgesellschaften versuchten Informationen über den genauen Versenkungsort zu bekommen, in der Hoffnung, einigen Lebensversicherungsansprüchen nicht entsprechen zu müssen, wenn das Schiff außerhalb der territorialen Gewässer gesunken war. Ebenso bedenklich war die Tatsache, so behauptete man, daß *Esquimalt* vor dem Angriff von *U 190* sein Radargerät ausgeschaltet hatte. Doch das veraltete Gerät war ungeeignet, ein Sehrohr zu entdecken. Mit dem bloßen Auge, so wurde festgestellt, hatte man eine bessere Chance, es zu sehen. Es wurde behauptet, angesichts der regelmäßig von der Marinestelle Halifax herausgegebenen Lageberichte hätte *Esquimalt U 190* vermuten und Zick-Zack fahren müssen. Tatsächlich war es ihr jedoch einfach unmöglich, laufende Information und zeitgerechte Warnung aufzunehmen. Das Problem lag im Personalmangel und unzureichender Ausrüstung: Diese Schiffe mußten bereits zwei wichtige Frequenzen schalten, sie konnten daher die Lageberichte und den täglichen Ubootbericht nicht aufnehmen, es sei denn, sie hätten zusätzliche Funker zur Ausbildung an Bord. Der Kommandant selbst berichtete dem Untersuchungsausschuß: »Wir nehmen die Lageberichte nicht auf.« Die Tatsache, daß die Anwesenheit eines Ubootes in dem Bereich bekannt war, machte ihm sowieso keine wirkliche Sorge, denn »das ist bei jedem Einsatz, seit ich das Schiff vor zwei Monaten, im Februar 1945 übernahm, der Fall gewesen«. Selbst ohne vorherige Warnung vor einem Uboot hielt man die Entscheidung der *Esquimalt,* nicht Zick-Zack zu fahren, »im Widerspruch zu den besonderen Befehlen von Halifax«. Doch der Untersuchungsausschuß fand keine Beweise dafür, daß diese Befehle tatsächlich verteilt worden waren. Und schließlich deckte der Untersuchungsbericht auf, daß trotz der Lehren durch die Versenkung von HMCS *Clayoquot* es keine ständigen Befehle gab, bei Einsätzen das Täuschungsgerät gegen Horchtorpedos zu fahren. Das NSHQ hielt die Ergebnisse des Untersuchungsausschusses am Ende für »nicht überzeugend« und gab deshalb auch kein Urteil über eine Reihe offensichtlicher Mängel ab – von planmäßiger Instandhaltung auf Kriegsschiffen über die Überprüfung von Sicherheitsausrüstung und der Besatzungsdisziplin. In dem zurückhaltenden Stil der Marine mahnte C-in-C CNA daraufhin seine Kommandanten, sich persönlich um drei Punkte aus den Untersuchungsergebnissen zu kümmern: (1) das Zick-Zack-Fahren in Gebieten, in denen Uboote sind, (2) routinemäßige Überprüfung der Ausrüstung von Rettungsflößen und (3) angemessene Bekleidung für Offiziere und Mannschaften rund um die Uhr.[43] Wieder einmal war das zu wenig und kam zu spät.

Der kanadische Marine-Informationsdienst hielt die Nachricht von der Versenkung der *Esquimalt* bis zum 7. Mai zurück, 21 Tage nach dem Ereignis und einen Tag vor der Kapitulation in Europa. Unter den dicken Schlagzeilen »Kapitulation erfolgt! Dönitz befiehlt allen, sich bedingungslos zu ergeben« vermeldete das OTTAWA JOURNAL das Ende der Ubootwaffe sowie den letzten Verlust der kanadischen Marine. Datiert aus Halifax, anstatt der nun unnötigen kriegsmäßigen Angabe »ein kanadischer Ostküstenhafen«, erklärte der Bericht: »Nazi-Fernkampf-Uboote unternahmen den letzten verzweifelten Vorstoß für ihr zusammenbrechendes Vaterland. Im vergangenen Monat gingen sie dicht unter die Küste von Nova Scotia und versenkten einen Minensucher der kanadischen Marine.« Der HALIFAX HERALD und andere Zeitungen berichteten am 8. Mai 1945: »Nazi-Torpedo schickte unvermutet die *Esquimalt* auf den Grund des Atlantik.« Nach dem JOURNAL war es »das zweitemal in wenigen Monaten, daß wagemutige deutsche Uboote die Überwachung der Marine durchbrachen und praktisch in Schußweite« von Halifax kamen. Die Berichte spielten auf die Versenkung der HMCS *Clayoquot* und Schiffe des Geleitzuges BX-141 an, nannten jedoch natürlich nicht besonders *U 1232*. Sie zerstreuten niemals den Mythos marodierender Rudel vor den Küsten Kanadas.

Die kumulative Wirkung von *U 806*, *U 1232* und *U 190* auf die kanadische Seeverteidigung überzeugte die kanadische Marine, daß Dönitz keinesfalls mit seinem Druck nachlassen werde. Eine Vielzahl scheinbar sicherer Kontakte und Sichtungen bestätigten die schlimmsten Befürchtungen. Sie zwangen die Kanadier in genau die Verteidigungshaltung, die der Großadmiral vorausgesehen hatte, wenn auch die kanadische Verlegung ihrer Schiffe nach seinem Geschmack zu gering und zu spät erfolgte. Kanadische Führungsstellen berichteten, daß die »Eröffnung des Schiffsverkehrs auf Strom und Golf des St. Lawrence in größerem Umfang als in den vergangenen Jahren, zusammen mit einem kürzeren Geleitzugzyklus und einer größeren Zahl von Ubooten im Westatlantik, den Einsatz zusätzlicher Nahsicherungs- und Unterstützungsgruppen erforderlich machen werde«.[44] Durch »Abziehen je einer Korvette von den kanadischen Hochseegruppen« konnte das Marinehauptquartier in Ottawa die heimischen Gewässer nur geringfügig verstärken. Unter den offenbar herrschenden bedrohlichen Umständen war die Marine bereit, eine Reduzierung dieser Gruppen von sechs auf fünf Schiffe in Kauf zu nehmen. Die Erwartung verstärkten deutschen Druckes zwang die Führungsstellen, über eine äußerst bestürzende Situation nachzudenken. Die beiden Unterstützungsgruppen EG-27 und EG-28, zur Zeit dem C-in-C CNA unterstellt, versuchten bereits die kanadischen Küstenzonen zu decken. »Selbst mit Hilfe der US-Jagdgruppen« konnten sie das jedoch nicht vollwirksam tun. Diese erhebliche Schwäche — trotz vereinigter kanadischer und US-Einsätze — brachte das NSHQ

Ottawa dazu, die britische Admiralität zu bitten, die Geleitgruppe 6, bestehend aus den Fregatten HMCS *Cape Breton, Grou, Outremont, Teme* und *Waskesiu* für den Einsatz in kanadischen Gewässern freizugeben. Da sie für die bisherigen Murmansk-Fahrten nicht länger benötigt wurde, verließ die Gruppe Londonderry am 18. April zur Fahrt nach Halifax. Der C-in-C CNA setzte den alten Belle-Isle-Verband, den traditionell schwachen »Kampfverband«, wie man ihn nannte, bestehend aus HMCS *Preserver* und der 78. M/L Flottille in Marsch, der am 27. April, dem Tag, an dem britische Streitkräfte den deutschen Hafen Bremen besetzten, in Cornerbrook, Newfoundland, eintraf.

Die deutsche Marine sah nun ihre letzte Stunde gekommen. Seit Anfang April 1945 hatte das Bomber Command der Royal Air Force Hunderte von Tonnen Bomben auf die Häfen in Hamburg und Kiel geworfen. Es versenkte nicht nur Uboote, sondern auch die Schweren Kreuzer *Admiral Scheer* und *Admiral Hipper* sowie den Leichten Kreuzer *Emden.* In ihren Haupthäfen Bremerhaven und Wilhelmshaven an der Nordsee, von Kiel bis Bornholm in der Ostsee, versenkten die Deutschen zwischen dem 2. und 3. Mai 118 Uboote.[45] Weitere 60 Uboote, die nach Norwegen zu entkommen versuchten, vernichteten massierte RAF-Angriffe in der westlichen Ostsee. Der Fall von Berlin am 2. Mai brachte den Zusammenbruch der Hauptstadt des Reiches; das Oberkommando der Kriegsmarine hatte bereits Anfang des Jahres zuerst nach Wilhelmshaven und dann nach Flensburg verlegt. Als Adolf Hitler Hand an sich gelegt hatte, wurde Großadmiral Dönitz Staatsoberhaupt, der seit langem auf eine bedingungslose Kapitulation gefaßt war. Er war entschlossen − sollte das geschehen −, kein Kriegsmaterial in Feindeshand fallen zu lassen. Sein verzweifelter Plan REGENBOGEN forderte die Versenkung aller Uboote. Seine Kommandanten, die natürlich von dem Plan wußten, warteten auf den Ausführungsbefehl. Als jedoch die Regierung Dönitz über die Bedingungen der Kapitulation verhandelte, wurde klar, daß die Inkraftsetzung von REGENBOGEN bestimmten Sicherheiten, die er für sein geschlagenes Volk zu erreichen versuchte, widersprechen würden. Die Kapitulationsbedingungen verboten ihm ausdrücklich, irgendeines seiner Schiffe zu versenken oder zu beschädigen. Als die Bedingungen der Kapitulation nach und nach in der Flotte bekannt wurden, führten dennoch viele Marineangehörige die Operation REGENBOGEN auf eigene Faust durch, obwohl sie illegal war: In der Flensburger Förde, in der Geltinger Bucht, in Cuxhaven und bei Eckernförde sanken 67 Uboote auf den Grund. Unter ihnen waren Uboote, deren bisher nicht eingesetzte fortschrittliche Technologie sie zum Stolz jeder Marine gemacht hätte: der Typ XXI und die durch Wasserstoffperoxyd angetriebenen Walther-Uboote. Bei Kriegsende waren 26 Uboote noch im Einsatzgebiet. 18 Uboote waren im Ausmarsch zu neuen Einsätzen, unter ihnen die kanadischen Veteranen *U 802, U 1228* und *U 1231* auf dem Marsch zu den Vereinigten Staaten.[46] Nur vier Boote waren auf dem Rückmarsch.

Kanadische, polnische und britische Truppen besetzten am 7. Mai Emden, Wilhelmshaven und Cuxhaven. Zwei Tage später fielen Deutschlands französische Stützpunkte Lorient, La Rochelle und St. Nazaire. Der deutsche Ubootkrieg ging jedoch nach Ansicht des NSHQ unvermindert bis zur endgültigen Kapitulation Deutschlands am 8. Mai 1945 um 2201 GMT weiter. An diesem Tag funkte Admiral Dönitz letzte Anweisungen an die Ubootkommandanten. Nach den Kapitulationsbedingungen mußten sie nun aufgetaucht bleiben und sofort in offener Sprache auf der 500-Meter-Welle Bootsnummer und Position an die nächste britische, amerikanische, kanadische oder sowjetische Funkstation geben. Danach sollten sie alle acht Stunden Position, Kurs und Fahrt auf dem Marsch zum nächstgelegenen dafür bestimmten alliierten Hafen melden. Alle weiteren Funksprüche sollten in offener Sprache zu festgesetzten Zeiten und auf entsprechenden Frequenzen abgesetzt, alle Munition über Bord geworfen und Torpedos und Minen gesichert werden. Als Zeichen der Übergabe sei bei Tag eine schwarze oder blaue Flagge zu setzen und bei Nacht Positionslaternen. Dönitz verbot ihnen ausdrücklich, ihre Boote zu versenken oder irgendwie zu beschädigen.

Sowohl die kanadische als auch die »Associated Press« kabelten die Nachricht der Übergabe aus London und lieferten übersetzte Texte der Ansprachen von Großadmiral Dönitz und Außenminister Ludwig Schwerin von Krosigk an das deutsche Volk. Erstaunlicherweise brachten die kanadischen Zeitungen die Nachricht nur auf der Rückseite. Dönitz forderte das Volk auf: »Wir müssen den Tatsachen klar ins Gesicht sehen... Die Einheit von Staat und Partei besteht nicht mehr. Die Partei ist vom Schauplatz ihrer Wirksamkeit abgetreten.«[47] Doch von vielen Seiten wurden die Uboote auch weiterhin mit großem Mißtrauen betrachtet. »Ein beträchtlicher Prozentsatz der Ubootbesatzungen sind fanatische Nazis«, bemerkte der HALIFAX HERALD, »und nach dem erklärten Ende des Krieges in Europa geht möglicherweise ein Guerillakrieg weiter.«[48] Ehe die Meere sicher waren, konnte die kanadische Marine mit ihrer Überwachung ganz gewiß nicht nachlassen.

Wie die kanadischen Führungsberichte melden, war es vor dem 8. Mai ruhig in den kanadischen Gewässern. Doch die Marine glaubte zugleich mit Zeitungsmeldungen, »daß sich Uboote im Bereich Halifax wahrscheinlich lieber in den östlichen Häfen ergeben, als die lange Reise zurück nach Europa anzutreten«.[49] Vom 10. bis zum 29. Mai unterhielten die Kanadier eine ständige Überwachung bei den angegebenen Übergabepunkten wie Halifax, Shelburne und Bay Bulls. Während der nächsten Tage ergaben sich sechs Uboote den nordamerikanischen Streitkräften, zwei − U 889 und U 190 − wurden kanadische Prisen; die anderen vier fielen an die Amerikaner. Funksprüche von U 805 lockten am 8. Mai USS Otter und Varian von Argentia, Newfoundland, herbei, die das Boot am 12. Mai, 15 Meilen südlich von Cape Race, stellten. USS Sutton und Scott fingen Marienfeld auf U 1228 am 11. Mai, rund 350 Meilen ostwärts von Cape Race ab.

Beide Uboote wurden in die Casco Bay, Maine, gebracht. USS *Carter* und *Muir* reagierten auf den Funkspruch von *U 858,* etwa 200 Meilen südlich von Cape Race. Nachdem sie es gestellt hatten, übergaben sie es an USS *Pillsbury* und *Pope,* die es nach Delaware Cape brachten, wo sie am 14. Mai eintrafen. 80 Meilen ostwärts von Flemish Cap stellte USS *Sutton* am 19. Mai *U 234* und geleitete es nach Portsmouth, New Hampshire.[50]

Als erstes dieser Boote ergab sich *U 889,* Friedrich Braeucker, den Alliierten. Der 26jährige Kommandant mit einer Besatzung zwischen 19 und 33 Jahren war am 5. April über Norwegen aus Deutschland ausgelaufen. Nach einem ereignislosen Einsatz als Wetterboot hatte er Befehl erhalten, die Schiffahrt vor dem Hafen von New York zu beunruhigen. Noch nicht einen einzigen Schuß hatte er abgegeben, als Dönitz die Kapitulation bekannt gab. Eine RCAF »Liberator« im Routineeinsatz von Gander, Newfoundland, sichtete *U 889* am 10. Mai, etwa 250 Meilen südostwärts von Flemish Cap. Eastern Air Command gab die Sichtmeldung an C-in-C CNA weiter, der daraufhin die Western Local Escort Group W-6 vom einlaufenden Geleitzug SC-175 umleitete. Auf Feindseligkeit eingestellt, hatte sich die »Liberator« inzwischen *U 889* genähert, das mit zwölf Knoten Kurs West durch die unfreundliche See fuhr. Als das Flugzeug sehr nahe kam, setzte das Uboot die schwarze Kapitulationsflagge und winkte nach den Worten einer Meldung dem Flugzeug »unaufhörlich wild mit den Armen« zu.[51] Die Gruppe W-6, bestehend aus den *Algerines* HMCS *Oshawa* und *Rockcliffe* und den Korvetten *Saskatoon* und *Dunvegan,* traf *U 889* 175 Meilen südsüdöstlich von Cape Race.[52] Auf allen Einheiten der W-6 waren die Besatzungen auf Gefechtsstation, alle Geschütze auf das Boot gerichtet. HMCS *Oshawa* ging auf Lautsprecherentfernung heran und befahl durch deutsch-sprechende Mannschaften auf der Brücke dem Uboot, Kurs auf Bay Bulls, Newfoundland, zu nehmen. Schweres Wetter verhinderte das Übersetzen eines Prisenkommandos. Die W-6 umringte weiterhin ihren Gefangenen, hielt alle Geschütze auf ihn gerichtet, bis einige Stunden später *Oshawa* Befehl erhielt, zwei Schiffe abzuteilen, die *U 889* nach Shelburne, Nova Scotia, geleiteten. Diese Aufgabe übernahmen HMCS *Rockville* und *Dunvegan,* die anderen Sicherungsfahrzeuge schlossen wieder an ihren Geleitzug heran.

Als die Dunkelheit hereinbrach, gab Braeucker mit der Signallampe in englischer Sprache an HMCS *Dunvegan,* das führende Schiff der beiden Kanadier: »And so to bed. Have a good night.« So wie der wachhabende Offizier von HMCS *Charlottetown* sein Logbuch im Stil eines englischen Romanschriftstellers aus dem 18. Jahrhundert kurz vor seiner Versenkung 1942 im St. Lawrence-Strom abgeschlossen hatte, so beschloß Braeucker den Tag mit einem Satz, der an die Tagebücher von Samuel Pepys erinnerte. Die beiden Seeleute hatten wohl offenbar eine stärkere kulturelle Neigung, als man das in diesem Kriegsgeschehen erwarten würde. 24 Stunden später übergaben die beiden Schiffe ihren Schützling an die Fregatten HMCS *Buckingham* und *Inch Arran* der EG-28, etwa 140 Meilen südsüdostwärts von Sable Island. Zwei »Liberator« der RCAF mit einer Gruppe von Berichterstattern und Fotografen überflog am 13. Mai, zwei Stunden lang, den westwärts steuernden Trupp. Am nächsten Tag waren Luftaufnahmen mit der Unterschrift »Noch immer auf Streife im Nordatlantik« und »Uboot ergibt sich bei Shelburne − deutsches Boot von der kanadischen Marine übernommen« in den Zeitungen zu sehen.[53] Während der Überführungsfahrt unternahmen die beiden Fregatten zwei »Hedgehog«-Angriffe gegen einen vermuteten Asdic-Kontakt. Die offizielle Übergabe von *U 889* fand am 13. Mai bei der Heultonne Shelburne, sieben Meilen vor den Ubootabwehrsperren, statt. Der HALIFAX HERALD meldete am 14. Mai:

»Unter dräuend bedecktem Himmel kletterte ein Prisenkommando der kanadischen Marine mit einer Gruppe von Uboottechnikern auf das geschlagene feindliche Schiff − begleitet vom Stabschef des kanadischen Admirals −, und wenige Sekunden später wurde ›the White Ensign‹ (die britisch-kanadische Kriegsflagge) am Flaggenstock des unterseeischen Räubers gehißt, um die Übernahme des Fahrzeuges offiziell zu dokumentieren.«

Zeugen der kurzen Zeremonie waren außerdem: eine Flottille »Fairmiles«, ein paar britische Fregatten und Flugzeuge der RCAF mit einer Gruppe von 35 Presseleuten. Sobald *U 889* an der Pier festgemacht hatte, konnte das OTTAWA JOURNAL verkünden, daß »einer der deutschen Untersee-Zerstörungsdämonen heute harmlos im Hafen von Shelburne liegt«.[54]

Als Hans Edwin Reith auf *U 190* am 11. Mai seine Position an New York, Boston und Cape Race meldete, teilten die kanadischen Dienststellen die Korvetten HMCS *Victoriaville* und *Thorlock* von dem einlaufenden Geleitzug ON-300 ab. Ungenaue Information über Reiths Standort und Kurs führten sie zuerst in die Irre. Mit Zielfahrt auf seine Funkausstrahlungen sichteten sie um 2303 GMT seine Positionslaternen, etwa 500 Meilen ostwärts von Cape Race.[55] Fahrtanweisungen von der Flensburger Regierung des Admiral Dönitz in offener Sprache, so erinnert sich Reith, hatten ihn angewiesen, seine Besatzung aus dem Militärdienst zu entlassen und sie als Zivilisten anzusehen. Deutsche Ubootfahrer von damals bestehen darauf, britische Funkstationen hätten diese Anweisung wiederholt. Reith entließ seine Besatzung am Tag der Kapitulation. Ähnlich erinnert sich Klaus Hornbostel von *U 806*, daß er seine Besatzung in Kiel aus der Marine entlassen habe. Auf Anweisung der Alliierten lud er eine Kernbesatzung dieser neuen »Zivilisten« ein, *U 806* nach Großbritannien zu überführen. In beiden Fällen sollten die Besatzungen innerhalb vier Wochen nach Übergabe ihrer Schiffe wieder zu Hause sein. Noch heute wurmt es sie innerlich, daß die Alliierten diese Bedingungen, die auf die Freigabe der deutschen Besatzungen hinzielte, mißachteten und sie als Kriegsgefangene festhielten. Andere deutsche Ubootfahrer lehnen diese »Zivilentlassungen« als Fiktion deutscher Veteranen ab.

Trotzdem waren nach Reiths Auffassung die Seeleute auf *U 190* Zivilisten, als HMCS *Thorlock* am 11. Mai um 2340 GMT zuerst längsseits ging. Fünf Minuten später ging das Prisenkommando unter Führung des Ersten Offiziers an Bord. Um zu verhindern, daß das Boot tauchte, warfen die Kanadier einen Wurfanker mit Kette ins Turmluk und stellten überall Wachtposten auf. Diese Vorsichtsmaßnahme erwies sich als überflüssig, denn die Deutschen boten jede Hilfe an. Ein verständlicherweise ängstlicher Kanadier witzelte, als er in die Zentrale hinunterstieg: »Sie schauten mich an... dann grüßten sie. Ich war erleichtert, ich hatte keine Pistole mit.« Der Erste Offizier der *Thorlock* ging mit Reith nach unten, um Munition oder Geheimmaterial zu beschlagnahmen und nach Sprengladungen zu suchen. Er fand nichts. Reith hatte die ihm gegebenen Befehle befolgt und Geheimdokumente in beschwerten Säcken über Bord geworfen und sich der gesamten Munition entledigt – sogar der Horchtorpedos, die er als Staatsgeheimnis ansah. Der Erste Offizier der *Thorlock* konfiszierte alle übrig gebliebenen Bücher und sicherte die Funkgeräte und das Schließfach des Kommandanten. Dann scheuchte er alle Mann an Oberdeck und gab Nachricht an die *Victoriaville*. Um 0001 GMT am 12. Mai wehte vom Stock von *U 190* das »White Ensign«.

Das Prisenkommando der *Victoriaville* kam um 0040 GMT unter Führung des Ersten Offiziers an Bord. Innerhalb 20 Minuten waren alle Deutschen mit Ausnahme von neun Mann Maschinenpersonal und drei Oberdeckswächtern zur Durchsuchung, Registrierung und ärztlichen Untersuchung auf die Korvetten gebracht worden. Auf der *Victoriaville* unterschrieb Hans Edwin Reith ein behelfsmäßiges Dokument bedingungsloser Übergabe – die erste offizielle Übergabe eines Ubootes an die kanadische Marine. Um 0200 GMT war der ganze Verband auf der Fahrt nach Bay Bulls, Newfoundland, wo er vier Stunden später am 14. Mai eintraf. Mit ungehemmtem literarischem Eifer gab ein amerikanischer Heeres-Kriegsberichterstatters die im übrigen völlig ereignislose Überfahrt wieder: »Die kanadische Besatzung auf *U 190* konnte kaum glauben, daß dieser höllische Gangster, den sie jahrelang bekämpft hatten, jetzt nur noch ein technisches Stahlungetüm war, das sich nun nach ihren Wünschen und Befehlen seinen Weg zum nordatlantischen Stützpunkt suchte.«[56] Unter Obhut einer Gruppe kanadischer Ubootmänner lag, nach den hochtönenden Worten des Berichterstatters, *U 190* nun da wie

»ein riesiges Seeungeheuer, muschelbedeckt, rostig, voller Salzflecken. In Bay Bulls unter der schwarzen Flagge der Übergabe eingelaufen, machte es nun einen angemessen bescheidenen Eindruck. Die schwarze Flagge, unter der die Uboote nun sanftmütig ihren Weg in die britischen und kanadischen Häfen antraten, war für diese Piratenfahrzeuge in der Tat hervorragend angemessen«, berichtete die Presse weiter.[57]

Am 16. Mai lieferte HMCS *Prestonian* die 54 Gefangenen in Halifax ab. Am gleichen Tag wurden sie, wie der Marinenachrichtendienst protokollierte, von

Presse und Rundfunk interviewt, vom Nachrichtendienst befragt und dann in militärisches Gewahrsam übergeben.[58] Diese Interviews lieferten den Zeitungen Spalten weitestgehend unnötigen Getues, in denen Tatsachen durch Andeutungen und Schlußfolgerungen ersetzt wurden. Aussagen, aus jugendlichen und politisch naiven Leutnants herausgelockt, die seit Wochen und Monaten in See den Kontakt mit Deutschland verloren hatten, wurden als mangelnde Urteilsfähigkeit und Gleichgültigkeit der deutschen Bevölkerung insgesamt interpretiert. Doch trotz der gedämpften Verachtung der Reporter schienen sie doch ehrlich überrascht, wie die Tragödie des Krieges sich in der ungebrochenen Jugend des Feindes widerspiegelte: »Die pausbäckigen und zottigen Burschen waren jung und unerfahren.«[59]

Die Gerüchte, daß Prisenkommandos auf den übergebenen Ubooten Exemplare neuer Zeitungen aus Halifax und Kartenabrisse örtlicher Kinos fanden, entbehren jeden Hintergrundes. Kanadische Veteranen lassen sich heute noch genüßlich Spekulationen auf der Zunge zergehen, selbst bis in die letzten Tage des Zweiten Weltkrieges seien deutsche Ubootfahrer mit unvergleichlichem Schwung und Leichtigkeit in die kanadische Bevölkerung eingesickert. Daß solche Gerüchte überhaupt noch existieren, ist ein Zeichen der Hochachtung für die unterschwellige psychologische Kriegführung der »Grauen Wölfe« von Dönitz, die 1939 begonnen hatte.

Der Ubootkrieg endete offiziell am 4. Juni, eine Minute nach Mitternacht. Von diesem Zeitpunkt an setzten die alliierten Geleitzüge in See ihre Fahrt zu ihren Bestimmungsorten aufgeblendet und mit hell brennenden Positionslaternen fort. Der Juni brachte das Ende aller Geleitzüge im Nordatlantik.[60] Als das sicherste Mittel für die Führung des Handelsschiffsverkehrs durch feindliche Gewässer hatten sich gesicherte Geleitzüge erwiesen. Verluststatistiken der Geleitzüge zwischen Nordamerika und Großbritannien (HX, SC, ON und ONS) von 1942 bis 1945 zeigen, daß unter Geleit nur eine sehr geringe Anzahl von Schiffen versenkt wurde[61] (siehe Tafel 8).

U 190 und *U 889* wurden im Juni für die kanadische Marine in Dienst gestellt. Der Dienst von HMC *U 889* in der kanadischen Marine war nur kurz. Wegen seiner

Tafel 8
Geleitzug-Verluste 1942–1945

Jahr	geleitete Schiffe	unter Sicherung versenkt	Prozent gesunkener Schiffe
1942	7542	149	2,0
1943	9196	125	1,4
1944	9807	7	0,07
1945	3835	5	0,2

Horchtorpedos und der hochentwickelten deutschen GHG-Gruppenhorchanlage als Versuchsfahrzeug eingesetzt, verließ es Kanada aufgrund internationaler Abmachungen, als die Dreimächte-Marinekommission in Berlin im November 1945 entschied, nur 30 Uboote zu behalten. Diese wurden aufgeteilt unter Großbritannien, die Vereinigten Staaten und die USSR. *U 889* gehörte zu den zehn, die den Vereinigten Staaten zugewiesen wurden. Eine kanadische Besatzung brachte es am 11. Januar 1946 nach Portsmouth, New Hampshire.[62] Kanada behielt *U 190*, da man es nicht mehr für einsatzfähig hielt. Als kanadisches Unterseeboot unternahm es im Sommer 1945 eine feierliche Rundreise über den Fluß und Golf, die seine Schwesterschiffe einst geschlossen hatten. Es besuchte die Häfen Montreal, Trois Rivières, Quebec-City, Gaspé, Pictou und Sydney und kam am 7. September zur Ubootabwehrausbildung nach Halifax. Am 24. Juli 1947 wurde es ausgemustert. Das vielleicht seltsamste Artefact dieser Phase seiner Dienstzeit ist der Stempel des kanadischen Kommandanten, ein Oval mit der Umschrift HMCS/M *U 190*, das einen deutschen Adler mit dem Hakenkreuz in den Klauen umgab.[63] Es zeigte, daß das »Ungeheuer aus der Tiefe« nun gezähmt war.

»Operation Scuttled« (Unternehmen Selbstversenkt) bezeichnete das Ende von *U 190*. Bei zwei Gelegenheiten in der Presse als Übung zur Ausbildung unerfahrener Nachkriegsrekruten in gemeinsamen Einsätzen propagiert, war es in Wirklichkeit die Schlußphase eines ziemlich albernen Theaters.[64] Knallrot gemalt, mit gelben Längsstreifen, wurde *U 190* auf die Position geschleppt, wo es HMCS *Esquimalt* versenkt hatte und wo die traditionsverhaftete kanadische Marine am 21. Oktober 1947, genau um 1100 Uhr, beabsichtigte, Nelsons glorreichen Sieg bei Trafalgar über die französische Flotte im Jahr 1805 dadurch zu feiern, daß man den leeren Rumpf in die Tiefe schickte.[65] Während der glücklose »Feind« auf der See trieb, versammelten sich die eigenen Streitkräfte zur Vernichtung: die »Tribal«-Klasse-Zerstörer HMCS *Nootka* und HMCS *Haida* sowie der Minensucher HMCS *New Kiskeard*. Die Marine-Luftwaffe stellte eine Sammlung von alten Flugzeugen: acht »Seafires«, acht »Fireflies«, zwei »Ansons« und zwei »Swordfish«. Das Szenario, aufgestellt für 24 Vertreter von Presse und Rundfunk, verlangte eine sorgfältige Choreographie von Gefechtslagen, beginnend mit einem Raketenangriff aus der Luft bis zum großen Finale des Zerstörer-Schießens mit 12-cm-Geschützen und dem tödlichen Schlag mit dem »Hedgehog«. Der letzte Schlag der kanadischen Marine gegen ein deutsches Uboot endete mit ähnlich komischer Note wie der erste Vorstoß gegen vermutete Invasoren vor Quebec-City 1939 unter Hinzuziehung eines »Uboot-Versagers«. Noch ehe die Schiffe eine Gelegenheit fanden, sich an dem Theater zu beteiligen, streckte *U 190* nach dem ersten Raketenangriff die Nase in die Luft und verschwand still in der See. Und so kam – wie eine Presseverlautbarung der kanadischen Marine mit hochtrabendem Pathos verkündete – »der einstmals tödliche Seeräuber zu einem schnellen und schmählichen Ende« – genau 19 Minuten, nachdem »Operation Scuttled« begonnen hatte.

Epilog

Deutsche Uboot-Vorstöße gegen kanadische Gewässer brachten die Irrtümer, die der kanadischen Vorkriegspolitik mit mangelnder Vorbereitung auf einen Krieg eigen waren, ans Licht. Vor beiden Weltkriegen hatten die kanadischen Planer versäumt, die technischen Errungenschaften eines möglichen Gegners, dessen Fähigkeit zur Kriegführung wenig Zweifel an seinen exterritorialen Absichten ließ, zu erkennen. Als Kanada schließlich aus dem Vorkriegsschlaf erwachte, hatte es nur zu bereitwillig auf alle aufkommenden Ansprüche auf nationale Souveränität verzichtet und die höhere Kriegführung den Alliierten überlassen. Wie zu erwarten war, ließen die Prioritäten Großbritanniens und der Vereinigten Staaten bei der gemeinsamen Kriegführung Kanada wenig Spielraum, sich auch nur in seinem eigenen Hoheitsgebiet zu behaupten. Selbst die schließlich doch verfügbaren kümmerlichen Kräfte wurden sehr bald zur Unterstützung überseeischer Verpflichtungen abgezogen. Kanadas Vorbereitungen zur Heimatverteidigung spiegelten zu Beginn eine längst überholte Vorstellung des Seekrieges wider. Während Deutschlands Marinestrategen zu Beginn des Zweiten Weltkrieges die Unterlagen ihrer früheren Konflikte zur See studiert hatten, hielt sich Kanada erstaunlich abseits seiner eigenen maritimen Vergangenheit. Erst als die Ereignisse sich zum Schlimmen wandten, wurden seine Kräfte wachgerüttelt. Doch selbst nach zweijährigem Kriegsverlauf hatte es, wie wir gesehen haben, keinen umfassenden Plan für den Einsatz seiner wachsenden Korvettenflotte. Die Ereignisse in Europa hatten ihm eine unverdiente Atempause gegönnt, mit der Situation fertig zu werden. Kanadas erste Schritte bestanden jedoch in improvisierten Reaktionen auf dem Gebiet von Material, Ausrüstung, Ausbildung und Gerät. Jahre voller Beunruhigung waren nötig, das Gleichgewicht wieder herzustellen, eine Entwicklung, deren Unzulänglichkeiten bis in das Jahr 1945 andauerten.

Wäre die deutsche Marine imstande gewesen, die atlantischen Zufuhrwege und die nordamerikanischen Küsten in der Stärke und zu der Zeit anzugreifen, die Admiral Dönitz gewünscht hatte, hätte er diesen Kampf zweifellos gewonnen. Der schließliche Mißerfolg in der Schlacht im Atlantik ist in hohem Maße auf den Zwiespalt der Prioritäten im deutschen Oberkommando der Wehrmacht zurückzuführen. Das deutsche Heer bestand auf dem Vorrang der Landkriegführung (was Hitler verstehen konnte), während die Marine Deutschlands Zukunft auf der See sah (was er nicht verstand). Unter Mißachtung der Kraft gemeinsamer Pläne und Unternehmungen begann das Heer den Krieg durch einen Stoß nach Osten, ehe die Marine bereit war, nach Westen vorzugehen. Die Marine wurde durch den Einmarsch in Polen überrascht, dann wieder, als Großbritannien mit der Kriegserklärung reagierte und erneut, als Hitler sich weigerte, die Verminung des Hafens von Halifax zu genehmigen und nochmals, als die Japaner Pearl Harbor angriffen und die Vereinigten Staaten von ihrem Seiltanz kriegführender Neutralität herunterstiegen und offiziell zum Krieg gezwungen wurden. So konnten die Uboote nicht in ausreichender Stärke angreifen, hatten Versagertorpedos an Bord und mußten mit erheblicher Verknappung an Minen fertig werden. So begrenzt die deutschen Mittel im Jahr 1942 auch waren, die außerordentlichen Erfolge der Uboote bei der Operation »Paukenschlag« wurden durch Nordamerikas praktisch unverteidigte Küsten begünstigt. Kriegsentwicklungen auf anderen Gebieten führten schließlich dazu, daß die kanadische Marine die Oberhand gewann: die Entzifferung deutschen Funkverkehrs durch die Alliierten und die Tätigkeit des operationellen Nachrichtendienstes, die Entwicklung des Zentimeterradar, wissenschaftlich untermauerte taktische Richtlinien, schrittweise Verbesserung des Asdic und natürlich als wichtigstes − Flugzeuge großer Reichweite. Alle diese Elemente unterstreichen die entscheidende Wichtigkeit von Forschung und Entwicklung, was Hitler nicht begriff und deshalb im Krieg weitgehend unbeachtet ließ.

Die Ubootoperationen in kanadischen Gewässern brachten Angreifer wie Verteidiger in Lagen, denen sie nie zuvor begegnet waren. Beide Seiten brauchten beim Ringen mit taktischen und navigatorischen Problemen, wie es sie nur im Golf von St. Lawrence und im westlichen Atlantik gibt, Mut und Zähigkeit. Schwerer physischer und psychologischer Druck, verschärft oftmals durch falsche Nachrichten über den Feind und schlecht funktionierende Ausrüstung lasteten auf den Seeleuten. Immer wiederkehrende Torpedoversager brachten selbst die bestgeplanten und durchgeführten Ubooteinsätze zum Scheitern und drohten die Moral zu untergraben. Das Charisma von Admiral Dönitz jedoch brachte seine Männer dazu, mit äußerster persönlicher Hingabe zu kämpfen, bis sie im Mai 1945 Befehl erhielten, zu kapitulieren. Die vorzüglich ausgebildeten Ubootfahrer der ersten Kriegsmonate stießen auf das anscheinend sorglose friedensmäßige Verhalten einer schnell mobilisierten kanadischen Marine, die zuerst nur eine geringe Gegenwehr bot. Doch die Kurven der kämpferischen Leistungen schnitten sich etwa 1943: Die Kampfkraft der Deutschen sank durch zwangsläufigen Einsatz unerfahrener Besatzungen in eilig gebauten Ubooten, während kanadische Technologie und Ausbildung sich unter Zwang besserten und reiften. Das Jahr 1943 erwies sich als Wendepunkt der Schlacht im Atlantik: Im Rahmen einer größeren Umorganisation übernahmen die Kanadier die Führung im kanadischen Nordwestatlantik mit integrierten Führungszentralen; Luftüberlegenheit schloß sich über dem unrühmlichen Schwarzen Loch im Mittelatlantik und sorgte nun für Luftsicherung der Geleitzüge von Nordamerika bis nach Europa; vermehrte kanadische Geleit- und Unterstützungsgruppen mit verbesserter Technik und Technologie drängten die Uboote zurück. Für die Küstengewässer war das Jahr 1943 gleichfalls entscheidend. Die Radar-Überwachung zwang die Uboote zur

Unterwasserfahrt, begrenzte damit ihren Aktionsradius und verringerte auf lange Sicht die Zahl der kampffähigen Uboote; sie erschwerte lange Einsätze und stärkte die Moral der Alliierten. Die gemeinsame Luft- und Seeüberwachung, wie gegen *U 537,* nachdem es die automatische Wetterstation aufgebaut hatte, war ein Zeichen für das Ende der Ubootüberlegenheit.

Deutschland hatte seit geraumer Zeit erkannt, daß Kanada von Großbritannien und den Vereinigten Staaten als Schachfigur betrachtet wurde, die auf diplomatischem Weg und dem Gewicht der Tradition manipuliert werden konnte, so daß Planungen auf höherer Ebene, die ohne seine Mitsprache getroffen waren, von ihm unterstützt wurden. Deutschland wußte ebenfalls, daß Kanada der Unterstützung Großbritanniens traditionell eine höhere Priorität zumaß als seiner eigenen Heimatverteidigung. Dies trug in hohem Maße zu den friedensmäßigen Bedingungen bei, auf die die Uboote vor Kanadas Küsten stießen. Der Einsatz Kanadas im östlichen und Mittelatlantik ließ nur wenige Schiffe für die Verteidigung kanadischer Gewässer übrig. Diejenigen aber, die man dort einsetzen konnte, standen vor den beträchtlichen Schwierigkeiten einer Ubootabwehr mit ungeeignetem oder veraltetem Gerät. Die politisch motivierte Marinedoktrin »Qualität vor Quantität« verbarg in Wirklichkeit die Nachlässigkeiten der Vorkriegszeit. Wie im Ersten Weltkrieg führte diese Haltung die unvorbereiteten Seestreitkräfte gegen einen Gegner, der in beträchtlichem Umfang seine technischen Fähigkeiten und politischen Absichten warnend demonstriert hatte.

Kanadische Marinestreitkräfte benötigten mehr Schiffe für die Küstenverteidigung, als es sich die Planer jemals vorgestellt hatten. Den Grundsatz, daß der Aufbau einer Marine mehr Zeit beansprucht als der eines Heeres oder einer Luftwaffe, hatten die Planer ebenfalls nicht erfaßt. Im Jahr 1917 hatte die Admiralität in London die Regierung zum Beispiel dahingehend beraten, daß mindestens 36 dampfgetriebene Schiffe für die Überwachung der Gewässer von Kanada und Newfoundland erforderlich seien. Mehr als 20 Jahre später stand ein buntgewürfelter Haufen von dreizehn schlecht ausgerüsteten Fahrzeugen zur Verfügung. Wieviel Überwasserstreitkräfte erforderlich waren, um Minen zu räumen oder ein Uboot zu jagen, hatte man nicht erkannt. St. John's mußte sich Minensucher von Halifax ausleihen, um das Minenfeld, das *U 220* im Jahr 1943 gelegt hatte, zu räumen. Im gleichen Jahr jagten dreizehn Überwasserschiffe in einem einzigen kombinierten Luft- und Seeinsatz *U 537,* und zur Jagd auf *U 806* im Jahr 1944 waren 21 Fahrzeuge eingesetzt. In jedem dieser Fälle stützte sich die genau geplante Suchaktion gegen einen einzelnen Gegner auf mehr einsatzfähige Fahrzeuge, als es heute in der ganzen kanadischen Marine gibt.

Selbst nach dem Ende der Schlacht im Atlantik fuhren kanadische Zeitungen fort, das Bild eines vermutlich unverbesserlichen und nicht reuigen Feindes zu vermitteln. Am Tag der Kapitulation Deutschlands warnte die kanadische Presse vor einer »unbekannten Zahl deutscher Uboote . . . die im Nordatlantik lauern und vor fanatischen Kommandanten, die möglicherweise noch zu einem letzten Schlag ausholen, ehe Brennstoff und Verpflegung verbraucht sind«. Doch die Kanadier hätten niemals Grund, sich zu fürchten, denn »Kanadas Marine wird mit Korvetten, Fregatten und anderen kleinen Fahrzeugen, gleich Schäferhunden auf ständiger Wacht sein, wenn sie die großen Geleitzüge über den Ozean führt«. Die Kanadier sahen ihre Marine im Bild des Schäferhundes, eines zupackenden, aber immer treuen Tieres verkörpert, wann immer »Wolfsrudel« vor der Tür zu sein schienen. Bald würden die Politiker den liebenswerten Hund durch Gesetz zahnlos und klapprig in den Ruhestand schicken. Die deutsche Marine aber, die nach den Worten von Admiral Dönitz »wie die Löwen« gekämpft hatte, würde sich, geführt von kanadischen Veteranen wie Paul Hartwig *(U 517)*, Klaus Hornbostel *(U 806)*, Klaus Hänert *(U 550)*, Erich Topp *(U 552)* und Friedrich Braeucker *(U 889)* aus der Niederlage erheben zu einer der stärksten und fortschrittlichsten in unserem NATO-Bündnis.

Anhang

Kanadische Verteidigungspläne für das Küstengebiet um den St. Lawrence-Golf

Natürlich hatten vor den Feindseligkeiten verschiedene Regierungs- und Marinedienststellen Pläne und Denkschriften informatorischen oder anordnenden Charakters herausgegeben, um die Ressourcen in ihrem Bereich zu erschließen oder zu mobilisieren. Die Anwesenheit deutscher Landvermesser auf der Insel Anticosti im Jahr 1937 richtete die Aufmerksamkeit der Öffentlichkeit auf den strategischen Wert dieser wichtigen 225 km langen, 8500 Quadratkilometer umfassenden Landmasse im beherrschenden Zentrum des Golfs von St. Lawrence. In der Hand des Gegners, so fürchteten einige Kanadier, würde sie für die deutschen Luft- und Seestreitkräfte ein äußerst wichtiger Absprungpunkt sein, von dem aus sie die Belle Isle Straße, die Cabot Straße, ja sogar weiter binnenlands liegende Industriezentren in den Küstenregionen Ontarios und Quebecs kontrollieren könnten. Einige Kanadier befürchteten, daß die Insel eine deutsche Kolonie oder »ein deutsch verwaltetes Territorium werden könne«. Obwohl der Leiter einer Gruppe deutscher Ingenieure, die die Insel besuchte, erklärt hatte, die Gruppe suche nur Informationen »ohne Kaufabsicht«, bildete dies den Anlaß zu einer von zwei Schreckensnachrichten in einem Leitartikel der GLOBE AND MAIL. Die andere Schreckensnachricht war auf ein Gerücht aus British Columbien zurückzuführen, japanische Fischer (es waren eigentlich kanadische Fischer japanischer Abstammung) seien in Wirklichkeit »Spione der Nippon-Regierung«. Als die Frage am 26. Mai 1938 im kanadischen Parlament auftauchte, versicherte Prime Minister Mackenzie King, seine Regierung würde die Kontrolle über die Insel niemals einer fremden Macht überlassen.

Sorgen um die Sicherheit des Golfes führten zu einem Verteidigungsplan der Vereinigten Stabschefs (Joint Staff Committee) in Ottawa. Dieser »JSC-Plan für die Verteidigung Kanadas« vom 27. Juni 1938 − obwohl sehr bald ersetzt durch den »JSC-Notstandsplan für die Verteidigung der Ostküste Kanadas« vom 16. September 1938 − artikulierte eine Grundsatzpolitik. Er ging von möglichen Luftangriffen auf kanadische binnenländische Ziele als auch von über See geführten Angriffen gegen die Handelsschiffahrt und sogar gegen den Hafen von Quebec-City aus. Die Planer befürchteten sowohl feindliche Schlachtschiffe und Kreuzer als auch Minen, gelegt durch Hilfskreuzer mit Motor-Torpedobooten an Bord. Ebenso falsch rechneten sie mit Flugzeugen und Zeppelinen. Die schwerste Bedrohung schien aus drei Faktoren zu kommen: schwere Beschießung der Küste, Kommandotrupp-Unternehmen und mögliche Gasangriffe aus der Luft. Die Schlagkraft der deutschen Uboote schienen die Planer jedoch noch nicht erkannt zu haben.

Nach dem ersten JSC-Plan sollte Kanada mit einer auf Halifax und Sydney gestützten Marinekampftruppe reagieren, ohne daß eine Stationierung von Schiffen im Golf gefordert wurde. Die zweite Version sah die Bildung eines östlichen Luftkommandos vor. Stationiert in Halifax sollte es vier Einsatzbereiche überdecken, und zwar nicht nur die atlantischen Provinzen, sondern auch den St. Lawrence-Golf und den Strom aufwärts bis zum Saguenay-Fluß. Das in Sydney stationierte Golf-Geschwader sollte aus sechs »Fairchilds«, vier »Stranrear«-Flugbooten und neun »Wapitis« bestehen

– alles veraltete Flugzeuge, die für militärischen Einsatz nicht ausgerüstet waren. Zwei ebenfalls unzureichende »Fairchilds« und drei »Bellancas« sollten Gaspé und Anticosti überwachen. Keiner dieser anfänglichen Pläne, das sollte angemerkt werden, erwähnte die Verwendung von Newfoundland als Basis. Das heißt bei weitem nicht, daß seine Bedeutung übersehen wurde.

Am 10. Oktober 1940 erschien eine atlantische Strategie. Dieser »Schwarze Plan«, wie er später bekannt wurde, ging vom schlimmstmöglichen Fall einer britischen Niederlage durch deutsche Streitkräfte aus. Unter der Bezeichnung »Gemeinsamer Kanadisch-Nordamerikanischer Basis-Verteidigungsplan 1940« legte er die Anforderungen für die Verteidigung der nordöstlichen Vereinigten Staaten, des östlichen Kanada und Newfoundlands dar, die entstehen würden, wenn diese Gebiete »einem Angriff ausgesetzt würden, weil die britische Marine nicht mehr in der Lage sei, die Seeherrschaft im Nordatlantik auszuüben«. Die Strategie dieses Basisplanes ging von der Vorstellung eines deutschen Sieges in Europa und der Folgerung aus, deutsche Truppen würden sich für weitere Expansion eine Ausgangsposition in Nordamerika schaffen. Ein solcher Angriff und die Expansion würde nach dem Szenario des »Schwarzen Plans« »eingeleitet, begleitet und fortgesetzt durch starke U-Kreuzer- und Flugzeugangriffe auf die Schiffahrt im westlichen Atlantik sowie durch gelegentliche Vorstöße«. Für den Augenblick jedoch blieb dieser »Canadian United States Basic Defence Plan« eine Theorie, ohne die damit verbundenen praktischen Faktoren aufzugreifen. Die 1940 immer deutlicher werdende Bedrohung machte eine Verbesserung der kanadischen Gegenmaßnahmen notwendig.

»Plan G« (Verteidigung der Schiffahrt im Golf des St. Lawrence) war die erste umfassende Direktive für die Verteidigung und Überwachung lebenswichtiger Schiffahrtsgebiete angesichts der Ubootbedrohung. Er zeigt die Umsicht seines Verfassers, Commodore L. W. Murray. Plan G zeichnete sich durch eine recht genaue, wenn auch vorsichtige Einschätzung der Probleme der Golf-Verteidigung und durch eine unverblümte und besorgte Bestätigung der schwachen verfügbaren Ressourcen aus. Am 29. April 1940 – vier Monate vor der ersten Sitzung des ständigen gemeinsamen Verteidigungsausschusses und sechs Monate vor dem Plan Schwarz – unterrichtete das Marinehauptquartier in Ottawa die höheren Marinedienststellen über die sieben Phasen, aufgrund derer sich die Seeverteidigung zwangsläufig ausweiten mußte. Die unmittelbare Verantwortung würde bei dem Befehlshaber Atlantikküste in Halifax liegen. Nach der Doktrin des Plans G konnten deutsche Uboote während der eisfreien Zeit vom 1. Mai bis 15. November im Fluß und im Golf erwartet werden. Mit mehr als gleichzeitig drei Ubooten war nicht zu rechnen. In diesem Punkt lag der Plan richtig, diese Zahl wurde in der Tat niemals überschritten. Vor dem Hintergrund einer weiterentwickelten Technik und taktischen Doktrin wird noch deutlicher, daß der Golf-Verteidigungsplan G vom 29. April 1940 einen frühen Kompromiß darstellte. Er sah vor, der deutschen Bedrohung »mittels angemessener Jagd- und Kampfverbände zu begegnen«, die völlig getrennt von den an die betreffenden Geleitzüge gebundenen Geleitstreitkräften selbständig operierten. Das setzte die Bildung von Unterstützungsgruppen voraus, deren Schlagkraft theoretisch dort eingesetzt werden sollte, wo sie gebraucht wurde. Gleichzeitig war der Plan G jedoch realistisch genug, indem er »einen geänderten Plan« aufstellte, der angesichts der starken Beschränkungen durch die derzeitige Verknappung an Ubootabwehrfahrzeugen von dem verfügbaren Material ausging. Zum Ausgleich wies der Plan die Marine darauf hin, daß Uboote, die so weit von ihren Heimathäfen operierten, durch die Schwierigkeiten der Logistik und des Brennstoffverbrauchs unter starkem Zeitdruck stünden.

Wie es sich herausstellte, rechnete auch Dönitz mit einem durchschnittlichen Aufenthalt im Operationsgebiet von vier bis fünf Wochen. Zum Schluß warnte der Plan G, alle Uboote könnten »mindestens zwanzig Minen« tragen, »diese Einsatzart müsse berücksichtigt werden«. Obwohl Uboote des Ersten Weltkrieges zweimal soviel Minen mit sich führen konnten und die großen Minenleger vom Typ XB des Zweiten Weltkrieges 66 Minen, war die kanadische Schätzung nicht so falsch, wie sie zuerst erscheint. Das Atlantikboot Typ VII konnte nur 16 Minen tragen, Typ IX 22 Minen. Das größere IXC/40, das 1944 von Halifax operierte, konnte 21 Minen laden und Typ VIID 31 Minen (15 in senkrechten Schächten und 16 Torpedominen). Bezeichnenderweise baute Deutschland nur acht der großen Minenleger vom Typ XB, der erste wurde 1942 in Dienst gestellt. Vornehmlich waren sie als Versorgungsboote eingesetzt und legten nur sehr selten Minen.

Die Tatsache, daß für Minenabwehr nur ein paar Regeln aufgestellt wurden, zeigt, wie provisorisch der kanadische Verteidigungsplan trotz seiner Details in Wirklichkeit war. Deutsche Uboote legten vor Juni 1943 keine Minen in kanadischen Gewässern.

Die hinter dem Plan G stehende strategische Beurteilung beeinflußte auch die atlantische Verteidigung. Die Stationierung der Streitkräfte aber zeigte, daß man sich größere Sorgen um die mögliche Bedrohung aus Japan machte. Die vier mit Asdic ausgerüsteten Zerstörer waren immer noch an der Westküste stationiert, die beiden anderen, *Skeena* und *Saguenay*, im Osten. Ein in Großbritannien gekauftes taktisches Ubootabwehr-Schulungsgerät stand jetzt ungenutzt in Esquimalt am Pazifik. Vier Fischdampfer-Asdic-Geräte vom Typ 123A waren von Großbritannien für die vier kürzlich gebauten Minensucher *Fundy*, *Comox*, *Nootka* und *Gaspé* gekauft worden, aber noch nicht eingebaut. Diese Einheiten galten schon 1939 als veraltet. Im Juni 1940 hatte die Ostküste eine Reihe von Verteidigungsmaßnahmen eingeführt: (a) Sie versah ostwärts fahrende Geleitzüge mit Zerstörersicherung und Luftunterstützung bis zum Rand des westlichen Atlantik (wo Uboote noch nicht operierten). (b) Sie baute eine Ubootabwehrsperre in der Hafeneinfahrt von Halifax. (c) Sie richtete eine innere Ubootabwehr-Sperrüberwachung ein, die aus einem 17 Knoten laufenden Motorboot mit Wasserbomben bestand (aber natürlich keinerlei Mittel zur Ubootortung besaß). Der Leiter der Ubootabwehr- und Sperrmaßnahmen beklagte sich damals über die Schwierigkeit, geeignete Marinereservisten zu bekommen, um die Anforderungen nach ausgebildetem Ubootabwehrpersonal zu erfüllen: »RCNR-Mannschaften (Berufsseeleute) fehlt die nötige Intelligenz, und VR's (zivile freiwillige Reserve) mangelt es an Seefahrtzeit.«

Die RCAF hatte damit begonnen, in Gaspé, Quebec, einen Stützpunkt aufzubauen, in dem das gemeinsame Lagezimmer für Luftwaffen- und Marinepersonal eingerichtet werden sollte. Das St. Lawrence-Fernmeldesystem, das per Kabel über Cap des Rosiers und durch Telefon mit Ottawa, Halifax und Sydney verbunden war, sollte zum Ausbau eines weiteren Fernmeldenetzes mit anderen kommerziellen und militärischen Systemen verbunden werden. Für geheime Informationen würden diese Leitungen jedoch nicht sicher genug sein.

Die Phase 1 des Plan G sollte für den Golf bei den ersten Anzeichen einer Ubootbedrohung einsetzen. Naval Officers in Charge (NOICs) und Schiffahrts-Leitoffiziere (NCSOs) sollten allen ein- und auslaufenden Verkehr individuell führen und zwar über die Schiffahrtstraßen, die bereits auf der St. Lawrence-Wegekarte festgelegt waren.

Phase II würde dementsprechend ausschließlich auf Luftüberwachung bis westlich zum Sagueany-Fluß gestützt. Sobald der Alarm auf Phase III gesteigert wurde, würden »ein, möglichst zwei Zerstörer« in Sydney stationiert und alle verfügbaren U-Jagdfahrzeuge entweder nach Sydney oder Gaspé oder nach beiden verlegt. Bezeichnenderweise sollten diese Schiffe keinen Geleitdienst tun, sondern als »U-Jagd- und Kampfstreitkräfte« soweit erforderlich tätig werden.

Phase IV erkannte an, daß der Bereich militärischer Verantwortlichkeit zu groß war. Es war daher vorgesehen, ein erheblich kleineres Gebiet überwachen zu lassen, das durch Schiffe und Flugzeuge abgedeckt werden konnte. In diesem Fall würde die gesamte Schiffahrt durch Funknachrichten und die gedruckten Nachrichten für Seefahrer darauf hingewiesen, daß die Benutzung der Belle Isle Straße, der Canso-Enge und der Mingan-Passage nördlich der Insel Anticosti völlig auf eigene Gefahr geschehe. Mit anderen Worten, die Streitkräfte eliminierten die Engpässe, die sich der Beherrschung durch Uboote geradezu anboten, aus ihrem Überwachungskonzept.

Bei Phase V sollten »mindestens vier Ubootabwehrfahrzeuge« in Sydney und »vier auf Gaspé« stationiert und damit die Phase VI eingeleitet werden: das System geleiteter Gruppen (ESCORTED GROUP SYSTEM).

Das Escorted Group System war ein Vorläufer der Geleitzug-Doktrin, die später in den WESTERN APPROACHES CONVOY INSTRUCTIONS (WACIs), den ATLANTIC CONVOY INSTRUCTIONS (ACIs) und den U.S. ESCORT AND CONVOY INSTRUCTIONS weiterentwickelt wurden. Es paßte die derzeitigen Erkenntnisse den regionalen Bedingungen und den verfügbaren Kräften an und legte fest, daß Schiffe mit einer höheren Geschwindigkeit als zwölf Knoten allein fuhren, während langsamere Schiffe sich zur gegenseitigen Unterstützung bei der Fahrt von einem Kontrollpunkt zum anderen zusammenschließen sollten. Bei enger Auslegung waren daher diese »Haufen« oder »Horden« von Schiffen keine Geleitzüge! Unter dem Schutz der Dunkelheit sollten sie allein fahren und bei Tage zwischen klar definierten Punkten geleitet werden.

Nur als letzter Ausweg sollte Phase VII in Kraft treten: die vollkommene Schließung des Golfs und des Stromes für die gesamte Schiffahrt.

Plan G wurde am 10. März 1941 aufgehoben und am 25. April 1941 durch Plan GL ersetzt. Der neue Plan reduzierte die vorgenannten sieben Phasen auf vier und wies bestimmte Kriegsschiffklassen bestimmten Stützpunkten und Überwachungspunkten zu. Definiert als »im wesentlichen eine Verteidigungsmaßnahme« sah er dennoch die Stationierung »ausreichender Jagd- und Ubootabwehrkampfkräfte« auf strategischen Positionen vor. Eine weitere Abweichung vom früheren Plan war die Verteilung der Minensucher. Obwohl Räumgerät für Magnetminen im Frühjahr 1941 noch nicht verfügbar war, sah das Marinehauptquartier die Stationierung von einem Minensucher in Rimouski, zweien in Gaspé und fünfen in Sydney vor.

Die Phasen des neuen Plans unterschieden sich von der früheren Version in wichtigen Punkten. Während der frühere Plan G die Phase I auf das Ausführungssignal für eine Ubootbedrohung in Kraft setzte, ging der Plan GL von dieser Bedrohung als einer Selbstverständlichkeit aus. So trat die neue erste Phase automatisch mit der Eröffnung der Schiffahrtssaison in Kraft. Die NCSOs leiteten noch den gesamten Verkehr einzeln nach der St. Lawrence Route Chart, wiesen aber die Kapitäne an, sich nicht zu eng an die festgelegten Wege zu halten. Phase II würde bei Eingang einer Feindmeldung in Kraft treten und soweit möglich zur Umleitung aller Schiffe aus dem Gebiet der Feindseligkeiten führen. COAC würde dann die nächste Jagdgruppe mit Unterstützung der RCAF zur Suche und zum Angriff ansetzen. Die Marine trat für den Grundsatz ein, wenn es sich nicht um »ernst zu nehmende, konzentrierte feindliche Operationen handele, eine Umleitung des normalen Schiffsverkehrs zu vermeiden«. Zu diesem Zeitpunkt würde die Phase III zur Einrichtung von Geleitzügen zwischen Sydney auf Cape Breton Island an der atlantischen Einfahrt zum Golf und Pointe au Père tief innerhalb des St. Lawrence-Flusses führen. Das Marinehauptquartier war überzeugt, daß die ersten drei Phasen »alle denkbaren Möglichkeiten« abdeckten; Phase IV sah nur noch einen Verzweiflungsbeschluß mit der Schließung des Golfs für die gesamte Schiffahrt vor.

Das Auftauchen deutscher Uboote vor der Atlantikküste im Januar 1942 führte zu einer umfassenden Neubearbeitung der Küstenverteidigungs-Planung. Am 1. April 1942 als Plan GL2 ausgegeben, schloß man aus den Winterunternehmungen der Uboote vor Kanada und den USA, daß im Sommer 1942 weitere Angriffe gegen die Schiffahrt auf dem St. Lawrence und im Golf zu erwarten seien. Wenn auch Minenleger von der deutschen Taktik nicht ausdrücklich ausgeschlossen wurden, so ging der Plan doch davon aus, Torpedoangriffe seien wahrscheinlicher. Das war scharfsinnig gedacht, denn die offenkundige Schwäche und Unerfahrenheit der US/kanadischen Verteidigung vor der Atlantikküste hatte Admiral Dönitz tatsächlich ermutigt, seine Uboote in einer Reihe höchst wirksamer Vorstöße in den Golf zu schicken. Nur eine erhebliche Knappheit an Minen hinderte Dönitz daran, kanadische und amerikanische Gewässer sofort zu verminen. Dennoch sahen sich die Kanadier auch jetzt vor ernste Verteidigungsprobleme gestellt. Denn, laut Präambel zu Plan GL2, »alle verfügbaren Ubootabwehrstreitkräfte waren bereits voll im Mittelatlantik oder bei den westlichen Regionalstreitkräften eingesetzt und stellten außerdem Geleit für Küstengeleitzüge und andere wichtige Aufgaben«. Die einzige Lösung, Schiffe bei der Fahrt von Quebec nach Halifax zu geleiten, lag unter diesen Umständen im Einsatz neu gebauter Fahrzeuge.

Das hieß, daß neu gebaute Schiffe aus den Werften in den großen Seen und in Quebec, die nur eine Überführungsbesatzung für die Fahrt flußab an Bord hatten, nun Geleitschutz für Handelsschiffe gegen einen hervorragend ausgebildeten Gegner spielen sollten. Das erklärt in hohem Maße die deutsche Kritik an dem fragwürdigen Fachkönnen der Kanadier im Golf. Erst nach einer Einfahrtzeit in Halifax sollten diese neuen Schiffe den verschiedenen Aufgaben und Geleitstreitkräften zugewiesen werden, »wie es Lage und Zeit erfordern«. Die rasche Erweiterung der Flotte führte zu ad hoc-Plänen, nach denen unausgebildete Besatzungen mit unerprobten Schiffen in See gingen. Zur Zeit der Herausgabe des Plans standen fünf Korvetten (HMCS *Woodstock*, *Brantford*, *Port Arthur*, *Quebec* und *La Malbaie*) vor der Indienststellung am 1. Mai 1942, eine sechste, HMCS *Kitchener*, sollte im Juli folgen. Zehn Dampf-Minensucher wurden zwischen Juni und Spätherbst 1942 erwartet. Zwei Diesel-Minensucher sollten am 1. Mai fertig sein, gefolgt von sieben weiteren im Juni und Juli; die Marine erwartete zwei hölzerne Minensuchboote ohne magnetisches Räumgerät im Mai, gefolgt von fünfzehn »Fairmiles« im Juni, »abhängig vom Eintreffen der elektrischen Ausrüstung«, und den beiden Mutterschiffen HMCS *Provider* und *Preserver*. Zehn weitere Korvetten und drei *Algerine*-Minensucher sollten im Herbst in Dienst gestellt werden.

Insgesamt war dies ein riesiges Koordinationsproblem. Der Plan verlangte von der Marine, dafür zu sorgen, daß »diesen Schiffen alle Bewaffnung eingebaut würde, daß die Bewaffnung erprobt und die gesamte Ausstattung an Munition an Bord war«, ehe sie Quebec verließen. Die Besatzungen jedoch – und das war bezeichnend – würden noch nicht an den Geräten ausgebildet sein. Die Beschaffung und Erprobung der Bewaffnung vor dem Einsatz im Geleit sollte bis weit in das Jahr 1943 hinein ein Problem bleiben. Da eine Reihe von Schiffen für die US-Marine auf den Großen Seen im Bau waren, war man gezwungen, auch die Erlaubnis der Vereinigten Staaten einzuholen, diese neuen Schiffe ebenfalls für den Geleitdienst einzusetzen.

Die Präambel von GL2 sah einige der Schwierigkeiten voraus, die kleinere Fahrzeuge wie bewaffnete Yachten und »Fairmiles« in dem häufig im Golf anzutreffenden schweren Wetter haben sollten. Wenn überhaupt Geleitzüge zusammengestellt werden sollten, war es äußerst wichtig, daß einige der zugeteilten Neubauten mindestens die Größe eines *Bangor*-Minensuchers hatten. Das, darauf bestand der Plan, würde sicherstellen, »daß wenigstens ein Teil des Geleits in der Lage ist, bei jedem Wetter am Geleitzug zu bleiben«. Als die Aufgabe der »Fairmiles« zwangsläufig von der allgemeinen Überwachung in Geleitaufgaben überging, zeigte es sich, daß sie nicht immer so funktionierten, wie die Kanadier gehofft hatten. Bei schlechtem Wetter, das zeigte sich, waren sie kaum zu gebrauchen, und ihre Asdic-Dome neigten dazu, in den steilen Golfseen loszureißen. Doch im Herbst 1942 hatten sie sich im mokanten Urteil eines Geleitkommandeurs der Royal Navy »als brauchbar gezeigt, Überlebende torpedierter Schiffe aufzunehmen und sie in den nächst gelegenen Hafen zu bringen«.

Plan GL2 vom 1. April 1942 bestand aus drei Phasen. Plan I begann mit uneingeschränkter Schiffahrt durch Golf und Fluß während der normalen Schiffahrtsaison. Von der Friedensschiffahrt unterschieden sich die Bedingungen kaum. Phase II sollte beginnen, wenn die Neubauten in Quebec ankämen. Diese sollten dann »jede verfügbare Gruppe von Handelsschiffen von Quebec nach Sydney geleiten«. Auch dies war eine ad hoc-Regelung, denn kein Handelsschiff sollte bis zur Ankunft eines »Kriegsschiffes«, wie es NSHQ nannte, einer Verzögerung unterliegen. Im übrigen würde die Schiffahrt uneingeschränkt wie zuvor laufen. Die nächste Phase hing völlig von der deutschen Initiative ab.

Diese dritte Phase würde »einsetzen, sobald ein Ubootangriff auf die Schiffahrt im Golf oder auf dem St. Lawrence-Strom bestätigt ist«. In diesem Fall würden aller einlaufende Verkehr in Sydney, aller auslaufende Handelsschiffsverkehr in Quebec angehalten. Auslaufende Geleitzüge würden dann so in Marsch gesetzt, daß sie mit den entsprechenden Transatlantik-HX und SC-Geleitzügen zusammengeführt werden konnten, die aus Halifax, Sydney und New York kamen. Einlaufender Verkehr würde von Sydney alle drei Tage in Marsch gesetzt.

Phase III erforderte zwanzig Kriegsschiffe für sofortigen Dienst bei den St. Lawrence-Geleitzügen: fünf *Bangors,* fünf bewaffnete Yachten und zehn »Fairmiles«. Aufgeteilt in fünf Geleitgruppen von einem *Bangor,* einer Yacht und zwei »Fairmiles« bildeten sie einen wesentlich kleineren Verband als im früheren Plan GL vorgesehen. Der Befehlshaber Atlantikküste wurde angewiesen, die unter seinem Befehl stehenden strapazierten Streitkräfte neu zu gruppieren, um diesem dringenden Einsatz gerecht zu werden. Mit der Zeit würde die Marine Unterstützung durch die RCAF erhalten. Zur Zeit allerdings hatte die RCAF nur acht »Catalina«-Flugboote in Sydney. Diese waren völlig mit der Ubootabwehr und im Geleitzugdienst im Atlantik beschäftigt. Sollten Uboote tatsächlich den Plan GL2 im St. Lawrence auslösen, dann sah der Plan die Verlegung von dreien dieser Flugzeuge für die St. Lawrence-Überwachung nach Gaspé vor. Weitere verfügbare Flugzeuge sollten in Mont Juli stationiert werden. Im Laufe der Feindseligkeiten forderte die RCAF die Marine auf, Geleitzüge zwischen Quebec und Sydney südlich der Magdalenen Islands vorbeizuführen, um von Charlottetown und Summerside operierende Ausbildungsflugzeuge auszunutzen. Diese vermittelten den Deutschen den Eindruck einer kanadischen Luftüberlegenheit, die in Wirklichkeit nicht existierte. Definitionsgemäß waren Ausbildungsflugzeuge nicht fachmännisch besetzt und nur selten zur Bekämpfung von Ubooten ausgerüstet.

Die erste Verteidigungsmaßnahme für die Belle Isle Strait zwischen Labrador und Newfoundland gab der Flagofficer Newfoundland erst am 22. Juli 1943 heraus, fast ein Jahr nach dem ersten (und letzten) Vorstoß deutscher Uboote durch diese Meeresstraße. Herausgegeben als »BIF1« (Belle Isle Forces) bestimmte sie ein Versorgungsschiff, einen *Bangor*-Minensucher und vier »Fairmile«-Schnellboote für gemeinsame Einsätze mit dreizehn »Catalina«-Flugbooten der 116. Squadron in Botwood unter Führung der Ersten Gruppe RCAF in St. John's, Newfoundland. Das Versorgungsschiff wurde so verankert, daß das achtere 12-cm-Geschütz die Einfahrt der Belle Isle Straße beherrschte. 16 Geleitzüge und mehrere Einzelfahrer passierten während der vier Monate der BIF 1-Tätigkeit die Überwachungszone. Es zeigte sich, daß die »Fairmiles« »für den Patrouillendienst in der Belle Isle Straße nicht geeignet« waren, weil die eigenartige Kombination von Wind und Strom in diesem Gebiet die See so verwirbelte, daß Asdic-Empfang mit den primitiven Geräten der kleinen Schiffe nicht möglich war. Das starre Asdic, das nur »schwenken« konnte, wenn das ganze Schiff in dem abzusuchenden Sektor hin und her drehte, mußte mit einem altmodischen Flaschenzug im Handbetrieb abgesenkt werden.

Der »Operationsbefehl für den Belle Isle Verband« 1944 zeigte wenig Änderung. Herausgegeben am 10. Juni 1944 als »BIF 2« erwartete er, daß Uboote durch die Straße in den Golf ein- oder ausliefen und zog die Möglichkeit in Betracht, daß sie Minen legten. Im übrigen blieben Scenario und Akteure im wesentlichen gleich: ein Versorgungsschiff, ein *Bangor* und diesmal sechs »Fairmiles« anstatt der ebenso ungeeigneten vier. Luftunterstützung blieb fraglich, denn die Luftwaffe konnte nur mit den Flugzeugen rechnen, die im Lauf der Ereignisse verfügbar würden. Obwohl die Marine trotz der angenommenen Bedrohung die Dienste eines Minensuchers zur ständigen Suche nicht zusichern konnte, drückte »BIF 2« die aufrichtige Hoffnung aus, daß »beim ersten Anzeichen von Minenlegen davon ausgegangen wird, daß sofort einer entsandt wird«. Woher er allerdings kommen sollte, wußte keiner. Denn selbst bei der Eröffnung der Schiffahrt 1945 konnte der Commander-in-Chief, Canadian Northwest Atlantic, nicht mehr als eine »Fairmile«-Schnellboot-Patrouille für die Straße zuteilen.

Aus: **Der Zirkus. Bordzeitung von U1232,** 16. Januar 1945.

»14 Tage vor Halifax«

Eigentlich ist es doch gar nichts, ein Klacks,
so 14 Tage vor Halifax.
Doch wie man sich da irren kann,
weiß bei uns an Bord nun jedermann.
Der Alte sprach: »Ran! Das ist das Beste.«
Also legten wir uns vor die alte Feste.
Kaum sahen wir das Land Amerika,
da war schon ein Zerstörer da.
Doch sahen wir ihn nur das eine Mal,
denn der Alte riskierte sogleich einen Aal.
Dem Yankee war das nicht so einerlei,
begann sofort mit einer großen Sägerei.
Viele Nächte mußten wir auf Sehrohrtiefe geh'n,
denn wir wollten gern einen Geleitzug seh'n.
Endlich war es soweit (man hatte schon kritisiert):
Ein kleiner Geleitzug kam anmarschiert.
Durch alle Sägerei ließen wir uns nicht verdrießen,
und der Käpt'n sprach: »Wir werden schießen.«
Und ehe wir uns recht versehen,
tut Paulchen schon am Vorhalterechner drehen.
Die Spannung war groß, keinen hörte man lachen.
Da plötzlich ein Knall, ein furchtbares Krachen!
Nun wurde es uns allen bekannt:
1 Tanker, 1 Dampfer in Grund gerannt.
Das ging dem Yankee lausig auf die Nerven,
tut sofort mit Wabos nach uns werfen.
Wir standen abseits und lachten dazu;
uns brachte es nicht aus der Ruh'.

Gedicht aus der Bordzeitung **Der Zirkus,** 4. November 1944:

Schnorchelbetrieb

Die Backbordwache steigt zur Koje
das Boot zieht schnorchelnd seine Bahn,
im Heckraum hören sich die Heizer,
die »Langen Schnorcheltöne an«.
Denn beim Schlafen und beim Essen,
hat er den Mund zu schließen vergessen.
Der Schnorchel schneidet unter,
der Unterdruck, er steigt,
und mit ihm froh und munter,
eine Plombe dem Zahn entweicht.

328

Anmerkungen

Einleitung (Seite 18 bis 37)

[1] Kuenne, Das Angriffs-Uboot, 125. Die Sprecher waren Admiral Sir Arthur Wilson, RN, 1902; Viscount Jellicoe 1922; und Admiral Lord Fischer 1941.

[2] Tucker, »East Coast Patrols«, cf. Bennet, Naval Battles, 246−63.

[3] Marinedienstvorschrift Nr. 28, **Kriegserfahrungen der deutschen Uboote im Weltkrieg 1914−1918,** Oberkommando der Kriegsmarine, Kriegswissenschaftliche Abteilung (Berlin: Mittler und Sohn 1939) BA-MA: Sign. RMD 4/28. Tatsächlich stand 1939−41 keine vollständige Analyse des Ubootkrieges im Ersten Weltkrieg zur Verfügung. Geplant waren fünf Bände, nur zwei wurden fertiggestellt. Dönitz gründete deshalb seine strategischen und operationellen Konzepte auf die Erfahrungen früherer Ubootkommandanten.

[4] **Ottawa Journal,** 19. März 1941, 24.

[5] KTB/*U 117,* BA-MA: RM 97/113. Marineabteilung Uboottätigkeit DHIST: »Operations in North American Waters«, 1650−239 A, besonders Chef der Überwachung HMCS *Guelph* an den Kommandeur der Überwachungsstreitkräfte, Sydney, 13. August 1918; Department of Naval Service, Naval Intelligence Report no. 5, 54-100, 1918. Naval Intelligence Records, 272-4. Sarty »Silent Sentry«, 306-24.

[6] KTB/*U 156,* BA-MA; Sign. RM 97/1130.

[7] »Brief History«, DHIST: Niobe-8000, vol. 3.

[8] Zum Beispiel W.G.D. Lund »Die Forderung der Royal Canadian Navy nach Autonomie im Nordwestatlantik, 1941−43«, in: Boutilier »RCN in Retrospect«, 138−57.

[9] Sarty »Silent Sentry«, 311.

[10] PAC, reel B-3444, PRO, Adm. 116m N. 1400.

[11] Kingsmill an Hose, 7. August 1918, DHIST: »Torpedo A/S General«, 81/520, 1000−973, vol. 1.

[12] Cf. McKee, **The Armed Yachts of Canada,** 46 f.

[13] KTB/*U 117,* BA-MA; 1130. Dröscher nennt die versenkten Fischereifahrzeuge *Aleda May* (31 t), *William H. Starbuck* (53 t), *Progress* (34 t), *Reliance* (19 t), *Earl and Nettie* (24 t), *Cruiser* (28 t), *Old Time* (18 t), *Mary E. Sennet* (27 t), *Katie E. Palmer* (31 t).

[14] Das U.S. Navy Department behauptet, der Name des Kapitäns sei W. M. Rheinhard gewesen.

[15] Merkblatt S. A. (berichtigt Juni 1917) »Einzelheiten von Angriffen feindlicher Uboote auf Handelsschiffe«, DHIST; 1650−239/16 A.

[16] »Schutz des Handels«, PAC, MG 27, III. Ich bin Marc Milner zu Dank verpflichtet, daß er mich auf dieses Dokument hingewiesen hat.

[17] Milner, **ORAE Report,** 12.

[18] Bacon und McMurtrie, **Modern Naval Strategy,** 148−9.

[19] Cf. Stacey, **Canada and the Age of Conflict,** 261. Versehentlich von *U 30* (Lemp) versenkt.

[20] Zum Beispiel **Ottawa Journal,** 18. September 1939, 3, sowie **Winnipeg Free Press,** 18. September 1939, 11−12.

[21] **Ottawa Journal,** 14. Oktober 1939 und 17. Oktober 1939, 1: »Zwei Luftangriffe auf den Stützpunkt von Scapa Flow − amtliche Darstellung der Torpedierung der *Royal Oak*«.

[22] »Combined Operations − 1939«, RCNMR, DHIST; 1650−239/16 B, vol. 2.

[23] **Ottawa Journal,** 13. April 1940, 4.

[24] Ibid., 3. Oktober 1940, 17. und 25. Oktober 1940, 8.

[25] Ibid, 18. September 1941, 8 (Rückschlüsse aus Statistiken der Ottawa Bible Society, die behauptet, daß der Bibel-Verkauf in Deutschland von 250000 im Jahr 1939 auf 68000 im Jahr 1940 zurückgegangen sei.

[26] Ibid., 14. April 1941, 8.

[27] Serien mit dem Titel »Die Problematik des gegenwärtigen Krieges« in den kanadischen Zeitungen. Siehe z. B. **Ottawa Journal,** 28. Oktober 1939, 2: »Krieg gegen die Nazis ist ein Kreuzzug zur Rettung der christlichen Zivilisation«.

[28] **Ottawa Journal,** 21. Oktober 1939, 1: »Kanadas Marine spielt im Geleitzugsystem eine große Rolle – Kriegsschiffe suchen im ständigen Einsatz die See nach Ubooten ab«; **Winnipeg Free Press,** 18. November 1939, 1: »Graue Wächter – kanadische Kriegsschiffe auf der Wacht gegen Handelsstörer«.

[29] Lamb, **Corvette Navy;** Easton, 50 North und Lawrence, **A Bloody War.**

[30] Milner, **ORAE Report.**

[31] **Montreal Daily Star,** 31. Januar 1940, 3: »Marinedienststelle macht Ubootangriff auf dieser Seite lächerlich.«

[32] Dönitz, »Aufgaben und Stand der Ubootwaffe«, **Nauticus,** Jahrbuch für Deutschlands Seeinteressen 1939.

[33] RCNMR, no. 9 (September 1942), 65.

[34] z. B. Douglas, **Out of the Shadows;** Milner, **OREA Report,** und Sarty, »Silent Sentry«.

[35] **Victoria Daily Times,** 25. Mai 1940, 2.

[36] z. B. eine viertelseitige Anzeige im **Ottawa Journal** vom 14. Juni 1941, 6.

1. Kapitel (Seite 38 bis 59)

[1] DHIST: 8000–St. Laurent 1 (1937–43), NS. 1057–5–4.

[2] Tucker, **Naval Service** II, 7. Die kanadische Marine hatte nur 13 Schiffe in Dienst: zwei Zerstörer, zwei Minensucher und einen Ausbildungsschoner an der Ostküste; vier Zerstörer, drei Minensucher und ein Motorfahrzeug an der Westküste.

[3] **Leader-Post** (Regina), 20. November 1938, 11; **Montreal Daily Star,** 20. November 1939, 17.

[4] Captain, DNO und T an DNIP, 4. April 1939, DHIST; 1650–239/16 B, Band 2.

[5] Siehe ebenfalls bei Stacey, **Canada and the Age of Conflict,** 130.

[6] **Ottawa Journal,** 5. November 1941, I. Vgl. das Vogel-Strauß-ähnliche Dementi vom 19. März 1941 (16): »Uboot auf der amerikanischen Seite des Atlantik zeigt deutsches Draufgängertum.«

[7] KTB/*U 111,* BA-MA; Sign. PG/30/107/I. Auch KTB/Skl., 21. 6. 41; 7. 7. 41.

[8] Beesly, **Very Special Intelligence.**

[9] KTB/BdU, 20. 7. 41 (p. 170); 14. 8. 41, BA-MA; Sign. PG 3046, case 10/4/.

[10] KTB/*U 208,* 27. 10. 41. BA-MA; Sign. PG 30194-98.

[11] KTB/*U 109,* November 1941, 15, BA-MA; Sign. RM 98/109. Siehe Hirschfeld, **Feindfahrten,** 132–84; persönliche Erinnerungen des Funkers von Bleichrodt.

[12] KTB/*U 374,* 16. Rohwer **Seekrieg** (178–82) nennt die Aufstellung.

[13] **Ottawa Journal,** 6. November 1941, 3: »Uboote werden bald vor Nova Scotia operieren.«

[14] Ibid., 18. November 1941, 13: »Uboote vor Halifax.«

[15] Ibid., 20. November 1941, 26; 25. November 1941, 13.

[16] Ibid., 25. November 1941, 13. »Zwei kanadische Korvetten versenken ein Uboot im Nordatlantik.« Ebenfalls 20. November 1941, 8 »Die kanadische Marine tut ihre Pflicht.«

[17] Stacey, **Canada and the Age of Conflict,** 337: »Die kanadische Regierung hatte an der höheren Kriegführung keinen nennenswerten Anteil.«

[18] Milner, **North Atlantic Run,** 34.

[19] Director of Plans an Chief of the Naval Staff, 21. Dezember 1942, DHIST; m–11.

[20] »Atlantic Convoy Instructions«, NSS 1013–2–23, PAC, RG 24, Bd. 3821.

[21] »United States Fleet Anti-Submarine and Escort of Convoy Instructions«, FTP 233 A, DHIST: 79/532.

[22] RCNMR, no. 9 (September 1942), 61–2.

[23] »Winke für Geleittätigkeit«, Teil 1 (30. März 1943), Teil 2 (22. April 1943), Teil 3 (21. Mai 1943), Teil 4 (8. Juni 1943), Teil 5 (16. Juli 1943) (DHIST: ADM I/13749).

[24] Sitzungsprotokoll vom 19. September 1943, beigefügt an Teil 4 s. oben.

[25] Milner **North Atlantic Run,** 79.

[26] Director of Operations Division, »Bei der Verteidigung von Golf und St. Lorenz Strom«, 11. Dezember 1942, DHIST; NS 1048–48–22, Bd. 1,2.

[27] »Allgemeiner Überblick und Bericht über die Verteidigungsmaßnahmen in den Gebieten Golf und St. Lorenz Strom«, ein Ausschuß gebildet unter Leitung der Vereinigung der Chefs der Stäbe, 30. Januar 1943, DHIST; 1650−239/16.

[28] »Marine-Gesichtspunkte«, siehe oben, S. 2.

[29] Vice-Admiral Percy Nelles, CNS (kanadischer Marinestab) an den Verteidigungsminister, 7. Oktober 1942, »Verkehr im St. Lorenz-Strom und -Golf«, DHIST; NSS 1048−48−10, Bd. 2.

[30] Nelles, ibid., und Milner **OREA Report.**

[31] Zu diesem Gesichtspunkt der Schließung siehe Cdr. Robert Thomas, »Die absolute Notwendigkeit: Schutz des Handels auf dem St. Lorenz durch die Marine 1939−1945« Royal Military College, Kingston, Ontario, 1982.

[32] NCSO, HMC Dockyard an NOIC, HMC Dockyard, Sydney, 15. Oktober 1942, DHIST: 1650−239/16 B, Bd. 1.

[33] Secretary of the Admiralty an den Chief of Naval Staff, Ottawa, 27. September 1939, DHIST: NS 1001−1−7, Bd. 3.

[34] »Aircraft Detection Corps Organisation, Gulf and River St. Lawrence Areas − 1942 und 1943«, Anhang E, DHIST: 1650−239/16.

[35] »Fernmeldebedarf im Bereich St. Lorenz-Strom und -Golf«, 30. Januar 1943, Akte S. 22−1−17, DHIST: 1650−239/16.

[36] »Allgemeiner Überblick und Bericht über die Verteidigungsmaßnahmen in den Gebieten Golf und St. Lorenz-Strom« (siehe Nr. 37).

[37] Siehe Watts. **The U-Boat Hunters,** 152 f.

[38] KTB/1 SkL., Teil B, IV (Juni−Dez. 1943), BA-MA; RM 7/98.

[39] Protokoll der St. Lawrence Operation Conference, 22.−24. Februar 1943, DHIST: NS 1048−48−22, Bd. 2.

[40] im obigen Protokoll Captain H. N. Lay, S. 6.

[41] »Vorgeschlagene Verteilung der Seestreitkräfte im Mai 1943« und Karte Verteidigungsministerium 24 Operationsabteilung NSHQ vom 25. Januar 1943, DHIST: 1650−239/16.

[42] Rear Admiral G. C. Jones, COAC Halifax »Steuerung der Navigationshilfen − Ostküste.« 20. Juli 1942 (mit Vorgangsdokumenten). DHIST 181.002 (D68A), Akte 2.

[43] »R.C.A.F. Radar Ubootabwehrmaßnahmen im Bereich St. Lorenz-Strom und -Golf«, NS 1037−2−6 (Staff), 22. Mai 1944, DHIST: 1650−239/16B, Bd. 1.

[44] **Monthly Review der R.C.A.** F. Operationsabteilung − Nordamerika 1, no. 11 (April 1944); 35−6, DHIST: 112.3M1009 (D101).

[45] Operation Research Bericht der RCN no. 24 (24. Juli 1944), DHIST: 1650−239/16B., Bd. 2.

[46] »Auszug aus dem Protokoll einer Sitzung des Kriegskabinett-Ausschusses vom 7. März 1945«, DHIST: 1650−239/16B, Bd. 1.

[47] Mitteilung des C-in-C an NSHQ vom 26. Februar 1945, DHIST: 1650−239/16B, Bd. II.

[48] »Belle Isle Force«, PAC RG 24.

2. Kapitel (Seite 60 bis 91)

[1] Dönitz, **Erinnerungen** 162. Wegen der britischen Ansicht über »Paukenschlag« siehe Beesly, **Very special Intelligence,** 127−55.

[2] Dönitz, **Erinnerungen,** 195.

[3] KTB/BdU, 11. Januar 1942, BA-MA; PG 30302/3/.

[4] *U 66* besetzte die Gebiete CA 79, 87 und DC 12−13; *U 123* die Gebiete CA 28, 29, 55, 53; *U 125* übernahm CA 38, 39, 62, 63; *U 109* durchfuhr BB 7355−8575; und *U 130* patrouillierte in BB 51, 55, 57, 58.

[5] KTB/BdU, 23. Februar 1942, BA-MA; RM 87/19.

[6] KTB/BdU, 17. Januar 1942, BA-MA; PG 30302/3.

[7] KTB/BdU, 24. Januar 1942, BA-MA; PG 30302/3.

[8] Der BdU hatte tatsächlich 249 Boote im Dienst, dazu 15 gerade im Januar in Dienst gestellte Boote, ergab ein Gesamt von 264. Fünf gingen im Januar verloren, blieben 259.

[9] KTB/BdU, 1. Feburar 1942, BA-MA; RM 87/19.

[10] KTB/BdU, 15. Februar 1942, BA-MA; RM 87/19.

[11] Dönitz, **Erinnerungen,** 198.

[12] Ibid., 202.

[13] Beesly, **Very special Intelligence.**

[14] »Operational Intelligence Centre, Special Intelligence, Zusammenfassung der Woche bis zum 12. Januar 1942«. Public Records Office, Kew Gardens, Akte ADM 223/15.

[15] Für die Torpedo-Fertigung und -Prüfung waren zwei Dienststellen verantwortlich: die zivil besetzte und geleitete TVA (Torpedo-Versuchsanstalt) und das von der Marine geleitete TEKA (Torpedo-Erprobungskommando).

[16] Dönitz, **Erinnerungen,** 203. Wegen Statistik siehe Rohwer **Seekrieg,** 212. Hardegens KTB (33) vermerkt zehn Schiffe mit 66135 t. Eine Aufstellung der Achsenerfolge bringt Jürgen Rohwer in dem Buch **Die Uboot-Erfolge der Achsenmächte 1939–1945.** Mein Bericht beruht auf den KTB's und stimmt gelegentlich nicht mit Rohwer überein.

[17] Rohwer, **Seekrieg,** 211.

[18] NCSO Sydney, Januar 1942, DHIST; 1000–5–31, Bd. 9.

[19] FONF, Operational Report Januar 1942, 2, DHIST; NSS 1000–5–20, Bd. 1.

[20] Eastern Air Command, Ubootabwehr-Bericht Januar 1942, 8, DHIST 181.003 (D25).

[21] Dönitz, **Erinnerungen,** 203, läßt die Erwähnung von »die Nacht der langen Messer« und die Juden beim Zitieren dieser Passage aus.

[22] KTB/BdU, 4. Februar 1942, BA-MA; RM 87/19.

[23] Ein Bericht über den Hochseeschlepper **Foundation Franklin** bringt Farley Mowatt in **Grey Seas Under** (New York: Ballentine Books, 1974; orig. veröffentlicht 1958).

[24] Siehe Monatsbericht Januar 1942 der regionalen Abwehr-Streitkräfte Halifax (DHIST).

[25] Geleitzug HX-169 wurde geleitet von HMCS *Saskatoon* und *The Pas.* Auch Operationsoffizier, Bericht vom Februar 1942. Vgl. KTB's von *U 109, U 130, U 552* und BdU. Die kanadischen Berichte sind in diesem Punkt ungenau.

[26] EAC, A/S, Januar 1942, 2, DHIST; 181.003 (D25).

[27] EAC, A/S, Januar 1942, 8, Abschnitt 32 und 33, DHIST; 181.003 (D25).

[28] Erst am 20. Januar brach Hardegen *(U 123)* die Funkstille, um den BdU über die vorangegangene Versenkung der *Cyclops* zu

unterrichten. SS *Dayrose* wurde auf 46°38'N, 52°52'W torpediert.

[29] FONF Operational Report, Januar 1942, 1, DHIST; 1000–5–20, Bd. 1.

[30] EAC, A/S, Januar 1942, 2–8, DHIST; 181.003 (D25).

[31] Reichssicherheitshauptamt III, SD, **Meldungen aus dem Reich,** Nr. 254 (26. Januar 1942); Nr. 255 (29. Januar 1942); 1 und 4, BA-MA.

[32] Mit Ausnahme des Falles Eck, bei dem Kptlt. Heinz Eck auf *U 852* das einzelfahrende griechische Schiff SS *Peleus* (4695 BRT) am 13. März 1944 im Indischen Ozean versenkte und die Trümmer und Überlebenden mit Maschinenkanonen beschoß, um keine Spur von dem Angriff zu hinterlassen, ist kein weiterer Fall berichtet worden. Eck und seine Offiziere wurden nach einem britischen Kriegsgerichtsverfahren am 30. November 1945 exekutiert (siehe Dönitz, **Erinnerungen,** 263 f und Peillard, **Geschichte des Ubootkrieges 1939–1945,** 345).

[33] Rohwer, **Seekrieg,** 214; KTB/*U 754* berichtet vier Schiffe mit 16876 t (BA-MA: PG 30733).

[34] FONF Operational Report, Januar 1942, 2, EAC, A/S, Januar 1942, 10, DHIST: 1000–5–20, Bd. 1.

[35] Easton, **50 North,** 85.

[36] EAC, A/S, Januar 1942; ebenfalls FONF Operational Report, Januar 1942, Anhang IB, 3–4, *U 754* wurde durch die Positionslaternen aufmerksam (KTB).

[37] EAC, A/S, positioniert sie 7 Meilen ab. FONF sagt 2 Meilen ab.

[38] EAC, A/S, Januar 1942, 10, nennt 46°02'N, 52°22'W. C-in-C CNA nennt 45°59'N, 52°38'W. *U 754*'s gekoppelte Position paßt in diesen Bereich.

[39] Rohwer, **Seekrieg,** 216.

[40] COAC, Tätigkeitsbericht der Operationsabteilung, Februar 1942, DHIST: NS 1000–5–13, Bd. 10.

[41] EAC, A/S, Februar 1942, 4, Abschnitt 13–14.

[42] Kanadische Einsatzberichte erwähnen kurz das Gefecht als »beschossen durch S/M *Atlantian* und *Opalia* (unbeschädigt entkommen)«.

[43] Rohwer, **Seekrieg,** 218.

[44] KTB/*U 656* legt das Gefecht auf 46°15'N, 53°15'W.

[45] FONF Operational Report, März 1942, DHIST: NSS 1000−5−20, Bd. 1.

[46] Kanadische Berichte stimmen damit nicht überein.

[47] Rohwer, **Seekrieg,** 231. Die Geleitsicherung lenkte USS *Leamington* zum Ziel. *Leamington, Aldenham, Grove* und *Volunteer* versenkte das Boot mit alle Mann am 27. März 1942 südwestlich Ushant.

[48] Nach Rohwer, **Seekrieg,** 247, versenkte das Boot zwölf Schiffe (62 536 t) im Golf von Mexico, in der Höhe von Kuba und Yukatan. Die Erfolgsmeldung wurde eingepeilt und führte zur Vernichtung durch ein amerikanisches Flugboot.

[49] COAC, Tätigkeitsbericht der Operationsabteilung März 1942; ebenfalls EAC, A/S, März 1942, DHIST: 1000−5−13, Bd. 10.

[50] **Ottawa Journal,** 26. September 1942: »Zwei Flieger aus Ottawa in einem Bomber, der Uboote angriff«. Die persönliche Beurteilung der RCAF attestiert Buchanan »Enthusiasmus, Kühle und Mut, ein Vorbild, das Ansporn für andere ist«.

[51] Eine Hudson der RCAF versenkte schließlich *U 754* am 31. Juli 1942 vor Cape Roseway, nachdem das Uboot ein einzelnes Fischerfahrzeug versenkt hatte. Ironischerweise hatte *U 754* gerade gefunkt: »leichte Luftüberwachung«, als der Tod zuschlug.

[52] EAC, A/S, Januar, Februar und März 1942. Kanadische und deutsche Berichte stimmen nicht völlig überein. Die Geheime Staatspolizei, die Stimmung der Bevölkerung in geheimen vervielfältigten Rundschreiben **Meldungen aus dem Reich.** Für die Aufnahme von »Paukenschlag« siehe Band 12, Nr. 257/6, Nr. 258/1 und Nr. 259/2. BA-MA.

[53] siehe z. B. **Montreal Daily Star,** 1. April 1942, 11.

[54] **Halifax Herald,** 4. März 1942, 9.

[55] **Hansard,** Bd. III, 1942, 2846 (28. Mai 1942). Siehe auch **Halifax Herald,** 29. Mai 1942, 1 und 4.

[56] z. B. **Halifax Herald,** 6. März 1942, 2, sowie **Montreal Daily Star,** 5. März 1942, 23.

3. Kapitel (Seite 92 bis 122)

[1] Rohwer, **Seekrieg,** 240. Der Ausdruck »Die Schlacht auf dem St. Lorenz« wurde erstmals in der Zeitschrift **RCNMR,** Mai 1943 gebraucht, 77. Er wurde in populären Berichten aufgegriffen, z. B. Jaques Castonguay, »La Bataille du Saint-Laurent« **Perspectives** (n.d.) und in **Sentinelle, Revue des Forces Canadiennes,** 1982/4: 8−10.

[2] EAC, A/S, Mai 1942, DHIST: 181.003 (D25).

[3] Die französische *Aconit* versenkte *U 432* am 11. März 1943; *U 653* sank am 15. März 1943; *U 564* am 14. Juni 1943 (in der Biscaya); *U 135* am 15. Juli; *U 566* am 24. Oktober 1943; *U 593* am 13. Dezember 1943 und *U 455* am 6. April 1944 (beide im Mittelmeer); *U 333* am 31. Juli 1944.

[4] Morison, **Battle of the Atlantic** I, 288, plaziert dies Geschehen auf den 17. Mai 1942, einige 70 Meilen südlich von Halifax; Rohwer (**Erfolge der Achsen-Uboote,** 96) südöstlich von Yarmouth.

[5] *U 588* griff zu dieser Zeit den Geleitzug ONS-115 an (siehe Rohwer, **Seekrieg,** 240); EAC, A/S, Mai 1942, DHIST 181.003 (D25).

[6] DHIST: 1650−239 / 16B, Bd. 1.

[7] COAC, Operationsbericht, April 1942, DHIST: NS 1000−5−13, Bd. 11.

[8] COAC, Operationsbericht, Mai 1942 (DHIST: NS 1000−5−13, Bd. 11) bezieht sich fälschlicherweise auf Lanse Avalleau und verlegt die Zeit der Versenkung auf 0356 GMT.

[9] KTB/*U 111,* BA-MA: Sign. PG 30107/1. *U 111* schreibt das auch einem »scharfäugigen Ausguck im Krähennest« zu.

[10] COAC (n. 8 oben) gibt als Versenkungsort die Position 40°32'N, 63°19'W an. Einige Berichte nennen als Zeit des Geschehens 0640 GMT.

[11] COAC (n. 8 oben).

[12] **Le Soleil,** 15. Mai 1942, 2.

[13] Leiter der Zensur, Broschüre, DHIST: 1650−239/16B, Bd. 1.

[14] **Montreal Star,** 13. Mai 1942, 1, und **Ottawa Journal,** 14. Mai 1942, 7. Die Karte deckt sich etwa mit dem Gebiet der Canadian Hydrographic Chart I./C 4001.

[15] **Le Soleil,** 15. Mai 1942, 3.

[16] **Montreal Star,** 13. Mai 1942, 2; **Halifax Herald,** 13. Mai 1942, 7.

[17] **Halifax Herald,** 22. April 1942, 4; 9. Mai 1942, 9.

[18] Hierfür und für das folgende siehe »The St. Lawrence Incident«, DHIST: 1650−239/ 16B, Bd. 1.

[19] Ibid. S. 24.

[20] KTB/SkL, 21. Mai 1942, BA-MA: RM 7/34.

[21] EAC, A/S, Juni 1942, 3.

[22] COAC, Operationsbericht Juni 1942, DHIST: NSS 1000−5−13, Bd 12; EAC, A/S, Juni 1942, 2.

[23] EAC, A/S, Juli 1942, 1.

[24] EAC, A/S, Juni 1942, 2−3. Die Identität des Ubootes bleibt unklar.

[25] Rohwer, **Seekrieg,** 252.

[26] KTB/*U 132,* FT 1655/27/233, BA-MA: PG 30122.

[27] »Untersuchungsausschuß − Verlust von HMS / M P−514, 21. Juni 1942« PAC, RG 24, Bd. 11, 930.

[28] HMS/M P−514 sank vor Cape Pine. Kanadische Darstellung siehe Kanadische Beteiligung an Nordatlantik-Geleitzügen, Juni 1941 − Dezember 1943, DHIST: NS 1886−147/I. Dönitz zum Austausch von Erkennungssignalen siehe KTB/*U 402,* BA-MA: Sign PG 30456, case ii/I.

[29] FONF, Verwaltungs KTB, Juli 1944, DHIST: 1926−112/3.

[30] EAC, A/S, Juni 1942, I. Siehe Watts **The U-Boat Hunters,** 131−5. The ASV MK 1 wurde abgelöst durch das ASV Mark II mit einer Höchstreichweite von 20 Meilen.

[31] EAC, A/S, Juni 1942, I.

[32] EAC, A/S, Juli 1942, 9−10. Der Angriffsbericht der Hudson 648 U um 2043 GMT am 7. Juni 1942 deckt sich nicht mit den Bewegungen von *U 132,* obwohl die RCAF das als »guten Angriff« beurteilte, bei dem das »Uboot wahrscheinlich erheblich durchgeschüttelt wurde«.

[33] Operationsbericht Geleitzug QS-15, DHIST: 81/520/8280, box 8.

[34] **Hansard,** Bd. IV, 10. Juli 1942, 4098.

[35] **Hansard,** Bd. IV, 13. Juli 1942, 4122−5.

[36] **Le Soleil,** 13. Juli 1942, 3.

[37] EAC, A/S, Juli 1942.

[38] EAC, A/S, Juli 1942 (3) notiert die Torpedierung um 1810 GMT; siehe auch Operationsbericht Geleitzug QS-19, DHIST.

[39] COAC, Operationsbericht Juli 1942. Vergleiche **Ottawa Journal,** 14. Oktober 1942, 2, DHIST: NS 1000−5−13, Bd. 12.

[40] **Ottawa Journal,** 14. Oktober 1942, 12; **Le Soleil,** 14. Oktober 1942, 3 »Ein feindliches Unterseeboot greift einen Geleitzug auf dem St. Lorenz an«. Auch Rimouski **Progrès du Golfe,** 16. Oktober 1942, 3−4.

[41] Rohwer, **Seekrieg,** 261; EAC, A/S, Juli 1942, 16. EAC meldet die Versenkung in 41°40'N, 66°53' W.

[42] Rohwer, **Seekrieg,** 262.

[43] EAC, A/S, Juli 1942, 1−3.

[44] Ibid. 11.

[45] EAC, A/S, 4 und 16. Rohwer, **Seekrieg,** meldet die Sichtung von *U 132* am 29. Juli.

[46] Siehe EAC, A/S, Juli 1942, 13.

[47] EAC, A/S, August 1942, 1−6.

[48] »COAC to Senior British Officer, Western Atlantic, betrifft *Walrus* W. 2793«, 2. November 1942, DHIST: 181.003/ CD68A).

[49] Korrespondent der British United Press Beverly Owen, **Ottawa Journal,** 1. August 1942, 1.

4. Kapitel (Seite 123 bis 156)

[1] Herausgeber Leslie Roberts, »The Battle of the Gulf«, **Canada's War at Sea** 11, Teil I, **The Fighting Navy** (Ottawa, November 1944), 39−43.

[2] **Segelanweisungen Neufundland.**

[3] **Morison, Battle of the Atlantic,** 1, 330. Kanadische Dokumentation siehe EAC, A/S, August 1942, 9. Siehe ebenfalls NCSO Sydney, »Tätigkeit im Monat September 1942«, 2, DHIST: NSS 1000−5−21, Luftsicherung kam fünf Stunden später.

[4] DHIST: 8000-*Weyburn* und 8000-*Clayoquot;* ergänzt durch einen Brief von Commander A. B. German an Hadley vom 2. Mai 1982.

[5] EAC, A/S, September 1942, 10 § 57.

[6] FONF, Monatsbericht September 1942, DHIST: 1000−5−20, Bd. 2.

[7] DHIST: 1650/*U 517.* Brief Rohwers vom 9. Mai 1964.

[8] EAC, A/S, September 1942, 6, plaziert die Versenkung um 0210 GMT bei Cap Chat. EAC behauptet, daß es 39 Überlebende gab und zwei Tote. COAC Operationsabteilung und Berichte von SOMC/Trade nennen auch HMCS *Vegreville* unter den Sicherungsstreitkräften.

[9] COAC an C-in-C U.S. Fleet, »Analyse des Ubootangriffs auf den Geleitzug Q-33« am 23. November 1942 (DHIST: 81/520/8280, box 8 QS33).

[10] Rohwer, **Seekrieg,** 276. Ebenfalls Rohwer, **Ubooterfolge der Achsenmächte 1939–1945,** 12.

[11] EAC, A/S, September 1942, 18. COAC Operationsabteilung verzeichnet die Position 48°51'N, 63°44'W um 2100 GMT.

[12] RCNMR, Nr. 19 (September 1942), 18. Dies war eine Rundfunksendung in Spanisch nach Nord- und Südamerika.

[13] Hierzu und die folgende Diskussion siehe EAC, A/S, September 1942, 8f. Fotos siehe Anlage D, 25.

[14] Nachgedruckt in McKee, **The Armed Yachts of Canada,** 143.

[15] DHIST; 8000–HMCS *Charlottetown.*

[16] Siehe Berichte in **Montreal Daily Star,** 19. Mai 1942, 3–4; **Fort William Daily Times-Journal,** 21. September 1942; **Toronto Evening Telegram,** 18. September 1942 und **Halifax Herald,** 19. September 1942, 4.

[17] »Bericht über den Verlust von HMCS *Charlottetown*«, vorgelegt von LCdr. G. M. Moors, RCNVR (DHIST: 8000–*Charlottetown),* auszugsweise zitiert; auch 8000–*Clayoquot.*

[18] DHIST: NS 18870–331/2, Bd. 1 und NS C–11156–331/22, Bd. 1.

[19] Siehe z. B. **Le Soleil,** Hauptartikel vom 18. September 1942: »Die Korvette *Charlottetown* ist gekentert«; **Montreal Daily Star,** 18. September 1942; **Toronto Daily Star,** 19. September 1942.

[20] NOIC, Gaspé, 13. September 1942, DHIST: 8000–*Charlottetown.*

[21] Bericht über den Verlust der *Ottawa,* siehe Schull, **Far Distant Ships,** 138.

[22] siehe Schull, 135. Die Nachricht über den Fang eines Ubootes in der Karibik wurde erst viel später veröffentlicht.

[23] **Halifax Herald,** 19. September 1942, 6.

[24] Zu »SQ-36«, in »Operationen in nordamerikanischen Gewässern – Golf von St. Lorenz«, DHIST: 1650–239/16, zusammen mit damit verbundenen Schiffsakten; auch »Tätigkeitsbericht – Q-063«, 20. Oktober 1942, betrifft die Ubootangriffe auf QS-36, DHIST: 8280–HMS *Salisbury;* »Tätigkeitsbericht von SQ-36 und QS-35« in DHIST: 81/520/8280, Box 10, SQ-36. Rohwer, **Seekrieg,** nennt als Sicherung einen britischen Zerstörer, zwei kanadische Korvetten und Minensuchboote. Vergleiche Rohwer, **Ubooterfolge der Achsenmächte 1939–1945,** 123.

[25] COAC, Operationsabteilung, September 1942, verzeichnet die Versenkung um 1638 GMT. Siehe auch SOMC/Trade, 31. Dezember 1942.

[26] Vergleiche Rohwer, **Seekrieg,** 276; *U 165* versenkte zwei Schiffe mit 10292 t und torpedierte ein Schiff mit 4570 t.

[27] EAC, A/S, September 1942, 9, meldet den Angriff auf 49°28'N, 65°20'W.

[28] EAC, A/S, September 1942, 11–12. Anhang E des Dokuments enthält fotografische Vergrößerungen.

[29] **Hansard,** 13. Juli 1942, 4124-6.

[30] z. B. **Ottawa Journal,** 14. Oktober 1942, 26.

[31] **Völkischer Beobachter,** 18. Dezember 1942: »Uboote. Londons größte Sorge.«

[32] Admiral Hartwig beharrt darauf, daß das Flugzeug Hoffmann versenkte, weil er sich einer Einpeilung aussetzte. Rohwer (**Seekrieg,** 277) behauptet, er lief auf eine Mine.

[33] Rohwer, **Seekrieg,** 230. Getarnt als Frachter und Fischereifahrzeuge wurden USS *Asterion, Eagle* und *Atik* zwischen 23. März und Anfang April eingesetzt. *U 123,* Hardegen, versenkte USS *Atik* am 26. März 1942 in einem Artilleriegefecht.

[34] z. B. **Ottawa Evening Journal,** 15. Oktober 1942, 12.

[35] z. B. **Le Soleil,** 24. November 1942, 3: »Der Streik breitet sich in den Werften in Lauzon aus.«

[36] Über einen Bericht der Luftangriffe auf *U 106* nach Entdeckung durch ASV siehe EAC, A/S, Oktober 1942, 4 § 20.

[37] EAC, A/S, diese Berichte enthalten keine Unterlagen über diese Angriffe. Weder Marine- noch Handelsschiffsberichte zeigen, welcher Geleitzug dies gewesen sein könnte.

[38] **Ottawa Journal,** 17. Oktober 1942. Das Schiff SS *Tavernor,* benannt nach dem Kapitän der *Caribou* und seinen zwei Offizierssöhnen, wurde 1962 in der Golfschiffahrt in Dienst gestellt.

[39] DHIST: 8000—*Grandmère.* Siehe Bemerkungen von Admiral L. W. Murray zum »Angriffsbericht«.

[40] Das KTB von *U 69* verzeichnet den Angriff um 0821 Uhr in BB 5198, aber nennt nicht die Zeitrechnung. Ausgehend von der Praxis der deutschen Sommerzeit (GMT plus zwei Stunden) schoß er um 0221 Atlantic Standard Time. Kanadische Berichte zeigen, daß *Caribou* um 0640 GMT oder 0240 AST getroffen wurde. Zeitungsberichte geben ganz verschieden an, 0220, vormittags, 0340, vormittags und »kurz vor 4 Uhr vormittags«.

[41] DHIST: 8000—*Grandmère,* »HMCS *Grandmère* — historische Zusammenfassung«, 27. November 1963. Als diese offizielle Zusammenfassung geschrieben wurde, war die Identität von *U 69* noch nicht bekannt. Siehe auch COAC, Operationsabteilung, Oktober 1942.

[42] **Halifax Herald,** 17. Oktober 1942, 1 und 3, berichtet von 23 Kindern an Bord.

[43] Gedenkansprache 1965 durch G. H. Basto, 8000—*Grandmère.*

[44] z. B. **Ottawa Journal,** 17. Oktober 1942, 1.

[45] DHIST: NS 1000-H.

[46] EAC, A/S, Oktober 1942, 2 (§ 11), 3 (§ 12). COAC Operationsabteilung, Oktober 1942.

[47] Alle berichten am 17. Oktober 1942 auf der ersten Seite. **Ottawa Journal** veröffentlichte es an diesem Tag auf Seite 11. HMS *Viscount* versenkte *U 69* mit der gesamten Besatzung am 17. Februar 1943 im Nordatlantik.

[48] **Ottawa Journal,** 20. Oktober 1942, 1.

[49] Die treffende, aber umstrittene Ansprache wurde am 19./20. April 1982 weithin wiedergegeben.

5. Kapitel (Seite 157 bis 181)

[1] z. B. Kahn, **Hitler's Spies;** Beesly, **Very Special Intelligence;** Jones, **Most Secret War.**

[2] Generalmajor Lettow-Vorbeck, Herausg., **Die Weltkriegsspionage. Authentische Enthüllungen über Entstehung, Art, Arbeit, Technik . . . auf Grund amtlichen Materials** (München: Justin Moser, 1941); siehe besonders L. Altmann »Zur Psychologie des Spions«, 37—42.

[3] KTB/Skl., Teil A, 12. Dezember 1942, 261, BA-MA: Sign. RM 7/43.

[4] KTB/*U 213,* BA-MA: PG 3021/3.

[5] Rohwer, **Seekrieg,** 241, behauptet, daß *U 213* in St. John's, Neufundland, Minen legen sollte.

[6] Ich bin Chief Superintendent P. E. J. Banning, RCMP, Geheimabteilung, zu Dank verpflichtet. Eric H. Wilson, »Ein Vorfall im Krieg«, **The RCMP Quarterly** 39, No. 4 (Oktober 1974): 34—7, enthält Tatsachenfehler. Seine Behauptung z. B., daß sein Vater während des Langbein-Vorfalles in St. John's stationiert war und deshalb persönlich Kenntnis von diesem Fall habe, wird durch die Dienstzeit-Unterlagen des Offiziers nicht bestätigt.

[7] COAC, Operationsabteilung, Tätigkeitsbericht Mai 1942 (DHIST: NS 1000—5—3, Bd. 11, 3.)

[8] **Hansard,** Bd. 1, 1952, 305, in einer Ansprache von Dan Riley (1, Saint John-Albert). U-213 lief zu seiner zweiten Unternehmung am 13. Juli 1942 aus und wurde 18 Tage später mit der ganzen Besatzung bei den Azoren durch die Korvetten *Erne, Rochester* und *Sandwick* versenkt.

[9] **Ottawa Citizen,** »Spion lebte nicht weit entfernt vom Peace Tower«, 15. März 1952.

[10] Hierzu und den folgenden Bemerkungen siehe KTB/*U 518,* BA-MA: Sign. PG 30556, case 12/3.

[11] **Montreal Daily Star,** 22. Mai 1942, 1: »Maine jagt Nazi-Spione — Fremde Agenten kamen aus Kanada.«

[12] z. B. **Ottawa Journal,** 29. Juni 1942.

[13] Godbout an King, 15. Juli 1942, PAC, MG 26J1, reel C-6806, 276149—276149A; King's Tagebuch, 18. Juli 1942. Dr. W. A. B. Douglas danke ich für diesen Hinweis.

[14] **Halifax Herald,** 29. Juli 1942, 2.

[15] **Le Soleil,** 10. August 1942, 1.

[16] **Le Soleil,** 16. Oktober 1942, 8.

[17] COAC, Operationsabteilung, November 1942; FONF, Operationeller Monatsbericht für November 1942, 2; DHIST: NS 1000—5—20, Bd. 2.

[18] EAC, A/S, 1942, 4.

[19] Tätigkeitsbericht des Hafenkapitäns (Schwerdt) vom 15. Januar 1943, 2: »Verteidigung von Wabana, Bell Island«.

[20] **Toronto Daily Star,** 9. August 1945: »Gaspé-Spion erkaufte sich sein Leben dadurch, daß er alliierter Spion wurde.« Ebenfalls **Montreal Gazette,** 10. August 1945: »In Gaspé ergriffener deutscher Spion entging dem Tod durch Arbeit für die Alliierten.«

[21] Harvison, **The Horsemen.** John Picton, »Der zögernde Doppelagent: Die Mounties faßten ihren Mann«, **Sunday Star,** 4. Oktober 1981, A10.

[22] **Toronto Globe and Mail,** 10. August 1945: »In Gaspé gefaßter Spion wertvolle Hilfe für Alliierte.« Ebenfalls **Montreal Gazette,** 10. August 1945: »Deutscher Spion in Gaspé gefaßt.«

[23] **Uboothandbuch** III (Berlin: 1943), 95.

[24] Für die persönliche Ansicht siehe Harvison, 105–21. Die Einzelheiten weichen gelegentlich von denen anderer Berichte ab. Z. B. seine Behauptung, daß der Agent während eines Regengusses landete, deckt sich nicht mit dem Wetterbericht von *U 518.*

[25] Für das Folgende danke ich Chief Superintendent Banning, Ottawa, sowie Mr. Malcom Wake, RCMP Museum, Regina, Sask.

[26] Nach den Berichten der RCMP blieb Janowski bis etwa 7 Uhr morgens am Strand und lief dann bis 8.30 Uhr die Landstraße entlang, als er von einem vorbeifahrenden Auto aufgenommen wurde und zwischen 10 und 11 Uhr vormittags im Hotel ankam. Zivile Zeugen berichteten aber später, daß sich der Spion um 6.30 Uhr an diesem Morgen anmeldete. Diese und andere Unstimmigkeiten machen einen vollständig zuverlässigen Bericht über die folgenden Ereignisse unmöglich.

[27] **Montreal Standard,** 20. Mai 1945: »Keine Orden für Werner.«

[28] Der Bezirks-Sheriff Gus Goulet informierte die Presse nach dem Krieg, daß der Agent »ziemlich gut englisch und gut französisch sprach. Aber er hatte in beiden Sprachen einen komischen Akzent . . . ich würde ihn für einen Deutschen oder einen Holländer gehalten haben.«

[29] **Toronto Daily Star,** 14. Mai 1945: »Spionenfänger in Quebec erzählt seine eigene Geschichte.«

[30] **Ottawa Citizen,** 16. Mai 1945: »Ein Spion.«

[31] Operationsoffizier an NOIC Gaspé, Bericht November 1942, bemerkt an einzelnen Stellen: »NSHQ gab der Provinzpolizei von Quebec, der Royal Canadian Mounted Police und dem Untersuchungsoffizier jede Unterstützung.«

[32] C. W. Harvison an den Kommandeur der »Depot«-Division, RCMP, Regina, 3. April 1963, RCMP Museum Archiv.

[33] **Newsweek,** 23. November 1942, 14. Ich danke der RCMP für die Information über Indiskretionen der Presse.

[34] **Ottawa Journal,** 24. November 1942, 1 und 12.

[35] KTB/Skl., Teil A, 24. April 1943, 470 und 533, BA-MA: Sign. RM 7/47.

[36] **Montreal Star,** 29. Juli 1943: »Tätigkeiten der Polizei herausgestellt – Col. Lambert Heard bei einer Konferenz.«

[37] **L'Action Catholique,** 27. Dezember 1943, mit Foto von Duchesneau.

[38] Siehe **Toronto Daily Star** (14. Mai 1945); **Ottawa Evening Citizen** (14. Mai 1945); **Montreal Herald** (14. Mai 1945); **Montreal Star** (14. Mai 1945); **Halifax Herald** (15. Mai 1945); **Montreal Gazette** (15. Mai 1945 und 16. Mai 1945); **Montreal Star** (16. Mai 1945); **Ottawa Citizen** (16. Mai 1945); **Montreal Standard** (20. Mai 1945); **Toronto Daily Star** (9. August 1945); **Montreal Gazette** (10. Mai 1945); **Toronto Globe and Mail** (10. August 1945).

[39] **Ottawa Journal** vom 14. Mai 1945 brachte auf der ersten Seite »Festnahme eines Spions in Quebec aufgedeckt«, während »nicht mehr gültige Dollarscheine fangen den Nazi-Spion« nur eine Veröffentlichung auf Seite 18 der **Winnipeg Free Press** am 15. Mai 1945 rechtfertigte.

[40] **Ottawa Journal,** 15. Mai 1945, 10: »Gefangener Spion dafür benutzt, andere Agenten in die Falle zu locken.«

[41] **Montreal Gazette,** 16. Mai 1945: »Duplessis sagt, Spion wurde durch die Wachsamkeit der Union Nationale gefangen.«

[42] Rohwer, **Seekrieg,** 290. COAC, Operationsabteilung, November 1942, 4.

[43] KTB/*U 537,* Ba-MA: Sign. PG 30569–576. Siehe auch Douglas und Selinger über die Entdeckung der Wetterstation. Franz Selinger war der erste, der die Position von WFL-26 herausfand und sich schließlich mit Douglas verband, um eine Expedition mit der Canadian Coast Guard zu dieser Stelle zu führen.

337

44 FONF, Operationskriegstagebuch, Oktober 1943, 4, DHIST: 1926−112/3.

45 KTB/Skl., Teil A, November 1943, 24 ff., BA-MA: Sign. RM 87/37.

6. Kapitel (Seite 182 bis 208)

1 Paul Carell und Günther Böddeker: **Die Gefangenen. Leben und Überleben deutscher Soldaten hinter Stacheldraht** (Berlin: Ullstein 1980), beschrieb zuerst das Verfahren, ohne die Quelle zu nennen. Meine Gespräche mit alten Ubootfahrern bestätigen die Grundsätze und die Handhabung des Buchstabencodes.

2 Franke an Hadley, 26. Juli 1982. Franke bot seinen nicht veröffentlichten Bericht vom 12. Dezember 1981 Ali Cremer zur Aufnahme in dessen Memoiren an (siehe Brustat-Naval, **Ali Cremer: U 333**).

3 Zur deutschen Ansicht der Versenkung des vormaligen P & O Liners, der zu einem bewaffneten Handelskreuzer umgebaut worden war, siehe Bekker, **Hitlers Seekrieg**, 41−8.

4 »Gebietskarten von Kanada, offensichtlich von POWs, Juni 42/Juni 45 gezeichnet«, DHIST: 113.3 V1009 (D29).

5 Siehe John McLady, **Escape from Canada.** McLady erwähnt weder »Magpie« noch »Kiebitz«.

6 Franke an Hadley, siehe oben.

7 FONF, KTB, April 1943, DHIST: 1000−5−20, Bd. 3; Tätigkeitsbericht der Operationsabteilung, April 1943, DHIST: NSS 1000−5−13, Bd. 18. Der Angriff erfolgte auf 43°25′N, 56°20′W. Rohwer, **Seekrieg**, 345, nennt fälschlicherweise als Datum den 25. April.

8 KTB/**U 161**, BA-MA: Sign. PG 30147/30148. Rohwer, **Seekrieg**, 385.

9 C-in-C CNA Operationsabteilung, Tätigkeitsbericht April 1943, DHIST: NSS 1000−5−13, Bd. 18, 1.

10 EAC, A/S, Bericht Mai 1943, 6−7, DHIST: 181.003 (D25).

11 NOIC Gaspé, KTB Mai 1943, Teil II, DHIST: NSS 1000−5−21.

12 Für eine andere Lesart siehe Harvison, **The Horsemen**, 137−43. Harvison verlegt den Ausbruchsversuch irrtümlicherweise nach Grande Ligne, Que. Vergleiche »Kriegsge-

fangene und Internierte, Mai/Okt. 44«, DHIST: 321.009 (D92). Carell's (42−54) schwungvoller und oft phantasiereicher Bericht benutzt den Artikel aus **Kristall** ohne Quellenangabe.

13 Rohwer, **Seekrieg**, 109. Obwohl er Kretschmer konsultiert hatte, wirft Terence Robertson, **The Golden Horseschoe,** manche Einzelheiten der Flucht durcheinander. Z. B. nennt er als Aufnahmeboot **U 577** und behauptet, es habe den Krieg überlebt. Tatsächlich wurde es jedoch am 9. Januar 1942 versenkt.

14 **Kristall,** September 1945, Über das Format des **The National Enquirer.** Er beschrieb die Unternehmung als »die wildeste und abenteuerlichste Geschichte des Krieges«.

15 Harvison, **The Horsemen,** 143.

16 Lett, »A Book and Its Cover«, 30−1.

17 DHIST: biografische Akte: »Piers, Desmond William«. Mit Schreibmaschine geschriebenes Interview von Hal Lawrence, 7. Januar 1982, 163−70. Viele Erinnerungen von Piers sind verschwommen und bringen Teile der Janowski-Geschichte mit der Darstellung von **U 536** durcheinander.

18 Harvison, **The Horsemen,** 140.

19 Piers, siehe oben Nr. 17. Die Gründe für das britische Veto gegen eine kanadische Entscheidung sind nicht klar. Die Briten hatten aus der Aufbringung von **U 570** Nutzen gezogen und es als HMS **Graph** in Dienst gestellt.

20 Lett (»A Book and Its Cover«, 20) stellt fest, daß das gefälschte Dokument einen Irrtum enthielt; es hätte heißen müssen »Coxwell Avenue«.

21 Ich danke Marc Milner für seine Beschreibung eines Besuches in Pointe de Maisonette im August 1984. Zu dem folgenden Bericht siehe »Weekly Intelligence Report« 23.−30. September 1943, DHIST: 181.003 (D423).

22 R. J. Pickford »Sub-Lieutenant Commando and Young Corvette Skipper«, in Lynch, **Salty Dips** 1, 1−5.

23 G.M. Schuthe »ML's and Mine Recovery«, in Lynch, **Salty Dips,** I, 83.

24 Piers bringt wahrscheinlich die Vorgänge durcheinander. Er schließt seine Niederschrift über den Fall **U 536** mit dem seltsamen Satz »Und das war das Ende der Jagd auf Spione in Bay Chaleur«.

[25] KTB/*U 536,* Anmerkungen durch 2 Skl. BdU Operationsabteilung, BA-MA: PG 30574/3.

[26] Diese Version wurde zustimmend und ohne Quellenangabe entnommen sowohl von Carell/Böddeker, 52 und vom **Vancouver Courier Nordwesten,** 25. Januar 1979, 9 und 18.

[27] Wie von Loewe an BdU berichtet, KTB/ *U 536,* BA-MA: PG 30569−76.

[28] Carell, siehe oben S. 54. **Courier Nordwesten,** 13. Januar 1979, 9 und 25. Januar 1979, 9.

[29] *Nene* wurde am 6. April 1944 ein Schiff der kanadischen Marine. Siehe MacPherson und Burgess **Ships of Canada's Naval Forces.**

[30] Kommandant HMCS *Snowberry* an Kommandant HMCS *Nene,* »Schilderung von Angriffen auf ein Uboot in der Nacht vom 19. auf den 20. November 1943«, 24. November 1943, DHIST: 8000−*Snowberry.*

[31] Loewe an BdU, Januar 1944, KTB/*U 536.* Dr. Freudenberg bestätigt in Gesprächen im Juni 1983 die Einzelheiten.

[32] Zitiert von Lt. Peter MacRitchie, RCNVR, Marine-Informationsamt »Bericht über die Vernichtung von *U 536* durch *Nene, Snowberry* und *Calgary«.*

[33] Ruge, **Torpedo- und Minenkrieg,** 42.

[34] U.S. Navy Department, **German Submarine Activities,** 139.

[35] Ruge, 42. Es ist bemerkenswert, daß die amerikanische *Argonaut* von 1927 60 Minen und die britsche *Seal* von 1935 120 Minen laden konnten.

[36] Tucker, **The Naval Service,** II, 81.

[37] Ibid. 21.

[38] DHIST: 1650−239/16, Nachricht vom 3. Januar 1940 an Admiralität, Akte 1028−3−1, Bd. 2.

[39] Ibid. Brief vom 24. Juli 1941 in Akte 8375−440, Bd. I.

[40] Cowie, **Mines, Minelayers and Minelaying,** 147.

[41] KTB/BdU, 30. November 1939, BA-MA: Sign. RM 7/6.

[42] KTB/Skl., 6. Februar 1940, BA-MA: RM 7/6.

[43] Jones, **Most Secret War,** 120: »Wären sie wirklich in ausreichender Anzahl und Einfallsreichtum gelegt worden, hätte das unsere (britische) Wirtschaft zum Erliegen gebracht.«

[44] KTB/Skl., Teil A, Mai 1942, 358−60, BA-MA: Sign. RM 7/36.

[45] KTB/BdU, 19. Mai 1942, BA-MA: RM 87/21. Die deutsche SMA-Mine wurde erst Anfang 1942 fertig. Diese Ubootmine war für den Ausstoß aus den senkrechten Rohren des Typ VII D und Typ XB bestimmt. Die »Torpedomine« (TMB und TMC) war für die Uboottypen II, VII und IX gedacht.

[46] KTB/BdU, 19. September 1942, 67, BA-MA: RM 87/23. Ich habe mich mit meinen Anmerkungen auf die kanadischen Gebiete beschränkt. Der BdU notierte seine Absichten ebenfalls hinsichtlich des Mississippi, Trinidad usw.

[47] Ranger B. Gill, La Scie Detachment an Chief Ranger Whitburne, Newfoundland Ranger Force, 16. August 1941, DHIST: FONF Operationsbericht September 1941, Akte 1000−5−20, Bd. 1. Eine Beschreibung dieser Kontaktminen bringt Cowie, 188.

[48] DHIST: 1650−239/16, Memorandum vom 1.Oktober 1942 in Akte 1037−30−2, Bd. 1.

[49] DHIST: 8660-Minelaying, 8000−*Medicine Hat;* siehe ebenfalls Tucker, **The Naval Service** II, 81 und 117.

[50] »Minen-Unternehmungen − Halifax, Juni 1943«, DHIST: NSS 1000−5−13, Bd. 18.

[51] »Zusammenfassung der Kriegsanstrengungen 1. April bis 30. Juni 1943« Nordamerikanische Gewässer, Ops, DHIST: 1650−239/16.

[52] »Bericht über Minenoperationen, 3/6/43 bis 19/6/43«, Chef der 112. M.M.S. an Commodore Halifax, 20. Juni 1943.

[53] C-in-C CNA, KTB 31. Mai 1944, Teil II, 2, DHIST: NSS 1000−5−13, Bd. 22.

[54] DHIST: Mine Disposal, 8670−440B, gibt nur spärliche Einzelheiten über dieses weitgehend unverzeichnete Gebiet.

[55] »Bericht über Minen-Bergungsunternehmungen − ML 053«, Sub-Lt. G.M. Schuthe an Captain (ML), HMCS *Venture,* Halifax, NS, 11. Juni 1943, DHIST: Mine Disposal, 8670−440B. Siehe ebenfalls G.M. Schuthe, »ML's and Mine Recovery«, Mack Lynch, **Salty Dips** I, 79−83.

[56] Commodore Halifax HMCS *Dockyard* an C-in-C CNA, »Verlust von fünf Minen, ferngesteuertes Minenfeld, Halifax, N.S., 13. April 1943«, DHIST: NSS 1000−5−13, Bd. 18.

[57] Commodore HMCS *Dockyard,* Halifax, an C-in-C CNA, »Bericht über nicht geborgene Minen«, DHIST: NSS 1000−5−13, Bd. 18.

[58] »Minensuch-Unternehmungen − Halifax, Juni 1943«, DHIST: NSS 1000−5−13, Bd. 18; auch C-in-C CNA, KTB, Mai 1943, Teil II.

[59] »Operationsbefehl St. John's«, KTB/BdU, Oktober 1943, 168−9, BA-MA: RM 87/31.

[60] KTB/BdU, Oktober 1943, 18. BA-MA: RM 87/31−32.

[61] DHIST: 8660-Minenlegen. Auch NHS 1650/*U 233.* Tucker **(The Naval Service II,** 196) meldet die Entdeckung am 12. Oktober.

[62] Meldung vom 13. Oktober in Akte 1037−30−4, DHIST: 1650−239/16.

[63] RCNMR, Nr. 26 (November 1943): 4.

[64] Position 48°49'N, 33°30'W am 28. Oktober 1943.

[65] DHIST: NSC 1926−112/3 Bd. I. Monatsberichte und Tätigkeitsberichte HMCS *Avalon,* 8000−*Annapolis.*

[66] »Bericht über die Befragung der Überlebenden von *U 233,* versenkt am 5. Juli 1944«, Navy Department, Office of the Chief of Naval Operations, Washington, 21. September 1944, II. DHIST: 1650/*U 233.* BA-MA: KTB/*U 233* vom 22. September bis 27. Mai 1944, aufgestellt vom BdU.

[67] J.H.L. Johnstone, Leiter der Operation Research, an A/CNS, 22. August 1944, DHIST: 8660−Minenlegen.

[68] »Wöchentliche Zusammenfassung der Informationen über die Tätigkeiten der Abteilung«, Zusammenfassung Nr. 230, Bericht Nr. 168, Ottawa, 30. März 1944, 6 (DHIST: 1000−5−19). Die Zensoren gaben nichts von der Tätigkeit von *U 220* frei bis Kriegsende, dann meldeten Zeitungen auf der letzten Seite »Minen-Uboote versuchten St. John's, Neufundland, abzuriegeln«. **(Ottawa Journal,** 13. Juni 1945, 13).

7. Kapitel (Seite 209 bis 240)

[1] FONF, Kriegstagebuch der Operationsabteilung, Januar 1944, DHIST: 1926−112/3.

[2] C-in-C CNA Kriegstagebuch der Operationsabteilung, Januar 1944, DHIST: NSS 1000−5−13, Bd. 21.

[3] »RCN Loch Class und River Class Fregatten von RCN übernommen«, Marinestab 225, 14. Februar 1944, NS 0−7−31, F.D. 1003, DHIST: 8000−*Ettrick.*

[4] »Wochenzusammenfassung von Informationen über die Tätigkeiten der Abteilung«, Bericht 160, 3. Februar 1944, DHIST: 1000−5−19.

[5] »Special Intelligence, Zusammenfassung über die Woche bis 8. 11. 43«, Public Records Office, Kew Gardens, Akte ADM 223/18.

[6] Anhang zum KTB/BdU, Januar 1944, 108, BA-MA: Sign. RM 87/35. Periode 1 umfaßt die ersten 40 Monate des Krieges bis Ende 1942 und verzeichnet die »normalen Verluste«, die der BdU erwartete. Die Perioden II (Januar bis Juni 1943) und III (Juli bis Oktober 1943) bringen »in sich abgeschlossene Teile von 43« mit höherer als üblicher Abnutzung, als sich die Schlacht gegen die Uboote wandte.

[7] KTB/BdU, Anlage Juni 1944. In seiner Eigenschaft als ObdM unterrichtete Dönitz Hitler am 29. Juni 1944, daß, obwohl die Ubootverluste weiterhin schwer sein würden, es trotzdem von Bedeutung sei, sie in See zu schicken. (siehe G. Wagner, **Lagevorträge,** 29. Juni 1944, 543.)

[8] Dönitz gab ein besonderes Communique an alle ihm unterstellten Offiziere heraus und warnte sie vor einer »Großlandung in Westeuropa zu irgendeinem Zeitpunkt« (KTB/ Skl., Teil A, 10. April 1944, 220, BA-MA: Sign. RM 7/59.

[9] Überblick des BdU über den Ubootkrieg vom 1. März bis 31. Mai 1944. Siehe »Anlage zum KTB vom 7. 6. 1944 − Ubootlage 1. 6. 1944«, KTB/BdU, Juni 1944, BA-MA: Sign. RM 87/40.

[10] KTB/*U 107* vom 8. Oktober 1940 bis 23. Juli 1944, 99, BA-MA: Sign. PG 30103.

[11] KTB/BdU, 11. August 1944, 63, BA-MA: RM 42.

[12] KTB/*U 543,* BA-MA: Sign. PG 30551, case 16. Hellriegels Behauptung von zwei Versenkungen sind nicht bestätigt. Siehe C-in-C

CNA, KTB 31. Januar 1944, DHIST: NSS 1000−5−13, Bd. 21.

[13] KTB, Teil II, Juni 1944, DHIST: NSS 1926−102/1, Bd. 1. Nichts bestätigt die Behauptung von *U 107,* einen Zerstörer versenkt zu haben.

[14] Schmoeckel, Brief an Hadley vom 27. Februar 1982.

[15] »Special Intelligence Zusammenfassung für die Woche bis 27. 3. 1944«, Public Records Office, Kew Gardens, ADM 223/21.

[16] *U 854* − Befragung der Überlebenden«, DHIST: 80/582, item 64; auch 1650/*U 854,* KTB/*U 854,* BA-MA: Sign. PG 30755, case 15/3. RCN-RCAF **Monthly Operational Review** (Februar 1944); DHIST: 182.013 (D6).

[17] RCN-RCAF **Monthly Operational Review,** »Zusammenfassender Überblick über die Ausbildung« (März 1944) 2 und 6, DHIST: 181.009 (D86).

[18] Siehe »Kriegsgefangene und Internierte, März/Okt. 1944«, DHIST: 321.009 (D92).

[19] FONF, KTB der Operationsabteilung, Februar 1944, DHIST: 1926−112/3.

[20] Zum Nachfolgenden siehe zusammenfassender Bericht des Historical Records Officer an Senior Canadian Officer (London), 31. März 1944, Akte C.S. 632−1 und FONF, KTB der Operationsabteilung, Januar bis März 1944 (DHIST: NSS 1000−5−13, Bd. 21).

[21] Roskill berichtet hierüber in **The War at Sea** II, 209 ff.

[22] MacPherson und Burgess, **Ships of Canada's Naval Forces,** 94, berichten fälschlicherweise, daß die *Valleyfield* einen Schlepper der RN geleitete, der die *Dundee* im Schlepp hatte.

[23] »Tätigkeitsbericht − SC 154«, Kommandant HMCS *St. Laurent,* 14. März 1944 und »Einzelbericht Nr. 3, Versenkung eines Ubootes«, DHIST: 8000−*St. Laurent* I, auch die Versenkung von *U 845* RCN-RCAF **Monthly Review** (April 1944): 14−15, DHIST: 182.013 (D6) und NSS 16.50/*U 845.* Der Bericht in diesem Buch ist eine Auswertung aller verfügbaren Quellen.

[24] Der RCN-RCAF **Monthly Review** (Januar 1944): 24−6 äußert sich zum Double-Foxer, dem amerikanischen FXR und dem kanadischen Cat Gear. Letzterer wurde je nach Schiffsgröße 200−300 Meter achteraus geschleppt (DHIST: 182.013 (D5).

[25] RCN Amtliche Verlautbarung vom 3. Juni 1944, CP 10. Juni 1944 (DHIST: 1650/ *U 845).* Weitere Zitate der Besatzung stammen aus dieser Quelle.

[26] Die Meldung von *St. Laurent* 111522z vom März 1944 scheint im Licht der nachfolgenden Manöver verwirrend: »Uboot tauchte backbord achteraus von *Forester* und 1100 Meter voraus von *St. Laurent* auf«.

[27] Siehe Rohwer, **Seekrieg,** 446. Nach heutiger Ansicht ist trotz regelmäßiger Sendungen kein Wetter-Uboot deswegen verlorengegangen.

[28] C-in-C CNA, Operationsabteilung, 31. März 1944, DHIST: 1000−5−13, Bd. 22.

[29] Lt. Ian Tate, RCNVR, dienstältester Überlebender von HMCS *Valleyfield,* an Herausgeber RCNMR, 13. Juni 1944, DHIST: 8000−*Valleyfield.* Siehe auch »Untersuchungsausschuß über den Verlust der HMCS *Valleyfield*«, 10. Mai 1944, PAC, RG 24, Bd. II, 930.

[30] Z. B. RCN-RCAF **Monthly Operational Review** (Mai 1944), 26: »Alle Radargeräte waren während der Dunkelheit mit zahllosen Echos voll beschäftigt, die meisten waren Eisberge« (DHIST: 182.013 (D6).

[31] RCN Presse-Verlautbarung vom 20. Mai 1944, DHIST: 8000−*Valleyfield.* Weissmüller war der kraftvolle Held zahlreicher Tarzan-Filme, er starb 1984 im Alter von 79 Jahren. Die Versenkung erinnerte andere an eine ähnliche Szene in dem Propagandafilm **In Which We Serve** mit Noel Coward in der Hauptrolle.

[32] »Tätigkeitsbericht HMCS *Edmundston*«, 13. Juni 1944, DHIST: 8000−*Edmundston.*

[33] FONF, KTB der Operationsabteilung Mai 1944, DHIST: 1926−112/3.

[34] RCN-RCAF **Monthly Operational Review** (Juli 1944), DHIST: 8000−*Valleyfield.*

[35] Auszug aus Bielfelds Lagebericht, der danach von der Leitstelle für *U 107* wieder gesendet wurde. Siehe KTB/*U 107,* Juni 1944, 43, BA-MA: Sign. PG 30103.

[36] Ruge, **Rommel,** 194.

[37] KTB/Skl., Teil A, 6. Juni 1944, 118, BA-MA: Sign. RM 7/61.

[38] G. Wagner **Lagevorträge,** 589, v. 5,6.

[39] Brief Simmermacher an Hadley vom 23. April 1983.

341

[40] KTB/BdU, 7. August 1944, 27, BA-MA: Sign. RM 87/42.

[41] Rohwer, **Seekrieg**, 466. Zeissler, **Uboot-Liste**, 20.

[42] Wagner, **Lagevorträge**, 584, Abs. 1.

[43] KTB/Skl., August 1944, 698, BA-MA: Sign. RM 7/63.

8. Kapitel (Seite 241 bis 265)

[1] »Special Intelligence, zusammenfassender Wochenbericht, 21. 8. 1944«, Operational Intelligence Centre, Public Records Office, Kew Gardens, ADM 223/21.

[2] »Anlage zum KTB/BdU vom 7. 6. 1944«, 14, Abs. 3: Entfernte Op. Gebiete einschl. Indischer Ozean«, BA-MA: Sign. RM 87/40.

[3] **Völkischer Beobachter,** 15. November 1944, I: »Die Zwangsjacke des Geleitzugsystems« − »Eingeständnis über die Kräftebindung durch die Uboote.«

[4] Rohwer, **Seekrieg**, 450. Siehe auch Kapitel 6, »Geheimoperationen«.

[5] »Special Intelligence, Wochenzusammenfassung 23. 10. 1944«, 2, Operational Intelligence Centre, Public Records Office, Kew Gardens, ADM 223/21.

[6] EAC, A/S für Oktober, November und Dezember 1944.

[7] Petersen an Hadley. Ich danke Kurt Petersen für eingehende Angaben.

[8] Stellungnahme BdU zum KTB/U 541, März 1943 − 9. Januar 1945, BA-MA: Sign. PG/30577−30581.

[9] KTB/Skl., Teil A, 26. Mai 1944, 464, BA-MA: RM 7/60; KTB/U 541, 26. Mai 1944, RM 98, case 13/2/30579/2. Siehe **Ottawa Journal,** 31. Mai 1944, 1/4: »Uboot nimmt zwei Amerikaner von Passagierdampfer herunter.«

[10] »Special Intelligence Wochenzusammenfassung 18. Dezember 1944«, 2, ADM 223/21.

[11] Hierzu und folgendem siehe C-in-C CNA, KTB August/September 1944, DHIST: NSC 1926−102/1, Bd. 1.

[12] Ibid. Oktober 1944, Teil 1, 2.

[13] Nur vage Daten in DHIST: 8000−Norsyd.

[14] C-in-C CNA, KTB September 1944, 4, DHIST: NSC 1926−102/1, Bd. 1.

[15] Anthony Hopkins, **Songs from the Front and Rear: Canadian Servicemen's Songs of the Second World War** (Edmonton: Hurtig 1979), 148−9.

[16] KTB/BdU, 9. Oktober 1944, 33, BA-MA: Sign. RM 87/44.

[17] KTB/BdU, 29. Oktober 1944, 86.

[18] Obwohl nach Ortszeit vor Dämmerung, hatte das Uboot mitteleuropäische Zeit. Es war daher 1010 Uhr vormittags, als sich der Vorgang ereignete, und eine ganz richtige Zeit für Straffällige.

[19] Logbuch HMCS Restigouche, Oktober 1944, PAC, RG 24, Bd. 7795; siehe auch C-in-C CNA, KTB der Operationsabteilung, Oktober 1944, NSC 1926−102/1, Bd. 1, Teil 1, 1.

[20] »Special Intelligence Wochenübersicht 16. Oktober 1944«, ADM 223/21.

[21] Siehe »Beurteilung« KTB/U 1221.

[22] C-in-C CNA, KTB Oktober 1944, Teil II.

[23] DHIST: 8000−Magog. Zu den folgenden Darstellungen in diesem Buch siehe auch **Globe and Mail,** 18. April 1945 (1, 2, 13); **Winnipeg Free Press,** 18. April 1945 (4); **Ottawa Journal,** 18. April 1945 (5); ergänzt durch mein Interview mit Mr. Gorde Hunter, August 1984.

[24] KTB/BdU, 21. Oktober 1944, BA-MA: Sign. RM 87/44.

[25] KTB/BdU, 2. November 1944, BA-MA: Sign. RM 87/45.

[26] C-in-C CNA, KTB November 1944, Teil I.

[27] **Ottawa Journal,** 30. Dezember 1944, 19: »Auf dem St. Lorenz torpediertes Schiff wieder im Dienst«.

[28] Vgl. **Ottawa Journal,** 18. April 1945, 5: »Uboot traf vergangenen Herbst zwei Schiffe auf dem St. Lorenz, drei Mann tot.« Das war offensichtlich eine überholte Nachricht.

[29] Petersen an Hadley, 22. Februar 1982.

[30] Fotokopie eines Dokumentes (NS 1487−716/733, Bd. 1) in DHIST: 8000−Shawinigan und in DHIST: 1650/U 1228.

[31] KTB/U 1228, BA-MA: Sign. RM 98, case 16/I/PG 30863−68.

[32] Special Intelligence Wochenübersicht Dezember 1944, 2.

9. Kapitel (Seite 266 bis 288)

[1] C-in-C CNA, KTB Dezember 1944, Anhang 8, A/S Operationen, Intelligence Bericht Nr. 135, DHIST: NSC 1926–102, Bd. 1

[2] Zusammenfassung von Informationen … betr. Tätigkeiten, Zusammenfassung Nr. 241, Bericht Nr. 179, 6. Januar 1945, Akte 1000–5–19.

[3] **Halifax Herald,** 12. Januar 1945, 5. Ein Bericht über Hilbigs Anlandung von dem Spion bringt Morison, **Atlantic Battle Won,** 330 f.

[4] Hornbostels Korrespondenz mit Hadley. Siehe Hadley »Uboote vor Halifax« (Marine-Rundschau, März/April 1982).

[5] M. DV, Nr. 960, »Betriebsanweisung Fu Mo 61 (seetakt) (Hohentwiel), BA-MA: RM 4/960.

[6] »Übersicht über Ubooterfolge in Küstenge-wässern im Zeitraum 1. Juli bis 31. Oktober 1944«, 29. November 1944, § 12 (Public Records Office, Kew Gardens, ADM 205/36.)

[7] Kapitän Klaus Ehrhardt, früher verant-wortlich für Instandhaltung und Einsatzbe-reitschaft in der Biscaya erinnert sich jedoch, daß qualifiziertes Personal immer zur Ver-fügung stand, selbst bis zum Ende des Krieges, und daß die Uboote durch Stütz-punktpersonal ordnungsgemäß besetzt wurden. Diese Meinungen zeigen die ver-schiedenen Einstellungen und Erwartungen durch Frontpersonal und Stützpunkt.

[8] Schull, **Far Distant Ships,** 426.

[9] Es ist nicht klar, ob sich das im Funkgespräch erwähnte U-Lange auf *U 711* Hans-Günther Lange, das am 4. Mai 1944 bei einem Luftangriff auf Norwegen versenkt wurde oder auf *U 1053,* Helmut Lange, das am 15. Februar 1945 bei Tieftauchversuchen vor Bergen verlorenging. Hechlers *U 870* wurde am 30. März 1945 bei einem Luftangriff der USAAF auf Bremen zerstört.

[10] KTB/*U 806,* 21, FT, 1822/3/331.

[11] Aus der Bordzeitung von *U 1232* **Der Zirkus** (Nr. 1, Jg. II, 3. Januar 1945). Die einzigen vorhandenen Kopien befinden sich im Besitz von Dr. Kurt Dobratz.

[12] KTB/BdU, 28. November 1944, 78, BA-MA: Sign. RM 87/45.

[13] Captain D. K. Laislaw, RCN (T), Leiter der Operationsabteilung an CNS »Schutz der Schiffahrt im kanadischen Küstenbereich«, 21. November 1944, DHIST: NSS 1048–48–31.

[14] KTB/*U 1231,* 19. Dezember 1944, BA-MA: PG 308 69–879a.

[15] Wöchentlicher Bericht über Handelsschiffs-verluste Nr. 52 vom 24. Dezember 1944, Eintrag Nr. 5A, PAC, RG 24, Box 6890, NSS 18871.

[16] C-in-C CNA, KTB vom 31. Dezember 1944, Teil I, 2.

[17] Siehe **Lloyd's Register 1948,** Bd. II, Code 73976. Das Wrack-Symbol auf den See-karten von McNabb's Cove bezieht sich also nicht auf dieses Schiff.

[18] KTB/*U 1231,* 23. Dezember 1944.

[19] KTB/BdU, 20. Dezember 1944, 61, BA-MA; Sign. RM 87/46. Wie wir aber sehen werden, wurden nicht alle versenkt.

[20] Der Untersuchungsausschuß schloß irrtüm-licherweise, daß *Clayoquot* von der Steuer-bordseite getroffen worden sei, während der Kommandant der *Fennel* richtigerweise behauptete, an Backbord achtern.

[21] Der Untersuchungsausschuß schrieb die Explosion den scharfgemachten Wasser-bomben der *Clayoquot* zu (»Protokoll des Untersuchungsausschusses – Versenkung von HMCS *Clayoquot,* 27. Dezember 1944«, NSS III56–443/10, PAC, RG 24, Bd. II, 930).

[22] Einen Bericht von Aubry als Lieutenant-Commander und Kommandant von HMS *Foway* bringt MacIntyre, **Battle of the Atlantic,** 42–3, 47–9.

[23] »Asdic-Ortung von Ubooten in Küstenge-wässern«, 30. Oktober 1944, ADM 205/36.

[24] *Kirkland Lake* an C-in-C CNA, 250934Z/ 1244, DHIST: 8000–*Clayoquot.*

[25] Kommandeur der Ausbildung an Kom-mandeur der Zerstörer in Halifax, Minute II, 30. Dezember 1944, Akte D.026–1, PAC, RG 24, Box II, III, Akte 55–2–1/542.

[26] KTB/*U 806,* 55.

[27] KTB/*U 806,* 40, FT 1600/24/383.

[28] **Halifax Herald,** 31. Dezember 1944, I.

[29] **Avalon News,** Februar 1945, Bd. 3, Nr. 2, I (von der Marine in St. John's, Neufundland, herausgegeben).

[30] Während der Befragung in St. John's im Mai 1945 vermutete der Kommandant von *U 190,* daß *U 1232,* Dobratz, die *Clayoquot* versenkt habe.

[31] KTB/Skl., 3. Januar 1945, 44, BA-MA: RM 7/68.

[32] KTB/*U 806,* 44, FT 2133/31/386.

[33] KTB/BdU, 31. Dezember 1944, 92, BA-MA: Sign. RM 87/46.

10. Kapitel (Seite 289 bis 317)

[1] KTB/BdU, Oktober 1944, 14, BA-MA: RM 87/44.

[2] KTB/Skl., 17. Januar 1945, 301, BA-MA: Sign. RM 7/68.

[3] KTB/Skl., 25. Dezember 1944, BA-MA: Sign. RM 7/66.

[4] KTB/BdU, November 1944, 35, BA-MA: RM 37/45.

[5] KTB/Skl., 17. November 1944, 367, BA-MA: RM 7/66.

[6] KTB/BdU, 18. September 1944, 475, BA-MA: RM 87/43.

[7] KTB/Skl., 9. Dezember 1944, 203−9, BA-MA: RM 7/66.

[8] KTB/BdU, 31. Dezember 1944, 92, BA-MA: RM 87/46.

[9] KTB/Skl., 28. Februar 1945, Lageentwicklung im Ubootkrieg, BA-MA: RM 7/69.

[10] KTB/Skl., Teil A, 17. März 1945 (BA-MA: RM 7/70), meldet jedoch »das erste Uboot Typ XXI, *U 2511* (Schnee) lief heute zur Unternehmung aus«, 244.

[11] Salewski, **Seekriegsleitung II,** 496.

[12] Salewski, 497.

[13] **Der Zirkus,** Nr. 1, Jg. II, 3. Januar 1945.

[14] C-in-C CNA, KTB Januar 1945, Teil I.

[15] **Der Zirkus,** Nr. 2, Jg. II, 4. Januar 1945.

[16] Lieutenant-Commander Audette geht in seinen unveröffentlichten Memoiren (S. 28) von einer Vormarschgeschwindigkeit von 9,5 Knoten aus. Manuskript im Besitz von L. C. Audette.

[17] *Meon* an C-in-C CNA und Kommandeur Zerstörer *Halifax,* 141448Z/I/45.

[18] EG-27, Funkspruch 180226Z, Januar 1945, an C-in-C CNA, DHIST: 8000−*Ettrick.*

[19] C-in-C CNA Kriegstagebuch Januar 1945, Teil I, § 13.

[20] Ibid. Siehe auch KTB/*U 1232,* 84.

[21] Zusammenfassung von Informationen über die Tätigkeiten der Abteilung März 1945, Zusammenfassung Nr. 244, Bericht Nr. 182.

[22] KTB März 1945, Teil I § 21. Zusammenfassung von Informationen . . . März 1945 (siehe oben 21).

[23] In einem Brief an Hadley vom 17. Februar 1982 behauptet Reith, daß er am 10. Februar 1945 aus Kiel auslief. Der alliierte »Befragungsbericht« muß mit Vorsicht benutzt werden. Naval Intelligence Department Ottawa, 22. Mai 1945: »Bericht über die Befragung einiger Besatzungsmitglieder von *U 190*«, DHIST: 1650/*U 190.*

[24] KTB/Skl., Teil A, 20. März 1945, 287, BA-MA: RM 7/70.

[25] KTB/Skl., Teil A, 26. März 1945, 375.

[26] KTB/Skl., Teil A, 29. März 1945, 422.

[27] KTB/Skl., Teil A, 2. April 1945, 30, BA-MA: RM 7/71.

[28] **Ottawa Journal,** 31. März 1945, I.

[29] Siehe **Halifax Herald,** 4. April 1945, 5.

[30] Siehe auch Schull, **Far Distant Ships,** 381−2; Rohwer, **Seekrieg,** 484. Ebenfalls **Halifax Herald,** 4. April 1945, 13: »Marineminister warnt vor Ubootangriffen in Küstengewässern.«

[31] KTB/Skl., Teil A, 8. April 1945, 131, BA-MA: RM 7/71.

[32] »Protokoll des Untersuchungsausschusses über den Verlust von HMCS *Clayoquot,* 27. Dezember 1944«, Akte NSS III56−443/10, PAC, RG 24, Bd. II, 930.

[33] Reith an Hadley, 31. März 1982. Siehe »Befragungsbericht« Nr. 27 oben: *U 190* erkannte »erfaßt durch das Asdic eines Schiffes von etwa 800−1000 t, das das Uboot umkreiste und zwei- bis dreimal überlief.«

[34] »Informationszusammenfassung über die Tätigkeiten der Abteilung, 31. März 1945«, Zusammenfassung Nr. 244 (21 oben), Rohwer, **Seekrieg,** 529.

[35] RCN Presseveröffentlichung, 11. Mai 1945, NSHQ Informationsabteilung, DHIST:

8000–*Esquimalt.* Auch A. G. Maitland »Überlebende der Atlantikschlacht erinnern sich«, **Legion** (Juli 1982): 42. Dieser nostalgische Pauken- und Trompetenbericht ist mit Vorsicht zu genießen.

[36] **Halifax Herald,** 8. Mai 1945, I.

[37] C-in-C CNA an C-in-C Lant, 161857Z, April 1945.

[38] C-in-C CNA KTB April 1945, Teil I § 17. Vgl. »Zusammenfassung der Informationen über Tätigkeiten der Abteilung für den Monat April 1945«, Zusammenfassung Nr. 245, Bericht Nr. 183,5: »Vier aufgefischte Wrackstücke weisen darauf hin, daß das angegriffene Uboot *U 369* war.« Siehe auch Rohwer, **Seekrieg,** 540.

[39] Com 10th Fleet an CTE 61.2, C-in-C CNA, 2311/17/4/45, DHIST: 8000–*St. Laurent.* Siehe auch Tätigkeitsbericht, Halifax, Abteilung CU 66, Halifax Zerstörer Gruppe.

[40] Rohwer, **Seekrieg,** 540.

[41] Ibid., 554.

[42] »Protokoll des Untersuchungsausschusses über die Versenkung von HMCS *Esquimalt* mit Anlage«, Akte 1156–442/18, PAC, RG 24, Bd. 4109 und Akte S. 8870–442/18, PAC, RG 24, Bd. 6890.

[43] AIG 409.0–398, DTG 201533Z, DHIST: 8000–*Esquimalt.*

[44] Zusammenfassung der Informationen, Nr. 34 oben.

[45] Rohwer, **Seekrieg,** 550.

[46] *U 1228* ergab sich am 13. Mai 1945 in Portsmouth, New Hampshire; *U 1231* am 14. Mai 1945 in Loch Foyle, Irland; und *U 805* am gleichen Tag in Portsmouth, New Hampshire.

[47] **Ottawa Journal,** 9. Mai 1945, 19. »Dönitz' Ansprache an das deutsche Volk«.

[48] **Halifax Herald,** 8. Mai 1945, 8: »Admiral Dönitz befiehlt der deutschen Ubootflotte, die Feindseligkeiten einzustellen.«

[49] **Ottawa Journal,** 7. Mai 1945, I: »Uboot-Übergabe möglicherweise in Halifax.«

[50] C-in-C CNA, KTB 31. Mai 1945, DHIST: NSC 1926–102/I, Bd. I.

[51] **Halifax Herald,** 12. Mai 1945, I: »Flugzeug der Air Force faßt erstes deutsches Uboot.«

[52] »Kurze Geschichte der HMCS *Rockcliffe*«, 8000–*Rockcliffe.*

[53] Siehe **Halifax Herald,** 14. Mai 1945, 1 und 7. Ebenfalls »Zusammenfassung von Berichten . . .« Zusammenfassung Nr. 246, Bericht Nr. 184, Mai 1945, 9. *Dunvegan* und *Rockcliffe* übernahmen *U 889.*

[54] **Ottawa Journal,** 14. Mai 1945, 12. *U 889* kam von Shelburne kommend um 0758, nachmittags, am 24. Mai 1945 in Halifax an.

[55] Der folgende Bericht basiert auf DHIST: 8000–*Victoriaville,* C-in-C CNA, KTB Mai 1945; 1650/*U 190;* HMCS *Victoriaville* – Tätigkeitsbericht über *U 190;* und auf Gesprächen und Briefwechsel mit Hans-Edwin Reith.

[56] Sgt. Frank Bode, Kriegsberichterstatter für **Yank,** Manuskript DHIST: 1650/*U 190.*

[57] **Ottawa Journal,** 14. Mai 1945, 1: »Ein weiteres Uboot ergibt sich an der Ostküste.« Siehe ebenfalls S. 8, »Notes and Comment«.

[58] NID 3 Ottawa, 22. Mai 1945, DHIST: 1650/*U 190.*

[59] **Ottawa Journal,** 14. Mai 1945, 7. Siehe auch **Halifax Herald,** 17. Mai 1945, 3: »Hitler hat nichts Unrechtes getan, behaupten Ubootleute.« Das ergab ein Interview von Reportern mit »zwei jungen Hunnen«, Oberfähnrich Werner Müller und Ernst Glenk.

[60] C-in-C CNA, KTB Juni 1945, Teil I, DHIST: NSC 1926–102/1, Bd. 1.

[61] Zusammenfassung der Informationen für April (siehe Nr. 38 oben), 13.

[62] »Kurze Geschichte«, 4, Nr. 1 (siehe Nr. 52 oben).

[63] Von *U 190* existieren keine Originalberichte. Die ganze Akte ist »versehentlich« auf Anweisung des Außenministeriums vernichtet. Eine nicht unterschriebene Note in den Akten von DHIST ist alles, was blieb.

[64] RCN Presseverlautbarung Nr. 445, H.Q.A., 15. Juli 1947; RCN Presseverlautbarung Nr. 562, H.Q. 18. Oktober 1947, DHIST: 1650/ *U 190.*

[65] »Operationsbefehl: Versenkung des früheren deutschen Ubootes *U 190:* Trafalgar-Tag, 21. Oktober 1947«, DHIST: 1650/ *U 190.* Handzettel für die Presse unter ähnlicher Überschrift.

Bibliographie

Das Bundesarchiv-Militärarchiv der Bundesrepublik Deutschland, die Public Archives von Kanada und das Directorate of History im Department of National Defense stellen dem Forscher eine Fülle von Material zur Verfügung. Bei der Arbeit an diesem Buch habe ich von den Hilfsmitteln, die diese Institutionen anbieten, profitiert, ich habe mehr Dokumente einsehen können, als ich hier vernünftigerweise aufführen könnte. Das Bundesarchiv-Militärarchiv gewährte mir vollständigen Zugang zu den einst geheimen Kriegstagebüchern der Marine-Kommandobehörden, Schiffe und Uboote sowie zu Karten und Tafeln, zu Vorschriften für Waffen aus der Kriegszeit, zu Funkeinrichtungen, zu Technologie und zu Personal-Unterlagen. Kanadische Quellen haben mich mit einem ebenso breiten Spektrum von Dokumenten versorgt.

Die Forschung wird in Deutschland durch Findbücher und Kataloge erleichtert, durch Cardex-Systeme und Kataloge in Kanada. In einigen wenigen Fällen erwiesen sich diese als unzureichend, aber die Mitarbeiter der Archive in beiden Ländern haben sich als mit einem »sechsten Sinn« ausgestattet erwiesen, wenn es darum ging, Dokumente aufzufinden, die mit den gängigen Methoden nicht festzustellen waren. Dazu habe ich weitere Dokumentationen von dem Public Records Office in Kew Gardens und ebenso von den Operational Archives in der Navy Yard in Washington sowie von der Military Archives Division, National Archives and Records Service in Washington benutzen können. Über die Jahre hinweg habe ich eine breite Korrespondenz mit deutschen Ubootfahrern geführt, die, wenn sie auch noch keine formelle Sammlung von »Papieren« darstellt, doch einmal so etwas werden könnte.

Meine Suche nach öffentlichen Reaktionen auf den U-Bootkrieg konzentrierte sich auf deutsche und kanadische Zeitungen. Die Zensur der Kriegszeit beschränkte die Zeitungen weitgehend auf die offizielle Darstellung der Ereignisse, wenn auch ihre Betonungen unterschiedlich sein mochten. In Deutschland wählte ich sowohl die konservative *Die Frankfurter Zeitung* und auf der anderen Seite das Parteiorgan der NSDAP, den *Völkischen Beobachter*. Für die kanadischen Darstellungen benutzte ich hauptsächlich das *Ottawa Journal,* weil seine Nähe zu der Quelle der Information im Naval Service Headquarters seine Möglichkeit, andere Konkurrenten auszustechen, nahelegt. Zur gleichen Zeit blieb ich besonders aufmerksam gegenüber der frankophonen Presse, und ich las repräsentative Zeitungen aus dem ganzen Land, um lokale Variationen zu erkennen, und nahm gelegentlich zu so obskuren Zeitungen wie dem *The British Columbian* aus New Westminster oder dem *Le Progrès du Golfe* aus Rimouski, Quebec, Zuflucht. Die Aufführung aller dieser Quellen würde diese Bibliographie unnötig aufblähen.

Die vollen bibliographischen Angaben zu den offiziellen Dokumenten, die im Text benutzt wurden, sind in den Anmerkungen zu jedem Kapitel angeführt. Die vollen Details der ausgewählten veröffentlichten Quellen erscheinen in der Bibliographie, so daß sie in den Fußnoten mit einem abgekürzten Zitat aufgeführt werden können.

Auswahlbibliographie der Sekundärquellen

Abbazia, Patrick: Mr. Roosevelt's Navy. The Private War of the U.S. Atlantic Fleet 1939–1942. Annapolis: U.S. Naval Institute Press 1975.

Adams, H. H., Lundeberg, Ph. K. und Rohwer, J.: Der U-Bootkrieg – Die Schlacht im Atlantik 1939–1945. In: Seemacht. Von der Antike bis zur Gegenwart. München: Bernard & Graefe 1974. S. 521–550.

Bacon, R. and McMurtrie, F. E.: Modern Naval Strategy. London: Frederick Muller 1940.

Beesly, Patrick: Very Special Intelligence: The Story of Admiralty's Operational Intelligence Centre in World War II. London. Hamish Hamilton 1977.

Bekker, Cajus: Radar. Duell im Dunkel. Oldenburg: Stalling 1958, 2. Aufl. 1964.

Bekker, Cajus: Hitler's Naval War. Translated by Frank Ziegler. London: Macdonald and Jane's 1974. Original: Verdammte See. Ein Kriegstagebuch der deutschen Marine. Oldenburg: Stalling 1971.

Bennett, Geoffrey: Naval Battles of the First World War. London: Batsford 1968. New Ed.: Pan Books 1983.

Bonatz, Heinz: Seekrieg im Äther. Die Leistungen der Marine-Funkaufklärung 1939–1945. Herford: E. S. Mittler & Sohn 1981.

Boutilier, James A. (ed.): RCN in Retrospect, 1910–1968. Vancouver: University of British Columbia Press 1982.

Brost, Wolfgang: Minenkriegführung gestern und heute. In: Jahrbuch der Marine 15 (1981), S. 20–28.

Brustat-Naval, Fritz: Ali Cremer: U 333. Berlin: Ullstein 1982.

Cameron, James M.: Murray: The Martyred Admiral. Hantsport, Nova Scotia: Lancelot Press 1980.

Carter, David J.: Behind Canadian Barbed Wire: Alien, Refugee and Prisoner of War Camps in Canada 1914–1946. Calgary: Tumbleweed Press 1980.

Clark, W. B.: When the U-Boats Came to America. o. O. 1929.

Cooke, O. A.: The Canadian Military Experience 1867–1967: A Bibliography. Department of National Defence, Directorate of History, Occasional Paper Number Two. Ottawa: Canadian Government Publishing Centre 1979.

Cowie, J. S.: Mines, Minelayers and Minelaying. London: Oxford University Press 1949.

Dönitz, Karl: Aufgaben und Stand der U-Bootwaffe. In: Nauticus, Jahrbuch für Deutschlands Seeinteressen 22 (1939), S. 187–198.

347

Dönitz, Karl: Memoirs: Ten Years and Twenty Days. Transl. by R. H. Stevens. London: Weidenfeld & Nicolson 1959. Original: Zehn Jahre und Zwanzig Tage. Bonn: Athenäum 1958.

Dönitz, Karl: Die Schlacht im Atlantik in der deutschen Strategie des Zweiten Weltkrieges. In: Marine-Rundschau 61 (1964), S. 63–76.

Dönitz, Karl: Deutsche Strategie zur See im Zweiten Weltkrieg: Die Antworten des Groß-admirals auf 40 Fragen. Frankfurt/M.: Bernard & Graefe 1970. Original: La Guerre en 40 Questions. Paris: Editions de la Table Ronde 1969.

Douglas, Alec (W.A.B.): The Nazi Weather Station in Labrador. In: Canadian Geographic 101, no. 6 (December 1981/January 1982), p. 42–47.

Douglas, W.A.B.: Kanadas Marine und Luftwaffe in der Atlantikschlacht. Transl. by Friedrich Forstmeier. In: Marine-Rundschau No. 3/1980, S. 151–164.

Douglas, W.A.B. and Greenhous, Brereton: Out of the Shadows: Canada in the Second World War. Toronto: Oxford University Press 1977.

Douglas, W.A.B. und Selinger, Franz: Oktober 1943 – Juli 1981: Eine Marine-Wetter-station auf Labrador. In: Marine-Rundschau No. 5/1982, S. 256–262.

Douglas, W.A.B. (ed.): RCN in Transition, 1910–1985. Vancouver: University of British Columbia Press 1988.

Easton, Alan: 50 North. An Atlantic Battleground. Markham, Ontario: Paperjacks 1980. Original: London: Eyre & Spottiswoode 1963.

Elsey, George M.: Naval Aspects of Normandy in Retrospect. In: D-Day: The Normandy Invasion in Retrospect. edit. a-non. 170–197. Wichita: University Press of Kansas 1971.

Farago, Ladislas: The Tenth Fleet. New York: Obolensky 1962.

Freyer, Paul Herbert: Der Tod auf allen Meeren: Ein Tatsachenbericht zur Geschichte des faschistischen U-Boot-Krieges. Berlin: Militärverlag der DDR 1974.

Gallagher, Barrett: Searching for Subs in the Atlantic. In: U. S. Naval Institute Proceedings 88, No. 7 (1962), pp. 98–113.

Garner, James Wilford: International Law and the World War II. London: Longmans, Green & Cop. 1920. Chapter 30–37.

Granatstein, J. L.: Canada's War: The Politics of the Mackenzie King Government 1939–1945. Toronto: Oxford University Press 1975.

Hadley, Michael: U-Boote vor Halifax im Winter 1944/45 I, II. In: Marine-Rundschau No. 3 (1982), S. 138–144, No. 4 (1982), S. 202–208.

Harvison, C. V.: The Horseman. Toronto: McClelland & Stewart 1967.

Herwig, Holger H.: Politics of Frustration. The United States in German Naval Planning, 1889–1941. Boston: Little, Brown & Co. 1976.

348

Hessler, Günther: The U-Boat War in the Atlantic I., 1939–1941, II, January 1942 – May 1943. London: Admiralty, Tactical and Staff Duties Division 1950, 1952. BR 305 (1, 2). Jetzt Reprint vollständig: Ministry of Defence (Navy): German Naval History: The U-Boat War in the Atlantic 1939–1945. London: H. M. Stationary Office 1989. Deutsche Ausgabe in Vorbereitung bei E. S. Mittler & Sohn, Herford.

Hirschfeld, Wolfgang: Feindfahrten: Das Logbuch eines U-Bootfunkers. Wien: Neff 1982.

Hoch, G.: Zur Problematik der Menschenführung im Kriege: Eine Untersuchung zur Einsatzbereitschaft von U-Bootbesatzungen ab 1943. Jahresbericht der Führungsakademie der Bundeswehr, 22. ASTO, Hamburg, 2. November 1981 (unveröffentlicht).

Hoyt, Edwin P.: U-Boats Offshore. New York 1980.

Jones, Reginald V.: Most Secret War: British Scientific Intelligence 1939–1945. London: Hamish Hamilton 1978.

Kahn, David: Hitler's Spies. The Extraordinary Story of German Military Intelligence. London: Arrow Books 1980. Original: London: Hodder & Stoughton 1978.

Kuenne, Robert E.: The Attack Submarine. New Haven: Yale University Press 1955.

Lamb, James B.: The Corvette Navy: True Stories from Canada's Atlantic War. Toronto: Macmillan 1979.

Lawrence, Hal.: A Bloody War: One Man's Memories of the Canadian Navy: 1939–1945. Agincourt: Gage 1979.

Lett, Stephen H.: A Book and Its Cover. In: RCMP Quarterly 39, No. 2 (April 1974), S. 30–31.

Lohmann, Walter und Hildebrand, Hans H.: Die deutsche Kriegsmarine 1939–1945. Gliederung, Einsatz, Stellenbesetzung. 3 Bde. Bad Nauheim: Podzun 1956–1964.

Lynch, Mack (ed.): Salty Dips: »When We Were Young And In Our Prime« I. Ottawa: Ottawa Branch, Naval Officers Association of Canada 1983.

MacIntyre, Donald: The Battle of the Atlantic. London 1961. New Ed.: Pan Books 1983.

Macpherson, Ken, und Burgess, John: The Ships of Canada's Naval Forces 1910–1981. A Complete Pictorial History of Canadian Warships. Toronto: Collins 1981.

Marinedienstvorschrift No. 906: Handbuch für U-Bootkommandanten. Berlin: Oberkommando der Kriegsmarine 1942.

Marinedienstvorschrift No. 299: Ubootshandbuch der Ostküste Kanadas I (Cape Breton, Nova Scotia, Fundy). II: (Neufundland und Belle Isle Straße). Berlin: Oberkommando der Kriegsmarine 1942, 1943.

McKee, Fraser: The Armed Yachts of Canada. Erin, Ontario: The Boston Mills Press 1983.

Melady, John: Escape from Canada: The Untold Story of German POW's in Canada 1939–1945. Toronto: Macmillan 1981.

Metson, Reinhard: Kanada und die britische Appeasement-Politik. In: Zeitschrift der Gesellschaft für Kanada-Studien. No. 2 (1982), S. 57–82.

Milner, Marc: Canadian Naval Force Requirements in the Second World War. OREA Extra Mural Paper No. 20. Operational Research and Analysis Establishment, Dept. of National Defence, Ottawa 1981.

Milner, Marc: Convoy Escorts: Tactics, Technology and Innovation in the Royal Canadian Navy, 1939–1943. Paper presented to the Ottawa Military History Colloquium, March 1982.

Milner, Marc: North Atlantic Run: The Royal Canadian Navy and the Battle for the Convoys. Toronto: University of Toronto Press 1985.

Morison, Samuel Eliot: The Battle of the Atlantic, September 1939 – May 1943 – und – The Atlantic Battle Won, May 1943 – May 1945. In: History of United States Naval Operations in World War II, Vol. I., X. Boston: Little Brown & Co. 1948, 1960.

Morton, Desmond: The Military Tradition of the Canadian Forces. An Historian's Perspective. Paper presented to the 1982 Conference on the Canadian Military: Directions for Future Research. York University, 20 November 1982.

Peillard, Léonce: Histoire Générale de la Guerre Sous-Marine (1939–1945). Paris: Robert Laffont 1970.

Peillard, Léonce: La Bataille de L'Atlantique, I: La Kriegsmarine à son Apogée, 1939–1942. II: La Victoire des »Chasseurs« 1942–1945. Paris: Robert Laffont 1974.

Price, Alfred: Aircraft versus Submarine. The Evolution of the anti-submarine aircraft 1912–1972. London: Kimber 1973.

Range, Clemens: Die Ritterkreuzträger der Kriegsmarine. Stuttgart: Motorbuch Verlag 1974.

Reche, Reinhart: Die Quadratur der Meere – Zur Umrechnung der Marine-Quadratkarte 1939–1945. In: Marine-Rundschau No. 3 (März 1984), S. 120–122.

Rohwer, Jürgen: The U-Boat War against the Allied Supply Lines. In: Decisive Battles of World War II. London: Andre Deutsch 1965, S. 259–312. Original: Der U-Bootkrieg und sein Zusammenbruch 1943. In: Entscheidungsschlachten des Zweiten Weltkrieges. Hrsg. von Hans-Adolf Jacobsen und Jürgen Rohwer. Frankfurt/M.: Bernard und Graefe 1960. S. 327–394.

Rohwer, Jürgen: Die Funkführung der deutschen U-Boote im Zweiten Weltkrieg. Ein Beitrag zum Thema Technik und militärische Führung. In: Wehrtechnik 1969, S. 324–328, 360–364.

Rohwer, Jürgen: Funkaufklärung im Zweiten Weltkrieg. Eine Bibliographie. In: Marine-Rundschau No. 10 (1980), S. 638–640.

Rohwer, Jürgen: Axis Submarine Successes 1939–1945. Completely revised Ed. – Transl. by John A. Broadwin. Annapolis: U. S. Naval Institute 1983. Original: Die U-Booterfolge der Achsenmächte 1939–1945. München: Lehmann's 1968.

Rohwer, Jürgen: The Critical Convoy Battles of March 1943. The Battle for HX. 229/SC. 122. London: Ian Allan 1977. Original: Geleitzugschlachten im März 1943. Führungsprobleme im Höhepunkt der Schlacht im Atlantik. Stuttgart: Motorbuch-Verlag 1975.

Rohwer, Jürgen und Hümmelchen, Gerhard: Chronology of the War at Sea 1939–1945. Vol. I, II. London: Ian Allen 1972, 1974. Original: Chronik des Seekrieges 1939–1945. Oldenburg: Stalling 1968. Nachdruck: Nürnberg: Pawlak 1985.

Rohwer, Jürgen und Jäckel, Eberhard: Die Funkaufklärung und ihre Rolle im Zweiten Weltkrieg. Stuttgart: Motorbuch-Verlag 1979.

Rohwer, Jürgen: Die USA und die Schlacht im Atlantik 1941. In: Kriegswende Dezember 1941. Hrsg. von Jürgen Rohwer und Eberhard Jäckel. Koblenz: Bernard & Graefe 1984, S. 81–132.

Rohwer, Jürgen: Radio Intelligence and its Role in the Battle of the Atlantic. In: The Missing Dimension. Governments and Intelligence Communities in the Twentieth Century. Ed. by Christopher Andrew and David Dilks. London: Macmillan 1984, pp. 159–168.

Rohwer, Jürgen: Die Funkaufklärung im Seekrieg. In: Kozaczuk, Wladyslaw: Geheimoperation Wicher. Polnische Mathematiker knacken den deutschen Funkschlüssel »Enigma«. Koblenz: Bernard & Graefe 1989. S. 182–202.

Roskill, Stephen W.: The War at Sea 1939–1945. I: The Defensive. II: The Period of Balance. III: The Offensive. London: H. M. Stationery Office 1954–1961.

Ross, Tweed Wallis: The Best Way To Destroy a Ship: The Evidence of European Naval Operations in World War II. Manhattan: Kansas: MA-AH Publishing 1980.

Rössler, Eberhard: The U-Boat. The Evolution and Technical History of German Submarines. Transl. by Harold Erenberg. London: Arms and Armour Press 1981. Original: Geschichte des deutschen U-Bootbaus. München: Lehmann's 1975.

Rössler, Eberhard: Die Entwicklung von Primärelementbatterien für Torpedos und Kleinst-U-Boote in Deutschland. In: Marine-Rundschau No. 6 (Juni 1982), S. 317–321).

Rössler, Eberhard: Die Torpedos der deutschen U-Boote. Entwicklung, Herstellung und Eigenschaften der deutschen Marine-Torpedos. Herford: Koehlers 1984.

Ruge, Friedrich: Torpedo- und Minenkrieg. München: Lehmann's 1940.

Ruge, Friedrich: German Naval Operations on D-Day. In: D-Day: The Normandy Invasion in Retrospect. edit. a-non. S. 149–169. Wichita: University Press of Kansas 1971.

Ruge, Friedrich: Rommel in Normandy: Reminiscences. Transl. by Ursula R. Moessner. London: Macdonald & Jane's 1979.

Salewski, Michael: Die deutsche Seekriegsleitung 1939–1945. 3 Bde. Frankfurt/M.: Bernard & Graefe 1970–1975.

Sarty, Roger: Silent Sentry: A Military and Political History of Canadian Coast Defence 1860–1945. PhD Diss. University of Toronto 1982.

Schull, Joseph: The Far Distant Ships: An Official Account of Canadian Naval Operations in the Second World War. Ottawa. The Queen's Printer 1961.

Sohler, Herbert: U-Bootkrieg und Völkerrecht. In: Beiheft zur Marine-Rundschau 1, Frankfurt/M.: Mittler 1956.

Stacey, C. P.: Canada and the Age of Conflict. Vol. 2: 1921–1948: The Mackenzie King Era. Toronto: University of Toronto Press 1981.

Swettenham, John: McNaughton, 1944–1946. Vol. 3. Toronto: Ryerson Press 1969.

Tucker, Gilbert: The Organizing of the East Coast Patrols 1914–1918. RCNMR, No. 23 (November 1943), p. 8–20.

Tucker, Gilbert: The Naval Service of Canada: Its Official History. 2 vols. Ottawa: The King's Printer 1952.

United States, Navy Department: German Submarine Activities on the Atlantic Coast of the United States and Canada. Office of Naval Records. Historical Section. Washington: Government Printing Office 1920.

Wagner, Gerhard (ed.): Lagevorträge des Oberbefehlshabers der Kriegsmarine vor Hitler 1939–1945. München: Lehmann's 1972.

Wagner, Jonathan F.: Brothers beyond the Sea: National Socialism in Canada. Waterloo, Ontario: Wilfried Laurier Press 1981.

Watts, Anthony J.: The U-Boat Hunters. London: Macdonalds & Jane's 1976.

Welland, R. P.: To Catch a Submarine. In: The Canadian Military Journal 28, No. 7/9 (1962), p. 5–9.

Wellershoff, Dieter: Minen und Minenabwehr gestern und heute. In: Marine-Rundschau 75 (1978), S. 509–519.

Werner, Herbert A.: Die Eisernen Särge. Hamburg: Hoffmann & Campe 1969.

Westerlund, Karl-Erik: Whiskey on the Rocks. Der U-Bootzwischenfall vor Karlskrona. In: Marine-Rundschau No. 1 (1982), S. 30–35.

Wicklung, Walter: Whiskey on the Rocks. In: Naval Forces: International Forum for Maritime Power. III, No. 1 (1982), S. 26–31.

Wilckens, Friedrich: Meereseinflüsse bei der U-Boot-Ortung. In: Soldat und Technik. 3 (April 1960), S. 165–166.

Zeissler, Herbert: U-Boots-Liste. Hamburg-Wandsbek: Selbstverlag 1956.

Deutsche Uboote drangen während des Zweiten Weltkrieges bis auf 172 Meilen vor Quebec City in kanadische Gewässer ein. Sie versenkten Schiffe, setzten Spione an Land, legten Minen, bauten eine automatische Wetterstation auf, unternahmen Vorstöße, um geflüchtete deutsche Kriegsgefangene abzuholen und zwangen die kanadische Regierung, den St. Lawrence-Strom und den Golf für die alliierte Schiffahrt zu sperren.

Die Uboote bildeten eine ernsthafte Bedrohung der Sicherheit Nordamerikas und eine Herausforderung für die Küstenverteidigung sowie die Geleitzugsicherung. Der Einsatz von Minensuchern und Geleitfahrzeugen, die Anlage von Hafensperren und die Planung von Geleitzugrouten wurden durch die ernste Sorge ausgelöst, daß Halifax, St. John's und die Binnenhäfen sowie die Geleitzüge auf dem St. Lawrence blockiert oder gar angegriffen werden könnten. Die deutschen Erfolge zeigen, wie unvorbereitet Kanada war.

Hadley richtet den Blick auf die Unternehmungen der Uboote und die kanadische Reaktion und stellt sie in den großen Zusammenhang der Schlacht im Atlantik. Er untersucht die Auswirkung der Ubooteinsätze auf die kanadische Bundespolitik. Sein Buch basiert auf eingehendem Studium der Kriegstagebücher, der Tätigkeitsberichte der Royal Canadian Navy und der Air Force, der Berichte der Feindnachrichtenzentrale der Royal Navy und den Spionageakten der Royal Canadian Mounted Police.

Der kanadische Historiker behandelt alle Angriffe auf alliierte Kriegs- und Handelsschiffe in kanadischen Küstengewässern und in angrenzenden nordwestatlantischen Kampfgebieten. Die menschlichen Dimensionen werden deutlich in Auszügen aus unveröffentlichten Erinnerungen, aus Beiträgen in deutschen und kanadischen Zeitungen der Kriegszeit, vor allem aber aus der Korrespondenz und aus den wiedergegebenen Gesprächen mit Überlebenden beider Seiten.

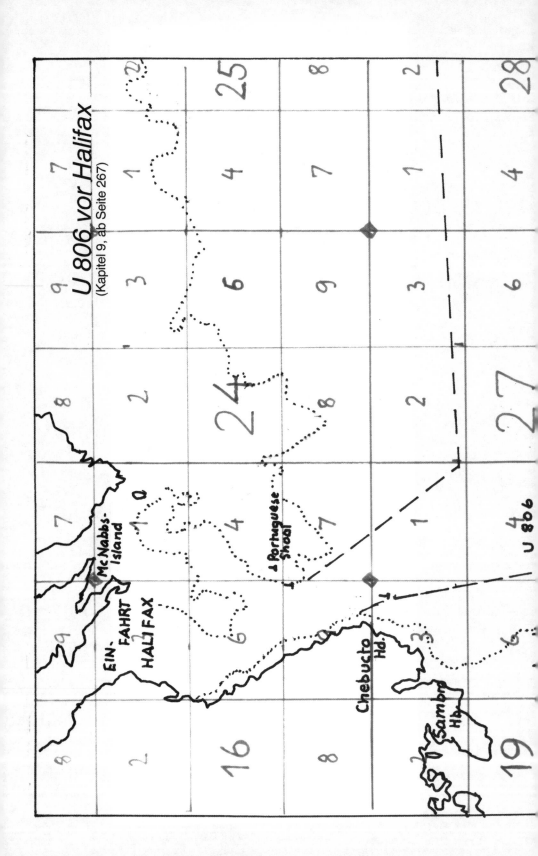

U 806 vor Halifax
(Kapitel 9, ab Seite 267)

McNabbs-Island

EIN-FAHRT HALIFAX

Portuguese Shoal

Chebucto Hd.

Sambro Hd.

U 806